Le pays des fourrures

Jules Verne

Le pays des fourrures

PREMIÈRE PARTIE

I.

Une soirée au Fort-Reliance.

Ce soir-là — 17 mars 1859 — le capitaine Craventy donnait une fête au Fort-Reliance.

Que ce mot de fête n'éveille pas dans l'esprit l'idée d'un gala grandiose, d'un bal de cour, d'un «raout» carillonné ou d'un festival à grand orchestre. La réception du capitaine Craventy était plus simple, et, pourtant, le capitaine n'avait rien épargné pour lui donner tout l'éclat possible.

En effet, sous la direction du caporal Joliffe, le grand salon du rez-de-chaussée s'était transformé. On voyait bien encore les murailles de bois, faites de troncs à peine équarris, disposés horizontalement; mais quatre pavillons britanniques, placés aux quatre angles, et des panoplies, empruntées à l'arsenal du fort, en dissimulaient la nudité. Si les longues poutres du plafond, rugueuses, noirâtres, s'allongeaient sur les contre-forts grossièrement ajustés, en revanche, deux lampes, munies de leur réflecteur en fer-blanc, se balançaient comme deux lustres au bout de leur chaîne et projetaient une suffisante lumière à travers l'atmosphère embrumée de la salle. Les fenêtres étaient étroites; quelques-unes ressemblaient à des meurtrières; leurs carreaux, blindés par un épais givre, défiaient toutes les curiosités du regard; mais deux ou trois pans de cotonnades rouges, disposées avec goût, sollicitaient l'admiration des invités. Quant au plancher, il se composait de lourds madriers juxtaposés, que le caporal Joliffe avait soigneusement balayés pour la circonstance. Ni fauteuils, ni divans, ni chaises, ni autres accessoires des ameublements modernes ne gênaient la circulation. Des bancs de bois, à demi engagés dans l'épaisse paroi, des cubes massifs, débités à coups de hache, deux tables à gros pieds, formaient tout le mobilier du salon; mais la muraille d'entrefend, à travers laquelle une étroite porte à un seul battant donnait accès dans la chambre voisine, était ornée d'une façon pittoresque et riche à la fois. Aux poutres, et dans un ordre admirable, pendaient d'opulentes fourrures, dont pareil assortiment ne se fût pas rencontré aux plus enviables étalages de Regent-Street ou de la Perspective-Niewski. On eût dit que toute la faune des contrées arctiques s'était fait représenter dans cette décoration par un échantillon de ses plus belles peaux. Le regard hésitait entre les fourrures de loups, d'ours gris, d'ours polaires, de loutres, de wolvérènes, de wisons, de castors, de rats musqués, d'hermines, de renards argentés. Au-dessus de cette exposition se déroulait une devise dont les lettres avaient été artistement découpées dans un morceau de carton peint, — la devise de la célèbre Compagnie de la baie d'Hudson:

PROPELLE CUTEM.

«Véritablement, caporal Joliffe, dit le capitaine Craventy à son subordonné, vous vous êtes surpassé!

— Je le crois, mon capitaine, je le crois, répondit le caporal. Mais rendons justice à chacun. Une part de vos éloges revient à mistress Joliffe, qui m'a aidé en tout ceci.

— C'est une femme adroite, caporal.

— Elle n'a pas sa pareille, mon capitaine.»

Au centre du salon se dressait un poêle énorme, moitié brique, moitié faïence, dont le gros tuyau de tôle, traversant le plafond, allait épancher au dehors des torrents de fumée noire. Ce poêle tirait, ronflait, rougissait sous l'influence des pelletées de charbon que le chauffeur, — un soldat spécialement chargé de ce service, — y engouffrait sans cesse. Quelquefois, un remous de vent encapuchonnait la cheminée extérieure. Une âcre fumée, se rabattant à travers le foyer, envahissait alors le salon; des langues de flammes léchaient les parois de brique; un nuage opaque voilait la lumière de la lampe, et encrassait les poutres du plafond. Mais ce léger inconvénient touchait peu les invités du Fort-Reliance. Le poêle les chauffait, et ce n'était pas acheter trop cher sa chaleur, car il faisait terriblement froid au dehors, et au froid se joignait un coup de vent de nord, qui en redoublait l'intensité.

En effet, on entendait la tempête mugir autour de la maison. La neige qui tombait, presque solidifiée déjà, crépitait sur le givre des vitres. Des sifflements aigus, passant entre les jointures des portes et des fenêtres, s'élevaient parfois jusqu'à la limite des sons perceptibles. Puis, un grand silence se faisait. La nature semblait reprendre haleine, et de nouveau, la rafale se déchaînait avec une épouvantable force. On sentait la maison trembler sur ses pilotis, les ais craquer, les poutres gémir. Un étranger, moins habitué que les hôtes du fort à ces convulsions de l'atmosphère, se serait demandé si la tourmente n'allait pas emporter cet assemblage de planches et de madriers. Mais les invités du capitaine Craventy se préoccupaient peu de la rafale, et, même au dehors, ils ne s'en seraient pas plus effrayés que ces pètrels- satanicles qui se jouent au milieu des tempêtes.

Cependant, au sujet de ces invités, il faut faire quelques observations. La réunion comprenait une centaine d'individus des deux sexes; mais deux seulement — deux femmes — n'appartenaient pas au personnel accoutumé du Fort-Reliance. Ce personnel se composait du capitaine Craventy, du lieutenant

Jasper Hobson, du sergent Long, du caporal Joliffe et d'une soixantaine de soldats ou employés de la Compagnie. Quelques-uns étaient mariés, entre autres le caporal Joliffe, heureux époux d'une Canadienne vive et alerte, puis un certain Mac Nap, Écossais marié à une Écossaise, et John Raë, qui avait pris femme dernièrement parmi les Indiennes de la contrée. Tout ce monde, sans distinction de rang, officiers, employés ou soldats, était traité, ce soir-là, par le capitaine Craventy.

Il convient d'ajouter ici que le personnel de la Compagnie n'avait pas fourni seul son contingent à la fête. Les forts du voisinage, — et dans ces contrées lointaines on voisine à cent milles de distance, — avaient accepté l'invitation du capitaine Craventy. Bon nombre d'employés ou de facteurs étaient venus du Fort- Providence ou du Fort-Résolution, appartenant à la circonscription du lac de l'Esclave, et même du Fort-Chipewan et du Fort-Liard situés plus au sud. C'était un divertissement rare, une distraction inattendue, que devaient rechercher avec empressement ces reclus, ces exilés, à demi perdus dans la solitude des régions hyperboréennes.

Enfin, quelques chefs indiens n'avaient point décliné l'invitation qui leur fut faite. Ces indigènes, en rapports constants avec les factoreries, fournissaient en grande partie et par voie d'échange les fourrures dont la Compagnie faisait le trafic. C'étaient généralement des Indiens Chipeways, hommes vigoureux, admirablement constitués, vêtus de casaques de peaux et de manteaux de fourrures du plus grand effet. Leur face, moitié rouge, moitié noire, présentait ce masque spécial que la «couleur locale» impose en Europe aux diables des féeries. Sur leur tête se dressaient des bouquets de plumes d'aigle déployés comme l'éventail d'une señora et qui tremblaient à chaque mouvement de leur chevelure noire. Ces chefs, au nombre d'une douzaine, n'avaient point amené leurs femmes, malheureuses «squaws» qui ne s'élèvent guère au-dessus de la condition d'esclaves.

Tel était le personnel de cette soirée, auquel le capitaine faisait les honneurs du Fort-Reliance. On ne dansait pas, faute d'orchestre; mais le buffet remplaçait avantageusement les gagistes des bals européens. Sur la table s'élevait un pudding pyramidal que Mrs. Joliffe avait confectionné de sa main; c'était un énorme cône tronqué, composé de farine, de graisse de rennes et de boeuf musqué, auquel manquaient peut-être les oeufs, le lait, le citron recommandés par les traités de cuisine, mais qui rachetait ce défaut par ses proportions gigantesques. Mrs. Joliffe ne cessait de le débiter en tranches, et cependant l'énorme masse résistait toujours. Sur la table figuraient aussi des piles de sandwiches, dans lesquelles le biscuit de mer remplaçait les fines tartines de pain anglais; entre deux tranches de biscuit qui, malgré leur dureté, ne résistaient pas aux dents des Chipeways, Mrs. Joliffe avait ingénieusement glissé de minces lanières de «corn-beef,» sorte de boeuf salé, qui tenait la place du jambon d'York et de la galantine truffée des buffets de l'ancien continent. Quant aux rafraîchissements, le whisky et le gin, ils circulaient dans de petits verres d'étain, sans parler d'un punch gigantesque qui devait clore cette fête, dont les Indiens parleront longtemps dans leurs wigwams.

Aussi que de compliments les époux Joliffe reçurent pendant cette soirée! Mais aussi, quelle activité, quelle bonne grâce! Comme ils se multipliaient! Avec quelle amabilité ils présidaient à la distribution des rafraîchissements! Non! ils n'attendaient pas, ils prévenaient les désirs de chacun. On n'avait pas le temps de demander, de souhaiter même. Aux sandwiches succédaient les tranches de l'inépuisable pudding! Au pudding, les verres de gin ou de whisky!

«Non, merci, mistress Joliffe.

— Vous êtes trop bon, caporal, je vous demanderai la permission de respirer.

— Mistress Joliffe, je vous assure que j'étouffe!

— Caporal Joliffe, vous faites de moi ce que vous voulez.

— Non, cette fois, mistress, non! c'est impossible!»

Telles étaient les réponses que s'attirait presque invariablement l'heureux couple. Mais le caporal et sa femme insistaient tellement que les plus récalcitrants finissaient par céder. Et l'on mangeait sans cesse, et l'on buvait toujours! Et le ton des conversations montait! Les soldats, les employés s'animaient. Ici l'on parlait chasse, plus loin trafic. Que de projets formés pour la saison prochaine! La faune entière des régions arctiques ne suffirait pas à satisfaire ces chasseurs entreprenants. Déjà les ours, les renards, les boeufs musqués, tombaient sous leurs balles! Les castors, les rats, les hermines, les martres, les wisons se prenaient par milliers dans leurs trappes! Les fourrures précieuses s'entassaient dans les magasins de la Compagnie, qui, cette année-là, réalisait des bénéfices hors de toute prévision. Et, tandis que les liqueurs, abondamment distribuées, enflammaient ces imaginations européennes, les Indiens, graves et silencieux, trop fiers pour admirer, trop circonspects pour promettre, laissaient dire ces langues babillardes, tout en absorbant, à haute dose, l'eau de feu du capitaine Craventy.

Le capitaine, lui, heureux de ce brouhaha, satisfait du plaisir que prenaient ces pauvres gens, relégués pour ainsi dire au-delà du monde habitable, se promenait joyeusement au milieu de ses invités, répondant à toutes les questions qui lui étaient posées, lorsqu'elles se rapportaient à la fête:

«Demandez à Joliffe! demandez à Joliffe!»

Et l'on demandait à Joliffe, qui avait toujours une parole gracieuse au service de chacun.

Parmi les personnes attachées à la garde et au service du Fort- Reliance, quelques-unes doivent être plus spécialement signalées, car ce sont elles qui vont devenir le jouet de circonstances terribles, qu'aucune perspicacité humaine ne pouvait prévoir. Il convient donc, entre autres, de citer le lieutenant Jasper Hobson, le sergent Long, les époux Joliffe et deux étrangères auxquelles le capitaine faisait les honneurs de la soirée.

C'était un homme de quarante ans que le lieutenant Jasper Hobson. Petit, maigre, s'il ne possédait pas une grande force musculaire, en revanche, son énergie morale le mettait au-dessus de toutes les épreuves et de tous les événements. C'était «un enfant de la Compagnie». Son père, le major Hobson, un Irlandais de Dublin, mort depuis quelques années, avait longtemps occupé avec Mrs. Hobson le Fort-Assiniboine. Là était né Jasper Hobson. Là, au pied même des Montagnes Rocheuses, son enfance et sa jeunesse s'écoulèrent librement. Instruit sévèrement par le major Hobson, il devint «un homme» par le sang-froid et le courage, quand l'âge n'en faisait encore qu'un adolescent. Jasper Hobson n'était point un chasseur, mais un soldat, un officier intelligent et brave. Pendant les luttes que la Compagnie eut à soutenir dans l'Orégon contre les compagnies rivales, il se distingua par son zèle et son audace, et conquit rapidement son grade de lieutenant. En conséquence de son mérite bien reconnu, il venait d'être désigné pour commander une expédition dans le Nord. Cette expédition avait pour but d'explorer les parties septentrionales du lac du Grand- Ours et d'établir un fort sur la limite du continent américain. Le départ du lieutenant Jasper Hobson devait s'effectuer dans les premiers jours d'avril.

Si le lieutenant présentait le type accompli de l'officier, le sergent Long, homme de cinquante ans, dont la rude barbe semblait faite en fibres de coco, était, lui, le type du soldat, brave par nature, obéissant par tempérament, ne connaissant que la consigne, ne discutant jamais un ordre, si étrange qu'il fût, ne raisonnant plus, quand il s'agissait du service, véritable machine en uniforme, mais machine parfaite, ne s'usant pas, marchant toujours, sans se fatiguer jamais. Peut-être le sergent Long était-il un peu dur pour ses hommes, comme il l'était pour lui- même. Il ne tolérait pas la moindre infraction à la discipline, consignant impitoyablement à propos du moindre manquement, et n'ayant jamais été consigné. Il commandait, car son grade de sergent l'y obligeait, mais il n'éprouvait, en somme, aucune satisfaction à donner des ordres. En un mot, c'était un homme né pour obéir, et cette annihilation de lui- même allait à sa nature passive. C'est avec ces gens-là que l'on fait les armées redoutables. Ce ne sont que des bras au service d'une seule tête. N'est-ce pas là l'organisation véritable de la force? Deux types ont été imaginés par la Fable: Briarée aux cent bras, l'Hydre aux cent têtes. Si l'on met ces deux montres aux prises, qui remportera la victoire? Briarée.

On connaît le caporal Joliffe. C'était peut-être la mouche du coche, mais on se plaisait à l'entendre bourdonner. Il eût plutôt fait un majordome qu'un soldat.

Il le sentait bien. Aussi s'intitulait-il volontiers «caporal chargé du détail», mais dans ces détails il se serait perdu cent fois, si la petite Mrs. Joliffe ne l'eût guidé d'une main sûre. Il s'ensuit que le caporal obéissait à sa femme, sans vouloir en convenir, se disant, sans doute, comme Sancho le philosophe: «Ce n'est pas grand'chose qu'un conseil de femme, mais il faut être fou pour n'y point prêter attention!»

L'élément étranger, dans le personnel de la soirée, était, on l'a dit, représenté par deux femmes, âgées de quarante ans environ. L'une de ces femmes méritait justement d'être placée au premier rang des voyageuses célèbres. Rivale des Pfeiffer, des Tinné, des Haumaire de Hell, son nom, Paulina Barnett, fut plus d'une fois cité avec honneur aux séances de la Société royale de géographie. Paulina Barnett, en remontant le cours du Bramapoutre jusqu'aux montagnes du Tibet, et en traversant un coin ignoré de la Nouvelle-Hollande, de la baie des Cygnes au golfe de Carpentarie, avait déployé les qualités d'une grande voyageuse. C'était une femme de haute taille, veuve depuis quinze ans que la passion des voyages entraînait incessamment à travers des pays inconnus. Sa tête, encadrée dans de longs bandeaux, déjà blanchis par place, dénotait une réelle énergie. Ses yeux, un peu myopes, se dérobaient derrière un lorgnon à monture d'argent, qui prenait son point d'appui sur un nez long, droit, dont les narines mobiles «semblaient aspirer l'espace». Sa démarche, il faut l'avouer, était peut-être un peu masculine, et toute sa personne respirait moins la grâce que la force morale. C'était une Anglaise du comté d'York, pourvue d'une certaine fortune, dont le plus clair se dépensait en expéditions aventureuses. Et si en ce moment, elle se trouvait au Fort-Reliance, c'est que quelque exploration nouvelle l'avait conduite en ce poste lointain. Après s'être lancée à travers les régions équinoxiales, sans doute elle voulait pénétrer jusqu'aux dernières limites des contrées hyperboréennes. Sa présence au fort était un événement. Le directeur de la Compagnie l'avait recommandée par lettre spéciale au capitaine Craventy. Celui-ci, d'après la teneur de cette lettre, devait faciliter à la célèbre voyageuse le projet qu'elle avait formé de se rendre aux rivages de la mer polaire. Grande entreprise! Il fallait reprendre l'itinéraire des Hearne, des Mackenzie, des Raë, des Franklin. Que de fatigues, que d'épreuves, que de dangers dans cette lutte avec les terribles éléments des climats arctiques! Comment une femme osait-elle s'aventurer là où tant d'explorateurs avaient reculé ou péri? Mais l'étrangère, confinée en ce moment au Fort-Reliance, n'était point une femme: c'était Paulina Barnett, lauréate de la Société royale.

On ajoutera que la célèbre voyageuse avait dans sa compagne Madge mieux qu'une servante, une amie dévouée, courageuse, qui ne vivait que pour elle, une Écossaise des anciens temps, qu'un Caleb eût pu épouser sans déroger. Madge avait quelques années de plus que sa maîtresse, — cinq ans environ; elle était grande et vigoureusement charpentée. Madge tutoyait Paulina, et Paulina tutoyait Madge. Paulina regardait Madge comme une soeur aînée;

Madge traitait Paulina comme sa fille. En somme, ces deux êtres n'en faisaient qu'un.

Et pour tout dire, c'était en l'honneur de Paulina Barnett que le capitaine Craventy traitait ce soir-là ses employés et les Indiens de la tribu Chipeways. En effet, la voyageuse devait se joindre au détachement du lieutenant Jasper Hobson dans son exploration au Nord. C'était pour Mrs. Paulina Barnett que le grand salon de la factorerie retentissait de joyeux hurrahs.

Et si pendant cette mémorable soirée, le poêle consomma un quintal de charbon, c'est qu'un froid de vingt-quatre degrés Fahrenheit au-dessous de zéro (32° centigr. au-dessous de glace) régnait au dehors, et que le Fort-Reliance est situé par 61° 47' de latitude septentrionale, à moins de quatre degrés du cercle polaire.

II.

Hudson's Bay Fur Company.

«Monsieur le capitaine?

— Madame Barnett.

— Que pensez-vous de votre lieutenant, monsieur Jasper Hobson?

— Je pense que c'est un officier qui ira loin.

— Qu'entendez-vous par ces mots: il ira loin? Voulez-vous dire qu'il dépassera le quatre-vingtième parallèle?»

Le capitaine Craventy ne put s'empêcher de sourire à cette question de Mrs. Paulina Barnett. Elle et lui causaient auprès du poêle, pendant que les invités allaient et venaient de la table des victuailles à la table des rafraîchissements.

«Madame, répondit le capitaine, tout ce qu'un homme peut faire, Jasper Hobson le fera. La Compagnie l'a chargé d'explorer le nord de ses possessions et d'établir une factorerie aussi près que possible des limites du continent américain, et il l'établira.

— C'est une grande responsabilité qui incombe au lieutenant Hobson! dit la voyageuse.

— Oui, madame, mais Jasper Hobson n'a jamais reculé devant une tâche à accomplir, si rude qu'elle pût être.

— Je vous crois, capitaine, répondit Mrs. Paulina, et ce lieutenant, nous le verrons à l'oeuvre. Mais quel intérêt pousse donc la Compagnie à construire un fort sur les limites de la mer Arctique?

— Un grand intérêt, madame, répondit le capitaine, et j'ajouterai même un double intérêt. Probablement dans un temps assez rapproché, la Russie cédera ses possessions américaines au gouvernement des Etats-Unis[1]. Cette cession opérée, le trafic de la Compagnie deviendra très difficile avec le Pacifique, à moins que le passage du nord-ouest découvert par Mac Clure ne devienne une voie praticable. C'est, d'ailleurs, ce que de nouvelles tentatives démontreront, car l'amirauté va envoyer un bâtiment dont la mission sera de remonter la côte américaine depuis le détroit de Behring jusqu'au golfe du Couronnement, limite orientale en deçà de laquelle doit être établi le nouveau fort. Or, si l'entreprise réussit, ce point deviendra une factorerie importante dans laquelle se concentrera tout le commerce de pelleteries du Nord. Et, tandis que le transport des fourrures exige un temps considérable et des frais énormes pour être effectué à travers les territoires indiens, en quelques jours des steamers pourront aller du nouveau fort à l'océan Pacifique.

— Ce sera là, en effet, répondit Mrs. Paulina Barnett, un résultat considérable, si le passage du nord-ouest peut être utilisé. Mais vous aviez parlé d'un double intérêt, je crois?

— L'autre intérêt, madame, reprit le capitaine, le voici, et c'est, pour ainsi dire, une question vitale pour la Compagnie, dont je vous demanderai la permission de vous rappeler l'origine en quelques mots. Vous comprendrez alors pourquoi cette association, si florissante autrefois, est maintenant menacée dans la source même de ses produits.»

En quelques mots, effectivement, le capitaine Craventy fit l'historique de cette Compagnie célèbre.

On sait que dès les temps les plus reculés, l'homme emprunta aux animaux leur peau ou leur fourrure pour s'en vêtir. Le commerce des pelleteries remonte donc à la plus haute antiquité. Le luxe de l'habillement se développa même à ce point que des lois somptuaires furent plusieurs fois édictées afin d'enrayer cette mode qui se portait principalement sur les fourrures. Le vair et le petit-gris durent être prohibés au milieu du XIIème siècle.

En 1553, la Russie fonda plusieurs établissements dans ses steppes septentrionales, et des compagnies anglaises ne tardèrent pas à l'imiter. C'était par l'entremise des Samoyèdes que se faisait alors ce trafic de martres-zibelines, d'hermines, de castors, etc. Mais, pendant le règne d'Élisabeth, l'usage des fourrures luxueuses fut restreint singulièrement, de par la volonté royale, et, pendant quelques années, cette branche de commerce demeura paralysée.

Le 2 mai 1670, un privilège fut accordé à la Compagnie des pelleteries de la baie d'Hudson. Cette société comptait un certain nombre d'actionnaires dans la haute noblesse, le duc d'York, le duc d'Albermale, le comte de Shaftesbury, etc. Son capital n'était alors que de huit mille quatre cent vingt livres. Elle avait pour rivales les associations particulières dont les agents français, établis au Canada, se lançaient dans des excursions aventureuses, mais fort lucratives. Ces intrépides chasseurs, connus sous le nom de «voyageurs canadiens», firent une telle concurrence à la Compagnie naissante, que l'existence de celle-ci fut sérieusement compromise.

Mais la conquête du Canada vint modifier cette situation précaire. Trois ans après la prise de Québec, en 1766, le commerce des pelleteries reprit avec un nouvel entrain. Les facteurs anglais s'étaient familiarisés avec les difficultés de ce genre de trafic: ils connaissaient les moeurs du pays, les habitudes des Indiens, le mode qu'ils employaient dans leurs échanges. Cependant, les bénéfices de la Compagnie étaient nuls encore. De plus, vers 1784, des marchands de Montréal s'étant associés pour l'exploitation des pelleteries, fondèrent cette puissante «Compagnie du nord-ouest», qui centralisa bientôt toutes les opérations de ce genre. En 1798, les expéditions de la nouvelle société se montaient au chiffre énorme de cent vingt mille livres sterling, et la Compagnie de la baie d'Hudson était encore menacée dans son existence.

Il faut dire que cette Compagnie du nord-ouest ne reculait devant aucun acte immoral, quand son intérêt était en jeu. Exploitant leurs propres employés, spéculant sur la misère des Indiens, les maltraitant, les pillant après les avoir enivrés, bravant la défense du parlement qui prohiba la vente des liqueurs alcooliques sur les territoires indigènes, les agents du nord-ouest réalisaient d'énormes bénéfices, malgré la concurrence des sociétés américaines et russes qui s'étaient fondées, entre autres la «Compagnie américaine des pelleteries», créée en 1809 avec un capital d'un million de dollars, et qui exploitait l'ouest des Montagnes-Rocheuses.

Mais de toutes ces sociétés, la Compagnie de la baie d'Hudson était la plus menacée, quand, en 1821, à la suite de traités longuement débattus, elle absorba son ancienne rivale, la Compagnie du nord-ouest, et prit la dénomination générale de: *Hudson's bay fur Company.*

Aujourd'hui, cette importante association n'a plus d'autre rivale que «la Compagnie américaine des pelleteries de Saint-Louis.» Elle possède des établissements nombreux dispersés sur un domaine qui compte trois millions sept cent mille milles carrés. Ses principales factoreries sont situées sur la baie James, à l'embouchure de la rivière de Severn, dans la partie sud et vers les frontières du Haut-Canada, sur les lacs Athapeskow, Winnipeg, Supérieur, Methye, Buffalo, près des rivières Colombia, Mackenzie, Saskatchawan, Assinipoil, etc. Le Fort York, qui commande le cours du fleuve Nelson, tributaire de la baie d'Hudson, forme le quartier général de la Compagnie, et c'est là qu'est établi son principal dépôt de fourrures. De plus, en 1842, elle a pris à bail, moyennant une rétribution annuelle de deux cent mille francs, les établissements russes de l'Amérique du Nord. Elle exploite ainsi, et pour son propre compte, les terrains immenses compris entre le Mississipi et l'océan Pacifique. Elle a lancé dans toutes les directions des voyageurs intrépides, Hearn vers la mer polaire, à la découverte de la Coppernicie en 1770; Franklin, de 1819 à 1822, sur cinq mille cinq cent cinquante milles du littoral américain; Mackenzie, qui, après avoir découvert le fleuve auquel il a donné son nom, atteignit les bords du Pacifique par 52024 de latitude nord. En 1833-34, elle expédiait en Europe les quantités suivantes de peaux et fourrures, quantités qui donneront un état exact de son trafic:

Castors:			1,		074
Parchemins	et	jeunes	castors:	92,	288
Rats		musqués:		694,	092

Blaireaux	1,	069
Ours:	7,	451
Hermines:		491
Pêcheurs:	5,	296
Renards:	9,	937
Lynx:	14,	255
Martres:	64,	490
Putois:	25,	100
Loutres:	22,	303
Ratons:		713
Cygnes:	7,	918
Loups:	8,	484

Wolwérènes: 1, 571

Une telle production devait donc assurer à la Compagnie de la baie d'Hudson des bénéfices très considérables; mais, malheureusement pour elle, ces chiffres ne se maintinrent pas, et depuis vingt ans environ, ils étaient en proportion décroissante.

À quoi tenait cette décadence, c'est ce que le capitaine Craventy expliquait en ce moment à Mrs. Paulina Barnett.

«Jusqu'en 1837, madame, dit-il, on peut affirmer que la situation de la Compagnie a été florissante. En cette année-là, l'exportation des peaux s'était encore élevée au chiffre de deux millions trois cent cinquante-huit mille. Mais depuis, il a toujours été en diminuant, et maintenant ce chiffre s'est abaissé de moitié au moins.

— Mais à quelle cause attribuez-vous cet abaissement notable dans l'exportation des fourrures? demanda Mrs. Paulina Barnett.

— Au dépeuplement que l'activité, et j'ajoute, l'incurie des chasseurs a provoqué sur les territoires de chasse. On a traqué et tué sans relâche. Ces massacres se sont faits sans discernement. Les petits, les femelles pleines n'ont même pas été épargnés. De là, une rareté inévitable dans le nombre des animaux à fourrures. La loutre a presque complètement disparu et ne se retrouve guère que près des îles du Pacifique nord. Les castors se sont réfugiés par petits détachements sur les rives des plus lointaines rivières. De même pour tant d'autres animaux précieux qui ont dû fuir devant l'invasion des chasseurs. Les trappes, qui regorgeaient autrefois, sont vides maintenant. Le prix des peaux augmente, et cela précisément à une époque où les fourrures sont très recherchées. Aussi, les chasseurs se dégoûtent, et il ne reste plus que les audacieux et les infatigables qui s'avancent maintenant jusqu'aux limites du continent américain.

— Je comprends maintenant, répondit Mrs. Paulina Barnett, l'intérêt que la Compagnie attache à la création d'une factorerie sur les rives de l'océan Arctique, puisque les animaux se sont réfugiés au-delà du cercle polaire.

— Oui, madame, répondit le capitaine. D'ailleurs, il fallait bien que la Compagnie se décidât à reporter plus au nord le centre de ses opérations, car, il y a deux ans, une décision du parlement britannique a singulièrement réduit ses domaines.

— Et qui a pu motiver cette réduction? demanda la voyageuse.

— Une raison économique de haute importance, madame, et qui a dû vivement frapper les hommes d'État de la Grande-Bretagne. En effet, la mission de la Compagnie n'était pas civilisatrice. Au contraire. Dans son propre intérêt, elle devait maintenir à l'état de terrains vagues son immense domaine. Toute tentative de défrichement qui eût éloigné les animaux à fourrures était impitoyablement arrêtée par elle. Son monopole même est donc ennemi de tout esprit d'entreprise agricole. De plus, les questions étrangères à son industrie sont impitoyablement repoussées par son conseil d'administration. C'est ce régime absolu, et, par certains côtés, antimoral, qui a provoqué les mesures prises par le parlement, et en 1857, une commission, nommée par le secrétaire d'État des colonies, décida qu'il fallait annexer au Canada toutes les terres susceptibles de défrichement, telles que les territoires de la Rivière-Rouge, les districts du Saskatchawan, et ne laisser que la partie du domaine à laquelle la civilisation ne réservait aucun avenir. L'année suivante, la Compagnie perdait le versant ouest des Montagnes-Rocheuses qui releva directement du Colonial-Office, et fut ainsi soustrait à la juridiction des agents de la baie d'Hudson. Et voilà pourquoi, madame, avant de renoncer à son trafic des fourrures, la Compagnie va tenter l'exploitation de ces contrées du Nord, qui sont à peine connues, et chercher les moyens de les rattacher par le passage du Nord-Ouest avec l'océan Pacifique.»

Mrs. Pauline Barnett était maintenant édifiée sur les projets ultérieurs de la célèbre Compagnie. Elle allait assister de sa personne à l'établissement d'un nouveau fort sur la limite de la mer polaire. Le capitaine Craventy l'avait mise au courant de la situation; mais peut-être, — car il aimait à parler, — fût-il entré dans de nouveaux détails, si un incident ne lui eût coupé la parole.

En effet, le caporal Joliffe venait d'annoncer à haute voix que, Mrs Joliffe aidant, il allait procéder à la confection du punch. Cette nouvelle fut accueillie comme elle méritait de l'être. Quelques hurrahs éclatèrent. Le bol, — c'était plutôt un bassin, — le bol était rempli de la précieuse liqueur. Il ne contenait pas moins de dix pintes de brandevin. Au fond s'entassaient les morceaux de sucre, dosés par la main de Mrs. Joliffe. À la surface, surnageaient les tranches de citron, déjà racornies par la vieillesse. Il n'y avait plus qu'à enflammer ce lac alcoolique, et le caporal, la mèche allumée, attendait l'ordre de son capitaine, comme s'il se fût agi de mettre le feu à une mine.

«Allez, Joliffe!» dit alors le capitaine Craventy.

La flamme fut communiquée à la liqueur, et le punch flamba, en un instant, aux applaudissements de tous les invités.

Dix minutes après, les verres remplis circulaient à travers la foule, et trouvaient toujours preneurs, comme des rentes dans un mouvement de hausse.

«Hurrah! hurrah! hurrah! pour mistress Paulina Barnett! Hurrah! pour le capitaine!»

Au moment où ces joyeux hurrahs retentissaient, des cris se firent entendre au dehors. Les invités se turent aussitôt.

«Sergent Long, dit le capitaine, voyez donc ce qui se passe!»

Et sur l'ordre de son chef, le sergent, laissant son verre inachevé, quitta le salon.

III.

Un savant dégelé.

Le sergent Long, arrivé dans l'étroit couloir sur lequel s'ouvrait la porte extérieure du fort, entendit les cris redoubler. On heurtait violemment à la poterne qui donnait accès dans la cour, protégée par de hautes murailles de bois. Le sergent poussa la porte. Un pied de neige couvrait le sol. Le sergent, s'enfonçant jusqu'aux genoux dans cette masse blanche, aveuglé par la rafale, piqué jusqu'au sang par ce froid terrible, traversa la cour en biais et se dirigea vers la poterne.

«Qui diable peut venir par un temps pareil! se disait le sergent Long, en ôtant méthodiquement, on pourrait dire «disciplinairement», les lourds barreaux de la porte. Il n'y a que des Esquimaux qui osent se risquer par un tel froid!

— Mais ouvrez donc, ouvrez donc! criait-on du dehors.

— On ouvre,» répondit le sergent Long, qui semblait véritablement ouvrir en douze temps.

Enfin les battants de la porte se rabattirent intérieurement, et le sergent fut à demi renversé dans la neige par un traîneau attelé de six chiens qui passa comme un éclair. Un peu plus, le digne Long était écrasé. Mais se relevant, sans même proférer un murmure, il ferma la poterne et revint vers la maison principale, au pas ordinaire, c'est-à-dire en faisant soixante-quinze enjambées à la minute.

Mais déjà le capitaine Craventy, le lieutenant Jasper Hobson, le caporal Joliffe étaient là, bravant la température excessive et regardant le traîneau, blanc de neige, qui venait de s'arrêter devant eux.

Un homme, doublé et encapuchonné de fourrures, en était aussitôt descendu.

«Le Fort-Reliance? demanda cet homme.

— C'est ici, répondit le capitaine.

— Le capitaine Craventy?

— C'est moi. Qui êtes-vous?

— Un courrier de la Compagnie.

— Êtes-vous seul?

— Non! j'amène un voyageur!

— Un voyageur! Et que vient-il faire?

— Il vient voir la lune.» À cette réponse, le capitaine Craventy se demanda s'il avait affaire à un fou, et, dans de telles circonstances, on pouvait le penser. Mais il n'eut pas le temps de formuler son opinion. Le courrier avait retiré du traîneau une masse inerte, une sorte de sac couvert de neige, et il se disposait à l'introduire dans la maison, quand le capitaine lui demanda: «Quel est ce sac?

— C'est mon voyageur! répondit le courrier.

— Quel est ce voyageur?

— L'astronome Thomas Black.

— Mais il est gelé!

— Eh bien, on le dégèlera.» Thomas Black, transporté par le sergent, le caporal et le courrier, fit son entrée dans la maison du fort. On le déposa dans une chambre du premier étage, dont la température était fort supportable, grâce à la présence d'un poêle porté au rouge vif. On l'étendit sur un lit, et le capitaine lui prit la main.

Cette main était littéralement gelée. On développa les couvertures et les manteaux fourrés qui couvraient Thomas Black, ficelé comme un paquet, et sous cette enveloppe on découvrit un homme âgé de cinquante ans environ, gros, court, les cheveux grisonnants, la barbe inculte, les yeux clos, la bouche pincée comme si ses lèvres eussent été collées par une gomme. Cet homme ne respirait plus ou si peu, que son souffle eût à peine terni une glace. Joliffe le déshabillait, le tournait, le retournait avec prestesse, tout en disant:

«Allons donc! allons donc! monsieur! Est-ce que vous n'allez pas revenir à vous?»

Ce personnage, arrivé dans ces circonstances, semblait n'être plus qu'un cadavre. Pour rappeler en lui la chaleur disparue, le caporal Joliffe n'entrevoyait qu'un moyen héroïque, et ce moyen, c'était de plonger le patient dans le punch brûlant.

Très heureusement sans doute pour Thomas Black, le lieutenant Jasper Hobson eut une autre idée.

«De la neige! demanda-t-il. Sergent Long, plusieurs poignées de neige!»

Cette substance ne manquait pas dans la cour du Fort-Reliance. Pendant que le sergent allait chercher la neige demandée, Joliffe déshabilla l'astronome. Le corps du malheureux était couvert de plaques blanchâtres qui indiquaient une violente pénétration du froid dans les chairs. Il y avait urgence extrême à rappeler le sang aux parties attaquées. C'était le résultat que Jasper Hobson espérait obtenir au moyen de vigoureuses frictions de neige. On sait que c'est le remède généralement employé dans les contrées polaires pour rétablir la circulation qu'un froid terrible a arrêtée, comme il arrête le courant des rivières.

Le sergent Long étant revenu, Joliffe et lui frictionnèrent le nouveau venu comme il ne l'avait jamais été probablement. Ce n'était point une linition douce, une fomentation onctueuse, mais un massage vigoureux, pratiqué à bras raccourcis, et qui rappelait plutôt les éraillures de l'étrille que les caresses de la main.

Et pendant cette opération, le loquace caporal interpellait toujours le voyageur, qui ne pouvait l'entendre.

«Allons donc! monsieur, allons donc! Quelle idée vous a donc pris de vous laisser refroidir ainsi? Voyons! n'y mettez pas tant d'obstination!»

Il est probable que Thomas Black s'obstinait, car une demi-heure se passa sans qu'il consentît à donner signe de vie. On désespérait même de le ranimer, et les masseurs allaient suspendre leur fatigant exercice, quand le pauvre homme fit entendre quelques soupirs.

«Il vit! il revient!» s'écria Jasper Hobson.

Après avoir réchauffé par les frictions l'extérieur du corps, il ne fallait point oublier l'intérieur. Aussi le caporal Joliffe se hâta-t-il d'apporter quelques verres de punch. Le voyageur se sentit véritablement soulagé; les couleurs revinrent à ses joues, le regard à ses yeux, la parole à ses lèvres, et le capitaine put espérer enfin que Thomas Black allait lui apprendre pourquoi il arrivait en ce lieu et dans un état si déplorable.

Thomas Black, bien enveloppé de couvertures, se souleva à demi, s'appuya sur son coude, et d'une voix encore affaiblie:

«Le Fort-Reliance? demanda-t-il.

— C'est ici, répondit le capitaine.

— Le capitaine Craventy?

— C'est moi, et j'ajouterai, monsieur, soyez le bienvenu. Mais pourrai-je vous demander pourquoi vous venez au Fort-Reliance?

— Pour voir la lune!» répondit le courrier, qui tenait sans doute à cette réponse, car il la faisait pour la seconde fois. D'ailleurs, elle parut satisfaire Thomas Black, qui fit un signe de tête affirmatif. Puis, reprenant: «Le lieutenant Hobson? demanda-t-il.

— Me voici, répondit le lieutenant.

— Vous n'êtes pas encore parti?

— Pas encore, monsieur.

— Eh bien, monsieur, reprit Thomas Black, il ne me reste plus qu'à vous remercier et à dormir jusqu'à demain matin!»

Le capitaine et ses compagnons se retirèrent donc, laissant ce personnage singulier reposer tranquillement. Une demi-heure après, la fête s'achevait, et les invités regagnaient leurs demeures respectives, soit dans les chambres du fort, soit dans les quelques habitations qui s'élevaient en dehors de l'enceinte.

Le lendemain, Thomas Black était à peu près rétabli. Sa vigoureuse constitution avait résisté à ce froid excessif. Un autre n'eût pas dégelé, mais lui ne faisait pas comme tout le monde.

Et maintenant, qui était cet astronome? D'où venait-il? Pourquoi ce voyage à travers les territoires de la Compagnie, lorsque l'hiver sévissait encore? Que signifiait la réponse du courrier? Voir la lune! Mais la lune ne luit-elle pas en tous lieux, et faut-il venir la chercher jusque dans les régions hyperboréennes?

Telles furent les questions que se posa le capitaine Craventy. Mais le lendemain, après avoir causé pendant une heure avec son nouvel hôte, il n'avait plus rien à apprendre.

Thomas Black était, en effet, un astronome attaché à l'observatoire de Greenwich, si brillamment dirigé par M. Airy. Esprit intelligent et sagace plutôt que théoricien, Thomas Black, depuis vingt ans qu'il exerçait ses fonctions, avait rendu de grands services aux sciences uranographiques. Dans la vie privée, c'était un homme absolument nul, qui n'existait pas en dehors des questions astronomiques, vivant dans le ciel, non sur la terre, un descendant de ce savant du bonhomme La Fontaine qui se laissa choir dans un puits. Avec lui pas de conversation possible si l'on ne parlait ni d'étoiles ni de constellations. C'était un homme à vivre dans une lunette. Mais quand il observait, quel observateur sans rival au monde! Quelle infatigable patience il déployait! Il était capable de guetter pendant des mois entiers l'apparition d'un phénomène cosmique. Il avait d'ailleurs une spécialité, les bolides et les étoiles filantes, et ses découvertes dans cette branche de la météorologie méritaient d'être citées. D'ailleurs, toutes les fois qu'il s'agissait d'observations minutieuses, de mesures délicates, de déterminations précises, on recourait à Thomas Black, qui possédait «une habileté d'oeil» extrêmement remarquable. Savoir observer n'est pas donné à tout le monde. On ne s'étonnera donc pas que l'astronome de Greenwich eût été choisi pour opérer dans la circonstance suivante qui intéressait au plus haut point la science sélénographique.

On sait que pendant une éclipse totale de soleil, la lune est entourée d'une couronne lumineuse. Mais quelle est l'origine de cette couronne? Est-ce un objet réel? N'est-ce plutôt qu'un effet de diffraction éprouvé par les rayons solaires dans le voisinage de la lune? C'est une question que les études faites jusqu'à ce jour n'ont pu permettre de résoudre.

Dès 1706, les astronomes avaient scientifiquement décrit cette auréole lumineuse. Louville et Halley pendant l'éclipse totale de 1715, Maraldi en 1724, Antonio de Ulloa en 1778, Bouditch et Ferrer en 1806, observèrent minutieusement cette couronne; mais de leurs théories contradictoires on ne put rien conclure de définitif. À propos de l'éclipse totale de 1842, les savants de toutes nations, Airy, Arago, Peytal, Laugier, Mauvais, Otto- Struve, Petit, Baily, etc., cherchèrent à obtenir une solution complète touchant l'origine du phénomène; mais quelque sévère qu'eussent été les observations, «le désaccord, dit Arago, que l'on trouve entre les observations faites en divers lieux par des astronomes exercés, dans une seule et même éclipse, a répandu sur la question de telles obscurités, qu'il n'est maintenant possible d'arriver à aucune conclusion certaine sur la cause du phénomène». Depuis cette époque, d'autres éclipses totales de soleil furent étudiées, mais les observations n'obtinrent aucun résultat concluant.

Cependant, cette question intéressait au plus haut point les études sélénographiques. Il fallait la résoudre à tout prix. Or, une occasion nouvelle se présentait d'étudier la couronne lumineuse si discutée jusqu'alors. Une nouvelle éclipse totale de soleil, totale pour l'extrémité nord de l'Amérique, l'Espagne, le nord de l'Afrique, etc., devait avoir lieu le 18 juillet 1860. Il fut convenu entre astronomes de divers pays que des observations seraient faites simultanément aux divers points de la zone pour laquelle cette éclipse serait totale. Or, ce fut Thomas Black que l'on désigna pour observer ladite éclipse dans la partie septentrionale de l'Amérique. Il devait donc se trouver à peu près dans les conditions où se trouvèrent les astronomes anglais qui se transportèrent en Suède et en Norvège à l'occasion de l'éclipse de 1851.

On le pense bien, Thomas Black saisit avec empressement l'occasion qui lui était offerte d'étudier l'auréole lumineuse. Il devait également reconnaître autant que possible la nature de ces protubérances rougeâtres qui apparaissent sur divers points du contour du satellite terrestre. Si l'astronome de Greenwich parvenait à trancher la question d'une manière irréfutable, il aurait droit aux éloges de toute l'Europe savante.

Thomas Black se prépara donc à partir, et il obtint de pressantes lettres de recommandation pour les agents principaux de la Compagnie de la baie d'Hudson. Or, précisément, une expédition devait se rendre prochainement aux limites septentrionales du continent afin d'y créer une factorerie nouvelle. C'était une occasion dont il fallait profiter. Thomas Black partit donc, traversa l'Atlantique, débarqua à New-York, gagna à travers les lacs l'établissement de la rivière Rouge, puis de fort en fort, emporté par un traîneau rapide, sous la conduite d'un courrier de la Compagnie, malgré l'hiver, malgré le froid, en dépit de tous les dangers d'un voyage à travers les contrées arctiques, le 17 mars, il arriva au Fort-Reliance dans les conditions que l'on connaît.

Telles furent les explications données par l'astronome au capitaine Craventy. Celui-ci se mit tout entier à la disposition de Thomas Black.

«Mais, monsieur Black, lui dit-il, pourquoi étiez-vous si pressé d'arriver, puisque cette éclipse de soleil ne doit avoir lieu qu'en 1860, c'est-à-dire l'année prochaine seulement?

— Mais, capitaine, répondit l'astronome, j'avais appris que la Compagnie envoyait une expédition sur le littoral américain au- delà du soixante-dixième parallèle, et je ne voulais pas manquer le départ du lieutenant Hobson.

— Monsieur Black, répondit le capitaine, si le lieutenant eût été parti, je me serais fait un devoir de vous accompagner moi-même jusqu'aux limites de la mer polaire.»

Puis, il répéta à l'astronome que celui-ci pouvait absolument compter sur lui et qu'il était le bienvenu au Fort-Reliance.

IV.

Une factorerie.

Le lac de l'Esclave est l'un des plus vastes qui se rencontre dans la région située au-delà du soixante et unième parallèle. Il mesure une longueur de deux cent cinquante milles sur une largeur de cinquante, et il est exactement par 61°25' de latitude et 114° de longitude ouest. Toute la contrée environnante s'abaisse en longues déclivités vers un centre commun, large dépression du sol, qui est occupée par le lac.

La position de ce lac, au milieu des territoires de chasse, sur lesquels pullulaient autrefois les animaux à fourrures, attira, dès les premiers temps, l'attention de la Compagnie. De nombreux cours d'eau s'y jetaient ou y prenaient naissance, le Mackenzie, la rivière du Foin, l'Atapeskow, etc. Aussi plusieurs forts importants furent-ils construits sur ses rives, le Fort-Providence au nord, le Fort-Résolution au sud. Quand au Fort-Reliance, il occupe l'extrémité nord-est du lac et ne se trouve pas à plus de trois cents milles de l'entrée de Chesterfield, long et étroit estuaire formé par les eaux mêmes de la baie d'Hudson.

Le lac de l'Esclave est pour ainsi dire semé de petits îlots, hauts de cent à deux cents pieds, dont le granit et le gneiss émergent en maint endroit. Sur sa rive septentrionale se massent des bois épais, confinant à cette portion aride et glacée du continent, qui a reçu, non sans raison, le nom de Terre-Maudite. En revanche, la région du sud, principalement formée de calcaire, est plate, sans un coteau, sans une extumescence quelconque du sol. Là se dessine la limite que ne franchissent presque jamais les grands ruminants de l'Amérique polaire, ces buffalos ou bisons, dont la chair forme presque exclusivement la nourriture des chasseurs canadiens et indigènes.

Les arbres de la rive septentrionale se groupent en forêts magnifiques. Qu'on ne s'étonne pas de rencontrer une végétation si belle sous une zone si reculée. En réalité, le lac de l'Esclave n'est guère plus élevé en latitude que les parties de la Norvège ou de la Suède, occupées par Stockholm ou Christiania. Seulement, il faut remarquer que les lignes isothermes, sur lesquelles la chaleur se distribue à dose égale, ne suivent nullement les parallèles terrestres, et qu'à pareille latitude, l'Amérique est incomparablement plus froide que l'Europe. En avril, les rues de New-York sont encore blanches de neige, et cependant, New-York occupe à peu près le même parallèle que les Açores. C'est que la nature d'un continent, sa situation par rapport aux océans, la conformation même du sol, influent notablement sur ses conditions climatériques.

Le Fort-Reliance, pendant la saison d'été, était donc entouré de masses de verdure, dont le regard se réjouissait après les rigueurs d'un long hiver. Le bois ne manquait pas à ces forêts presque uniquement composées de peupliers, de pins et de bouleaux. Les îlots du lac produisaient des saules magnifiques. Le gibier abondait dans les taillis, et il ne les abandonnait même pas pendant la mauvaise saison. Plus au sud, les chasseurs du fort poursuivaient avec succès les bisons, les élans et certains porcs- épics du Canada, dont la chair est excellente. Quant aux eaux du lac de l'Esclave, elles étaient très poissonneuses. Les truites y atteignaient des dimensions extraordinaires, et leur poids dépassait souvent soixante livres. Les brochets, les lottes voraces, une sorte d'ombre, appelé «poisson bleu» par les Anglais, des légions innombrables de tittamegs, «le corregou blanc» des naturalistes, foisonnaient dans le lac. La question d'alimentation pour les habitants du Fort-Reliance se résolvait donc facilement, la nature pourvoyait à leurs besoins, et à la condition d'être vêtus, pendant l'hiver, comme le sont les renards, les martres, les ours et autres animaux à fourrures, ils pouvaient braver la rigueur de ces climats.

Le fort proprement dit se composait d'une maison de bois, comprenant un étage et un rez-de-chaussée, qui servait d'habitation au commandant et à ses officiers. Autour de cette maison se disposaient régulièrement les demeures des soldats, les magasins de la Compagnie et les comptoirs dans lesquels s'opéraient les échanges. Une petite chapelle, à laquelle il ne manquait qu'un ministre, et une poudrière complétaient l'ensemble des constructions du fort. Le tout était entouré d'une enceinte palissadée, haute de vingt pieds, vaste parallélogramme que défendaient quatre petits bastions à toit aigu, posés aux quatre angles. Le fort se trouvait donc à l'abri d'un coup de main. Précaution jadis nécessaire, à une époque où les Indiens, au lieu d'être les pourvoyeurs de la Compagnie, luttaient pour l'indépendance de leur territoire; précaution prise également contre les agents et les soldats des associations rivales, qui se disputaient autrefois la possession et l'exploitation de ce riche pays des fourrures.

La Compagnie de la baie d'Hudson comptait alors sur tout son domaine, un personnel d'environ mille hommes. Elle exerçait sur ses employés et ses soldats une autorité absolue qui allait jusqu'au droit de vie et de mort. Les chefs des factoreries pouvaient, à leur gré, régler les salaires, fixer la valeur des objets d'approvisionnement et des pelleteries. Grâce à ce système dépourvu de tout contrôle, il n'était pas rare qu'ils réalisassent des bénéfices s'élevant à plus de trois cents pour cent.

On verra d'ailleurs, par le tableau suivant, emprunté au *Voyage du capitaine Robert Lade*, dans quelles conditions s'opéraient autrefois les échanges avec les Indiens, qui sont devenus maintenant les véritables et les meilleurs chasseurs de la Compagnie. La peau de castor était à cette époque l'unité qui servait de base aux achats et aux ventes.

Les Indiens payaient:

Pour	un	fusil:	10	peaux	de	castor
Une	demi-livre	de	poudre:	1	peau	de	castor
Quatre	livres	de	plomb:	1	peau	de	castor
Une	hache:	1	peau	de	castor
Six	couteaux:	1	peau	de	castor
Une	livre	de	verroterie:	1	peau	de	castor
Un	habit	galonné:	6	peaux	de	castor
Un	habit	sans	galons:	5	peaux	de	castor
Habits	de	femme	galonnés:	6	peaux	de	castor
Une	livre	de	tabac:	1	peau	de	castor
Une	boîte	à	poudre:	1	peau	de	castor

Un peigne et un miroir: 2 peaux de castor

Mais, depuis quelques années, la peau de castor est devenue si rare, que l'unité monétaire a dû être changée C'est maintenant la robe de bison qui sert de base aux marchés. Quand un Indien se présente au fort, les agents lui remettent autant de fiches de bois qu'il apporte de peaux, et, sur les lieux mêmes, il échange ces fiches contre des produits manufacturés. Avec ce système, la Compagnie, qui, d'ailleurs, fixe arbitrairement la valeur des objets qu'elle achète et des objets qu'elle vend, ne peut manquer de réaliser et réalise en effet des bénéfices considérables.

Tels étaient les usages établis dans les diverses factoreries, et par conséquent au Fort-Reliance. Mrs. Paulina Barnett put les étudier pendant son séjour, qui se prolongea jusqu'au 16 avril. La voyageuse et le lieutenant Hobson s'entretenaient souvent ensemble, formant des projets superbes, et bien décidés à ne reculer devant aucun obstacle. Quant à Thomas Black, il ne causait que lorsqu'on lui parlait de sa mission spéciale. Cette question de la couronne lumineuse et des protubérances rougeâtres de la lune le passionnait. On sentait qu'il avait mis toute sa vie dans la solution de ce problème, et Thomas Black finit même par intéresser très vivement Mrs. Paulina à cette observation scientifique. Ah! qu'il leur tardait à tous les deux d'avoir franchi le cercle polaire, et que cette date du 18 juillet 1860 semblait donc éloignée, surtout pour l'impatient astronome de Greenwich!

Les préparatifs de départ n'avaient pu commencer qu'à la mi-mars, et un mois se passa avant qu'ils fussent achevés. C'était, en effet, une longue besogne que d'organiser une telle expédition à travers les régions polaires! Il fallait tout emporter, vivres, vêtements, ustensiles, outils, armes, munitions.

La troupe, commandée par le lieutenant Jasper Hobson, devait se composer d'un officier, de deux sous-officiers et de dix soldats, dont trois mariés qui emmenaient leurs femmes avec eux. Voici la liste de ces hommes que le capitaine Craventy avait choisis parmi les plus énergiques et les plus résolus:

1° Le lieutenant Jasper Hobson, 2° Le sergent Long, 3° Le caporal Joliffe, 4° Petersen, soldat, 5° Belcher, soldat, 6° Raë, soldat, 7° Marbre, soldat, 8° Garry, soldat, 9° Pond, soldat, 10° Mac Nap, soldat, 11° Sabine, soldat, 12° Hope, soldat, 13° Kellet, soldat,

De plus:

Mrs.   Rae,
Mrs.   Joliffe,
Mrs. Mac Nap,

Étrangers au fort:

Mrs.   Paulina   Barnett,
Madge,
Thomas Black.

En tout dix-neuf personnes, qu'il s'agissait de transporter pendant plusieurs centaines de milles, à travers un territoire désert et peu connu.

Mais en prévision de ce projet, les agents de la Compagnie avaient réuni au Fort-Reliance tout le matériel nécessaire à l'expédition. Une douzaine de traîneaux, pourvus de leur attelage de chiens, étaient préparés. Ces véhicules, fort primitifs, consistaient en un assemblage solide de planches légères que liaient entre elles des bandes transversales. Un appendice, formé d'une pièce de bois cintrée et relevée comme l'extrémité d'un patin, permettait au traîneau de fendre la neige sans s'y engager profondément. Six chiens, attelés deux par deux, servaient de moteurs à chaque traîneau, — moteurs intelligents et rapides qui, sous la longue lanière du guide, peuvent franchir jusqu'à quinze milles à l'heure.

La garde-robe des voyageurs se composait de vêtements en peau de renne, doublés intérieurement d'épaisses fourrures. Tous portaient des tissus de laine, destinés à les garantir contre les brusques changements de température, qui sont fréquents sous cette latitude. Chacun, officier ou soldat, femme ou homme, était chaussé de ces bottes en cuir de phoque, cousues de nerfs, que les indigènes fabriquent avec une habileté sans pareille. Ces chaussures sont absolument imperméables et se prêtent à la marche par la souplesse de leurs articulations. À leurs semelles pouvaient s'adapter des raquettes en bois de pin, longues de trois à quatre pieds, sortes d'appareils propres à supporter le poids d'un homme sur la neige la plus friable et qui permettent de se déplacer avec une extrême vitesse, ainsi que font les patineurs sur les surfaces glacées. Des bonnets de fourrure, des ceintures de peau de daim complétaient l'accoutrement.

En fait d'armes, le lieutenant Hobson emportait, avec des munitions en quantité suffisante, les mousquetons réglementaires délivrés par la Compagnie, des pistolets et quelques sabres d'ordonnance; en fait d'outils, des haches, des scies, des herminettes et autres instruments nécessaires au charpentage; en fait d'ustensiles, tout ce que nécessitait l'établissement d'une factorerie dans de telles conditions, entre autres un poêle, un fourneau de fonte, deux pompes à air destinées à la ventilation, un halkett-boat, sorte de canot en caoutchouc que l'on gonfle au moment où on veut en faire usage.

Quant aux approvisionnements, on pouvait compter sur les chasseurs du détachement. Quelques-uns de ces soldats étaient d'habiles traqueurs de gibier, et les rennes ne manquent pas dans les régions polaires. Des tribus entières d'Indiens ou d'Esquimaux, privées de pain ou de tout autre aliment, se nourrissent exclusivement de cette venaison, qui est à la fois abondante et savoureuse. Cependant, comme il fallait compter avec les retards inévitables et les difficultés de toutes sortes, une certaine quantité de vivres dut être emportée. C'était de la viande de bison, d'élan, de daim, ramassée dans de longues battues faites au sud du lac, du «corn-beef», qui pouvait se conserver indéfiniment, des préparations indiennes dans lesquelles la chair, broyée et réduite en poudre impalpable, conserve tous ses éléments nutritifs sous un très petit volume. Ainsi triturée, cette viande n'exige aucune cuisson, et présente sous cette forme une alimentation très nourrissante.

En fait de liqueurs, le lieutenant Hobson emportait plusieurs barils de brandevin et de whisky, bien décidé, d'ailleurs, à économiser autant que possible ces liquides alcooliques, qui sont nuisibles à la santé des hommes sous les froides latitudes. Mais, en revanche, la Compagnie avait mis à sa disposition, avec une petite pharmacie portative, de notables quantités de «lime-juice», de citrons et autres produits naturels, indispensables pour combattre les affections scorbutiques, si terribles dans ces régions, et pour les prévenir au besoin. Tous les hommes, d'ailleurs, avaient été choisis avec soin ni trop gras, ni trop maigres; habitués depuis de longues années aux rigueurs de ces climats, ils devaient supporter plus aisément les fatigues d'une expédition vers l'Océan polaire. De plus, c'étaient des gens de bonne volonté, courageux, intrépides, qui avaient accepté librement. Une double paye leur était attribuée pour tout le temps de leur séjour aux limites du continent américain, s'ils parvenaient à s'établir au-dessus du soixante-dixième parallèle.

Un traîneau spécial, un peu plus confortable, avait été préparé pour Mrs. Paulina Barnett et sa fidèle Madge. La courageuse femme ne voulait pas être traitée autrement que ses compagnons de route, mais elle dut se rendre aux instances du capitaine, qui n'était, d'ailleurs, que l'interprète des sentiments de la Compagnie. Mrs. Paulina dut donc se résigner.

Quant à l'astronome Thomas Black, le véhicule qui l'avait amené au Fort-Reliance devait le conduire jusqu'à son but avec son petit bagage de savant.

Les instruments de l'astronome, peu nombreux d'ailleurs, — une lunette pour ses observations sélénographiques, un sextant destiné à donner la latitude, un chronomètre pour la fixation des longitudes, quelques cartes, quelques livres, — tout cela s'arrimait sur ce traîneau, et Thomas Black comptait bien que ses fidèles chiens ne le laisseraient pas en route.

On pense que la nourriture destinée aux divers attelages n'avait pas été oubliée. C'était un total de soixante-douze chiens, véritable troupeau qu'il s'agissait de substanter, chemin faisant, et les chasseurs du détachement devaient spécialement s'occuper de leur nourriture. Ces animaux, intelligents et vigoureux, avaient été achetés aux Indiens Chipeways, qui savent merveilleusement les dresser à ce dur métier.

Toute cette organisation de la petite troupe fut lestement menée. Le lieutenant Jasper Hobson s'y employait avec un zèle au-dessus de tout éloge. Fier de cette mission, passionné pour son oeuvre, il ne voulait rien négliger qui pût en compromettre le succès. Le caporal Joliffe, très affairé toujours, se multipliait sans faire grande besogne; mais la présence de sa femme était et devait être très utile à l'expédition. Mrs. Paulina Barnett l'avait prise en amitié, cette intelligente et vive Canadienne, blonde avec de grands yeux doux.

Il va sans dire que le capitaine Craventy n'oublia rien pour le succès de l'entreprise. Les instructions qu'il avait reçues des agents supérieurs de la Compagnie montraient quelle importance ils attachaient à la réussite de l'expédition et à l'établissement d'une nouvelle factorerie au-delà du soixante-dixième parallèle. On peut donc affirmer que tout ce qu'il était humainement possible de faire pour atteindre ce but fut fait. Mais la nature ne devait- elle pas créer d'insurmontables obstacles devant les pas du courageux lieutenant? C'est ce que personne ne pouvait prévoir!

V.

Du Fort-Reliance au Fort-Entreprise.

Les premiers beaux jours étaient arrivés. Le fond vert des collines commençait à reparaître sous les couches de neige en partie effacées. Quelques oiseaux, des cygnes, des tétras, des aigles à tête chauve et autres migrateurs venant du sud, passaient à travers les airs attiédis. Les bourgeons se gonflaient aux extrêmes branches des peupliers, des bouleaux et des saules. Les grandes mares, formées çà et là par la fonte des neiges, attiraient ces canards à tête rouge dont les espèces sont si variées dans l'Amérique septentrionale. Les guillemots, les puffins, les eider-ducks, allaient chercher au nord des parages plus froids. Les musaraignes, petites souris microscopiques, grosses comme une noisette, se hasardaient hors de leur trou, et dessinaient sur le sol de capricieuses bigarrures du bout de leur petite queue pointue. C'était une ivresse de respirer, de humer ces rayons solaires que le printemps rendait si vivifiants! La nature se réveillait de son long sommeil, après l'interminable nuit de l'hiver, et souriait en s'éveillant. L'effet de ce renouveau est peut-être plus sensible au milieu des contrées hyperboréennes qu'en tout autre point du globe.

Cependant, le dégel n'était point complet. Le thermomètre Fahrenheit indiquait bien quarante et un degrés au-dessus de zéro (5° centigr. au-dessus de glace), mais la basse température des nuits maintenait la surface des plaines neigeuses à l'état solide: circonstance favorable, d'ailleurs, au glissage des traîneaux, et dont Jasper Hobson voulait profiter avant le complet dégel.

Les glaces du lac n'étaient pas encore rompues. Les chasseurs du fort, depuis un mois, faisaient d'heureuses excursions en parcourant ces longues plaines unies, que le gibier fréquentait déjà. Mrs. Paulina Barnett ne put qu'admirer l'étonnante habileté avec laquelle ces hommes se servaient de leurs raquettes. Chaussés de ces «souliers à neige», leur vitesse eût égalé celle d'un cheval au galop. Suivant le conseil du capitaine Craventy, la voyageuse s'exerça à marcher au moyen de ces appareils, et en quelque temps, elle devint fort habile à glisser à la surface des neiges.

Depuis quelques jours déjà, les Indiens arrivaient par bandes au fort, afin d'échanger les produits de leur chasse d'hiver contre des objets manufacturés. La saison n'avait pas été heureuse. Les pelleteries n'abondaient pas; les fourrures de martre et de wison atteignaient un chiffre assez élevé, mais les peaux de castor, de loutre, de lynx, d'hermine, de renard, étaient rares. La Compagnie faisait donc sagement en allant exploiter plus au nord des territoires nouveaux, qui eussent encore échappé à la rapacité de l'homme.

Le 16 avril, au matin, le lieutenant Jasper Hobson et son détachement étaient prêts à partir. L'itinéraire avait pu être tracé d'avance sur toute cette partie déjà connue de la contrée qui s'étend entre le lac de l'Esclave et le lac du

Grand-Ours, situé au-delà du cercle polaire. Jasper Hobson devait atteindre le Fort-Confidence, établi à l'extrémité septentrionale de ce lac. Une station toute indiquée pour y ravitailler son détachement, c'était le Fort-Entreprise, bâti à deux cent milles dans le nord-ouest, sur les bords du petit lac Snure. À raison de quinze milles par jour, Jasper Hobson comptait y faire halte dès les premiers jours du mois de mai.

À partir de ce point, le détachement devait gagner par le plus court le littoral américain, et se diriger ensuite vers le cap Bathurst. Il avait été parfaitement convenu que, dans un an, le capitaine Craventy enverrait un convoi de ravitaillement à ce cap Bathurst, et que le lieutenant détacherait quelques hommes à la rencontre de ce convoi pour le diriger vers l'endroit où le nouveau fort serait établi. De cette façon, l'avenir de la factorerie était garanti contre toute chance fâcheuse, et le lieutenant et ses compagnons, ces exilés volontaires, conserveraient encore quelques relations avec leurs semblables.

Dès le matin du 16 avril, les traîneaux attelés devant la poterne n'attendaient plus que les voyageurs. Le capitaine Craventy, ayant réuni les hommes qui composaient le détachement, leur adressa quelques sympathiques paroles. Par-dessus toutes choses, il leur recommanda une constante union, au milieu de ces périls qu'ils étaient appelés à braver. La soumission à leurs chefs était une indispensable condition pour le succès de cette entreprise, oeuvre d'abnégation et de dévouement. Des hurrahs accueillirent le speech du capitaine. Puis les adieux furent rapidement faits, et chacun se plaça dans le traîneau qui lui avait été désigné d'avance. Jasper Hobson et le sergent Long tenaient la tête. Mrs. Paulina Barnett et Madge les suivaient, Madge maniant avec adresse le long fouet esquimau terminé par une lanière de nerf durci. Thomas Black et l'un des soldats, le canadien Petersen, formaient le troisième rang de la caravane. Les autres traîneaux défilaient ensuite, occupés par les soldats et les femmes. Le caporal Joliffe et Mrs. Joliffe se tenaient à l'arrière-garde. Suivant les ordres de Jasper Hobson, chaque conducteur devait autant que possible conserver sa place réglementaire et maintenir sa distance de manière à ne provoquer aucune confusion. Et, en effet, le choc de ces traîneaux, lancés à toute vitesse, aurait pu amener quelque fâcheux accident.

En quittant le Fort-Reliance, Jasper Hobson prit directement la route du nord-ouest. Il dut franchir d'abord une large rivière qui réunissait le lac de l'Esclave au lac Wolmsley. Mais ce cours d'eau, profondément gelé encore, ne se distinguait pas de l'immense plaine blanche. Un uniforme tapis de neige couvrait toute la contrée, et les traîneaux, enlevés par leurs rapides attelages, volaient sur cette couche durcie.

Le temps était beau, mais encore très froid. Le soleil, peu élevé au-dessus de l'horizon, décrivait sur le ciel une courbe très allongée. Ses rayons, brillamment réfléchis par les neiges, donnaient plus de lumière que de chaleur. Très heureusement, aucun souffle de vent ne troublait l'atmosphère, et ce calme de l'air rendait le froid plus supportable. Cependant, la bise, grâce à la vitesse des traîneaux, devait tant soit peu couper la figure de ceux des compagnons du lieutenant Hobson qui n'étaient pas faits aux rudesses d'un climat polaire.

«Cela va bien, disait Jasper Hobson au sergent, immobile près de lui comme s'il se fût tenu au port d'armes, le voyage commence bien. Le ciel est favorable, la température propice, nos attelages filent comme des trains express, et, pour peu que ce beau temps continue, notre traversée s'opérera sans encombre. Qu'en pensez-vous, sergent Long?

— Ce que vous pensez vous-même, lieutenant Jasper, répondit le sergent, qui ne pouvait envisager les choses autrement que son chef.

— Vous êtes bien décidé comme moi, sergent, reprit Jasper Hobson, à pousser aussi loin que possible notre reconnaissance vers le nord?

— Il suffira que vous commandiez, mon lieutenant, et j'obéirai.

— Je le sais, sergent, répondit Jasper Hobson, je sais qu'il suffit de vous donner un ordre pour qu'il soit exécuté. Puissent nos hommes comprendre comme vous l'importance de notre mission et se dévouer corps et âme aux intérêts de la Compagnie! Ah! sergent Long, je suis sûr que si je vous donnais un ordre impossible...

— Il n'y a pas d'ordres impossibles, mon lieutenant.

— Quoi! si je vous ordonnais d'aller au pôle Nord!

— J'irais, mon lieutenant.

— Et d'en revenir! ajouta Jasper Hobson en souriant.

— J'en reviendrais,» répondit simplement le sergent Long.

Pendant ce colloque du lieutenant Hobson et de son sergent, Mrs. Paulina Barnett et Madge, elles aussi, échangeaient quelques paroles, lorsqu'une pente plus accentuée du sol retardait un instant la marche du traîneau. Ces deux vaillantes femmes, bien encapuchonnées dans leur bonnets de loutre et à demi ensevelies sous une épaisse peau d'ours blanc, regardaient cette âpre nature et les pâles silhouettes des hautes glaces qui se profilaient à l'horizon. Le détachement avait déjà laissé derrière lui les collines qui accidentaient la rive septentrionale du lac de l'Esclave, et dont les sommets étaient couronnés de grimaçants squelettes d'arbres. La plaine infinie se déroulait à perte de vue dans une complète uniformité. Quelques oiseaux animaient de leur chant et de leur vol la vaste solitude. Parmi eux on remarquait des troupes de cygnes qui émigraient vers le nord, et dont la blancheur se confondait avec la blancheur des neiges. On ne les distinguait que lorsqu'ils se projetaient sur l'atmosphère grisâtre. Quand ils s'abattaient sur le sol, ils se confondaient avec lui, et l'oeil le plus perçant n'aurait pu les reconnaître.

«Quelle étonnante contrée! disait Mrs. Paulina Barnett. Quelle différence entre ces régions polaires et nos verdoyantes plaines de l'Australie! Te souviens-tu, ma bonne Madge, quand la chaleur nous accablait sur les bords du golfe de Carpentarie, te rappelles-tu ce ciel impitoyable, sans un nuage, sans une vapeur?

— Ma fille, répondait Madge, je n'ai point comme toi le don de me souvenir. Tu conserves tes impressions; moi, j'oublie les miennes.

— Comment, Madge, s'écria Mrs. Paulina Barnett, tu as oublié les chaleurs tropicales de l'Inde et de l'Australie? Il ne t'est pas resté dans l'esprit un souvenir de nos tortures, quand l'eau nous manquait au désert, quand les rayons de ce soleil nous brûlaient jusqu'aux os, quand la nuit même n'apportait aucun répit à nos souffrances!

— Non, Paulina, non, répondait Madge, en s'enveloppant plus étroitement dans ses fourrures, non, je ne me souviens plus! Et comment me rappellerais-je ces souffrances dont tu parles, cette chaleur, ces tortures de la soif, en ce moment surtout où les glaces nous entourent de toutes parts, et quand il me suffit de laisser pendre ma main en dehors de ce traîneau pour ramasser une poignée de neige! Tu me parles de chaleur, lorsque nous gelons sous les peaux d'ours qui nous couvrent! Tu te souviens des rayons brûlants du soleil, quand ce soleil d'avril ne peut même pas fondre les petits glaçons suspendus à nos lèvres! Non, ma fille, ne me soutiens pas que la chaleur existe quelque part, ne me répète pas que je me sois jamais plainte d'avoir trop chaud, je ne te croirais pas!»

Mrs. Paulina Barnett ne put s'empêcher de sourire.

«Mais, ajouta-t-elle, tu as donc bien froid, ma bonne Madge?

— Certainement, ma fille, j'ai froid, mais cette température ne me déplaît pas. Au contraire. Ce climat doit être très sain, et je suis certaine que je me porterai à merveille dans ce bout d'Amérique! C'est vraiment un beau pays!

— Oui, Madge, un pays admirable, et nous n'avons encore rien vu jusqu'ici des merveilles qu'il renferme! Mais laisse notre voyage s'accomplir jusqu'aux limites de la mer polaire, laisse l'hiver venir avec ses glaces gigantesques, sa fourrure de neige, ses tempêtes hyperboréennes, ses aurores boréales, ses constellations splendides, sa longue nuit de six mois, et tu comprendras alors combien l'oeuvre du Créateur est toujours et partout nouvelle!»

Ainsi parlait Mrs. Paulina Barnett, entraînée par sa vive imagination. Dans ces régions perdues, sous un climat implacable, elle ne voulait voir que l'accomplissement des plus beaux phénomènes de la nature. Ses instincts de voyageuse étaient plus forts que sa raison même. De ces contrées polaires elle n'extrayait que l'émouvante poésie dont les sagas ont perpétué la légende, et que les bardes ont chantée dans les temps ossianiques. Mais Madge, plus positive, ne se dissimulait ni les dangers d'une expédition vers les continents arctiques, ni les souffrances d'un hivernage, à moins de trente degrés du pôle arctique.

Et en effet, de plus robustes avaient déjà succombé aux fatigues, aux privations, aux tortures morales et physiques, sous ces durs climats. Sans doute, la mission du lieutenant Jasper Hobson ne devait pas l'entraîner jusqu'aux latitudes les plus élevées du globe. Sans doute, il ne s'agissait pas d'atteindre le pôle et de se lancer sur les traces des Parry, des Ross, des Mac Clure, des Kean, des Morton. Mais dès qu'on a franchi le cercle polaire, les épreuves sont à peu près partout les mêmes et ne s'accroissent pas proportionnellement avec l'élévation des latitudes. Jasper Hobson ne songeait pas à se porter au-dessus du soixante-dixième parallèle! Soit. Mais qu'on n'oublie pas que Franklin et ses infortunés compagnons sont morts, tués par le froid et la faim, quand ils n'avaient pas même dépassé le soixante-huitième degré de latitude septentrionale!

Dans le traîneau occupé par Mr. et Mrs. Joliffe, on causait de toute autre chose. Peut-être le caporal avait-il un peu trop arrosé les adieux du départ, car, par extraordinaire, il tenait tête à sa petite femme. Oui! il lui résistait, — ce qui n'arrivait vraiment que dans des circonstances exceptionnelles.

«Non, mistress Joliffe, disait le caporal, non, ne craignez rien! Un traîneau n'est pas plus difficile à conduire qu'un poney- chaise, et le diable m'emporte si je ne suis pas capable de diriger un attelage de chiens!

— Je ne conteste pas ton habileté, répondait Mrs. Joliffe. Je t'engage seulement à modérer tes mouvements. Te voilà déjà en tête de la caravane, et j'entends le lieutenant Hobson qui te crie de reprendre ton rang à l'arrière.

— Laissez-le crier, madame Joliffe, laissez-le crier!...» Et le caporal, enveloppant son attelage d'un nouveau coup de fouet, accrut encore la rapidité du traîneau.

«Prends garde, Joliffe! répétait la petite femme. Pas si vite! nous voici sur une pente!

— Une pente! répondait le caporal. Vous appelez cela une pente, madame Joliffe? Mais ça monte, au contraire!

— Je te répète que cela descend!

— Je vous soutiens, moi, que ça monte! Voyez, voyez comme les chiens tirent!»

Quoi qu'en eût l'entêté, les chiens ne tiraient en aucune façon. La déclivité du sol était, au contraire, fort prononcée. Le traîneau filait avec une rapidité vertigineuse, et il se trouvait déjà très en avant du détachement. Mr. et Mrs. Joliffe tressautaient à chaque instant. Les heurts, provoqués par les inégalités de la couche neigeuse, se multipliaient. Les deux époux, jetés tantôt à droite, tantôt à gauche, se choquant l'un l'autre, étaient secoués horriblement. Mais le caporal ne voulait rien entendre, ni les recommandations de sa femme, ni les cris du lieutenant Hobson. Celui-ci, comprenant le danger de cette course folle, pressait son propre attelage, afin de rejoindre les imprudents, et toute la caravane le suivait dans cette course rapide.

Mais le caporal allait toujours de plus belle! Cette vitesse de son véhicule l'enivrait! Il gesticulait, il criait, il maniait son long fouet comme eût fait un sportsman accompli.

«Remarquable instrument que ce fouet! s'écriait-il, et que les Esquimaux savent manoeuvrer avec une habileté sans pareille!

— Mais tu n'es pas un Esquimau, s'écriait Mrs. Joliffe, essayant, mais en vain, d'arrêter le bras de son imprudent conducteur.

— Je me suis laissé dire, reprenait le caporal, je me suis laissé dire que ces Esquimaux savent piquer n'importe quel chien de leur attelage à l'endroit qui leur convient. Ils peuvent même du bout de ce nerf durci leur enlever un petit bout de l'oreille, s'ils le jugent convenable. Je vais essayer...

— N'essaye pas, Joliffe, n'essaye pas! s'écria la petite femme, effrayée au plus haut point.

— Ne craignez rien, mistress Joliffe, ne craignez rien! Je m'y connais! Voilà précisément notre cinquième chien de droite qui fait des siennes! Je vais le corriger!...»

Mais sans doute le caporal n'était pas encore assez «Esquimau», ni assez familiarisé avec le maniement de ce fouet dont la longue lanière dépasse de quatre pieds l'avant-train de l'attelage, car le fouet se développa en sifflant, et, revenant en arrière par un contre-coup mal combiné, il s'enroula autour du cou de maître Joliffe lui-même, dont la calotte fourrée s'envola dans l'air. Nul doute que, sans cet épais bonnet, le caporal ne se fût arraché sa propre oreille.

En ce moment, les chiens se jetèrent de côté, le traîneau fut culbuté et le couple précipité dans la neige. Très heureusement, la couche était épaisse, et les deux époux n'eurent aucun mal. Mais quelle honte pour le caporal! Et de quelle façon le regarda sa petite femme! Et quels reproches lui fit le lieutenant Hobson!

Le traîneau fut relevé; mais on décida que dorénavant les rênes du véhicule, comme celles du ménage, appartiendrait de droit à Mrs. Joliffe. Le caporal, tout penaud, dut se résigner, et la marche du détachement, un instant interrompue, fut reprise aussitôt.

Pendant les quinze jours qui suivirent, aucun incident ne se produisit. Le temps était toujours propice, la température supportable, et le 1er mai, le détachement arrivait au Fort- Entreprise.

VI.

Un duel de wapitis.

L'expédition avait franchi une distance de deux cents milles depuis son départ du Fort-Reliance. Les voyageurs, favorisés par de longs crépuscules, courant jour et nuit sur leurs traîneaux, pendant que les attelages les emportaient à toute vitesse, étaient véritablement accablés de fatigue, quand ils arrivèrent aux rives du lac Snure, près duquel s'élevait le Fort-Entreprise.

Ce fort, établi depuis quelques années seulement par la Compagnie de la baie d'Hudson, n'était en réalité qu'un poste d'approvisionnement de peu d'importance. Il servait principalement de station aux détachements qui accompagnaient les convois de pelleteries venus du lac du Grand-Ours situé à près de trois cents milles dans le nord-ouest. Une douzaine de soldats en formaient la garde. Le fort n'était composé que d'une maison de bois, entourée d'une enceinte palissadée. Mais, si peu confortable que fût cette habitation, les compagnons du lieutenant Hobson s'y réfugièrent avec plaisir, et, pendant deux jours, ils s'y reposèrent des premières fatigues de leur voyage.

Le printemps polaire faisait déjà sentir en ce lieu sa modeste influence. La neige fondait peu à peu, et les nuits n'étaient déjà plus assez froides pour la glacer à nouveau. Quelques légères mousses, de maigres graminées, verdissaient çà et là, et de petites fleurs, presque incolores, montraient leur humide corolle entre les cailloux. Ces manifestations de la nature, à demi réveillée après la longue nuit de l'hiver, plaisaient au regard endolori par la blancheur des neiges, que charmait l'apparition de ces rares spécimens de la flore arctique.

Mrs. Paulina Barnett et Jasper Hobson mirent à profit leurs loisirs pour visiter les rives du petit lac. Tous les deux ils comprenaient la nature et l'admiraient avec enthousiasme. Ils allèrent donc, de compagnie, à travers les glaçons éboulés et les cascades qui s'improvisaient sous l'action des rayons solaires. La surface du lac Snure était prise encore. Nulle fissure n'indiquait une prochaine débâcle. Quelques icebergs en ruine hérissaient sa surface solide, affectant des formes pittoresques du plus étrange effet, surtout quand la lumière, s'irisant à leurs arêtes, en variait les couleurs. On eût dit les morceaux d'un arc-en-ciel brisé par une main puissante, et qui s'entrecroisaient sur le sol.

«Ce spectacle est vraiment beau! monsieur Hobson, répétait Mrs. Paulina Barnett. Ces effets de prisme se modifient à l'infini, suivant la place que l'on occupe. Ne vous semble-t-il pas que nous sommes penchés sur l'ouverture d'un immense kaléidoscope? Mais peut-être êtes-vous déjà blasé sur ce spectacle si nouveau pour moi?

— Non, madame, répondit le lieutenant. Bien que je sois né sur ce continent et quoique mon enfance et ma jeunesse s'y soient passées tout entières, je ne me rassasie jamais d'en contempler les beautés sublimes. Mais si votre enthousiasme est déjà grand, lorsque le soleil verse sa lumière sur cette contrée, c'est-à-dire quand l'astre du jour a déjà modifié l'aspect de ce pays, que sera-t-il lorsqu'il vous sera donné d'observer ces territoires au milieu des grands froids de l'hiver? Je vous avouerai, madame, que le soleil, si précieux aux régions tempérées, me gâte un peu mon continent arctique!

— Vraiment, monsieur Hobson, répondit la voyageuse, en souriant à l'observation du lieutenant. J'estime pourtant que le soleil est un excellent compagnon de route, et qu'il ne faut pas se plaindre de la chaleur qu'il donne, même aux régions polaires!

— Ah! madame, répondit Jasper Hobson, je suis de ceux qui pensent qu'il vaut mieux visiter la Russie pendant l'hiver, et le Sahara pendant l'été. On voit alors ces pays sous l'aspect qui les caractérise. Non! le soleil est un astre des hautes zones et des pays chauds. À trente degrés du pôle, il n'est véritablement plus à sa place! Le ciel de cette contrée, c'est le ciel pur et froid de l'hiver, ciel tout constellé, qu'enflamme parfois l'éclat d'une aurore boréale. C'est ici le pays de la nuit, non celui du jour, madame, et cette longue nuit du pôle vous réserve des enchantements et des merveilles.

— Monsieur Hobson, répondit Mrs. Paulina Barnett, avez-vous visité les zones tempérées de l'Europe et de l'Amérique?

— Oui, madame, et je les ai admirées comme elles méritent de l'être. Mais c'est toujours avec une passion plus ardente, avec un enthousiasme nouveau, que je suis revenu à ma terre natale. Je suis l'homme du froid, et, véritablement, je n'ai aucun mérite à le braver. Il n'a pas prise sur moi, et, comme les Esquimaux, je puis vivre pendant des mois entiers dans une maison de neige.

— Monsieur Hobson, répondit la voyageuse, vous avez une manière de parler de ce redoutable ennemi, qui réchauffe le coeur! J'espère bien me montrer digne de vous, et, si loin que vous alliez braver le froid du pôle, nous irons le braver ensemble.

— Bien, madame, bien, et puissent tous ces compagnons qui me suivent, ces soldats et ces femmes, se montrer aussi résolus que vous l'êtes! Dieu aidant, nous irons loin alors!

— Mais vous ne pouvez vous plaindre de la façon dont ce voyage a commencé. Jusqu'ici, pas un seul accident, un temps propice à la marche des traîneaux, une température supportable! Tout nous réussit à souhait.

— Sans doute, madame, répondit le lieutenant; mais précisément, ce soleil, que vous admirez tant, va bientôt multiplier les fatigues et les obstacles sous nos pas.

— Que voulez-vous dire, monsieur Hobson? demanda Mrs. Paulina Barnett.

— Je veux dire que sa chaleur aura avant peu changé l'aspect et la nature du pays, que la glace fondue ne présentera plus une surface favorable au glissage des traîneaux, que le sol redeviendra raboteux et dur, que nos chiens haletants ne nous enlèveront plus avec la rapidité d'une flèche, que les rivières et les lacs vont reprendre leur état liquide, et qu'il faudra les tourner ou les passer à gué. Tous ces changements, madame, dus à l'influence solaire, se traduiront par des retards, des fatigues, des dangers, dont les moindres sont ces neiges friables qui fuient sous le pied ou ces avalanches qui se précipitent du sommet des montagnes de glace! Oui! voilà ce que nous vaudra ce soleil qui chaque jour s'élève de plus en plus au-dessus de l'horizon! Rappelez-vous bien ceci, madame! Des quatre éléments de la cosmogonie antique, un seul ici, l'air, nous est utile, nécessaire, indispensable. Mais les trois autres, la terre, le feu et l'eau, ils ne devraient pas exister pour nous! Ils sont contraires à la nature même des régions polaires!...»

Le lieutenant exagérait sans doute. Mrs. Paulina Barnett aurait pu facilement rétorquer cette argumentation, mais il ne lui déplaisait pas d'entendre Jasper Hobson s'exprimer avec cette ardeur. Le lieutenant aimait passionnément le pays vers lequel les hasards de sa vie de voyageuse la conduisaient en ce moment, et c'était une garantie qu'il ne reculerait devant aucun obstacle.

Et, cependant, Jasper Hobson avait raison, lorsqu'il s'en prenait au soleil des embarras à venir. On le vit bien, quand, trois jours après, le 4 mai, le détachement se remit en route. Le thermomètre, même aux heures les plus froides de la nuit, se maintenait constamment au-dessus de trente-deux degrés[2]. Les vastes plaines subissaient un dégel complet. La nappe blanche s'en allait en eau. Les aspérités d'un sol fait de roches de formation primitive se trahissaient par des chocs multipliés qui secouaient les traîneaux, et, par contrecoup, les voyageurs. Les chiens, par la rudesse du tirage, étaient forcés de s'en tenir à l'allure du petit trot, et on eût pu sans danger, maintenant, remettre les guides à la main imprudente du caporal Joliffe. Ni ses cris ni les excitations du fouet n'auraient pu imprimer aux attelages surmenés une vitesse plus grande.

Il arriva donc que, de temps en temps, les voyageurs diminuèrent la charge des chiens en faisant une partie de la route à pied. Ce mode de locomotion convenait, d'ailleurs, aux chasseurs du détachement, qui s'élevait insensiblement vers les territoires plus giboyeux de l'Amérique anglaise. Mrs. Paulina Barnett et sa fidèle Magde suivaient ces chasses avec un intérêt marqué. Thomas Black affectait, au contraire, de se désintéresser absolument de tout exercice cynégétique. Il n'était pas venu jusqu'en ces contrées lointaines dans le but de chasser le wison ou l'hermine, mais uniquement pour observer la lune, à ce moment précis où elle couvrirait de son disque le disque du soleil. Aussi, quand l'astre des nuits paraissait au-dessus de l'horizon, l'impatient astronome le dévorait-il des yeux. Ce qui provoquait le lieutenant à lui dire:

«Hein! monsieur Black! si, par impossible, la lune manquait au rendez-vous du 18 juillet 1860, voilà qui serait désagréable pour vous!

— Monsieur Hobson, répondait gravement l'astronome, si la lune se permettait un tel manque de convenances, je l'attaquerais en justice!»

Les principaux chasseurs du détachement étaient les soldats Marbre et Sabine, tous les deux passés maîtres dans leur métier. Ils y avaient acquis une adresse sans égale, et les plus habiles Indiens ne leur en auraient pas remontré pour la vivacité de l'oeil et l'habileté de la main. Ils étaient trappeurs et chasseurs tout à la fois. Ils connaissaient tous les appareils ou engins au moyen desquels on peut s'emparer des martres, des loutres, des loups, des renards, des ours, etc. Aucune ruse ne leur était inconnue. Hommes adroits et intelligents, que ce Marbre et ce Sabine, et le capitaine Craventy avait sagement fait en les adjoignant au détachement du lieutenant Hobson.

Mais, pendant la marche de la petite troupe, ni Marbre ni Sabine n'avaient le loisir de dresser des pièges. Ils ne pouvaient s'écarter que pendant une heure ou deux, au plus, et devaient se contenter du seul gibier qui passait à portée de leur fusil. Cependant, ils furent assez heureux pour tuer un de ces grands ruminants de la faune américaine qui se rencontrent rarement sous une latitude aussi élevée.

Un jour, dans la matinée du 15 mai, les deux chasseurs, le lieutenant Hobson et Mrs. Paulina Barnett, s'étaient portés à quelques milles dans l'est de l'itinéraire. Marbre et Sabine avaient obtenu de leur lieutenant la permission de suivre quelques traces fraîches qu'ils venaient de découvrir, et non seulement Jasper Hobson les y autorisa, mais il voulu les suivre lui-même, en compagnie de la voyageuse.

Ces empreintes étaient évidemment dues au passage récent d'une demi-douzaine de daims de grande taille. Pas d'erreur possible. Marbre et Sabine étaient affirmatifs sur ce point, et, au besoin, ils auraient pu nommer l'espèce à laquelle appartenaient ces ruminants.

«La présence de ces animaux en cette contrée semble vous surprendre, monsieur Hobson? demanda Mrs. Paulina Barnett au lieutenant.

— En effet, madame, répondit Jasper Hobson, et il est rare de rencontrer de telles espèces au-delà du cinquante-septième degré de latitude. Quand nous les chassons, c'est seulement au sud du lac de l'Esclave, là où se rencontrent avec des pousses de saule et de peuplier, certaines roses sauvages dont les daims sont très friands.

— Il faut alors admettre que ces ruminants, aussi bien que les animaux à fourrures, traqués par les chasseurs, s'enfuient maintenant vers des territoires plus tranquilles.

— Je ne vois pas d'autre explication de leur présence à la hauteur du soixante-cinquième parallèle, répondit le lieutenant, en admettant toutefois que nos deux hommes ne se soient pas mépris sur la nature et l'origine de ces empreintes.

— Non, mon lieutenant, répondit Sabine, non! Marbre et moi, nous ne nous sommes pas trompés. Ces traces ont été laissées sur le sol par ces daims, que, nous autres chasseurs, nous appelons des daims rouges, et dont le nom indigène est «wapiti».

— Cela est certain, ajouta Marbre. De vieux trappeurs comme nous ne s'y laisseraient pas prendre. D'ailleurs, mon lieutenant, entendez-vous ces sifflements singuliers?»

Jasper Hobson, Mrs. Paulina Barnett et leurs compagnons étaient arrivés, en ce moment, à la base d'une petite colline dont les pentes, dépourvues de neige, étaient praticables. Ils se hâtèrent de la gravir, tandis que les sifflements, signalés par Marbre, se faisaient entendre avec une certaine intensité. Des cris, semblables au braiment de l'âne, s'y mêlaient parfois et prouvaient que les deux chasseurs ne s'étaient pas mépris.

Jasper Hobson, Mrs. Paulina Barnett, Marbre et Sabine, parvenus au sommet de la colline, portèrent leurs regards sur la plaine qui s'étendait vers l'est. Le sol accidenté était encore blanc à de certaines places, mais une légère teinte verte tranchait en maint endroit avec les éblouissantes plaques de neige. Quelques arbustes décharnés grimaçaient çà et là. À l'horizon, de grands icebergs, nettement découpés, se profilaient sur le fond grisâtre du ciel.

«Des wapitis! des wapitis! les voilà! s'écrièrent d'une commune voix Sabine et Marbre, en indiquant à un quart de mille dans l'est un groupe compact d'animaux très aisément reconnaissables.

— Mais que font-ils? demanda la voyageuse.

— Ils se battent, madame, répondit Jasper Hobson. C'est assez leur coutume, quand le soleil du pôle leur échauffe le sang! Encore un effet déplorable de l'astre radieux!»

De la distance à laquelle ils se trouvaient, Jasper Hobson, Mrs. Paulina Barnett et leurs compagnons pouvaient facilement distinguer le groupe des wapitis. C'étaient de magnifiques échantillons de cette famille de daims, que l'on connaît sous les noms variés de cerfs à cornes rondes, cerfs américains, biches, élans gris et élans rouges. Ces bêtes élégantes avaient les jambes fines. Quelques poils rougeâtres, dont la couleur devait s'accentuer encore pendant la saison chaude, parsemaient leurs robes brunes. À leurs cornes blanches, qui se développaient superbement, on reconnaissait facilement en eux des mâles farouches, car les femelles sont absolument dépourvues de cet appendice. Ces wapitis étaient autrefois répandus sur tous les territoires de l'Amérique septentrionale, et les États de l'Union en recelaient un grand nombre. Mais, les défrichements s'opérant de toutes parts, les forêts tombant sous la hache des pionniers, le wapiti dut se réfugier dans les paisibles districts du Canada. Là encore, la tranquillité lui manqua bientôt, et il dut fréquenter plus spécialement les abords de la baie d'Hudson. En somme, le wapiti est plutôt un animal des pays froids, cela est certain; mais, ainsi que l'avait fait observer le lieutenant, il n'habite pas ordinairement les territoires situés au-delà du cinquante-septième parallèle. Donc, ceux-ci ne s'étaient élevés si haut que pour fuir les Chippeways, qui leur faisaient une guerre à outrance, et retrouver cette sécurité qui ne manque jamais au désert.

Cependant, le combat des wapitis se poursuivait avec acharnement. Ces animaux n'avaient point aperçu les chasseurs dont l'intervention n'aurait probablement pas arrêté leur lutte. Marbre et Sabine, qui savaient bien à quels aveugles combattants ils avaient affaire, pouvaient donc s'approcher sans crainte et tirer à loisir.

La proposition en fut faite par le lieutenant Hobson.

«Faites excuse, mon lieutenant, répondit Marbre. Épargnons notre poudre et nos balles. Ces bêtes-là jouent un jeu à s'entre-tuer, et nous arriverons toujours à temps pour relever les vaincus.»

«Est-ce que ces wapitis ont une valeur commerciale? demanda Mrs. Paulina Barnett.

— Oui, madame, répondit Jasper Hobson, et leur peau, qui est moins épaisse que celle de l'élan proprement dit, forme un cuir très estimé. En frottant cette peau avec la graisse et la cervelle même de l'animal, on la rend extrêmement souple, et elle supporte également bien la sécheresse et l'humidité. Aussi les Indiens recherchent-ils avec soin toutes les occasions de se procurer des peaux de wapitis.

— Mais leur chair ne donne-t-elle pas une venaison excellente?

— Médiocre, madame, répondit le lieutenant, fort médiocre, en vérité. Cette chair est dure, d'un goût peu savoureux. Sa graisse se fige immédiatement dès qu'elle est retirée du feu et s'attache aux dents. C'est donc une chair peu estimée, et qui est certainement inférieure à celle des autres daims. Cependant, faute de mieux, pendant les jours de disette, on en mange, et elle nourrit son homme tout comme un autre.»

Mrs. Paulina Barnett et Jasper Hobson s'entretenaient ainsi depuis quelques minutes, lorsque la lutte des wapitis se modifia subitement. Ces ruminants avaient-ils satisfait leur colère? Avaient-ils aperçu les chasseurs et sentaient-ils un danger prochain? Quoi qu'il en fût, au même moment, à l'exception de deux wapitis de haute taille, toute la troupe s'enfuit vers l'est avec une vitesse sans égale. En quelques instants, ces animaux avaient disparu, et le cheval le plus rapide n'aurait pu les rejoindre.

Mais deux daims, superbes à voir, étaient restés sur le champ de bataille. Le crâne baissé, cornes contre cornes, les jambes de l'arrière-train puissamment arc-boutées, ils se faisaient tête. Semblables à deux lutteurs qui n'abandonnent plus prise dès qu'ils sont parvenus à se saisir, ils ne se lâchaient pas et pivotaient sur leurs jambes de devant, comme s'ils eussent été rivés l'un à l'autre.

«Quel acharnement! s'écria Mrs. Paulina Barnett.

— Oui, répondit Jasper Hobson. Ce sont des bêtes rancunières que ces wapitis, et elles vident là, sans doute, une ancienne querelle!

— Mais ne serait-ce pas le moment de les approcher, tandis que la rage les aveugle? demanda la voyageuse.

— Nous avons le temps, madame, répondit Sabine, et ces daims-là ne peuvent plus nous échapper! Nous serions à trois pas d'eux, le fusil à l'épaule et le doigt sur la gâchette, qu'ils ne quitteraient pas la place!

— Vraiment?

— En effet, madame, dit Jasper Hobson, qui avait regardé plus attentivement les deux combattants après l'observation du chasseur, et, soit de notre main, soit par la dent des loups, ces wapitis mourront tôt ou tard à l'endroit même qu'ils occupent en ce moment.

— Je ne comprends pas ce qui vous fait parler ainsi, monsieur Hobson, répondit la voyageuse.

— Eh bien, approchez, madame, répondit le lieutenant. Ne craignez point d'effaroucher ces animaux. Ainsi que vous l'a dit notre chasseur, ils ne peuvent plus s'enfuir.»

Mrs. Paulina Barnett, accompagnée de Sabine, de Marbre et du lieutenant, descendit la colline. Quelques minutes lui suffirent à franchir la distance qui la séparait du théâtre du combat. Les wapitis n'avaient pas bougé. Ils se poussaient simultanément de la tête, comme deux béliers en lutte, mais ils semblaient inséparablement liés l'un à l'autre.

En effet, dans l'ardeur du combat, les cornes des deux wapitis s'étaient tellement enchevêtrées qu'elles ne pouvaient plus se dégager, à moins de se rompre. C'est un fait qui se produit souvent, et sur les territoires de chasse, il n'est pas rare de rencontrer ces appendices branchus gisant sur le sol et attachés les uns aux autres. Les animaux, ainsi embarrassés, ne tardent pas à mourir de faim, ou ils deviennent facilement la proie des fauves.

Deux balles terminèrent le combat des wapitis. Marbre et Sabine, les dépouillant séance tenante, conservèrent leur peau, qu'ils devaient préparer plus tard, et abandonnèrent aux loups et aux ours un monceau de chair saignante.

VII.

Le cercle polaire.

L'expédition continua de s'avancer vers le nord-ouest, mais le tirage des traîneaux sur ce sol inégal fatiguait extrêmement les chiens. Ces courageuses bêtes ne s'emportaient plus, elles que la main de leurs conducteurs avait tant de peine à contenir au début du voyage. On ne pouvait obtenir des attelages que huit à dix milles par jour. Cependant, Jasper Hobson pressait autant que possible la marche de son détachement. Il avait hâte d'arriver à l'extrémité du lac du Grand-Ours et d'atteindre le Fort- Confidence. Là, en effet, il comptait recueillir quelques renseignements utiles à son expédition. Les Indiens qui fréquentent les rives septentrionales du lac avaient-ils déjà parcouru les parages voisins de la mer? L'océan Arctique était-il libre à cette époque de l'année? C'étaient là de graves questions, qui, résolues affirmativement, pouvaient fixer le sort de la nouvelle factorerie.

La contrée que la petite troupe traversait alors était capricieusement coupée d'un grand nombre de cours d'eau, pour la plupart tributaires de deux fleuves importants qui, coulant du sud au nord, vont se jeter dans l'océan Glacial arctique. Ce sont, à l'ouest, le fleuve Mackenzie; à l'est, la Copper-mine-river. Entre ces deux principales artères se dessinaient des lacs, des lagons, des étangs nombreux. Leur surface, maintenant dégelée, ne permettait déjà plus aux traîneaux de s'y aventurer. Dès lors, nécessité de les tourner, ce qui accroissait considérablement la longueur de la route.

Décidément, il avait raison, le lieutenant Hobson. L'hiver est la véritable saison de ces pays hyperboréens, car il les rend plus aisément praticables. Mrs. Paulina Barnett devait le reconnaître en plus d'une occasion.

Cette région, comprise dans la Terre maudite, était, d'ailleurs, absolument déserte, comme le sont presque tous les territoires septentrionaux du continent américain. On a calculé, en effet, que la moyenne de la population n'y donne pas un habitant par dix milles carrés. Ces habitants sont, sans compter les indigènes déjà très raréfiés, quelques milliers d'agents ou de soldats, appartenant aux diverses compagnies de fourrures. Cette population est plus généralement massée sur les districts du sud et aux environs des factoreries. Aussi, nulle empreinte de pas humains ne fut-elle relevée sur la route du détachement. Les traces, conservées sur le sol friable, appartenaient uniquement aux ruminants et aux rongeurs. Quelques ours furent aperçus, animaux terribles, quand ils appartiennent aux espèces polaires. Toutefois, la rareté de ces carnassiers étonnait Mrs. Paulina Barnett. La voyageuse pensait, en s'en rapportant aux récits des hiverneurs, que les régions arctiques devaient être très fréquentées par ces redoutables animaux, puisque les naufragés ou les baleiniers de la baie de Baffin comme ceux du Groënland et du Spitzberg, sont journellement attaqués par eux, et c'est à peine si quelques-uns se montraient au large du détachement.

«Attendez l'hiver, madame, lui répondait le lieutenant Hobson, attendez le froid qui engendre la faim, et peut-être serez-vous servie à souhait!»

Cependant, après un fatigant et long parcours, le 23 mai, la petite troupe était enfin arrivée sur la limite du Cercle polaire. On sait que ce parallèle, éloigné de 23° 27' 57" du pôle nord, forme cette limite mathématique à laquelle s'arrêtent les rayons solaires, lorsque l'astre radieux décrit son arc dans l'hémisphère opposée. À partir de ce point, l'expédition entrait donc franchement sur les territoires des régions arctiques.

Cette latitude avait été relevée soigneusement au moyen des instruments très précis que l'astronome Thomas Black et Jasper Hobson maniaient avec une égale habileté. Mrs. Paulina Barnett, présente à l'opération, apprit avec satisfaction qu'elle allait enfin franchir le Cercle polaire. Amour-propre de voyageuse, bien admissible, en vérité.

«Vous avez déjà passé les deux tropiques dans vos précédents voyages, madame, lui dit le lieutenant, et vous voilà aujourd'hui sur la limite du Cercle polaire. Peu d'explorateurs se sont ainsi aventurés sous des zones si différentes! Les uns ont, pour ainsi dire, la spécialité des terres chaudes, et l'Afrique et l'Australie, principalement, forment le champ de leurs investigations. Tels les Barth, les Burton, les Livingstone, les Speck, les Douglas, les Stuart. D'autres, au contraire, se passionnent, pour ces régions arctiques, encore si imparfaitement connues, les Mackenzie, les Franklin, les Penny, les Kane, les Parry, les Rae, dont nous suivons en ce moment les traces. Il convient donc de féliciter Mrs. Paulina Barnett d'être une voyageuse si cosmopolite.

— Il faut tout voir, ou du moins tenter de tout voir, monsieur Hobson, répondit Mrs. Paulina Barnett. Je crois que les difficultés et les périls sont à peu près partout les mêmes, sous quelque zone qu'ils se présentent. Si nous n'avons pas à craindre sur ces terres arctiques les fièvres des pays chauds, l'insalubrité des hautes températures et la cruauté des tribus de race noire, le froid n'est pas un ennemi moins redoutable. Les animaux féroces se rencontrent sous toutes les latitudes, et les ours blancs, j'imagine, n'accueillent pas mieux les voyageurs que les tigres du Tibet ou les lions de l'Afrique. Donc, au-delà des Cercles polaires, mêmes dangers, mêmes obstacles qu'entre les deux tropiques. Il y a là des régions qui se défendront longtemps contre les tentatives des explorateurs.

— Sans doute, madame, répondit Jasper Hobson, mais j'ai lieu de penser que les contrées hyperboréennes résisteront plus longtemps. Dans les régions tropicales, ce sont principalement les indigènes dont la présence forme le plus insurmontable obstacle, et je sais combien de voyageurs ont été victimes de ces barbares africains, qu'une guerre civilisatrice réduira nécessairement un jour! Dans les contrées arctiques ou antarctiques, au contraire, ce ne sont point les habitants qui arrêtent l'explorateur, c'est la nature elle-même, c'est l'infranchissable banquise, c'est le froid, le cruel froid qui paralyse les forces humaines!

— Vous croyez donc, monsieur Hobson, que la zone torride aura été fouillée jusque dans ses territoires les plus secrets en Afrique et en Australie avant que la zone glaciale ait été parcourue tout entière?

— Oui, madame, répondit le lieutenant, et cette opinion me semble basée sur les faits. Les plus audacieux découvreurs des régions arctiques, Parry, Penny, Franklin, Mac-Clure, Kane, Morton, ne se sont pas élevés au-dessus du quatre vingt-troisième parallèle, restant ainsi à plus de sept degrés du pôle. Au contraire, l'Australie a été plusieurs fois explorée du sud au nord par l'intrépide Stuart, et l'Afrique même, — si redoutable à qui l'affronte, — fut totalement traversée par le docteur Livingstone depuis la baie de Loanga jusqu'aux embouchures du Zambèze. On a donc le droit de penser que les contrées équatoriales sont plus près d'être reconnues géographiquement que les territoires polaires.

— Croyez-vous, monsieur Hobson, demanda Mrs. Paulina Barnett, que l'homme puisse jamais atteindre le pôle même?

— Sans aucun doute, madame, répondit Jasper Hobson, l'homme, — ou la femme, ajouta-t-il en souriant. Cependant, il me semble que les moyens employés jusqu'ici par les navigateurs afin de s'élever jusqu'à ce point, auquel se croisent tous les méridiens du globe, doivent être absolument modifiés. On parle de la mer libre que quelques observateurs auraient entrevue. Mais cette mer, dégagée de glaces, si elle existe toutefois, est difficile à atteindre, et nul ne peut assurer, avec preuves à l'appui, qu'elle s'étende jusqu'au pôle. Je pense, d'ailleurs, que la mer libre créerait plutôt une difficulté qu'une facilité aux explorateurs. Pour moi, j'aimerais mieux avoir à compter, pendant toute la durée du voyage, sur un terrain solide, qu'il fût fait de roc ou de glace. Alors, au moyen d'expéditions successives, je ferais établir des dépôts de vivres et de charbons de plus en plus rapprochés du pôle, et de cette façon, avec beaucoup de temps, beaucoup d'argent, peut-être en sacrifiant bien des hommes à la solution de ce grand problème scientifique, je crois que j'atteindrais cet inaccessible point du globe.

— Je partage votre opinion, monsieur Hobson, répondit Mrs. Paulina Barnett, et, si jamais vous tentiez l'aventure, je ne craindrais pas de partager avec vous fatigues et dangers, pour aller planter au pôle nord le pavillon du Royaume-Uni! Mais, en ce moment, tel n'est point notre but.

— En ce moment, non, madame, répondit Jasper Hobson. Toutefois, les projets de la Compagnie une fois réalisés, lorsque le nouveau fort aura été élevé sur l'extrême limite du continent américain, il est possible qu'il devienne un point de départ naturel pour toute expédition dirigée vers le nord. D'ailleurs, si les animaux à fourrures, trop vivement pourchassés, se réfugient au pôle, il faudra bien que nous les suivions jusque là!

— À moins que cette coûteuse mode des fourrures ne passe enfin, répondit Mrs. Paulina Barnett.

— Ah! madame, s'écria le lieutenant, il se trouvera toujours quelque jolie femme qui aura envie d'un manchon de zibeline ou d'une pèlerine de wison, et il faudra bien la satisfaire!

— Je le crains, répondit en riant la voyageuse, ct il est probable, en effet, que le premier découvreur du pôle n'aura atteint ce point qu'à la suite d'une martre ou d'un renard argenté!

— C'est ma conviction, madame, reprit Jasper Hobson. La nature humaine est ainsi faite, et l'appât du gain entraînera toujours l'homme plus loin et plus vite que l'intérêt scientifique.

— Quoi! c'est vous qui parlez ainsi, vous, monsieur Hobson!

— Mais ne suis-je pas un employé de la Compagnie de la Baie d'Hudson, madame, et la Compagnie fait-elle autre chose que de risquer ses capitaux et ses agents dans l'unique espoir d'accroître ses bénéfices?

— Monsieur Hobson, répondit Mrs. Paulina Barnett, je crois vous connaître assez pour affirmer qu'au besoin vous sauriez vous dévouer corps et âme à la science. S'il fallait dans un intérêt purement géographique vous élever jusqu'au pôle, je suis assurée que vous n'hésiteriez pas. Mais, ajouta-t-elle en souriant, c'est là une grosse question dont la solution est encore bien éloignée. Pour nous, nous ne sommes encore arrivés qu'au Cercle polaire, et j'espère que nous le franchirons sans trop de difficultés.

— Je ne sais trop, madame, répondit Jasper Hobson, qui, en ce moment, observait attentivement l'état de l'atmosphère. Le temps depuis quelques jours devient menaçant. Voyez la teinte uniformément grise du ciel. Toutes ces brumes ne tarderont pas à se résoudre en neige, et, pour peu que le vent se lève, nous pourrons bien être battus par quelque grosse tempête. J'ai vraiment hâte d'être arrivé au lac du Grand-Ours!

— Alors, monsieur Hobson, répondit Mrs. Paulina Barnett en se levant, ne perdons pas de temps, et donnez-nous le signal du départ.»

Le lieutenant ne demandait point à être stimulé. Seul, ou accompagné d'hommes énergiques comme lui, il eût poursuivi sa marche en avant, sans perdre ni une nuit ni un jour. Mais il ne pouvait obtenir de tous ce qu'il eût obtenu de lui-même. Il lui fallait nécessairement compter avec les fatigues des autres, s'il ne faisait aucun cas des siennes. Ce jour-là donc, par prudence, il accorda quelques heures de repos à sa petite troupe, qui, vers trois heures après-midi, reprit la route interrompue.

Jasper Hobson ne s'était point trompé en pressant un changement prochain dans l'état de l'atmosphère. Ce changement, en effet, ne se fit pas attendre. Pendant cette journée, dans l'après-midi, les brumes s'épaissirent et prirent une teinte jaunâtre d'un sinistre aspect. Le lieutenant était assez inquiet, sans cependant rien laisser paraître de son inquiétude, et, tandis que les chiens de son traîneau le déplaçaient, non sans grandes fatigues, il s'entretenait avec le sergent Long, que ces symptômes d'une tempête ne laissaient pas de préoccuper.

Le territoire que le détachement traversait alors était malheureusement peu propice au glissage des traîneaux. Ce sol, très accidenté, raviné par endroits, tantôt hérissé de gros blocs de granit, tantôt obstrué d'énormes icebergs à peine entamés par le dégel, retardait singulièrement la marche des attelages et la rendait très pénible. Les malheureux chiens n'en pouvaient plus, et le fouet des conducteurs demeurait sans effet.

Aussi le lieutenant et ses hommes furent-ils fréquemment obligés de mettre pied à terre, de renforcer l'attelage épuisé, de pousser à l'arrière des traîneaux, de les soutenir même, lorsque les brusques dénivellements du sol risquaient de les faire choir. C'étaient, on le comprend, d'incessantes fatigues que chacun supportait sans se plaindre. Seul, Thomas Black, absorbé, d'ailleurs, dans son idée fixe, ne descendait jamais de son véhicule, car sa corpulence se fût mal accommodée de ces pénibles exercices.

Depuis que le Cercle polaire avait été franchi, le sol, on le voit, s'était absolument modifié. Il était évident que quelque convulsion géologique y avait semé ces blocs énormes. Cependant, une végétation plus complète se manifestait maintenant à sa surface. Non seulement des arbrisseaux et des arbustes, mais aussi des arbres se groupaient sur le flanc des collines, là où quelque encaissement les abritait contre les mauvais vents du nord. C'étaient invariablement les mêmes essences, des pins, des sapins, des saules, dont la présence attestait, dans cette terre froide, une certaine force végétative. Jasper Hobson espérait bien que ces produits de la flore arctique ne lui manqueraient pas lorsqu'il serait arrivé sur les limites de la mer Glaciale. Ces arbres, c'était du bois pour construire son fort, du bois pour en chauffer les habitants. Chacun pensait comme lui en observant le contraste que présentait cette région relativement moins aride, et les longues plaines blanches qui s'étendaient entre le lac de l'Esclave et le Fort-Entreprise.

À la nuit, la brume jaunâtre devint plus opaque. Le vent se leva. Bientôt la neige tomba à gros flocons, et, en quelques instants, elle eut recouvert le sol d'une nappe épaisse. En moins d'une heure, la couche neigeuse eut atteint l'épaisseur d'un pied, et, comme elle ne se solidifiait plus et restait à l'état de boue liquide, les traîneaux n'avançaient plus qu'avec une extrême difficulté. Leur avant recourbé s'engageait profondément dans la masse molle, qui les arrêtait à chaque instant.

Vers huit heures du soir, le vent commença à souffler avec une violence extrême. La neige, vivement chassée, tantôt précipitée sur le sol, tantôt relevée dans l'air, ne formait plus qu'un épais tourbillon. Les chiens, repoussés par la rafale, aveuglés par les remous de l'atmosphère, ne pouvaient plus avancer. Le détachement suivait alors une étroite gorge, pressée entre de hautes montagnes de glace, à travers laquelle la tempête s'engouffrait avec une incomparable puissance. Des morceaux d'iccbergs, détachés par l'ouragan, tombaient dans la passe et en rendaient la traversée fort périlleuse. C'étaient autant d'avalanches partielles, dont la moindre eût écrasé les traîneaux et ceux qui les montaient. Dans de telles conditions, la marche en avant ne pouvait être continuée. Jasper Hobson ne s'obstina pas plus longtemps. Après avoir pris l'avis du sergent Long, il fit faire halte. Mais il fallait trouver un abri contre le «chasse-neige», qui se déchaînait alors. Cela ne pouvait embarrasser des hommes habitués aux expéditions polaires. Jasper Hobson et ses compagnons savaient comment se conduire en de telles conjonctures. Ce n'était pas la première fois que la tempête les surprenait ainsi, à quelques centaines de milles des forts de la Compagnie, sans qu'ils eussent une hutte d'Esquimaux ou une cahute d'Indien pour abriter leur tête.

«Aux icebergs! aux icebergs!» cria Jasper Hobson.

Le lieutenant fut compris de tous. Il s'agissait de creuser dans ces masses glacées des «snow-houses», des maisons de neige, ou, pour mieux dire, de véritables trous dans lesquels chacun se blottirait pendant toute la durée de la tempête. Les haches et les couteaux eurent vite fait d'attaquer la masse friable des icebergs. Trois quarts d'heure après, une dizaine de tanières à étroites ouvertures, qui pouvaient contenir chacune deux ou trois personnes, étaient creusées dans l'épais massif. Quant aux chiens, ils avaient été dételés et abandonnés à eux-mêmes. On se fiait à leur sagacité, qui leur ferait trouver sous la neige un abri suffisant.

Avant dix heures, tout le personnel de l'expédition était tapi dans les «snow-houses». On s'était groupé par deux ou par trois, chacun suivant ses sympathies. Mrs. Paulina Barnett, Madge et le lieutenant Hobson occupaient la même hutte.

Thomas Black et le sergent Long s'étaient fourrés dans le même trou. Les autres à l'avenant. Ces retraites étaient véritablement chaudes, sinon confortables, et il faut savoir que les Indiens ou les Esquimaux n'ont pas d'autres refuges, même pendant les plus grands froids. Jasper Hobson et les siens pouvaient donc attendre en sûreté la fin de la tempête, en ayant soin, toutefois, que l'entrée de leur trou ne s'obstruât pas sous la neige. Aussi avaient-ils la précaution de le déblayer de demi-heure en demi-heure. Pendant cette tourmente, à peine le lieutenant et ses soldats purent-ils mettre le pied au dehors. Fort heureusement, chacun s'était muni de provisions suffisantes, et l'on put supporter cette existence de castors, sans souffrir ni du froid ni de la faim.

Pendant quarante-huit heures, l'intensité de la tempête continua de s'accroître. Le vent mugissait dans l'étroite passe et découronnait le sommet des icebergs. De grands fracas, vingt fois répétés par les échos, indiquaient à quel point se multipliaient les avalanches. Jasper Hobson pouvait craindre avec raison que sa route entre ces montagnes ne fut, par la suite, hérissée d'obstacles insurmontables. À ces fracas se mêlaient aussi des rugissements sur la nature desquels le lieutenant ne se méprenait pas, et il ne cacha point à la courageuse Mrs. Paulina Barnett que des ours devaient rôder dans la passe. Mais très heureusement, ces redoutables animaux, trop occupés d'eux-mêmes, ne découvrirent pas la retraite des voyageurs. Ni les chiens, ni les traîneaux enfouis sous une épaisse couche de neige, n'attirèrent leur attention, et ils passèrent sans songer à mal.

La dernière nuit, celle du 25 au 26 mai, fut plus terrible encore. La violence de l'ouragan devint telle que l'on put redouter un bouleversement général des icebergs. On sentait, en effet, ces énormes masses trembler sur leur base. Une mort affreuse eût attendu les malheureux pris dans cet écrasement de montagnes. Les blocs de glace craquaient avec un bruit effroyable, et déjà, par de certaines oscillations, il s'y creusait des failles qui devaient en compromettre la solidité. Cependant, aucun éboulement ne se produisit. La masse entière résista, et vers la fin de la nuit, par un de ces phénomènes fréquents dans les contrées arctiques, la violence de la tourmente s'étant épuisée subitement sous l'influence d'un froid assez rigoureux, le calme de l'atmosphère se refit avec les premières lueurs du jour.

VIII.

Le lac du Grand-Ours.

C'était une heureuse circonstance. Ces froids vifs, mais peu durables, qui marquent ordinairement certains jours du mois de mai, — même sur les parallèles de la zone tempérée, — suffirent à solidifier l'épaisse couche de neige. Le sol redevint favorable. Jasper Hobson se remit en route, et le détachement s'élança à sa suite de toute la vitesse des attelages.

La direction de l'itinéraire fut alors légèrement modifiée. Au lieu de se porter directement au nord, l'expédition s'avança vers l'ouest, en suivant pour ainsi dire la courbure du Cercle polaire. Le lieutenant voulait atteindre le Fort-Confidence, bâti à la pointe extrême du lac du Grand-Ours. Ces quelques jours de froid servirent utilement ses projets; sa marche fut très rapide; aucun obstacle ne se présenta, et le 30 mai, sa petite troupe arrivait à la factorerie.

Le Fort-Confidence et le Fort-Good-Hope, situés sur la rivière Mackenzie, étaient alors les postes les plus avancés vers le nord que la Compagnie de la baie d'Hudson possédât à cette époque. Le Fort-Confidence, bâti à l'extrémité septentrionale du lac du Grand-Ours, point extrêmement important, se trouvait, par les eaux mêmes du lac, glacées l'hiver, libres l'été, en communication facile avec le Fort-Franklin, élevé à l'extrémité méridionale. Sans parler des échanges journellement opérés avec les Indiens chasseurs de ces hautes latitudes, ces factoreries, et plus particulièrement le Fort-Confidence, exploitaient les rives et les eaux du Grand-Ours. Ce lac est une véritable mer méditerranéenne, qui s'étend sur un espace de plusieurs degrés en longueur et en largeur. D'un dessin très irrégulier, étranglé dans sa partie centrale par deux promontoires aigus, il affecte au nord la disposition d'un triangle évasé. Sa forme générale serait à peu près celle de la peau étendue d'un grand ruminant, auquel la tête manquerait tout entière.

C'était à l'extrémité de la «patte droite» qu'avait été construit le Fort-Confidence, à moins de deux cent milles du Golfe-du- Couronnement, l'un de ces nombreux estuaires qui échancrent si capricieusement la côte septentrionale de l'Amérique. Il se trouvait donc bâti au-dessus du Cercle polaire, mais encore à près de trois degrés de ce soixante-dixième parallèle, au-delà duquel la Compagnie de la baie d'Hudson tenait essentiellement à fonder un établissement nouveau.

Le Fort-Confidence, dans son ensemble, reproduisait les mêmes dispositions qui se retrouvaient dans les autres factoreries du Sud. Il se composait d'une maison d'officiers, de logements pour les soldats, de magasins pour les pelleteries, — le tout en bois et entouré d'une enceinte palissadée. Le capitaine qui le commandait était alors absent. Il avait accompagné dans l'Est un parti d'Indiens et de soldats qui s'étaient aventurés à la recherche de territoires plus giboyeux. La saison dernière n'avait pas été bonne. Les fourrures de prix manquaient. Toutefois, par compensation, les peaux de loutre, grâce au voisinage du lac, avaient pu être abondamment recueillies; mais ce stock venait précisément d'être dirigé vers les factoreries centrales du Sud, de telle sorte que les magasins du Fort-Confidence étaient vides en ce moment.

En l'absence du capitaine, ce fut un sergent qui fit à Jasper Hobson les honneurs du fort. Ce sous-officier était précisément le beau-frère du sergent Long, et se nommait Felton. Il se mit entièrement à la disposition du lieutenant, qui, désirant procurer quelque repos à ses compagnons, résolut de demeurer deux ou trois jours au Fort-Confidence. Les logements ne manquaient pas en l'absence de la petite garnison. Hommes et chiens furent bientôt installés confortablement. La plus belle chambre de la maison principale fut naturellement réservée à Mrs. Paulina Barnett, qui n'eut qu'à se louer des attentions du sergent Felton.

Le premier soin de Jasper Hobson avait été de demander à Felton si quelque parti d'Indiens du Nord ne battait pas en ce moment les rives du Grand-Ours.

«Oui, mon lieutenant, répondit le sergent. On nous a récemment signalé un campement d'Indiens-Lièvres, qui se sont établis sur l'autre pointe septentrionale du lac.

— À quelle distance du fort? demanda Jasper Hobson.

— À trente milles environ, répondit le sergent Felton. Est-ce qu'il vous conviendrait d'entrer en relation avec ces indigènes?

— Sans aucun doute, dit Jasper Hobson. Ces Indiens peuvent me donner d'utiles renseignements sur cette partie du territoire qui confine à la mer Polaire, et que termine le cap Bathurst. Si l'emplacement est propice, c'est là que je compte bâtir notre nouvelle factorerie.

— Eh bien, mon lieutenant, répondit Felton, rien n'est plus facile que de se rendre au campement des Lièvres.

— Par la rive du lac?

— Non, par les eaux mêmes du lac. Elles sont libres en ce moment et le vent est favorable. Nous mettrons à votre disposition un canot, un matelot pour le conduire, et, en quelques heures, vous aurez atteint le campement indien.

— Bien, sergent, dit Jasper Hobson. J'accepte votre proposition, et demain matin, si vous le voulez...

— Quand il vous conviendra, mon lieutenant», répondit le sergent Felton.

Le départ fut fixé au lendemain matin. Lorsque Mrs. Paulina Barnett eut connaissance de ce projet, elle demanda à Jasper Hobson la permission de l'accompagner, — permission qui, on le pense bien, lui fut accordée avec empressement.

Mais il s'agissait d'occuper la fin de cette journée. Mrs. Paulina Barnett, Jasper Hobson, deux ou trois soldats, Madge, Mrs. Mac Nap et Joliffe, guidés par Felton, allèrent visiter les rives voisines du lac. Ces rives n'étaient point dépourvues de verdure. Les coteaux, alors débarrassées des neiges, se montraient couronnés çà et là d'arbres résineux, de l'espèce des pins écossais. Ces arbres s'élevaient à une quarantaine de pieds au-dessus du sol, et ils fournissaient aux habitants du fort tout le combustible dont ils avaient besoin pendant les longs mois d'hiver. Leurs gros troncs, revêtus de branches flexibles, offraient une nuance grisâtre très caractérisée. Mais, formant d'épais massifs qui descendaient jusqu'aux rives du lac, uniformément groupés, droits, presque tous d'égale hauteur, ils donnaient peu de variété au paysage. Entre ces bouquets d'arbres, une sorte d'herbe blanchâtre revêtait le sol et parfumait l'atmosphère de la suave odeur du thym. Le sergent Felton apprit à ses hôtes que cette herbe, très odorante, portait le nom «d'herbe-encens», nom qu'elle justifiait, d'ailleurs, lorsqu'on la jetait sur des charbons ardents.

Les promeneurs quittèrent le fort, et, après avoir franchi quelques centaines de pas, ils arrivèrent près d'un petit port naturel, encaissé dans de hautes roches de granit, qui le défendaient contre le ressac du large. C'est là que s'amarrait la flottille du Fort-Confidence, consistant en un unique canot de pêche, — celui-là même qui, le lendemain, devait transporter Jasper Hobson et Mrs. Paulina Barnett au campement des Indiens. De ce point, le regard embrassait une grande partie du lac, ses coteaux boisés, ses rives capricieuses, déchiquetées de caps et de criques, ses eaux faiblement ondulées par la brise, et au-dessus desquelles quelques icebergs découpaient encore leur silhouette mobile. Dans le sud, l'oeil s'arrêtait sur un véritable horizon de mer, ligne circulaire, nettement tracée par le ciel et l'eau, qui s'y confondaient alors sous l'éclat des rayons solaires.

Ce large espace, occupé par la surface liquide du Grand-Ours, les rives semées de cailloux et de blocs de granit, les talus tapissés d'herbes, les collines, les arbres qui les couronnaient, offraient partout l'image de la vie végétale et animale. De nombreuses variétés de canards couraient sur les eaux, en jacassant à grand bruit: c'étaient des eiders-ducks, des siffleurs, des arlequins, des «vieilles femmes», oiseaux bavards dont le bec n'est jamais fermé. Quelques centaines de puffins et de guillemots s'enfuyaient à tire-d'aile en toute direction. Sous le couvert des arbres se pavanaient des orfraies, hautes de deux pieds, sortes de faucons dont le ventre est gris-cendré, les pattes et le bec bleus, les yeux jaune orange. Les nids de ces volatiles, accrochés aux fourches des arbres, et formés d'herbes marines, présentaient un volume énorme. Le chasseur Sabine parvint à abattre une couple de ces gigantesques orfraies, dont l'envergure mesurait près de six pieds, — magnifiques échantillons de ces oiseaux voyageurs, exclusivement ichtyophages, que l'hiver chasse jusqu'aux rivages du golfe du Mexique, et que l'été ramène vers les plus hautes latitudes de l'Amérique septentrionale.

Mais ce qui intéressa particulièrement les promeneurs, ce fut la capture d'une loutre, dont la peau valait plusieurs centaines de roubles.

La fourrure de ces précieux amphibies était autrefois très recherchée en Chine. Mais, si ces peaux ont notablement baissé sur les marchés du Céleste Empire, elles sont encore en grande faveur sur les marchés de la Russie. Là, leur débit est toujours assuré, et à de très hauts prix. Aussi les commerçants russes, exploitant toutes les frontières du Nouveau-Cornouailles jusqu'à l'océan Arctique, pourchassent-ils incessamment les loutres marines, dont l'espèce tend singulièrement à se raréfier. Telle est la raison pour laquelle ces animaux fuient constamment devant les chasseurs, qui ont dû les poursuivre jusque sur les rivages du Kamtchatka et dans toutes les îles de l'archipel de Béring.

«Mais, ajouta le sergent Felton, après avoir donné ces détails à ses hôtes, les loutres américaines ne sont pas à dédaigner, et celles qui fréquentent le lac du Grand-Ours valent encore de deux cent cinquante à trois cents francs la pièce.»

C'étaient, en effet, des loutres magnifiques que celles qui vivaient sous les eaux du lac. L'un de ces mammifères, adroitement tiré et tué par le sergent lui-même, valait presque les enhydres du Kamtchatka. Cette bête, longue de deux pieds et demi depuis l'extrémité du museau jusqu'au bout de la queue, avait les pieds palmés, les jambes courtes, le pelage brunâtre, plus foncé au dos, plus clair au ventre, des poils soyeux, longs et luisants.

«Un beau coup de fusil, sergent! dit le lieutenant Hobson, qui faisait admirer à Mrs. Paulina Barnett la magnifique fourrure de l'animal abattu.

— En effet, monsieur Hobson, répondit le sergent Felton, et si chaque jour apportait ainsi sa peau de loutre, nous n'aurions pas à nous plaindre! Mais que de temps perdu à guetter ces animaux, qui nagent et plongent avec une rapidité extrême! Ils ne chassent guère que pendant la nuit, et il est très rare qu'ils se hasardent de jour hors de leur gîte, tronc d'arbre ou cavité de roche, fort difficile à découvrir, même aux chasseurs exercés.

— Et ces loutres deviennent de moins en moins nombreuses? demanda Mrs. Paulina Barnett.

— Oui, madame, répondit le sergent, et le jour où cette espèce aura disparu, les bénéfices de la Compagnie décroîtront dans une proportion notable. Tous les chasseurs se disputent cette fourrure, et les Américains, principalement, nous font une ruineuse concurrence. Pendant votre voyage, mon lieutenant, n'avez-vous rencontré aucun agent des compagnies américaines?

— Aucun, répondit Jasper Hobson. Est-ce qu'ils fréquentent ces territoires si élevés en latitude?

— Assidûment, monsieur Hobson, dit le sergent, et quand ces fâcheux sont signalés, il est bon de se mettre sur ses gardes.

— Ces agents sont-ils donc des voleurs de grand chemin? demanda Mrs. Paulina Barnett.

— Non, madame, répondit le sergent, mais ce sont des rivaux redoutables, et quand le gibier est rare, les chasseurs se le disputent à coups de fusil. J'oserais même affirmer que, si la tentative de la Compagnie est couronnée de succès, si vous parvenez à établir un fort sur la limite extrême du continent, votre exemple ne tardera pas à être imité par ces Américains, que le ciel confonde!

— Bah! répondit le lieutenant, les territoires de chasse sont vastes, et il y a place au soleil pour tout le monde. Quant à nous, commençons d'abord! Allons en avant, tant que la terre solide ne manquera pas à nos pieds, et que Dieu nous garde!»

Après trois heures de promenade, les visiteurs revinrent au Fort- Confidence. Un bon repas, composé de poisson et de venaison fraîche, les attendait dans la grande salle, et ils firent honneur au dîner du sergent. Quelques heures de causerie dans le salon terminèrent cette journée, et la nuit procura aux hôtes du fort un excellent sommeil.

Le lendemain, 31 mai, Mrs. Paulina Barnett et Jasper Hobson étaient sur pied dès cinq heures du matin. Le lieutenant devait consacrer tout ce jour à visiter le campement des Indiens et à recueillir les renseignements qui pouvaient lui être utiles. Il proposa à Thomas Black de l'accompagner dans cette excursion. Mais l'astronome préféra demeurer à terre. Il désirait faire quelques observations astronomiques et déterminer avec précision la longitude et la latitude du Fort-Confidence. Mrs. Paulina Barnett et Jasper Hobson durent donc faire seuls la traversée du lac, sous la conduite d'un vieux marin nommé Norman, qui était depuis de longues années au service de la Compagnie.

Les deux passagers, accompagnés du sergent Felton, se rendirent au petit port, où le vieux Norman les attendait dans son embarcation. Ce n'était qu'un canot de pêche, non ponté, mesurant seize pieds de quille, gréé en cutter, qu'un seul homme pouvait manoeuvrer aisément. Le temps était beau. Il ventait une petite brise du nord-est, très favorable à la traversée. Le sergent Felton dit adieu à ses hôtes, les priant de l'excuser s'il ne les accompagnait pas, mais il ne pouvait quitter la factorerie en l'absence de son capitaine. L'amarre de l'embarcation fut larguée, et le canot, tribord amure, ayant quitté le petit port, fila rapidement sur les fraîches eaux du lac.

Ce voyage n'était véritablement qu'une promenade, et une promenade charmante. Le vieux matelot, assez taciturne de sa nature, la barre engagée sous le bras, se tenait silencieux à l'arrière de l'embarcation. Mrs. Paulina Barnett et Jasper Hobson, assis sur les bancs latéraux, examinaient le paysage qui se déployait devant leurs yeux. Le canot prolongeait la côte septentrionale du Grand- Ours à une distance de trois milles environ, de manière à suivre une direction rectiligne. On pouvait donc observer facilement les grandes masses des coteaux boisés, qui s'abaissaient peu à peu vers l'ouest. De ce côté, la région formant la partie nord du lac semblait être entièrement plane, et la ligne de l'horizon s'y reculait à une distance considérable. Toute cette rive contrastait avec celle qui dessinait l'angle aigu au fond duquel s'élevait le Fort-Confidence, encadré dans sa bordure de sapins verts. On voyait encore le pavillon de la Compagnie, qui se déroulait au sommet du donjon. Vers le sud et l'ouest, les eaux du lac, obliquement frappées par les rayons solaires, resplendissaient par places; mais ce qui éblouissait le regard, c'étaient ces icebergs mobiles, semblables à des blocs d'argent en fusion, dont l'oeil ne pouvait soutenir la réverbération. Des glaçons soudés par l'hiver, il ne restait plus aucune trace. Seules, ces montagnes flottantes, que l'astre radieux pouvait à peine dissoudre, semblaient protester contre ce soleil polaire, qui décrivait un arc diurne très allongé, et auquel la chaleur manquait encore, sinon l'éclat.

Mrs. Paulina Barnett et Jasper Hobson causaient de ces choses, échangeant, comme toujours, les pensées que cette étrange nature provoquait en eux. Ils enrichissaient leur esprit de souvenirs, tandis que l'embarcation, ondulant à peine sur ces eaux paisibles, marchait rapidement.

En effet, le canot était parti à six heures du matin, et à neuf heures, il se rapprochait sensiblement déjà de la rive septentrionale du lac qu'il devait atteindre. Le campement des Indiens se trouvait établi à l'angle nord-ouest du Grand-Ours. Avant dix heures, le vieux Norman avait rallié cet endroit, et il venait atterrir près d'une berge très accore, au pied d'une falaise de médiocre hauteur.

Le lieutenant et Mrs. Paulina prirent terre aussitôt. Deux ou trois Indiens accoururent au-devant d'eux, — entre autres leur chef, personnage assez emplumé, qui leur adressa la parole en un anglais suffisamment intelligible.

Ces Indiens-Lièvres, de même que les Indiens-Cuivre, les Indiens-Castors et autres, appartiennent tous à la race des Chippeways, et conséquemment ils diffèrent peu de leurs congénères par leurs coutumes et leurs habillements. Ils sont, d'ailleurs, en fréquentes relations avec les factoreries, et ce commerce les a pour ainsi dire «britannisés», autant que peut l'être un sauvage. C'est aux forts qu'ils portent les produits de leur chasse, et c'est aux forts qu'ils les échangent contre les objets nécessaires à la vie, que, depuis quelques années, ils ne fabriquent plus eux-mêmes. Ils sont, pour ainsi dire, à la solde de la Compagnie; c'est par elle qu'ils vivent, et l'on ne s'étonnera plus qu'ils aient déjà perdu toute originalité. Pour trouver une race d'indigènes sur laquelle le contact européen n'ait pas encore laissé son empreinte, il faut remonter à des latitudes plus élevées, jusqu'à ces glaciales régions fréquentées par les Esquimaux. L'Esquimau, comme le Groënlandais, est le véritable enfant des contrées polaires.

Mrs. Paulina Barnett et Jasper Hobson se rendirent au campement des Indiens-Lièvres, situé à un demi-mille du rivage. Là, ils trouvèrent une trentaine d'indigènes, hommes, femmes et enfants, qui vivaient de pêche et de chasse, et exploitaient les environs du lac. Ces Indiens étaient précisément revenus tout récemment des territoires situés au nord du continent américain, et ils donnèrent à Jasper Hobson quelques renseignements, fort incomplets il est vrai, sur l'état actuel du littoral aux environs du soixante-dixième parallèle. Le lieutenant apprit cependant, avec une certaine satisfaction, qu'aucun détachement européen ou américain n'avait été vu sur les confins de la mer polaire, et que cette mer était libre à cette époque de l'année. Quand au cap Bathurst proprement dit, vers lequel il avait l'intention de se diriger, les Indiens-Lièvres ne le connaissaient pas. Leur chef parla, d'ailleurs, de la région située entre le Grand-Ours et le cap Bathurst comme d'un pays difficile à traverser, assez accidenté et coupé de rios dégelés en ce moment. Il engagea le lieutenant à descendre le cours de la Coppermine-river, dans le nord-est du lac, de manière à gagner la côte par le plus court chemin. Une fois la mer polaire atteinte, il serait plus aisé d'en suivre les rivages, et Jasper Hobson serait maître alors de s'arrêter au point qui lui conviendrait.

Jasper Hobson remercia le chef indien, et prit congé de lui, après lui avoir fait quelques présents. Puis, accompagnant Mrs. Paulina Barnett, il visita les environs du campement, et ne revint trouver l'embarcation que vers trois heures après-midi.

IX.

Une tempête sur un lac.

Le vieux marin attendait avec une certaine impatience le retour de ses passagers.

En effet, depuis une heure environ, le temps avait changé. L'aspect du ciel, qui s'était subitement modifié, ne pouvait qu'inquiéter un homme habitué à consulter les vents et les nuages. Le soleil, masqué par une brume épaisse, ne se montrait plus que sous l'aspect d'un disque blanchâtre, alors sans éclat et sans rayonnement. La brise s'était tue, mais on entendait les eaux du lac gronder dans le sud. Ces symptômes d'un changement très prochain dans l'état de l'atmosphère s'étaient manifestés avec cette rapidité particulière aux latitudes élevées.

«Partons, monsieur le lieutenant, partons! s'écria le vieux Norman, en regardant d'un air inquiet la brume suspendue au-dessus de sa tête. Partons sans perdre un instant. Il y a de graves menaces dans l'air.

— En effet, répondit Jasper Hobson, l'aspect du ciel n'est plus le même. Nous n'avions pas remarqué ce changement, madame.

— Craignez-vous donc quelque tempête? demanda la voyageuse en s'adressant à Norman.

— Oui, madame, répondit le vieux marin, et les tempêtes du Grand- Ours sont souvent terribles. L'ouragan s'y déchaîne comme en plein Atlantique. Cette brume subite ne présage rien de bon. Toutefois, il est possible que la tourmente n'éclate point avant trois ou quatre heures, et, d'ici là, nous serons arrivés au Fort- Confidence. Mais partons sans retard, car l'embarcation ne serait pas en sûreté auprès de ces roches, qui se montrent à fleur d'eau.»

Le lieutenant ne pouvait discuter avec Norman des choses auxquelles celui-ci s'entendait mieux que lui. Le vieux marin était, d'ailleurs, un homme habitué depuis longtemps à ces traversées du lac. Il fallait donc s'en rapporter à son expérience. Mrs. Paulina Barnett et Jasper Hobson s'embarquèrent.

Cependant, au moment de détacher l'amarre et de pousser au large, Norman, — éprouvait-il une sorte de pressentiment? — murmura ces mots: «On ferait peut-être mieux d'attendre!» Jasper Hobson, auquel ces paroles n'avaient point échappé, regarda le vieux marin, déjà assis à la barre. S'il eût été seul, il n'aurait pas hésité à partir. Mais la présence de Mrs. Paulina Barnett lui commandait une circonspection plus grande. La voyageuse comprit l'hésitation de son compagnon.

«Ne vous occupez point de moi, monsieur Hobson, dit-elle, et agissez comme si je n'étais pas là. Du moment que ce brave marin croit devoir partir, partons sans retard.

— Adieu-vat! répondit Norman, en larguant son amarre, et retournons au fort par le plus court!»

Le canot prit le large. Pendant une heure, il fit peu de chemin. La voile, à peine gonflée par de folles brises qui ne savaient où se fixer, battait sur le mât. La brume s'épaississait. L'embarcation subissait déjà les ondulations d'une houle plus violente, car la mer «sentait», avant l'atmosphère, le cataclysme prochain. Les deux passagers restaient silencieux, tandis que le vieux marin, à travers ses paupières éraillées, cherchait à percer l'opaque brouillard. D'ailleurs, il se tenait prêt à tout événement, et, son écoute à la main, il attendait le vent, prêt à la filer, si l'attaque était trop brusque.

Jusqu'alors, cependant, les éléments n'étaient point entrés en lutte, et tout eût été pour le mieux, si l'embarcation avait fait de la route. Mais, après une heure de navigation, elle ne se trouvait pas encore à deux milles du campement des Indiens. En outre, quelques souffles malencontreux, venus de terre, l'avaient repoussée au large, et déjà, par ce temps embrumé, la côte se distinguait à peine. C'était une circonstance fâcheuse, si le vent venait à se fixer dans la partie du nord, car ce léger canot, très sensible à la dérive et ne pouvant suffisamment tenir le plus près, courait risque d'être entraîné très au loin sur le lac.

«Nous marchons à peine, dit le lieutenant au vieux Norman.

— À peine, monsieur Hobson, répondit le marin. La brise ne veut pas tenir, et, quand elle tiendra, il est malheureusement à craindre que ce ne soit du mauvais côté. Alors, ajouta-t-il en étendant sa main vers le sud, nous pourrions bien voir le Fort- Franklin avant le Fort-Confidence!

— Eh bien, répondit en plaisantant Mrs. Paulina Barnett, ce serait une promenade plus complète, voilà tout. Ce lac du Grand- Ours est magnifique, et il mérite vraiment d'être visité du nord au sud! Je suppose, Norman, qu'on en revient, de ce Fort-Franklin?

— Oui! madame, quand on a pu l'atteindre, dit le vieux Norman. Mais des tempêtes qui durent quinze jours ne sont pas rares sur ce lac, et, si notre mauvaise fortune nous poussait jusqu'aux rives du sud, je ne promettrais pas à M. Jasper Hobson qu'il fût de retour avant un mois au Fort-Confidence.

— Prenons garde alors, répondit le lieutenant, car un pareil retard compromettrait fort nos projets. Ainsi donc agissez avec prudence, mon ami, et, s'il le faut, regagnez au plus tôt la terre du nord. Mrs. Paulina Barnett ne reculera pas, je pense, devant une course de vingt à vingt-cinq milles par terre.

— Je voudrais regagner la côte au nord, monsieur Hobson, répondit Norman, que je ne pourrais plus remonter maintenant. Voyez vous- même. Le vent a une tendance à s'établir de ce côté. Tout ce que je puis tenter, c'est de tenir le cap au nord-est, et, s'il ne survente pas, j'espère que je ferai bonne route.»

Mais, vers quatre heures et demie, la tempête se caractérisa. Des sifflements aigus retentirent dans les hautes couches de l'air. Le vent, que l'état de l'atmosphère maintenait dans les zones supérieures, ne s'abaissait pas encore jusqu'à la surface du lac, mais cela ne pouvait tarder. On entendait de grands cris d'oiseaux effarés, qui passaient dans la brume. Puis, tout d'un coup, cette brume se déchira et laissa voir de gros nuages bas, déchiquetés, déloquetés, véritables haillons de vapeur, violemment chassés vers le sud. Les craintes du vieux marin s'étaient réalisées. Le vent soufflait du nord, et il ne devait pas tarder à prendre les proportions d'un ouragan en s'abattant sur le lac.

«Attention!» cria Norman, en roidissant l'écoute de manière à présenter l'embarcation debout au vent sous l'action de la barre.

La rafale arriva. Le canot se coucha d'abord sur le flanc, puis il se releva et bondit au sommet d'une lame. À partir de ce moment, la houle s'accrut comme elle eût fait sur une mer. Dans ces eaux relativement peu profondes, les lames, se choquant lourdement contre le fond du lac, rebondissaient ensuite à une prodigieuse hauteur.

«À l'aide! à l'aide!» avait crié le vieux marin, en essayant d'amener rapidement sa voile.

Jasper Hobson, Mrs. Paulina Barnett elle-même, tentèrent d'aider Norman, mais sans succès, car ils étaient peu familiarisés avec la manoeuvre d'une embarcation. Norman, ne pouvant abandonner sa barre, et les drisses étant engagées à la tête du mât, la voile n'amenait pas. À chaque instant, le canot menaçait de chavirer, et déjà de gros paquets de mer l'assaillaient par le flanc. Le ciel, très chargé, s'assombrissait de plus en plus. Une froide pluie, mêlée de neige, tombait à torrents, et l'ouragan redoublait de fureur, en échevelant la crête des lames.

«Coupez! coupez donc!» cria le vieux marin au milieu des mugissements de la tempête.

Jasper Hobson, décoiffé par le vent, aveuglé par les averses, saisit le couteau de Norman et trancha la drisse tendue comme une corde de harpe. Mais le filin mouillé ne courait plus dans la gorge des poulies, et la vergue resta apiquée en tête du mât.

Norman voulut fuir alors, fuir dans le sud, puisqu'il ne pouvait tenir tête au vent; fuir, quoique cette allure fût extrêmement périlleuse, au milieu de lames dont la vitesse dépassait celle de son embarcation; fuir, bien que cette fuite risquât de l'entraîner irrésistiblement jusqu'aux rives méridionales du Grand-Ours!

Jasper Hobson et sa courageuse compagne avaient conscience du danger qui les menaçait. Ce frêle canot ne pouvait résister longtemps aux coups de mer. Ou il serait démoli, ou il chavirerait. La vie de ceux qu'il portait était entre les mains de Dieu.

Cependant ni le lieutenant ni Mrs. Paulina Barnett ne se laissèrent aller au désespoir. Accrochés à leurs bancs, couverts de la tête aux pieds par les froides douches des lames, trempés de pluie et de neige, enveloppés par les sombres rafales, ils regardaient à travers les brumes. Toute terre avait disparu. À une encablure du canot, les nuages et les eaux du lac se confondaient obscurément. Puis, leurs yeux interrogeaient le vieux Norman, qui, les dents serrées, les mains contractées sur la barre, essayait encore de maintenir son canot au plus près du vent.

Mais la violence de l'ouragan devint telle, que l'embarcation ne put continuer à naviguer plus longtemps sous cette allure. Les lames qui la choquaient par l'avant l'auraient inévitablement démolie. Déjà ses premiers bordages se disjoignaient, et quand elle tombait de tout son poids dans le creux des lames, c'était à croire qu'elle ne se relèverait pas.

«Il faut fuir, fuir quand même!» murmura le vieux marin.

Et, poussant la barre, filant l'écoute, il mit le cap au sud. La voile, violemment tendue, emporta aussitôt l'embarcation avec une vertigineuse rapidité. Mais les immenses lames, plus mobiles, couraient encore plus vite, et c'était le grand danger de cette fuite vent arrière. Déjà même des masses liquides se précipitaient sur la voûte du canot, qui ne pouvait les éviter. Il se remplissait, et il fallait le vider sans cesse, sous peine de sombrer. À mesure qu'il s'avançait dans la portion plus large du lac, et, par cela même, plus loin de la côte, les eaux devenaient plus tumultueuses. Aucun abri, ni rideau d'arbres, ni collines, n'empêchait alors l'ouragan de faire rage autour de lui. Dans certaines éclaircies, ou plutôt au milieu du déchirement des brumes, on entrevoyait d'énormes icebergs, qui roulaient comme des bouées sous l'action des lames, poussés, eux aussi, vers la partie méridionale du lac.

Il était cinq heures et demie. Ni Norman ni Jasper Hobson ne pouvaient estimer le chemin parcouru, non plus que la direction suivie. Ils n'étaient plus maîtres de leur embarcation, et ils subissaient les caprices de la tempête.

En ce moment, à cent pieds en arrière du canot, se leva une monstrueuse lame, couronnée nettement par une crête blanche. Au-devant d'elle, la dénivellation de la surface liquide formait comme une sorte de gouffre. Toutes les petites ondulations intermédiaires, écrasées par le vent, avaient disparu. Dans ce gouffre mobile la couleur des eaux était noire. Le canot, engagé au fond de cet abîme qui se creusait de plus en plus, s'abaissait profondément. La grande lame s'approchait, dominant toutes les vagues environnantes. Elle gagnait sur l'embarcation. Elle menaçait de l'aplatir. Norman, s'étant retourné, la vit venir, Jasper Hobson et Mrs. Paulina Barnett la regardèrent aussi, l'oeil démesurément ouvert, s'attendant à ce qu'elle croulât sur eux et ne pouvant l'éviter!

Elle croula, en effet, et avec un bruit épouvantable. Elle déferla sur l'embarcation, dont l'arrière fut entièrement coiffé. Un choc terrible eut lieu. Un cri s'échappa des lèvres du lieutenant et de sa compagne, ensevelis sous cette montagne liquide. Ils durent croire que l'embarcation sombrait en cet instant.

L'embarcation, aux trois quarts pleine d'eau, se releva pourtant..., mais le vieux marin avait disparu!

Jasper Hobson poussa un cri de désespoir. Mrs. Paulina Barnett se retourna vers lui.

«Norman! s'écria-t-il, montrant la place vide à l'arrière de l'embarcation.

— Le malheureux!» murmura la voyageuse. Jasper Hobson et elle s'étaient levés, au risque d'être jetés hors de ce canot, qui bondissait sur le sommet des lames. Mais ils ne virent rien. Pas un cri, pas un appel ne se fit entendre. Aucun corps n'apparut dans l'écume blanche... Le vieux marin avait trouvé la mort dans les flots. Mrs. Paulina Barnett et Jasper Hobson étaient retombés sur leur banc. Maintenant, seuls à bord, ils devaient pourvoir eux-mêmes à leur salut. Mais ni le lieutenant ni sa compagne ne savaient manoeuvrer une embarcation, et, dans ces déplorables circonstances, un marin consommé aurait à peine pu la maintenir. Le canot était le jouet des lames. Sa voile tendue l'emportait. Jasper Hobson pouvait-il enrayer cette course?

C'était une affreuse situation pour ces infortunés, pris dans la tempête, sur une barque fragile, qu'ils ne savaient même pas diriger!

«Nous sommes perdus! dit le lieutenant.

— Non, monsieur Hobson, répondit la courageuse Paulina Barnett. Aidons-nous d'abord! Le ciel nous aidera ensuite.» Jasper Hobson comprit bien alors ce qu'était cette vaillante femme, dont il partageait en ce moment la destinée.

Le plus pressé était de rejeter hors du canot cette eau qui l'alourdissait. Un second coup de mer l'eût rempli en un instant, et il aurait coulé par le fond. Il y avait intérêt, d'ailleurs, à ce que l'embarcation, allégée, s'élevât plus facilement à la lame, car alors elle risquait moins d'être assommée. Jasper Hobson et Mrs. Paulina Barnett vidèrent donc promptement cette eau, qui, par sa mobilité même, pouvait les faire chavirer. Ce ne fut pas une petite besogne, car, à chaque moment, quelque crête de vague embarquait, et il fallait avoir constamment l'écope à la main. La voyageuse s'occupait plus spécialement de ce travail. Le lieutenant tenait la barre et maintenait tant bien que mal l'embarcation vent arrière.

Pour surcroît de danger, la nuit, ou sinon la nuit, — qui, sous cette latitude et à cette époque de l'année, dure à peine quelques heures, — l'obscurité, du moins, s'accroissait. Les nuages, bas, mêlés aux brumes, formaient un intense brouillard, à peine imprégné de lumière diffuse. On n'y voyait pas à deux longueurs du canot, qui se fût mis en pièces s'il eût heurté quelque glaçon errant. Or, ces glaces flottantes pouvaient inopinément surgir, et, avec cette vitesse, il n'existait aucun moyen de les éviter.

«Vous n'êtes pas maître de votre barre, monsieur Jasper? demanda Mrs. Paulina Barnett, pendant une courte accalmie de la tempête.

— Non, madame, répondit le lieutenant, et vous devez vous tenir prête à tout événement!

— Je suis prête!» répondit simplement la courageuse femme.

En ce moment, un déchirement se fit entendre. Ce fut un bruit assourdissant. La voile, éventrée par le vent, s'en alla comme une vapeur blanche. Le canot, emporté par la vitesse acquise, fila encore pendant quelques instants; puis, il s'arrêta, et les lames le ballottèrent alors comme une épave. Jasper Hobson et Mrs. Paulina Barnett se sentirent perdus! Ils étaient effroyablement secoués, ils étaient précipités de leurs bancs, contusionnés, blessés. Il n'y avait pas à bord un morceau de toile que l'on pût tendre au vent. Les deux infortunés, dans ces obscurs embruns, au milieu de ces averses de neige et de pluie, se voyaient à peine. Ils ne pouvaient s'entendre, et, croyant à chaque instant périr, pendant une heure peut-être, ils restèrent ainsi, se recommandant à la Providence, qui seule les pouvait sauver.

Combien de temps encore errèrent-ils ainsi, ballottés sur ces eaux furieuses? Ni le lieutenant Hobson ni Mrs. Paulina Barnett n'auraient pu le dire, quand un choc violent se produisit.

Le canot venait de heurter un énorme iceberg, — bloc flottant, aux pentes roides et glissantes, sur lesquelles la main n'eût pas trouvé prise. À ce heurt subit, qui n'avait pu être paré, l'avant de l'embarcation s'entrouvrit, et l'eau y pénétra à torrents.

«Nous coulons! nous coulons!» s'écria Jasper Hobson. En effet, le canot s'enfonçait, et l'eau avait déjà atteint à la hauteur des bancs. «Madame! madame! s'écria le lieutenant. Je suis là... Je resterai... près de vous!

— Non, monsieur Jasper! répondit Mrs. Paulina. Seul, vous pouvez vous sauver... À deux nous péririons! Laissez-moi! laissez-moi!

— Jamais!» s'écria le lieutenant Hobson. Mais il avait à peine prononcé ce mot, que l'embarcation, frappée d'un nouveau coup de mer, coulait à pic. Tous deux disparurent dans le remous causé par l'engouffrement subit du bateau. Puis, après quelques instants, ils revinrent à la surface. Jasper Hobson nageait vigoureusement d'un bras et soutenait sa compagne de l'autre. Mais il était évident que sa lutte contre ces lames furibondes ne pourrait être de longue durée, et qu'il périrait lui-même avec celle qu'il voulait sauver. En ce moment, des sons étranges attirèrent son attention. Ce n'étaient point des cris d'oiseaux effarés, mais bien un appel proféré par une voix humaine. Jasper Hobson, par un suprême effort, s'élevant au-dessus des flots, lança un regard rapide autour de lui. Mais il ne vit rien au milieu de cet épais brouillard. Et cependant, il entendait encore ces cris, qui se rapprochaient. Quels audacieux osaient venir ainsi à son secours? Mais, quoi qu'ils fissent, ils arriveraient trop tard. Embarrassé de ses vêtements, le lieutenant se sentait entraîné avec l'infortunée, dont il ne pouvait déjà plus maintenir la tête au-dessus de l'eau.

Alors, par un dernier instinct, Jasper Hobson poussa un cri déchirant, puis il disparut sous une énorme lame.

Mais Jasper Hobson ne s'était pas trompé. Trois hommes, errant sur le lac, ayant aperçu le canot en détresse, s'étaient lancés à son secours. Ces hommes, les seuls qui pussent affronter avec quelque chance de succès ces eaux furieuses, montaient les seules embarcations qui pussent résister à cette tempête.

Ces trois hommes étaient des Esquimaux, solidement attachés chacun à son kayak. Le kayak est une longue pirogue, relevée des deux bouts, faite d'une charpente extrêmement légère, sur laquelle sont tendues des peaux de phoque, bien cousues avec des nerfs de veau marin. Le dessus du kayak est également recouvert de peaux dans toute sa longueur, sauf en son milieu, où une ouverture est ménagée. C'est là que l'Esquimau prend place. Il lace sa veste imperméable à l'épaulement de l'ouverture, et il ne fait plus qu'un avec son embarcation, dans laquelle aucune goutte d'eau ne peut pénétrer. Ce kayak, souple et léger, toujours enlevé sur le dos des lames, insubmersible, chavirable peut-être, — mais un coup de pagaye le redresse aisément, — peut résister et résiste, en effet, là où des chaloupes seraient immanquablement brisées.

Les trois Esquimaux arrivèrent à temps sur le lieu du naufrage, guidés par ce dernier cri de désespoir que le lieutenant avait jeté. Jasper Hobson et Mrs. Paulina Barnett, à demi suffoqués, sentirent cependant qu'une main vigoureuse les retirait de l'abîme. Mais, dans cette obscurité, ils ne pouvaient reconnaître leurs sauveurs.

L'un de ces Esquimaux prit le lieutenant, et il le mit en travers de son embarcation. Un autre procéda de la même façon à l'égard de Mrs. Paulina Barnett, et les trois kayaks, habilement manoeuvrés par de longues pagayes de six pieds, s'avancèrent rapidement au milieu des lames écumantes.

Une demi-heure après, les deux naufragés étaient déposés sur une plage de sable, à trois milles au-dessous du Fort-Providence.

Le vieux marin manquait seul au retour!

X.

Un retour sur le passé.

Vers dix heures du soir, Mrs. Paulina Barnett et Jasper Hobson frappaient à la poterne du fort. Ce fut une joie de les revoir, car on les croyait perdus. Mais cette joie fit place à une profonde affliction, quand on apprit la mort du vieux Norman. Ce brave homme était aimé de tous, et sa mémoire fut honorée des plus vifs regrets. Quant aux courageux et dévoués Esquimaux, après avoir reçu flegmatiquement les affectueux remerciements du lieutenant et de sa compagne, ils n'avaient même pas voulu venir au fort. Ce qu'ils avaient fait leur semblait tout naturel. Ils n'en étaient pas à leur premier sauvetage, et ils avaient immédiatement repris leur course aventureuse sur ce lac, qu'ils parcouraient jour et nuit, chassant les loutres et les oiseaux aquatiques.

La nuit qui suivit le retour de Jasper Hobson, le lendemain, 1er juin, et la nuit du 1 au 2 furent entièrement consacrés au repos. La petite troupe s'en accommoda fort, mais le lieutenant était bien décidé à partir le 2, dès le matin, et, très heureusement, la tempête se calma.

Le sergent Felton avait mis toutes les ressources de la factorerie à la disposition du détachement. Quelques attelages de chiens furent remplacés, et, au moment du départ, Jasper Hobson trouva ses traîneaux rangés en bon ordre à la porte de l'enceinte.

Les adieux furent faits. Chacun remercia le sergent Felton, qui s'était montré fort hospitalier dans cette circonstance. Mrs. Paulina Barnett ne fut pas la dernière à lui exprimer sa reconnaissance. Une vigoureuse poignée de main que le sergent donna à son beau-frère Long termina la cérémonie des adieux.

Chaque couple monta dans le traîneau qui lui fut assigné, et, cette fois, Mrs. Paulina Barnett et le lieutenant occupaient le même véhicule. Madge et le sergent Long les suivaient.

D'après le conseil que lui avait donné le chef indien, Jasper Hobson résolut de gagner la côte américaine par le chemin le plus court, en coupant droit entre le Fort-Confidence et le littoral. Après avoir consulté ses cartes, qui ne donnaient que fort approximativement la configuration du territoire, il lui parut bon de descendre la vallée de la Coppermine, cours d'eau assez important qui va se jeter dans le golfe du Couronnement.

Entre le Fort-Confidence et l'embouchure de la rivière, la distance est au plus d'un degré et demi, — soit quatre-vingt-cinq à quatre-vingt-dix milles. La profonde échancrure qui forme le golfe se termine au nord par le cap Krusenstern, et, depuis ce cap, la côte court franchement à l'ouest, jusqu'au moment où elle s'élève au-dessus du soixante-dixième parallèle par la pointe Bathurst.

Jasper Hobson modifia donc la route qu'il avait suivie jusqu'alors, et il se dirigea dans l'est, de manière à gagner, en quelques heures, le cours d'eau par la droite ligne.

La rivière fut atteinte, le lendemain, 3 juin, dans l'après-midi. La Coppermine, aux eaux pures et rapides, alors dégagée de glaces, coulait à pleins bords dans une large vallée, arrosée par un grand nombre de rios capricieux, mais facilement guéables. Le tirage des traîneaux s'opéra donc assez rapidement. Pendant que leur attelage les entraînait, Jasper Hobson racontait à sa compagne l'histoire de ce pays qu'ils traversaient. Une véritable intimité, une sincère amitié, autorisée par leur situation et leur âge, existait entre le lieutenant Hobson et la voyageuse. Mrs. Paulina Barnett aimait à s'instruire, et, ayant l'instinct des découvertes, elle aimait à entendre parler des découvreurs.

Jasper Hobson, qui connaissait «par coeur» son Amérique septentrionale, put complètement satisfaire la curiosité de sa compagne.

«Il y a quatre-vingt-dix ans environ, lui dit-il, tout ce territoire traversé par la rivière Coppermine était inconnu, et c'est aux agents de la Compagnie de la baie d'Hudson que l'on doit sa découverte. Seulement, madame, ainsi que cela arrive presque toujours dans le domaine scientifique, c'est en cherchant une chose qu'on en découvre une autre. Colomb cherchait l'Asie, et il trouva l'Amérique.

— Et que cherchaient donc les agents de la Compagnie? demanda Mrs. Paulina Barnett. Était-ce ce fameux passage du Nord-Ouest?

— Non, madame, répondit le jeune lieutenant, non. Il y a un siècle, la Compagnie n'avait point intérêt à ce que l'on employât cette nouvelle voie de communication, qui eût été plus profitable à ses concurrents qu'à elle-même. On prétend même qu'en 1741, un certain Christophe Middleton, chargé d'explorer ces parages, fut publiquement accusé d'avoir reçu cinq mille livres de la Compagnie pour déclarer que la communication par mer entre les deux océans n'existait pas et ne pouvait exister.

— Ceci n'est point à la gloire de la célèbre Compagnie, répondit Mrs. Paulina Barnett.

— Je ne la défends pas sur ce point, reprit Jasper Hobson. J'ajouterai même que le parlement blâma sévèrement ses agissements, quand, en 1746, il promit une prime de vingt mille livres à quiconque découvrirait le passage en question. Aussi vit- on, en cette année même, deux intrépides voyageurs, William Moor et

Francis Smith, s'élever jusqu'à la baie Repulse, dans l'espoir de reconnaître la communication tant désirée. Toutefois, ils ne réussirent pas dans leur entreprise, et, après une absence qui dura un an et demi, ils durent revenir en Angleterre.

— Mais d'autres capitaines, audacieux et convaincus, ne s'élancèrent-ils pas aussitôt sur leurs traces? demanda Mrs. Paulina Barnett.

— Non, madame, et, pendant trente ans encore, malgré l'importance de la récompense promise par le parlement, aucune tentative ne fut faite pour reprendre l'exploration géographique de cette portion du continent américain, ou plutôt de l'Amérique anglaise, — car c'est le nom qu'il convient de lui conserver. Ce ne fut qu'en 1769 qu'un agent de la Compagnie tenta de reprendre les travaux de Moor et de Smith.

— La Compagnie était donc revenue de ses idées étroites et égoïstes, monsieur Jasper?

— Non, madame, pas encore. Samuel Hearne, — c'est le nom de cet agent, — n'avait d'autre mission que de reconnaître la situation d'une mine de cuivre, que les coureurs indigènes avaient signalée. Ce fut le 6 novembre 1769 que cet agent quitta le fort du Prince- de-Galles, situé sur la rivière Churchill, près de la côte occidentale de la baie d'Hudson. Samuel Hearne s'avança hardiment dans le nord-ouest; mais le froid devint si rigoureux que, ses vivres épuisés, il dut retourner au fort du Prince-de-Galles. Heureusement, ce n'était point un homme à se décourager. Le 23 février de l'année suivante, il repartit, emmenant quelques Indiens à sa suite. Les fatigues de ce second voyage furent extrêmes. Le gibier et le poisson, sur lesquels comptait Samuel Hearne, manquèrent souvent. Il lui arriva même une fois de rester sept jours sans manger autre chose que des fruits sauvages, des morceaux de vieux cuir et des os brûlés. Force fut encore à ce voyageur intrépide de revenir à la factorerie sans avoir obtenu aucun résultat. Mais il ne se rebuta pas. Il partit une troisième fois, le 7 décembre 1770, et, après dix-neuf mois de luttes, le 13 juillet 1772, il découvrit la Coppermine-River, qu'il descendit jusqu'à son embouchure, et là, il prétendit avoir vu la mer libre. C'était la première fois que la côte septentrionale de l'Amérique était atteinte.

— Mais le passage du nord-ouest, c'est-à-dire cette communication directe entre l'Atlantique et le Pacifique, n'était point découvert? demanda Mrs. Paulina Barnett.

— Non, madame, répondit le lieutenant, et que de marins aventureux le cherchèrent depuis lors! Phipps en 1773, James Cook et Clerke de 1776 à 1779, Kotzebue de 1815 à 1818, Ross, Parry, Franklin et tant d'autres se dévouèrent à cette tâche difficile, mais inutilement, et il faut arriver au découvreur de notre temps, à l'intrépide Mac Clure, pour trouver le seul homme qui ait réellement passé d'un océan à l'autre en traversant la mer polaire.

— En effet, monsieur Jasper, répondit Mrs. Paulina Barnett, et c'est un fait géographique dont, nous autres Anglais, nous devons être fiers! Mais, dites-moi, la Compagnie de la baie d'Hudson, revenue enfin à des idées plus généreuses, n'a-t-elle donc encouragé aucun autre voyageur depuis Samuel Hearne?

— Elle l'a fait, madame, et c'est grâce à elle que le capitaine Franklin a pu exécuter son voyage de 1819 à 1822, précisément entre la rivière de Hearne et le cap Turnagain. Cette exploration ne s'opéra pas sans fatigues et sans souffrances. Plusieurs fois la nourriture manqua complètement aux voyageurs. Deux Canadiens, assassinés par leurs camarades, furent dévorés... Malgré tant de tortures, le capitaine Franklin n'en parcourut pas moins un espace de cinq mille cinq cent cinquante milles sur cette portion, inconnue jusqu'à lui, du littoral du North-Amérique.

— C'était un homme d'une rare énergie! ajouta Mrs. Paulina Barnett, et il l'a bien prouvé quand, malgré tout ce qu'il avait déjà souffert, il s'élança de nouveau à la conquête du pôle Nord.

— Oui, répondit Jasper Hobson, et l'audacieux explorateur a trouvé sur le théâtre même de ses découvertes une cruelle mort! Mais il est bien prouvé, maintenant, que tous les compagnons de Franklin n'ont pas péri avec lui. Beaucoup de ces malheureux errent certainement encore au milieu de ces solitudes glacées! Ah! vraiment, je ne puis songer à cet abandon terrible sans un serrement de coeur! Un jour, madame, ajouta le lieutenant avec une émotion et une assurance singulières, un jour je fouillerai ces terres inconnues sur lesquelles s'est accomplie la funeste catastrophe, et...

— Et ce jour-là, répondit Mrs. Paulina Barnett en serrant la main du lieutenant, ce jour-là je serai votre compagne d'exploration. Oui! cette idée m'est venue plus d'une fois, ainsi qu'à vous, monsieur Jasper, et mon coeur s'émeut comme le vôtre à la pensée que des compatriotes, des Anglais, attendent peut-être un secours...

— Qui viendra trop tard pour la plupart de ces infortunés, madame, mais qui viendra pour quelques-uns, soyez-en sûre!

— Dieu vous entende, monsieur Hobson! répondit Mrs. Paulina Barnett. J'ajouterai que les agents de la Compagnie, vivant à proximité du littoral, me semblent mieux placés que tous autres pour tenter de remplir ce devoir d'humanité.

— Je partage votre opinion, madame, répondit le lieutenant, car ces agents sont, de plus, accoutumés aux rigueurs des continents arctiques. Ils l'ont souvent prouvé, d'ailleurs, en mainte circonstance. Ne sont-ce pas eux qui ont assisté le capitaine Black pendant son voyage de 1834, voyage qui nous a valu la découverte de la Terre du Roi Guillaume, cette terre sur laquelle s'est précisément accomplie la catastrophe de Franklin? Est-ce que ce ne sont pas deux des nôtres, les courageux Dease et Simpson, que le gouverneur de la baie d'Hudson, en 1838, chargea spécialement d'explorer les rivages de la mer polaire, — exploration pendant laquelle la terre Victoria fut reconnue pour la première fois? Je crois donc que l'avenir réserve à notre Compagnie la conquête définitive du continent arctique. Peu à peu ses factoreries monteront vers le nord, — refuge obligé des animaux à fourrure, — et, un jour, un fort s'élèvera au pôle même, sur ce point mathématique où se croisent tous les méridiens du globe!»

Pendant cette conversation et tant d'autres qui lui succédèrent, Jasper Hobson raconta ses propres aventures depuis qu'il était au service de la Compagnie, ses luttes avec les concurrents des agences rivales, ses tentatives d'exploration dans les territoires inconnus du nord et de l'ouest. De son côté, Mrs. Paulina Barnett fit le récit de ses propres pérégrinations à travers les contrées intertropicales. Elle dit tout ce qu'elle avait accompli et tout ce qu'elle comptait accomplir un jour. C'était entre le lieutenant et la voyageuse un agréable échange de récits qui charmait les longues heures du voyage.

Pendant ce temps, les traîneaux, enlevés au galop des chiens, s'avançaient vers le nord. La vallée de la Coppermine s'élargissait sensiblement aux approches de la mer Arctique. Les collines latérales, moins abruptes, s'abaissaient peu à peu. Certains bouquets d'arbres résineux rompaient çà et là la monotonie de ces paysages assez étranges. Quelques glaçons, charriés par la rivière, résistaient encore à l'action du soleil, mais leur nombre diminuait de jour en jour, et un canot, une chaloupe même eût descendu sans peine le courant de cette rivière, dont aucun barrage naturel, aucune agrégation de rocs ne gênait le cours. Le lit de la Coppermine était profond et large. Ses eaux, très limpides, alimentées par la fonte des neiges, coulaient assez vivement, sans jamais former de tumultueux rapides. Son cours, d'abord très sinueux dans sa partie haute, tendait peu à peu à se rectifier et à se dessiner en droite ligne sur une étendue de plusieurs milles. Quant aux rives, alors larges et plates, faites d'un sable fin et dur, tapissées en certains endroits d'une petite herbe sèche et courte, elles se prêtaient au glissage des traîneaux et au développement de la longue suite des attelages. Pas de côtes, et, par conséquent, un tirage facile sur ce terrain nivelé.

Le détachement s'avançait donc avec une grande rapidité. On allait nuit et jour, — si toutefois cette expression peut s'appliquer à une contrée au-dessus de laquelle le soleil, traçant un cercle presque horizontal, disparaissait à peine. La nuit vraie ne durait pas deux heures sous cette latitude, et l'aube, à cette époque de l'année, succédait presque immédiatement au crépuscule. Le temps était beau d'ailleurs, le ciel assez pur, quoique un peu embrumé à l'horizon, et le détachement accomplissait son voyage dans des conditions excellentes.

Pendant deux jours, on continua de côtoyer sans difficulté le cours de la Coppermine. Les environs de la rivière étaient peu fréquentés par les animaux à fourrure, mais les oiseaux y abondaient. On aurait pu les compter par milliers. Cette absence presque complète de martres, de castors, d'hermines, de renards et autres, ne laissait pas de préoccuper le lieutenant. Il se demandait si ces territoires n'avaient pas été abandonnés comme ceux du sud par la population, trop vivement pourchassée, des carnassiers et des rongeurs. Cela était probable, car on rencontrait fréquemment des restes de campement, des feux éteints qui attestaient le passage plus ou moins récent de chasseurs indigènes ou autres. Jasper Hobson voyait bien qu'il devrait reporter son exploration plus au nord, et qu'une partie seulement de son voyage serait faite, lorsqu'il aurait atteint l'embouchure de la Coppermine. Il avait donc hâte de toucher du pied ce point du littoral entrevu par Samuel Hearne, et il pressait de tout son pouvoir la marche du détachement.

D'ailleurs, chacun partageait l'impatience de Jasper Hobson. Chacun se pressait résolument, afin d'atteindre dans le plus bref délai les rivages de la mer Arctique. Une indéfinissable attraction poussait en avant ces hardis pionniers. Le prestige de l'inconnu miroitait à leurs yeux. Peut-être les véritables fatigues commenceraient-elles sur cette côte tant désirée? N'importe. Tous, ils avaient hâte de les affronter, de marcher directement à leur but. Ce voyage qu'ils faisaient alors, ce n'était qu'un passage à travers un pays qui ne pouvait directement les intéresser, mais aux rivages de la mer Arctique commencerait la recherche véritable. Et chacun aurait déjà voulu se trouver sur ces parages, que coupait, à quelques centaines de milles à l'ouest, le soixante-dixième parallèle.

Enfin, le 5 juin, quatre jours après avoir quitté le Fort- Confidence, le lieutenant Jasper Hobson vit la Coppermine s'élargir considérablement. La côte occidentale se développait suivant une ligne légèrement courbe et courait presque directement vers le nord. Dans l'est, au contraire, elle s'arrondissait jusqu'aux extrêmes limites de l'horizon.

Jasper Hobson s'arrêta aussitôt, et, de la main, il montra à ses compagnons la mer sans limites.

XI.

En suivant la côte.

Le large estuaire que le détachement venait d'atteindre, après six semaines de voyage, formait une échancrure trapézoïdale, nettement découpée dans le continent américain. À l'angle ouest s'ouvrait l'embouchure de la Coppermine. À l'angle est, au contraire, se creusait un boyau profondément allongé, qui a reçu le nom d'Entrée de Bathurst. De ce côté, le rivage, capricieusement festonné, creusé de criques et d'anses, hérissé de caps aigus et de promontoires abrupts, allait se perdre dans ce confus enchevêtrement de détroits, de pertuis, de passes, qui donne aux cartes des continents polaires un si bizarre aspect. De l'autre côté, sur la gauche de l'estuaire, à partir de l'embouchure même de la Coppermine, la côte remontait au nord et se terminait par le cap Kruzenstern.

Cet estuaire portait le nom de Golfe-du-Couronnement, et ses eaux étaient semées d'îles, îlets, îlots, qui constituaient l'Archipel du Duc-d'York.

Après avoir conféré avec le sergent Long, Jasper Hobson résolut d'accorder, en cet endroit, un jour de repos à ses compagnons.

L'exploration proprement dite, qui devait permettre au lieutenant de reconnaître le lieu propice à l'établissement d'une factorerie, allait véritablement commencer. La Compagnie avait recommandé à son agent de se maintenir autant que possible au-dessus du soixante-dixième parallèle, et sur les bords de la mer Glaciale. Or, pour remplir son mandat, le lieutenant ne pouvait chercher que dans l'ouest un point qui fût aussi élevé en latitude et qui appartînt au continent américain. Vers l'est, en effet, toutes ces terres si divisées font plutôt partie des territoires arctiques, sauf peut-être la terre de Boothia, franchement coupée par ce soixante-dixième parallèle, mais dont la conformation géographique est encore très indécise.

Longitude et latitude prises, Jasper Hobson, après avoir relevé sa position sur la carte, vit qu'il se trouvait encore à plus de cent milles au-dessous du soixante-dixième degré. Mais au-delà du cap Kruzenstern, la côte, courant vers le nord-est, dépassait par un angle brusque le soixante-dixième parallèle, à peu près sur le cent trentième méridien, et précisément à la hauteur de ce cap Bathurst, indiqué comme lieu de rendez-vous par le capitaine Craventy. C'était donc ce point qu'il fallait atteindre, et c'est là que le nouveau fort s'élèverait, si l'endroit offrait les ressources nécessaires à une factorerie.

«Là, sergent Long, dit le lieutenant en montrant au sous-officier la carte des contrées polaires, là nous serons dans les conditions qui nous sont imposées par la Compagnie. En cet endroit, la mer, libre une grande partie de l'année, permettra aux navires du détroit de Behring d'arriver jusqu'au fort, de le ravitailler et d'en exporter les produits.

— Sans compter, ajouta le sergent Long, que, puisqu'ils se seront établis au-delà du soixante-dixième parallèle, nos gens auront droit à une double paye!

— Cela va sans dire, répondit le lieutenant, et je crois qu'ils l'accepteront sans murmurer.

— Eh bien, mon lieutenant, il ne nous reste plus qu'à partir pour le cap Bathurst», dit simplement le sergent. Mais, un jour de repos ayant été accordé, le départ n'eut lieu que le lendemain, 6 juin.

Cette seconde partie du voyage devait être et fut effectivement toute différente de la première. Les dispositions qui réglaient jusqu'ici la marche des traîneaux n'avaient pas été maintenues. Chaque attelage allait à sa guise. On marchait à petites journées, on s'arrêtait à tous les angles de la côte, et le plus souvent on cheminait à pied. Une seule recommandation avait été faite à ses compagnons par le lieutenant Hobson, — la recommandation de ne pas s'écarter à plus de trois milles du littoral et de rallier le détachement deux fois par jour, à midi et le soir. La nuit venue, on campait. Le temps, à cette époque, était constamment beau, et la température assez élevée, puisqu'elle se maintenait en moyenne à cinquante-neuf degrés Fahrenheit au-dessus de zéro (15° centigr. au-dessus de zéro). Deux ou trois fois, de rapides tempêtes de neige se déclarèrent, mais elles ne durèrent pas, et la température n'en fut pas sensiblement modifiée.

Toute cette partie de la côte américaine comprise entre le cap Kruzenstern et le cap Parry, qui s'étend sur un espace de plus de deux cent cinquante milles, fut donc examinée avec un soin extrême, du 6 au 26 juin. Si la reconnaissance géographique de cette région ne laissa rien à désirer, si Jasper Hobson, — très heureusement aidé dans cette tâche par Thomas Black, — put même rectifier quelques erreurs du levé hydrographique, les territoires avoisinants furent non moins bien observés à ce point de vue plus spécial, qui intéressait directement la Compagnie de la baie d'Hudson.

En effet, ces territoires étaient-ils giboyeux? Pouvait-on compter avec certitude sur le gibier comestible non moins que sur le gibier à fourrure? Les seules ressources du pays permettraient- elles d'approvisionner une factorerie, au moins pendant la saison d'été? Telle était la grave question que se posait le lieutenant Hobson, et qui le préoccupait à bon droit. Or, voici ce qu'il observa.

Le gibier proprement dit, — celui auquel le caporal Joliffe, entre autres, accordait une préférence marquée, — ne foisonnait pas dans ces parages. Les volatiles, appartenant à la nombreuse famille des canards, ne manquaient pas, sans doute, mais la tribu des rongeurs était insuffisamment représentée par quelques lièvres polaires, qui ne se laissaient que difficilement approcher. Au contraire, les ours devaient être assez nombreux sur cette portion du continent américain. Sabine et Mac Nap avaient souvent relevé des traces fraîchement laissées par ces carnassiers. Plusieurs même furent aperçus et dépistés, mais ils se tenaient toujours à bonne distance. En tout cas, il était certain que, pendant la saison rigoureuse, ces animaux affamés, venant de plus hautes latitudes, devaient fréquenter assidûment les rivages de la mer Glaciale.

«Or, disait le caporal Joliffe, que cette question des approvisionnements préoccupait sans cesse, quand l'ours est dans le garde-manger, c'est un genre de venaison qui n'est point à dédaigner, tant s'en faut. Mais, quand il n'y est pas encore, c'est un gibier fort problématique, très sujet à caution, et qui, en tout cas, ne demande qu'à vous faire subir, à vous chasseurs, le sort que vous lui réservez!»

On ne saurait parler plus sagement. Les ours ne pouvaient offrir une réserve assurée à l'office des forts. Très heureusement, ce territoire était visité par des bandes nombreuses d'animaux plus utiles que les ours, excellents à manger, et dont les Esquimaux et les Indiens font, dans certaines tribus, leur principale nourriture. Ce sont les rennes, et le caporal Joliffe constata avec une évidente satisfaction que ces ruminants abondaient sur cette partie du littoral. Et en effet, la nature avait tout fait pour les y attirer, en prodiguant sur le sol cette espèce de lichen dont le renne se montre extrêmement friand, qu'il sait adroitement déterrer sous la neige, et qui constitue son unique alimentation pendant l'hiver.

Jasper Hobson fut non moins satisfait que le caporal en relevant, sur maint endroit, les empreintes laissées par ces ruminants, empreintes aisément reconnaissables, parce que le sabot des rennes, au lieu de correspondre à sa face interne par une surface plane, y correspond par une surface convexe, — disposition analogue à celle du pied du chameau. On vit même des troupeaux assez considérables de ces animaux qui, errant à l'état sauvage dans certaines parties de l'Amérique, se réunissent souvent à plusieurs milliers de têtes. Vivants, ils se laissent aisément domestiquer et rendent alors de grands services aux factoreries, soit en fournissant un lait excellent et plus substantiel que celui de la vache, soit en servant à tirer les traîneaux. Morts, ils ne sont pas moins utiles, car leur peau, très épaisse, est propre à faire des vêtements; leurs poils donnent un fil excellent; leur chair est savoureuse, et il n'existe pas un animal plus précieux sous ces latitudes. La présence des rennes, étant dûment constatée, devait donc encourager Jasper Hobson dans ses projets d'établissement sur un point de ce territoire.

Il eut également lieu d'être satisfait à propos des animaux à fourrure. Sur les petits cours d'eau s'élevaient de nombreuses huttes de castors et de rats musqués. Les blaireaux, les lynx, les hermines, les wolvérènes, les martres, les visons, fréquentaient ces parages, que l'absence des chasseurs avait laissés jusqu'alors si tranquilles. La présence de l'homme en ces lieux ne s'était encore décelée par aucune trace, et les animaux savaient y trouver un refuge assuré. On remarqua également des empreintes de ces magnifiques renards bleus et argentés, espèce qui tend à se raréfier de plus en plus, et dont la peau vaut pour ainsi dire son poids d'or. Sabine et Mac Nap eurent, pendant cette exploration, mainte occasion de tirer une tête de prix. Mais, très sagement, le lieutenant avait interdit toute chasse de ce genre. Il ne voulait pas effrayer ces animaux avant la saison venue, c'est-à-dire avant ces mois d'hiver pendant lesquels leur pelage, mieux fourni, est beaucoup plus beau. D'ailleurs, il était inutile de surcharger les traîneaux, Sabine et Mac Nap comprirent ces bonnes raisons, mais la main ne leur en démangeait pas moins, quand ils tenaient au bout de leur fusil une martre zibeline ou quelque renard précieux. Toutefois, les ordres de Jasper Hobson étaient formels, et le lieutenant ne permettait pas qu'on les transgressât.

Les coups de feu des chasseurs, pendant cette seconde période du voyage, n'eurent donc pour objectif que quelques ours polaires, qui se montrèrent parfois sur les ailes du détachement. Mais ces carnassiers, n'étant point poussés par la faim, détalaient promptement, et leur présence n'amena aucun engagement sérieux. Cependant, si les quadrupèdes de ce territoire n'eurent point à souffrir de l'arrivée du détachement, il n'en fut pas de même de la race volatile, qui paya pour tout le règne animal. On tua des aigles à tête blanche, énormes oiseaux au cri strident, des faucons-pêcheurs, ordinairement nichés dans les troncs d'arbres morts, et qui, pendant l'été, remontent jusqu'aux latitudes arctiques; puis, des oies de neige, d'une blancheur admirable, des bernaches sauvages, le meilleur échantillon de la tribu des ansérines au point de vue comestible, des canards à tête rouge et à poitrine noire, des corneilles cendrées, sortes de geais moqueurs d'une laideur peu commune, des eiders, des macreuses et bien d'autres de cette gent ailée qui assourdissait de ses cris les échos des falaises arctiques. C'est par millions que vivent ces oiseaux en ces hauts parages, et leur nombre est véritablement au-dessus de toute appréciation sur le littoral de la mer Glaciale.

On comprend que les chasseurs, auxquels la chasse des quadrupèdes était sévèrement interdite, se rabattirent avec passion sur ce monde des volatiles. Plusieurs centaines de ces oiseaux, appartenant principalement aux espèces comestibles, furent tuées pendant ces quinze premiers jours, et ajoutèrent à l'ordinaire de corn-beef et de biscuit un surcroît qui fut très apprécié.

Ainsi donc, les animaux ne manquaient point à ce territoire. La Compagnie pourrait facilement remplir ses magasins, et le personnel du fort ne laisserait pas vides ses offices. Mais ces deux conditions ne suffisaient pas pour assurer l'avenir de la factorerie. On ne pouvait s'établir dans un pays si haut en latitude, s'il ne fournissait pas, et abondamment, le combustible nécessaire pour combattre la rigueur des hivers arctiques.

Très heureusement, le littoral était boisé. Les collines, qui s'étageaient en arrière de la côte, se montraient couronnées d'arbres verts, parmi lesquels le pin dominait. C'étaient d'importantes agglomérations de ces essences résineuses, auxquelles on pouvait donner, en certains endroits, le nom de forêts. Quelquefois aussi, par groupes isolés, Jasper Hobson remarqua des saules, des peupliers, des bouleaux-nains et de nombreux buissons d'arbousiers. À cette époque de la saison chaude, tous ces arbres étaient verdoyants, et ils étonnaient un peu le regard, habitué aux profils âpres et nus des paysages polaires. Le sol, au pied des collines, se tapissait d'une herbe courte, que les rennes paissaient avec avidité, et qui devait les nourrir pendant l'hiver. On le voit, le lieutenant ne pouvait que se féliciter d'avoir cherché dans le nord-ouest du continent américain le nouveau théâtre d'une exploitation.

Il a été dit également que si les animaux ne manquaient pas à ce territoire, en revanche, les hommes semblaient y faire absolument défaut. On ne voyait ni Esquimaux, dont les tribus courent plus volontiers les districts rapprochés de la baie d'Hudson, ni Indiens, qui ne s'aventurent pas habituellement aussi loin au-delà du Cercle polaire. Et en effet, à cette distance, les chasseurs peuvent être pris par des mauvais temps continus, par une reprise subite de l'hiver, et être alors coupés de toute communication. On le pense bien, le lieutenant Hobson ne songea point à se plaindre de l'absence de ses semblables. Il n'aurait pu trouver que des rivaux en eux. C'était un pays inoccupé qu'il cherchait, un désert auquel les animaux à fourrure devaient avoir intérêt à demander asile, et, à ce sujet, Jasper Hobson tenait les propos les plus sensés à Mrs. Paulina Barnett, qui s'intéressait vivement au succès de l'entreprise. La voyageuse n'oubliait pas qu'elle était l'hôte de la Compagnie de la baie d'Hudson, et elle faisait tout naturellement des voeux pour la réussite des projets du lieutenant.

Que l'on juge donc du désappointement de Jasper Hobson, quand, dans la matinée du 20 juin, il se trouva en face d'un campement qui venait d'être plus ou moins récemment abandonné.

C'était au fond d'une petite baie étroite, qui porte le nom de baie Darnley, et dont le cap Parry forme la pointe la plus avancée dans l'ouest. On voyait en cet endroit, au bas d'une petite colline, des piquets qui avaient servi à tracer une sorte de circonvallation, et des cendres refroidies entassées sur l'emplacement de foyers éteints.

Tout le détachement s'était réuni auprès de ce campement. Chacun comprenait que cette découverte devait singulièrement déplaire au lieutenant Hobson.

«Voilà une fâcheuse circonstance, dit-il en effet, et certes, j'aurais mieux aimé rencontrer sur mon chemin une famille d'ours polaires!

— Mais les gens, quels qu'ils soient, qui ont campé en cet endroit, répondit Mrs. Paulina Barnett, sont déjà loin sans doute, et il est probable qu'ils ont déjà regagné plus au sud leurs territoires habituels de chasse.

— Cela dépend, madame, répondit le lieutenant. Si ceux dont nous voyons ici les traces sont des Esquimaux, ils auront plutôt continué leur route vers le nord. Si, au contraire, ce sont des Indiens, ils sont peut-être en train d'explorer ce nouveau district de chasse, comme nous le faisons nous-mêmes, et, je le répète, c'est pour nous une circonstance véritablement fâcheuse.

— Mais, demanda Mrs. Paulina Barnett, peut-on reconnaître à quelle race ces voyageurs appartiennent? Ne peut-on savoir si ce sont des Esquimaux ou des Indiens du sud? Il me semble que des tribus si différentes de moeurs et d'origine ne doivent pas camper de la même manière.»

Mrs. Paulina Barnett avait raison, et il était possible que cette importante question fût résolue après une plus complète inspection du campement.

Jasper Hobson et quelques-uns de ses compagnons se livrèrent donc à cet examen, et recherchèrent minutieusement quelque trace, quelque objet oublié, quelque empreinte même, qui pût les mettre sur la voie. Mais ni le sol ni ces cendres refroidies n'avaient gardé aucun indice suffisant. Quelques ossements d'animaux, abandonnés çà et là, ne disaient rien non plus. Le lieutenant, fort dépité, allait donc abandonner cet inutile examen, quand il s'entendit appeler par Mrs. Joliffe, qui s'était éloignée d'une centaine de pas sur la gauche.

Jasper Hobson, Mrs. Paulina Barnett, le sergent, le caporal, quelques autres, se dirigèrent aussitôt vers la jeune Canadienne, qui restait immobile, considérant le sol avec attention.

Lorsqu'ils furent arrivés près d'elle:

«Vous cherchiez des traces? dit Mrs. Joliffe au lieutenant Hobson. Eh bien, en voilà!»

Et Mrs. Joliffe montrait d'assez nombreuses empreintes de pas, très nettement conservées sur un sol glaiseux.

Ceci pouvait être un indice caractéristique, car le pied de l'Indien et le pied de l'Esquimau, aussi bien que leur chaussure, diffèrent complètement.

Mais, avant toutes choses, Jasper Hobson fut frappé de la singulière disposition de ces empreintes. Elles provenaient bien de la pression d'un pied humain, et même d'un pied chaussé, mais, circonstance bizarre, elles semblaient n'avoir été faites qu'avec la plante de ce pied. La marque du talon leur manquait. En outre, ces empreintes étaient singulièrement multipliées, rapprochées, croisées, quoiqu'elles fussent, cependant, contenues dans un cercle très restreint.

Jasper Hobson fit observer cette singularité à ses compagnons.

«Ce ne sont pas là les pas d'une personne qui marche, dit-il.

— Ni d'une personne qui saute, puisque le talon manque, ajouta Mrs. Paulina Barnett.

— Non, répondit Mrs. Joliffe, ce sont les pas d'une personne qui danse!»

Mrs. Joliffe avait certainement raison. À bien examiner ces empreintes, il n'était pas douteux qu'elles n'eussent été faites par le pied d'un homme qui s'était livré à quelque exercice chorégraphique, — non point une danse lourde, compassée, écrasante, mais plutôt une danse légère, aimable, gaie. Cette observation était indiscutable. Mais quel pouvait être l'individu assez joyeux de caractère pour avoir été pris de cette idée ou de ce besoin de danser aussi allègrement sur cette limite du continent américain, à quelques degrés au-dessus du cercle polaire?

«Ce n'est certainement point un Esquimau, dit le lieutenant.

— Ni un Indien! s'écria le caporal Joliffe.

— Non! c'est un Français!» dit tranquillement le sergent Long.

Et, de l'avis de tous, il n'y avait qu'un Français qui eût été capable de danser en un tel point du globe!

XII.

Le soleil de minuit.

Cette affirmation du sergent Long n'était-elle pas peut-être un peu hasardée? On avait dansé, c'était un fait évident, mais, quelle que soit sa légèreté, pouvait-on en conclure que seul, un Français avait pu exécuter cette danse?

Cependant, le lieutenant Jasper Hobson partagea l'opinion de son sergent, — opinion que personne, d'ailleurs, ne trouva trop affirmative. Et tous tinrent pour certain qu'une troupe de voyageurs, dans laquelle on comptait au moins un compatriote de Vestris, avait séjourné récemment en cet endroit.

On le comprend, cette découverte ne satisfit pas le lieutenant. Jasper Hobson dut craindre d'avoir été devancé par des concurrents sur les territoires du nord-ouest de l'Amérique anglaise, et, si secret que la Compagnie eût tenu son projet, il avait été sans doute divulgué dans les centres commerciaux du Canada ou des États de l'Union.

Lors donc qu'il reprit sa marche un instant interrompue, le lieutenant parut singulièrement soucieux; mais, à ce point de son voyage, il ne pouvait songer à revenir sur ses pas.

Après cet incident, Mrs. Paulina Barnett fut naturellement amenée à lui faire cette question:

«Mais, monsieur Jasper, on rencontre donc encore des Français sur les territoires du continent arctique?

— Oui, madame, répondit Jasper Hobson, ou sinon des Français, du moins, ce qui est à peu près la même chose, des Canadiens, qui descendent des anciens maîtres du Canada, au temps où le Canada appartenait à la France, — et, à vrai dire, ces gens-là sont nos plus redoutables rivaux.

— Je croyais, cependant, reprit la voyageuse, que, depuis qu'elle avait absorbé l'ancienne Compagnie du nord-ouest, la Compagnie de la baie d'Hudson se trouvait sans concurrents sur le continent américain.

— Madame, répondit Jasper Hobson, s'il n'existe plus d'association importante qui se livre maintenant au trafic des pelleteries en dehors de la nôtre, il se trouve encore des associations particulières parfaitement indépendantes. En général, ce sont des sociétés américaines, qui ont conservé à leur service des agents ou des descendants d'agents français.

— Ces agents étaient donc tenus en haute estime? demanda Mrs. Paulina Barnett.

— Certainement, madame, et à bon droit. Pendant les quatre-vingt- quatorze ans que dura la suprématie de la France au Canada, ces agents français se montrèrent constamment supérieurs aux nôtres. Il faut savoir rendre justice, même à ses rivaux.

— Surtout à ses rivaux! ajouta Mrs. Paulina Barnett.

— Oui... surtout... À cette époque, les chasseurs français, quittant Montréal, leur principal établissement, s'avançaient dans le nord plus hardiment que tous autres. Ils vivaient pendant des années au milieu des tribus indiennes. Ils s'y mariaient quelquefois. On les nommait «coureurs des bois» ou «voyageurs canadiens», et ils se traitaient entre eux de cousins et de frères. C'étaient des hommes audacieux, habiles, très experts dans la navigation fluviale, très braves, très insouciants, se pliant à tout avec cette souplesse particulière à leur race, très loyaux, très gais et toujours prêts, en n'importe quelle circonstance, à chanter comme à danser!

— Et vous supposez que cette troupe de voyageurs, dont nous venons de reconnaître les traces, ne s'est avancée si loin que dans le but de chasser les animaux à fourrure?

— Aucune autre hypothèse ne peut être admise, madame, répondit le lieutenant Hobson, et, certainement, ces gens-là sont en quête de nouveaux territoires de chasse. Mais puisqu'il n'y a aucun moyen de les arrêter, tâchons d'atteindre au plus tôt notre but, et nous lutterons courageusement contre toute concurrence!»

Le lieutenant Hobson avait pris son parti d'une concurrence probable, à laquelle, d'ailleurs, il ne pouvait s'opposer, et il pressa la marche de son détachement afin de s'élever plus promptement au-dessus du soixante-dixième parallèle. Peut-être, — il l'espérait du moins, — ses rivaux ne le suivraient-ils pas jusque-là.

Pendant les jours suivants, la petite troupe redescendit d'une vingtaine de milles vers le sud, afin de contourner plus aisément la baie Franklin. Le pays conservait toujours son aspect verdoyant. Les quadrupèdes et les oiseaux, déjà observés, le fréquentaient en grand nombre, et il était probable que toute l'extrémité nord-ouest du continent américain était ainsi peuplée.

La mer qui baignait ce littoral s'étendait alors sans limites devant le regard. Les cartes les plus récentes ne portaient, d'ailleurs, aucune terre au nord du littoral américain. C'était l'espace libre, et la banquise seule avait pu empêcher les navigateurs du détroit de Behring de s'élever jusqu'au pôle.

Le 4 juillet, le détachement avait tourné une autre baie très profondément échancrée, la baie Whasburn, et il atteignit la pointe extrême d'un lac peu connu jusqu'alors, qui ne couvrait qu'une petite surface du territoire, — à peine deux milles carrés. Ce n'était véritablement qu'un lagon d'eau douce, un vaste étang, et non point un lac.

Les traîneaux cheminaient paisiblement et facilement. L'aspect du pays était tentant pour le fondateur d'une factorerie nouvelle, et il était probable qu'un fort, établi à l'extrémité du cap Bathurst, ayant derrière lui ce lagon, devant lui le grand chemin du détroit de Behring, c'est-à-dire la mer libre alors, libre toujours pendant les quatre ou cinq mois de la saison chaude, se trouverait ainsi dans une situation très favorable pour son exportation et son ravitaillement.

Le lendemain, 5 juillet, vers trois heures après midi, le détachement s'arrêtait enfin à l'extrémité du cap Bathurst. Restait à relever la position exacte de ce cap, que les cartes plaçaient au-dessus du soixante-dixième parallèle. Mais on ne pouvait se fier au levé hydrographique de ces côtes, qui n'avait encore pu être fait avec une précision suffisante. En attendant, Jasper Hobson résolut de s'arrêter en cet endroit.

«Qui nous empêche de nous fixer définitivement ici? demanda le caporal Joliffe. Vous conviendrez, mon lieutenant, que l'endroit est séduisant.

— Il vous séduira sans doute bien davantage, répondit le lieutenant Hobson, si vous y touchez une double paye, mon digne caporal.

— Cela n'est pas douteux, répondit le caporal Joliffe, et il faut se conformer aux instructions de la Compagnie.

— Patientez donc jusqu'à demain, ajouta Jasper Hobson, et si, comme je le suppose, ce cap Bathurst est réellement situé au-delà du soixante-dixième degré de latitude septentrionale, nous y planterons notre tente.»

L'emplacement était favorable, en effet, pour y fonder une factorerie. Les rivages du lagon, bordés de collines boisées, pouvaient fournir abondamment les pins, les bouleaux et autres essences nécessaires à la construction, puis au chauffage du nouveau fort. Le lieutenant, s'étant avancé avec quelques-uns de ses compagnons jusqu'à l'extrémité même du cap, fit l'observation que, dans l'ouest, la côte se courbait suivant un arc très allongé. Des falaises assez élevées fermaient l'horizon à quelques milles au-delà. Quant aux eaux du lagon, on reconnut qu'elles étaient douces et non saumâtres comme on eût pu le penser, à raison du voisinage de la mer. Mais, en tout cas, l'eau douce n'eût pas manqué à la colonie, même au cas où ces eaux eussent été impotables, car une petite rivière, alors limpide et fraîche, coulait vers l'Océan glacial et s'y jetait par une étroite embouchure, à quelques centaines de pas dans le sud-est du cap Bathurst. Cette embouchure, protégée non par des roches, mais par un amoncellement assez singulier de terre et de sable, formait un port naturel, dans lequel deux ou trois navires eussent été parfaitement couverts contre les vents du large. Cette disposition pouvait être avantageusement utilisée pour le mouillage des bâtiments qui viendraient, dans la suite, du détroit de Behring. Jasper Hobson, par galanterie pour la voyageuse, donna à ce petit cours d'eau le nom de Paulinariver, et au petit port le nom de Port-Barnett, ce dont la voyageuse se montra enchantée.

En construisant le fort un peu en arrière de la pointe formée par le cap Bathurst, la maison principale aussi bien que les magasins devaient être abrités absolument des vents les plus froids. L'élévation même du cap contribuerait à les défendre contre ces violents chasse-neige, qui, en quelques heures, peuvent ensevelir des habitations entières sous leurs épaisses avalanches. L'espace compris entre le pied du promontoire et le rivage du lagon était assez vaste pour recevoir les constructions nécessitées par l'exploitation d'une factorerie. On pouvait même l'entourer d'une enceinte palissadée, qui s'appuierait aux premières rampes de la falaise, et couronner le cap lui-même d'une redoute fortifiée, — travaux purement défensifs, mais utiles au cas où des concurrents songeraient à s'établir sur ce territoire. Aussi, Jasper Hobson, sans songer à les exécuter encore, observa-t-il avec satisfaction que la situation était facile à défendre.

Le temps était alors très beau et la chaleur assez forte. Aucun nuage, ni à l'horizon, ni au zénith. Seulement, ce ciel limpide des pays tempérés et des pays chauds, il ne fallait pas le chercher sous ces hautes latitudes. Pendant l'été, une légère brume restait presque incessamment suspendue dans l'atmosphère; mais, à la saison d'hiver, quand les montagnes de glace s'immobilisaient, lorsque le rauque vent du nord battait de plein fouet les falaises, quand une nuit de quatre mois s'étendait sur ces continents, que devait être ce cap Bathurst? Pas un seul des compagnons de Jasper Hobson n'y songeait alors, car le temps était superbe, le paysage verdoyant, la température chaude, la mer étincelante.

Un campement provisoire, dont les traîneaux fournirent tout le matériel, avait été disposé pour la nuit, sur les bords mêmes du lagon. Jusqu'au soir, Mrs. Paulina Barnett, le lieutenant, Thomas Black lui-même et le sergent Long parcoururent le pays environnant afin d'en reconnaître les ressources. Ce territoire convenait sous tous les rapports. Jasper Hobson avait hâte d'être au lendemain, afin d'en relever la situation exacte, et de savoir s'il se trouvait dans les conditions recommandées par la Compagnie.

«Eh bien, lieutenant, lui dit l'astronome, quand ils eurent achevé leur exploration, voilà une contrée véritablement charmante, et je n'aurais jamais cru qu'un tel pays pût se trouver au-delà du Cercle polaire.

— Eh! monsieur Black, c'est ici que se voient les plus beaux pays du monde! répondit Jasper Hobson, et je suis impatient de déterminer la latitude et la longitude de celui-ci.

— La latitude surtout! reprit l'astronome, qui ne pensait jamais qu'à sa future éclipse, et je crois que vos braves compagnons ne sont pas moins impatients que vous, monsieur Hobson. Double paye, si vous vous fixez au-delà du soixante-dixième parallèle!

— Mais vous-même, monsieur Black, demanda Mrs. Paulina Barnett, n'avez-vous pas un intérêt, — un intérêt purement scientifique, - - à dépasser ce parallèle?

— Sans doute, madame, sans doute, j'ai intérêt à le dépasser, mais pas trop cependant, répondit l'astronome. Suivant nos calculs qui sont d'une exactitude absolue, l'éclipse de soleil, que je suis chargé d'observer, ne sera totale que pour un observateur placé un peu au-delà du soixante-dixième degré. Je suis donc aussi impatient que notre lieutenant de relever la position du cap Bathurst!

— Mais j'y pense, monsieur Black, dit la voyageuse, cette éclipse de soleil, ce n'est que le 18 juillet qu'elle doit se produire, si je ne me trompe?

— Oui, madame, le 18 juillet 1860.

— Et nous ne sommes encore qu'au 5 juillet 1859! Le phénomène n'aura donc lieu que dans un an!

— J'en conviens, madame, répondit l'astronome. Mais si je n'était parti que l'année prochaine, convenez que j'aurais couru le risque d'arriver trop tard!

— En effet, monsieur Black, répliqua Jasper Hobson, et vous avez bien fait de partir un an d'avance. De cette façon, vous êtes certain de ne point manquer votre éclipse. Car, je vous l'avoue, notre voyage du Fort-Reliance au cap Bathurst s'est accompli dans des conditions très favorables et très exceptionnelles. Nous n'avons éprouvé que peu de fatigues, et conséquemment, peu de retards. À vous dire vrai, je ne comptais pas avoir atteint cette partie du littoral avant la mi-août, et si l'éclipse avait dû se produire le 18 juillet 1859, c'est-à-dire cette année, vous auriez fort bien pu la manquer. Et d'ailleurs, nous ne savons même pas encore si nous sommes au-dessus du soixante-dixième parallèle.

— Aussi, mon cher lieutenant, répondit Thomas Black, je ne regrette point le voyage que j'ai fait en votre compagnie, et j'attendrai patiemment mon éclipse jusqu'à l'année prochaine. La blonde Phoebé est une assez grande dame, j'imagine, pour qu'on lui fasse l'honneur de l'attendre!»

Le lendemain, 6 juillet, peu de temps avant midi, Jasper Hobson et Thomas Black avaient pris leurs dispositions pour obtenir un relèvement rigoureusement exact du cap Bathurst, c'est-à-dire sa position en longitude et en latitude. Ce jour-là, le soleil brillait avec une netteté suffisante pour qu'il fût possible d'en relever rigoureusement les contours. De plus, à cette époque de l'année, il avait acquis son maximum de hauteur au-dessus de l'horizon, et, par conséquent, sa culmination, lors de son passage au méridien, devait rendre plus facile le travail des deux observateurs.

Déjà, la veille, et dans la matinée, en prenant différentes hauteurs, et au moyen d'un calcul d'angles horaires, le lieutenant et l'astronome avaient obtenu avec une extrême précision la longitude du lieu. Mais son élévation en latitude était la circonstance qui préoccupait surtout Jasper Hobson. Peu importait, en effet, le méridien du cap Bathurst, si le cap Bathurst se trouvait situé au-delà du soixante-dixième parallèle.

Midi approchait. Tous les hommes composant le détachement entouraient les observateurs qui s'étaient munis de leurs sextants. Ces braves gens attendaient le résultat de l'observation avec une impatience qui se comprendra facilement. En effet, il s'agissait pour eux de savoir s'ils étaient arrivés au but de leur voyage, ou s'ils devaient continuer à chercher sur un autre point du littoral un territoire placé dans les conditions voulues par la Compagnie.

Or, cette dernière alternative n'aurait probablement amené aucun résultat satisfaisant. En effet, — d'après les cartes, fort imparfaites, il est vrai, de cette portion du rivage américain, — la côte, à partir du cap Bathurst, s'infléchissant vers l'ouest, redescendait au-dessous du soixante-dixième parallèle, et ne le dépassait de nouveau que dans cette Amérique russe sur laquelle des Anglais n'avaient encore aucun droit à s'établir. Ce n'était pas sans raison que Jasper Hobson, après avoir consciencieusement étudié la cartographie de ces terres boréales, s'était dirigé vers le cap Bathurst. Ce cap, en effet, s'élance comme une pointe au- dessus du soixante-dixième parallèle, et, entre les cent et cent-cinquantième méridiens, nul autre promontoire, appartenant au continent proprement dit, c'est-à-dire à l'Amérique anglaise, ne se projette au-delà de ce cercle. Restait donc à déterminer si réellement le cap Bathurst occupait la position que lui assignaient les cartes les plus modernes.

Telle était, en somme, l'importante question que les observations précises de Thomas Black et de Jasper Hobson allaient résoudre.

Le soleil s'approchait, en ce moment, du point culminant de sa course. Les deux observateurs braquèrent alors la lunette de leur sextant sur l'astre qui montait encore. Au moyen des miroirs inclinés, disposés sur l'instrument, le soleil devait être, en apparence, ramené à l'horizon même, et le moment où il semblerait le toucher par le bord inférieur de son disque, serait précisément celui auquel il occuperait le plus haut point de l'arc diurne, et, par conséquent, le moment exact où il passerait au méridien, c'est-à-dire le midi du lieu.

Tous regardaient et gardaient un profond silence.

«Midi! s'écria bientôt Jasper Hobson.

— Midi!» répondit au même instant Thomas Black. Les lunettes furent immédiatement abaissées. Le lieutenant et l'astronome lurent sur les limbes gradués la valeur des angles qu'ils venaient d'obtenir, et se mirent immédiatement à chiffrer leurs observations.

Quelques minutes après, le lieutenant Hobson se levait, et, s'adressant à ses compagnons:

«Mes amis, leur dit-il, à partir de ce jour, 6 juillet, la Compagnie de la baie d'Hudson, s'engageant par ma parole, élève au double la solde qui vous est attribuée!

— Hurrah! hurrah! hurrah pour la Compagnie!» s'écrièrent d'une commune voix les dignes compagnons du lieutenant Hobson.

En effet, le cap Bathurst et le territoire y confinant se trouvaient indubitablement situés au-dessus du soixante-dixième parallèle.

Voici d'ailleurs, à une seconde près, ces coordonnées, qui devaient avoir plus tard une importance si grande dans l'avenir du nouveau fort:

Longitude: 127° 36' 12" à l'ouest du méridien de Greenwich.

Latitude: 70° 44' 37" septentrionale.

Et ce soir même, ces hardis pionniers, campés, en ce moment, si loin du monde habité, à plus de huit cents milles du Fort- Reliance, virent l'astre radieux raser les bords de l'horizon occidental, sans même y échancrer son disque flamboyant.

Le soleil de minuit brillait pour la première fois à leurs yeux.

XIII.

Le Fort-Espérance.

L'emplacement du fort était irrévocablement arrêté. Aucun autre endroit ne pouvait être plus favorable que ce terrain, naturellement plat, situé au revers du cap Bathurst, sur la rive orientale du lagon. Jasper Hobson résolut donc de commencer immédiatement la construction de la maison principale. En attendant, chacun dut s'organiser un peu à sa guise, et les traîneaux furent utilisés d'une manière ingénieuse pour former le campement provisoire.

D'ailleurs, grâce à l'habileté de ses hommes, le lieutenant comptait qu'en un mois, au plus, la maison principale serait construite. Elle devait être assez vaste pour contenir provisoirement les dix-neuf personnes qui composaient le détachement. Plus tard, avant l'arrivée des grands froids, si le temps ne manquait pas, on élèverait les communs destinés aux soldats, et les magasins dans lesquels les fourrures et les pelleteries devaient être déposées. Mais Jasper Hobson ne supposait pas que ces travaux pussent être achevés avant la fin du mois de septembre. Or, après septembre, les nuits déjà longues, le mauvais temps, la saison d'hiver, les premières gelées, suspendraient forcément toute besogne.

Des dix soldats qui avaient été choisis par le capitaine Craventy, deux étaient plus spécialement chasseurs, Sabine et Marbre. Les huit autres maniaient la hache avec autant d'adresse que le mousquet. Ils étaient, comme des marins, propres à tout, sachant tout faire. Mais en ce moment, ils devaient être utilisés plutôt comme ouvriers que comme soldats, puisqu'il s'agissait de l'érection d'un fort qu'aucun ennemi encore ne songeait à attaquer. Petersen, Belcher, Raë, Garry, Pond, Hope, Kellet, formaient un groupe de charpentiers habiles et zélés, que Mac Nap, un Écossais de Stirling, fort capable dans la construction des maisons et même des navires, s'entendait à commander. Les outils ne manquaient pas, haches, besaiguës, égoïnes, herminettes, rabots, scies à bras, masses, marteaux, ciseaux, etc. L'un de ces hommes, Raë, plus spécialement forgeron, pouvait même fabriquer, au moyen d'une petite forge portative, toutes les chevilles, tenons, boulons, clous, vis et écrous nécessaires au charpentage. On ne comptait aucun maçon parmi ces ouvriers, et de fait, il n'en était pas besoin, puisque toutes ces maisons des factoreries du nord sont construites en bois. Très heureusement, les arbres ne manquent pas aux environs du cap Bathurst, mais par une singularité que Jasper Hobson avait déjà remarquée, pas un rocher, pas une pierre ne se rencontrait sur ce territoire, pas même un caillou, pas même un galet. De la terre, du sable, rien de plus. Le rivage était semé d'une innombrable quantité de coquilles bivalves, brisées par le ressac, et de plantes marines ou de zoophytes, consistant principalement en oursins et en astéries. Mais, ainsi que le lieutenant le fit observer à Mrs. Paulina Barnett, il n'existait pas, aux environs du cap, une seule pierre, un seul morceau de silex, un seul débris de granit. Le cap n'était formé lui-même que par l'amoncellement de terres meubles, dont quelques végétaux reliaient à peine les molécules.

Ce jour-là, dans l'après-midi, Jasper Hobson et maître Mac Nap, le charpentier, allèrent choisir l'emplacement que la maison principale devait occuper sur le plateau qui s'étendait au pied du cap Bathurst. De là, le regard pouvait embrasser le lagon et le territoire situé dans l'ouest jusqu'à une distance de dix à douze milles. Sur la droite, mais à quatre milles au moins, s'étageaient des falaises assez élevées, que l'éloignement noyait en partie dans la brume. Sur la gauche, au contraire, d'immenses plaines, de vastes steppes, que, pendant l'hiver, rien ne devait distinguer des surfaces glacées du lagon et de l'Océan.

Cette place ayant été choisie, Jasper Hobson et maître Mac Nap tracèrent au cordeau le périmètre de la maison. Ce tracé formait un rectangle qui mesurait soixante pieds sur son grand côté, et trente sur son petit. La façade de la maison devait donc se développer sur une longueur de soixante pieds, et être percée de quatre ouvertures: une porte et trois fenêtres du côté du promontoire, sur la partie qui servirait de cour intérieure, et quatre fenêtres du côté du lagon. La porte, au lieu de s'ouvrir au milieu de la façade postérieure, fut reportée sur l'angle gauche de manière à rendre la maison plus habitable. En effet, cette disposition ne permettait pas à la température extérieure de pénétrer aussi facilement jusqu'aux dernières chambres, reléguées à l'autre extrémité de l'habitation.

Un premier compartiment formant antichambre et soigneusement défendu contre les rafales par une double porte; — un second compartiment servant uniquement aux travaux de la cuisine, afin que la cuisson n'introduisît aucun principe d'humidité dans les pièces plus spécialement habitées; — un troisième compartiment, vaste salle dans laquelle les repas devaient chaque jour se prendre en commun; — un quatrième compartiment, divisé en plusieurs cabines, comme le carré d'un navire: tel fut le plan, très simple, arrêté entre le lieutenant et son maître charpentier.

Les soldats devaient provisoirement occuper la grande salle, au fond de laquelle serait établi une sorte de lit de camp. Le lieutenant, Mrs. Paulina Barnett, Thomas Black, Madge, Mrs. Joliffe, Mrs. Mac Nap et Mrs. Raë devaient se loger dans les cabines du quatrième compartiment. Pour employer une expression assez juste, «on serait un peu les uns sur les autres», mais cet état de choses ne devait pas durer, et, dès que le logement des soldats serait construit, la maison principale serait uniquement réservée au chef de l'expédition, à son sergent, à Mrs. Paulina Barnett, que sa fidèle Madge ne quitterait pas, et à l'astronome Thomas Black. Peut-être alors pourrait-on diviser le quatrième compartiment en trois chambres seulement, et détruire les cabines provisoires, car il est une règle que les hiverneurs ne doivent point oublier: «faire la guerre aux coins!» En effet, les coins, les angles, sont autant de réceptacles à glaces; les cloisons empêchent la ventilation de s'opérer convenablement, et l'humidité, bientôt transformée en neige, rend les chambres inhabitables, malsaines, et provoque les maladies les plus graves chez ceux qui les occupent. Aussi certains navigateurs, lorsqu'il se préparent à hiverner au milieu des glaces, disposent-ils à l'intérieur de leur navire une salle unique, que tout l'équipage, officiers et matelots, habite en commun. Mais Jasper Hobson ne pouvait agir ainsi, pour diverses raisons qu'il est aisé de comprendre.

On le voit, par cette description anticipée d'une demeure qui n'existait pas encore, la principale habitation du fort ne se composait que d'un rez-de-chaussée, au-dessus duquel devait s'élever un vaste toit, dont les pentes très raides devaient faciliter l'écoulement des eaux. Quand aux neiges, elles sauraient bien s'y fixer, et, une fois tassées, elles avaient le double avantage de clore hermétiquement l'habitation et d'y conserver la température intérieure à un degré constant. La neige, en effet, est de sa nature très mauvaise conductrice de la chaleur; elle ne permet pas à celle-ci d'entrer, il est vrai, mais, ce qui est beaucoup plus important pendant les hivers arctiques, elle l'empêche de sortir.

Au-dessus du toit, le charpentier devait dresser deux cheminées, l'une correspondant à la cuisine, l'autre au poêle de la grande salle, qui devait chauffer en même temps les cabines du quatrième compartiment. De cet ensemble il ne résulterait certainement pas une oeuvre architecturale, mais l'habitation serait dans les meilleures conditions possibles d'habitabilité. Que pouvait-on demander de plus? D'ailleurs, sous ce sombre crépuscule, au milieu des rafales de neige, à demi enfouie sous les glaces, blanche de la base au sommet, avec ses lignes empâtées, ses fumées grisâtres tordues par le vent, cette maison d'hiverneurs présenterait encore un aspect étrange, sombre, lamentable, qu'un artiste ne saurait oublier.

Le plan de la nouvelle maison était conçu. Restait à l'exécuter. Ce fut l'affaire de maître Mac Nap et de ses hommes. Pendant que les charpentiers travailleraient, les chasseurs de la troupe, chargés du ravitaillement, ne demeureraient pas oisifs. La besogne ne manquerait à personne.

Maître Mac Nap alla d'abord choisir les arbres nécessaires à sa construction. Il trouva sur les collines un grand nombre de ces pins qui ressemblent beaucoup au pin écossais. Ces arbres étaient de moyenne taille, et très convenables pour la maison qu'il s'agissait d'édifier. Dans ces demeures grossières, en effet, murailles, planchers, plafonds, murs de refend, cloisons, chevrons, faîtage, arbalétriers, bardeaux, tout est planches, poutres et poutrelles.

On le comprend, ce genre de construction ne demande qu'une main- d'oeuvre très élémentaire, et Mac Nap put procéder sommairement, - - ce qui ne devait nuire en rien à la solidité de l'habitation.

Maître Mac Nap choisit des arbres bien droits, qui furent coupés à un pied au-dessus du sol. Ces pins, ébranchés au nombre d'une centaine, ni écorcés ni équarris, formèrent autant de poutrelles longues de vingt pieds. La hache et la besaiguë ne les entamèrent qu'à leurs extrémités pour y entailler les tenons et les mortaises, qui devaient les fixer les unes aux autres. Cette opération ne demanda que quelques jours pour être achevée, et bientôt tous ces bois, traînés par des chiens, furent transportés au plateau que devait occuper la maison principale.

Préalablement, ce plateau avait été soigneusement nivelé. Le sol, mêlé de terre et de sable fin, fut battu et tassé à grands coups de pilon. Les herbes courtes et les maigres arbrisseaux qui le tapissaient avaient été brûlés sur place, et les cendres résultant de l'incinération formèrent à la surface une couche épaisse, absolument imperméable à toute humidité. Mac Nap obtint ainsi un emplacement net et sec, sur lequel il put établir avec sécurité ses premiers entrecroisements.

Ce premier travail terminé, à chaque angle de la maison et à l'aplomb des murs de refend, se dressèrent verticalement les maîtresses poutres, qui devaient soutenir la carcasse de la maison. Elles furent enfoncées de quelques pieds dans le sol, après que leur bout eut été durci au feu. Ces poutres, un peu évidées sur leurs faces latérales, reçurent les poutrelles transversales de la muraille proprement dite, entre lesquelles la baie des portes et fenêtres avait été préalablement ménagée. À leur partie supérieure, ces poutres furent réunies par des élongis qui, étant bien encastrés dans les mortaises, consolidèrent ainsi l'ensemble de la construction. Ces élongis figuraient l'entablement des deux façades, et ce fut à leur extrémité que reposèrent les hautes fermes du toit, dont l'extrémité inférieure surplombait la muraille, comme la toiture d'un chalet. Sur le carré de l'entablement s'allongèrent les poutrelles du plafond, et sur la couche de cendres, celles du plancher.

Il va sans dire que ces poutrelles, celles des murailles extérieures comme celles des murs de refend, ne furent que juxtaposées. À de certains endroits, et pour en assurer la jonction, le forgeron Raë les avait taraudées et liées par de longues chevilles de fer, forcées à grands coups de masse. Mais la juxtaposition ne pouvait être parfaite, et les interstices durent être hermétiquement bouchés. Mac Nap employa avec succès le calfatage, qui rend le bordé des navires si impénétrable à l'eau et qu'un simple bouffetage ne tiendrait pas étanches. Pour ce calfatage, on employa, en guise d'étoupe, une certaine mousse sèche, dont tout le revers oriental du cap Bathurst était abondamment tapissé. Cette mousse fut engagée dans les interstices au moyen de fers à calfat battus à coups de maillet, et, dans chaque rainure, le maître charpentier fit étendre à chaud plusieurs couches de goudron que les pins fournirent à profusion. Les murailles et les planchers, ainsi construits, présentaient une imperméabilité parfaite, et leur épaisseur était une garantie contre les rafales et les froids de l'hiver.

La porte et les fenêtres, percées dans les deux façades, furent grossièrement, mais solidement établies. Les fenêtres, à petits vitraux, n'eurent d'autres vitres que cette substance cornée, jaunâtre, à peine diaphane, que fournit la colle de poisson séchée, mais il fallait s'en contenter. D'ailleurs, pendant la belle saison, on devait tenir ces fenêtres constamment ouvertes, afin d'aérer la maison. Pendant la mauvaise saison, comme on n'avait aucune lumière à attendre de ce ciel obscurci par la nuit arctique, les fenêtres devaient être, au contraire, toujours et hermétiquement fermées par d'épais volets à grosses ferrures, capables de résister à tous les efforts de la tourmente.

À l'intérieur de la maison, les aménagements furent assez rapidement exécutés. Une double porte, installée en arrière de la première dans le compartiment qui formait antichambre, permettait aux entrants comme aux sortants de passer par une température moyenne entre la température intérieure et la température extérieure. De cette façon, le vent, tout chargé de froidures aiguës et d'humidités glaciales, ne pouvait plus arriver directement jusqu'aux chambres. D'ailleurs, les pompes à air qui avaient été apportées du Fort-Reliance furent installées ainsi que leur réservoir, de manière à pouvoir modifier dans une juste proportion l'atmosphère de l'habitation, pour le cas où des froids trop vifs eussent empêché d'ouvrir portes et fenêtres. L'une de ces pompes devait rejeter l'air du dedans, lorsqu'il serait trop chargé d'éléments délétères, et l'autre devait amener sans inconvénient l'air pur du dehors dans le réservoir d'où on le distribuerait suivant le besoin. Le lieutenant Hobson donna tous ses soins à cette installation, qui, le cas échéant, devait rendre de grands services.

Le principal ustensile de la cuisine fut un vaste fourneau de fonte, qui avait été apporté, par pièces, du Fort-Reliance. Le forgeron Raë n'eut que la peine de le remonter, ce qui ne fut ni long ni difficile. Mais les tuyaux destinés à la conduite de la fumée, celui de la cuisine comme celui du poêle de la grande salle, exigèrent plus de temps et d'ingéniosité. On ne pouvait se servir de tuyaux de tôle, qui n'eussent pas résisté longtemps aux coups de vent d'équinoxe, et il fallait de toute nécessité employer des matériaux plus résistants. Après plusieurs essais qui ne réussirent pas, Jasper Hobson se décida à utiliser une autre matière que le bois. S'il avait eu de la pierre à sa disposition, la difficulté eût été rapidement vaincue. Mais, on l'a dit, par une étrangeté assez inexplicable, les pierres manquaient absolument aux environs du cap Bathurst.

En revanche, on l'a dit aussi, les coquillages s'accumulaient par millions sur le sable des grèves.

«Eh bien, dit le lieutenant Hobson à maître Mac Nap, nous ferons nos tuyaux de cheminée en coquillages!

— En coquillages! s'écria le charpentier.

— Oui, Mac Nap, répondit Jasper Hobson, mais en coquillages écrasés, brûlés, réduits en chaux. Avec cette chaux, nous fabriquerons des espèces de plaquettes, et nous les disposerons comme des briques ordinaires.

— Va pour les coquillages!» répondit le charpentier.

L'idée du lieutenant Hobson était bonne, et elle fut mise aussitôt en pratique. Le rivage était recouvert d'une innombrable quantité de ces coquilles calcaires qui forment l'étage inférieur des terrains tertiaires. Le charpentier Mac Nap en fit ramasser plusieurs tonnes, et une sorte de four fut construit afin de décomposer par la cuisson le carbonate qui entre dans la composition de ces coquilles. On obtint ainsi une chaux propre aux travaux de maçonnerie.

Cette opération dura une douzaine d'heures. Dire que Jasper Hobson et Mac Nap produisirent par ces procédés élémentaires une belle chaux grasse, pure de toute matière étrangère, se délitant bien au contact de l'eau, foisonnant comme les produits de bonne qualité, et pouvant former une pâte liante avec un excès de liquide, ce serait peut-être exagérer. Mais telle était cette chaux, lorsqu'elle fut réduite en briquettes, qu'elle put être convenablement utilisée pour la construction des cheminées de la maison. En quelques jours, deux tuyaux coniques s'élevaient au- dessus du faîtage, et leur épaisseur en garantissait la solidité contre les coups de vent.

Mrs. Paulina Barnett félicita le lieutenant et le charpentier Mac Nap d'avoir mené à bien et en peu de temps cet ouvrage difficile.

«Pourvu que vos cheminées ne fument pas! ajouta-t-elle en riant.

— Elles fumeront, madame, répondit philosophiquement Jasper Hobson, elles fumeront, gardez-vous d'en douter. Toutes les cheminées fument!»

Le grand ouvrage fut complètement terminé dans l'espace d'un mois. Le 6 août, l'inauguration de la maison devait être faite. Mais, pendant que maître Mac Nap et ses hommes travaillaient sans relâche, le sergent Long, le caporal Joliffe, — tandis que Mrs. Joliffe organisait le service culinaire, — puis les deux chasseurs Marbre et Sabine, dirigés par Jasper Hobson, avaient battu les alentours du cap Bathurst. Ils avaient, à leur grande satisfaction, reconnu que les animaux de poil et de plume y abondaient. Les chasses n'étaient pas encore organisées, et les chasseurs cherchaient plutôt à explorer le pays. Cependant ils parvinrent à s'emparer de quelques couples de rennes vivants, que l'on résolut de domestiquer. Ces animaux devaient fournir des petits et du lait. Aussi se hâta-t-on de les parquer dans une enceinte palissadée, qui fut établie à une cinquantaine de pas de l'habitation. La femme du forgeron Raë, qui était une Indienne, s'entendait à ce service, et elle fut spécialement chargée du soin de ces animaux.

Quant à Mrs. Paulina Barnett, secondée par Madge, elle voulut s'occuper d'organisation intérieure, et l'on ne devait pas tarder à sentir l'influence de cette femme intelligente et bonne dans une multitude de détails dont Jasper Hobson et ses compagnons ne se seraient probablement jamais préoccupés.

Après avoir exploré le territoire sur un rayon de plusieurs milles, le lieutenant reconnut qu'il formait une vaste presqu'île, d'une superficie de cent cinquante milles carrés environ. Un isthme, large de quatre milles au plus, la rattachait au continent américain, et s'étendait depuis le fond de la baie Whasburn, à l'est, jusqu'à une échancrure correspondante de la côte opposée. La délimitation de cette presqu'île, à laquelle le lieutenant donna le nom de presqu'île Victoria, était très nettement accusée.

Jasper Hobson voulut savoir ensuite quelles ressources offraient le lagon et la mer. Il eut lieu d'être satisfait. Les eaux du lagon, très peu profondes d'ailleurs, mais fort poissonneuses, promettaient une abondante réserve de truites, de brochets et autres poissons d'eau douce, dont on devait tenir compte. La petite rivière donnait asile à des saumons qui en remontaient aisément le cours, et à des familles frétillantes de blanches et d'éperlans. La mer, sur ce littoral, semblait moins richement peuplée que le lagon. Mais, de temps en temps, on voyait passer au large d'énormes souffleurs, des baleines, des cachalots, qui fuyaient sans doute le harpon des pêcheurs de Behring, et il n'était pas impossible qu'un de ces gros mammifères vînt s'échouer sur la côte. C'était à peu près le seul moyen que les colons du cap Bathurst eussent de s'en emparer. Quant à la partie du rivage située dans l'ouest, elle était fréquentée, en ce moment, par de nombreuses familles de phoques; mais Jasper Hobson recommanda à ses compagnons de ne point donner inutilement la chasse à ces animaux. On verrait plus tard s'il ne conviendrait pas d'en tirer parti.

Ce fut le 6 août que les colons du cap Bathurst prirent possession de leur nouvelle demeure. Auparavant, et après discussion publique, ils lui donnèrent un nom de bon augure, qui réunit l'unanimité des voix.

Cette habitation, ou plutôt ce fort, — alors le poste le plus avancé de la Compagnie sur le littoral américain, — fut nommé Fort-Espérance.

Et s'il ne figure pas actuellement sur les cartes les plus récentes des régions arctiques, c'est qu'un sort terrible l'attendait dans un avenir très rapproché, au détriment de la cartographie moderne.

XIV.

Quelques excursions.

L'aménagement de la nouvelle demeure s'opéra rapidement. Le lit de camp, établi dans la grande salle, n'attendit bientôt plus que des dormeurs. Le charpentier Mac Nap avait fabriqué une vaste table, à gros pieds, lourde et massive, que le poids des mets, si considérable qu'il fût, ne ferait jamais gémir. Autour de cette table étaient disposés des bancs non moins solides, mais fixes et par conséquent peu propres à justifier ce qualificatif de «meubles» qui n'appartient qu'aux objets mobiles. Enfin quelques sièges volants et deux vastes armoires complétaient le matériel de cette pièce.

La chambre du fond était prête aussi. Des cloisons épaisses la divisaient en six cabines, dont deux seulement étaient éclairées par les dernières fenêtres ouvertes sur les façades antérieure et postérieure. Le mobilier de chaque cabine se composait uniquement d'un lit et d'une table. Mrs. Paulina Barnett et Madge occupaient ensemble celle qui prenait directement vue sur le lac. Jasper Hobson avait offert à Thomas Black l'autre cabine éclairée sur la façade de la cour, et l'astronome en avait immédiatement pris possession. Quant à lui, en attendant que ses hommes fussent logés dans des bâtiments nouveaux, il se contenta d'une sorte de cellule à demi sombre, attenant à la salle à manger, et qui s'éclairait tant bien que mal au moyen d'un oeil-de-boeuf percé dans le mur de refend. Mrs. Joliffe, Mrs. Mac Nap et Mrs. Raë occupaient avec leurs maris les autres cabines. C'étaient trois bons ménages, forts unis, qu'il eût été cruel de séparer. D'ailleurs, la petite colonie ne devait pas tarder à compter un nouveau membre, et maître Mac Nap, — un certain jour, — n'avait pas hésité à demander à Mrs Paulina Barnett si elle voudrait lui faire l'honneur d'être marraine vers la fin de la présente année. Ce que Mrs. Paulina Barnett accepta avec grande satisfaction.

On avait entièrement déchargé les traîneaux et transporté la literie dans les différentes chambres. Dans le grenier, auquel on arrivait par une échelle placée au fond du couloir d'entrée, on relégua les ustensiles, les provisions, les munitions, dont on ne devait pas faire un usage immédiat. Les vêtements d'hiver, bottes ou casaques, fourrures et pelleteries, y trouvèrent place dans de vastes armoires, à l'abri de l'humidité.

Ces premiers travaux terminés, le lieutenant s'occupa du chauffage futur de la maison. Il fit faire, sur les collines boisées, une provision considérable de combustible, sachant bien que, par certaines semaines de l'hiver, il serait impossible de s'aventurer au dehors. Il songea même à utiliser la présence des phoques sur le littoral, de manière à se procurer une abondante réserve d'huile, — le froid polaire devant être combattu par les plus énergiques moyens. D'après son ordre et sous sa direction, on établit dans la maison des condensateurs destinés à recueillir l'humidité interne, appareils qu'il serait facile de débarrasser de la glace dont ils se rempliraient pendant l'hiver.

Cette question du chauffage, très grave assurément, préoccupait beaucoup le lieutenant Hobson.

«Madame, disait-il quelquefois à la voyageuse, je suis un enfant des régions arctiques, j'ai quelque expérience de ces choses, et j'ai surtout lu et relu bien des récits d'hivernage. On ne saurait prendre trop de précautions quand il s'agit de passer la saison du froid dans ces contrées. Il faut tout prévoir, car un oubli, un seul, peut amener d'irréparables catastrophes pendant les hivernages.

— Je vous crois, monsieur Hobson, répondait Mrs. Paulina Barnett, et je vois bien que le froid aura en vous un terrible adversaire. Mais la question d'alimentation ne vous paraît-elle pas aussi importante?

— Tout autant, madame, et je compte bien vivre sur le pays pour économiser nos réserves. Aussi, dans quelques jours, dès que nous serons à peu près installés, nous organiserons des chasses de ravitaillement. Quant à la question des animaux à fourrure, nous verrons à la résoudre plus tard et à remplir les magasins de la Compagnie. D'ailleurs, ce n'est pas le moment de chasser la martre, l'hermine, le renard et autres animaux à fourrure. Ils n'ont pas encore le pelage d'hiver, et les peaux perdraient vingt- cinq pour cent de leur valeur, si on les emmagasinait en ce moment. Non. Bornons-nous d'abord à approvisionner l'office du Fort-Espérance. Les rennes, les élans, les wapitis, si quelques- uns se sont avancés jusqu'à ces parages, doivent seuls attirer nos chasseurs. En effet, vingt personnes à nourrir et une soixantaine de chiens, cela vaut la peine que l'on s'en préoccupe!»

On voit que le lieutenant était un homme d'ordre. Il voulait agir avec méthode, et, si ses compagnons le secondaient, il ne doutait pas de mener à bonne fin sa difficile entreprise.

Le temps, à cette époque de l'année, était presque invariablement beau. La période des neiges ne devait pas commencer avant cinq semaines. Lorsque la maison principale eut été achevée, Jasper Hobson fit donc continuer les travaux de charpentage, en construisant un vaste chenil destiné à abriter les attelages de chiens. Cette «dog-house» fut bâtie au pied même du promontoire, et s'appuya sur le talus même, à une quarantaine de pas sur le flanc droit de la maison. Les futurs communs, appropriés pour le logement des hommes, devaient faire face au chenil, sur la gauche, tandis que les magasins et la poudrière occuperaient la partie antérieure de l'enceinte.

Cette enceinte, par une prudence peut-être exagérée, Jasper Hobson résolut de l'établir avant l'hiver. Une bonne palissade, solidement plantée, faite de poutres pointues, devait garantir la factorerie non seulement de l'attaque des gros animaux, mais aussi contre l'agression des hommes, au cas où quelque parti ennemi, Indiens ou autres, se présenterait. Le lieutenant n'avait point oublié ces traces, qu'une troupe quelconque avait laissées sur le littoral, à moins de deux cents milles du Fort-Espérance. Il connaissait les procédés violents de ces chasseurs nomades, et il pensait que mieux valait, en tout cas, se mettre à l'abri d'un coup de main. La ligne de circonvallation fut donc tracée de manière à entourer la factorerie, et aux deux angles antérieurs qui couvraient le côté du lagon, maître Mac Nap se chargea de construire deux petites poivrières en bois, très convenables pour abriter des hommes de garde.

Avec un peu de diligence, — et ces braves ouvriers travaillaient sans relâche, — il était possible d'achever ces nouvelles constructions avant l'hiver.

Pendant ce temps, Jasper Hobson organisa diverses chasses. Il remit à quelques jours l'expédition qu'il méditait contre les phoques du littoral, et il s'occupa plus spécialement des ruminants dont la chair, séchée et conservée, devait assurer l'alimentation du fort pendant la mauvaise saison.

Donc, à partir du 8 août, Sabine et Marbre, quelquefois seuls, quelquefois suivis du lieutenant et du sergent Long qui s'y entendaient, battirent chaque jour le pays dans un rayon de plusieurs milles. Souvent aussi, l'infatigable Mrs. Paulina Barnett les accompagnait, ayant à la main un fusil qu'elle maniait adroitement, et elle ne restait pas en arrière de ses compagnons de chasse.

Pendant tout ce mois d'août, ces expéditions furent très fructueuses, et le grenier aux provisions se remplit à vue d'oeil. Il faut dire que Marbre et Sabine n'ignoraient aucune des ruses qu'il convient d'employer sur ces territoires, particulièrement avec les rennes, dont la défiance est extrême. Aussi quelle patience ils mettaient à prendre le vent pour échapper au subtil odorat de ces animaux! Parfois, ils les attiraient en agitant au- dessus des buissons de bouleaux nains quelque magnifique andouiller, trophée des chasses précédentes, et ces rennes, — ou plutôt ces «caribous», pour leur restituer leur nom indien, — trompés par l'apparence, s'approchaient à portée des chasseurs, qui ne les manquaient point. Souvent aussi, un oiseau délateur, bien connu de Sabine et de Marbre, un petit hibou de jour, gros comme un pigeon, trahissait la retraite des caribous. Il appelait les chasseurs en poussant comme un cri aigu d'enfant, et justifiait ainsi le nom de «moniteur» qui lui a été donné par les Indiens. Une cinquantaine de ruminants furent abattus. Leur chair, découpée en longues lanières, forma un approvisionnement considérable, et leurs peaux, une fois tannées, devaient servir à la confection des chaussures.

Les caribous ne contribuèrent pas seuls à accroître la réserve alimentaire. Les lièvres polaires, qui s'étaient prodigieusement multipliés sur ce territoire, y concoururent pour une part notable. Ils se montraient moins fuyards que leurs congénères d'Europe, et se laissaient tuer assez stupidement. C'étaient de grands rongeurs à longues oreilles, aux yeux bruns, avec une fourrure blanche comme un duvet de cygne, et qui pesaient de dix à quinze livres. Les chasseurs abattirent un grand nombre de ces animaux, dont la chair est véritablement succulente. C'est par centaines qu'on les prépara en les fumant, sans compter ceux qui, sous la main habile de Mrs. Joliffe, se transformèrent en pâtés fort alléchants.

Mais, tandis que les ressources de l'avenir s'amassaient ainsi, l'alimentation quotidienne n'était point négligée. Beaucoup de ces lièvres polaires servirent au repas du jour, et les chasseurs comme les travailleurs de maître Mac Nap n'étaient pas gens à dédaigner un morceau de venaison fraîche et savoureuse. Dans le laboratoire de Mrs. Joliffe, ces rongeurs subissaient les combinaisons culinaires les plus variées, et l'adroite petite femme se surpassait, au grand enchantement du caporal, qui quêtait incessamment pour elle des éloges qu'on ne lui marchandait pas, d'ailleurs.

Quelques oiseaux aquatiques varièrent aussi fort agréablement le menu quotidien. Sans parler des canards qui foisonnaient sur les rives du lagon, il convient de citer certains oiseaux qui s'abattaient par bandes nombreuses dans les endroits où poussaient quelques maigres saules. C'étaient des volatiles appartenant à l'espèce des perdrix, et auxquels les dénominations zoologiques ne manquent pas. Aussi, lorsque Mrs. Paulina Barnett demanda pour la première fois à Sabine quel était le nom de ces oiseaux:

«Madame, lui répondit le chasseur, les Indiens les appellent des «tétras de saules», mais pour nous autres, chasseurs européens, ce sont de véritables coqs de bruyère.»

En vérité, on eût dit des perdrix blanches, avec de grandes plumes mouchetées de noir à l'extrémité de la queue. C'était un gibier excellent, qui n'exigeait qu'une cuisson rapide devant un feu clair et pétillant.

À ces diverses sortes de venaison, les eaux du lac et de la petite rivière ajoutaient encore leur contingent. Personne ne s'entendait mieux à pêcher que le calme et paisible sergent Long. Soit qu'il laissât le poisson mordre à son hameçon amorcé, soit qu'il cinglât les eaux avec sa ligne armée d'hameçons vides, personne ne pouvait rivaliser avec lui d'habileté et de patience, — si ce n'était la fidèle Madge, la compagne de Mrs. Paulina Barnett. Pendant des heures entières, ces deux disciples du célèbre Isaac Walton[3] restaient assis l'un près de l'autre, la ligne à la main, guettant leur proie, ne prononçant pas une parole; mais, grâce à eux, la «marée ne manqua jamais», et le lagon ou la rivière leur livraient journellement de magnifiques échantillons de la famille des salmonées.

Pendant ces excursions qui se poursuivirent presque quotidiennement jusqu'à la fin du mois d'août, les chasseurs eurent souvent affaire à des animaux fort dangereux. Jasper Hobson constata, non sans une certaine appréhension, que les ours étaient nombreux sur cette partie du territoire. Il était rare, en effet, qu'un jour se passât sans qu'un couple de ces formidables carnassiers ne fût signalé. Bien des coups de fusil furent adressés à ces terribles visiteurs. Tantôt, c'était une bande de ces ours bruns qui sont fort communs sur toute la région de la Terre-Maudite, tantôt, une de ces familles d'ours polaires d'une taille gigantesque, que les premiers froids amèneraient sans doute en plus grand nombre aux environs du cap Bathurst. Et, en effet, dans les récits d'hivernage, on peut observer que les explorateurs ou les baleiniers sont plusieurs fois par jour exposés à la rencontre de ces carnassiers.

Marbre et Sabine aperçurent aussi, à plusieurs reprises, des bandes de loups qui, à l'approche des chasseurs, détalaient comme une vague mouvante. On les entendait «aboyer», surtout quand ils étaient lancés sur les talons d'un renne ou d'un wapiti. C'étaient de grands loups gris, hauts de trois pieds, à longue queue, dont la fourrure devait blanchir aux approches de l'hiver. Ce territoire, très peuplé, leur offrait une nourriture facile, et ils y abondaient. Il n'était pas rare de rencontrer, en de certains endroits boisés, des trous à plusieurs entrées, dans lesquels ces animaux se terraient à la façon des renards. À cette époque, bien repus, ils fuyaient les chasseurs du plus loin qu'ils les apercevaient, avec cette couardise qui distingue leur race. Mais, aux heures de la faim, ces animaux pouvaient devenir terribles par leur nombre, et, puisque leurs terriers étaient là, c'est qu'ils ne quittaient point la contrée, même pendant la saison d'hiver.

Un jour, les chasseurs rapportèrent au Fort-Espérance un animal assez hideux que n'avaient encore vu ni Mrs. Paulina Barnett, ni l'astronome Thomas Black. Cet animal était un plantigrade qui ressemblait assez au glouton d'Amérique, un affreux carnassier, ramassé de torse, court de jambes, armé de griffes recourbées et de mâchoires formidables, les yeux durs et féroces, la croupe souple comme celle de tous les félins.

«Quelle est cette horrible bête? demanda Mrs. Paulina Barnett.

— Madame, répondit Sabine, qui était toujours un peu dogmatique dans ses réponses, un Écossais vous dirait que c'est un «quickhatch», un Indien, que c'est un «okelcoo-haw-gew», un Canadien, que c'est un «carcajou…»

— Et pour vous autres? demanda Mrs. Paulina Barnett, c'est…?

— C'est un «wolverène», madame», répondit Sabine, évidemment enchanté de la tournure qu'il avait donnée à sa réponse.

En effet, wolverène était la véritable dénomination zoologique de ce singulier quadrupède, redoutable rôdeur nocturne, qui gîte dans les trous d'arbres ou les rochers creux, grand destructeur de castors, de rats musqués et autres rongeurs, ennemi déclaré du renard et du loup auxquels il ne craint pas de disputer leur proie, animal très rusé, très fort de muscles, très fin d'odorat, qui se rencontre jusque sous les latitudes les plus élevées, et, dont la fourrure, à poils courts, presque noire pendant l'hiver, figure pour un chiffre assez important dans les exportations de la Compagnie.

Pendant ces excursions, la flore du pays avait été observée avec autant d'attention que la faune. Mais les végétaux étaient nécessairement moins variés que les animaux, n'ayant point comme ceux-ci la faculté d'aller chercher, pendant la mauvaise saison, des climats plus doux. C'étaient le pin et le sapin qui se multipliaient le plus abondamment sur les collines qui formaient la lisière orientale du lagon. Jasper Hobson remarqua aussi quelques «tacamahacs», sortes de peupliers-baumiers, d'une grande hauteur, dont les feuilles, jaunes quand elles poussent, prennent dans l'arrière-saison une teinte verdoyante. Mais ces arbres étaient rares, ainsi que quelques mélèzes assez étiques, que les obliques rayons du soleil ne parvenaient pas à vivifier. Certains sapins noirs réussissaient mieux, surtout dans les gorges abritées contre les vents du nord. La présence de cet arbre fut accueillie avec satisfaction, car on fabrique avec ses bourgeons une bière estimée, connue dans le North-Amérique sous le nom de «bière de sapin». On fit une bonne récolte de ces bourgeons, qui fut transportée dans le cellier du Fort-Espérance.

Les autres végétaux consistaient en bouleaux nains, arbrisseaux hauts de deux pieds, qui sont particuliers aux climats très froids, et en bouquets de cèdres, qui fournissent un bois excellent pour le chauffage.

Quant aux végétaux sauvages, qui poussaient spontanément sur cette terre avare et pouvaient servir à l'alimentation, ils étaient extrêmement rares. Mrs. Joliffe, que la botanique «positive» intéressait fort, n'avait rencontré que deux plantes dignes de figurer dans sa cuisine.

L'une, racine bulbeuse, difficile à reconnaître, puisque ses feuilles tombent précisément au moment où elle entre dans la période de floraison, n'était autre que le poireau-sauvage. Ce poireau fournissait une ample récolte d'oignons, gros comme un oeuf, qui furent judicieusement employés en guise de légumes.

L'autre plante, connue dans tout le nord de l'Amérique sous le nom de «thé du Labrador», poussait en grande abondance sur les bords du lagon, entre les bouquets de saules et d'arbousiers, et elle formait la nourriture favorite des lièvres polaires. Ce thé, infusé dans l'eau bouillante et additionné de quelques gouttes de brandy ou de gin, composait une excellente boisson, et cette plante mise en conserve, permit d'économiser la provision de thé chinois apporté du Fort-Reliance.

Mais, pour obvier à la pénurie des végétaux alimentaires, Jasper Hobson s'était muni d'une certaine quantité de graines qu'il comptait semer, quand le moment en serait venu. C'étaient principalement des graines d'oseille et de cochlearias, dont les propriétés antiscorbutiques sont très appréciées sous ces latitudes. On pouvait espérer qu'en choisissant un terrain abrité contre les brises aiguës qui brûlent toute végétation comme une flamme, ces graines réussiraient pour la saison prochaine.

Au surplus, la pharmacie du nouveau fort n'était pas dépourvue d'antiscorbutiques. La Compagnie avait fourni quelques caisses de citrons et de «lime-juice», précieuse substance dont aucune expédition polaire ne saurait se passer.

Mais il importait d'économiser cette réserve comme bien d'autres car une série de mauvais temps pouvait compromettre les communications entre le Fort-Espérance et les factoreries du Sud.

XV.

À quinze milles du cap Bathurst.

Les premiers jours de septembre étaient arrivés. Dans trois semaines, même en admettant les chances les plus favorables, la mauvaise saison allait nécessairement interrompre les travaux. Il fallait donc se hâter. Très heureusement, les nouvelles constructions avaient été rapidement conduites. Maître Mac Nap et ses hommes faisaient des prodiges d'activité. La «dog-house» n'attendit bientôt plus qu'un dernier coup de marteau, et la palissade se dressait presque en entier déjà sur le périmètre assigné au fort. On s'occupa alors d'établir la poterne qui devait donner accès dans la cour intérieure. Cette enceinte, faite de gros pieux pointus, hauts de quinze pieds, formait une sorte de demi-lune ou de cavalier sur sa partie antérieure. Mais afin de compléter le système de fortification, il fallait couronner le sommet du cap Bathurst qui commandait la position. On le voit, le lieutenant Jasper Hobson admettait le système de l'enceinte continue et des forts détachés: grand progrès dans l'art des Vauban et des Cormontaigne. Mais, en attendant le couronnement du cap, la palissade suffisait à mettre les nouvelles constructions à l'abri «d'un coup de patte», sinon d'un coup de main.

Le 4 septembre, Jasper Hobson décida que ce jour serait employé à chasser les amphibies du littoral. Il s'agissait, en effet, de s'approvisionner à la fois en combustible et en luminaire, avant que la mauvaise saison ne fût arrivée.

Le campement des phoques était éloigné d'une quinzaine de milles. Jasper Hobson proposa à Mrs. Paulina Barnett de suivre l'expédition. La voyageuse accepta. Non pas que le massacre projeté fût très attrayant par lui-même, mais voir le pays, observer les environs du cap Bathurst, et précisément cette partie du littoral que bordaient de hautes falaises, il y avait de quoi tenter sa curiosité.

Le lieutenant Hobson désigna pour l'accompagner le sergent Long et les soldats Petersen, Hope et Kellet.

On partit à huit heures du matin. Deux traîneaux, attelés chacun de six chiens, suivaient la petite troupe, afin de rapporter au fort le corps des amphibies.

Ces traîneaux étant vides, le lieutenant, Mrs. Paulina Barnett et leurs compagnons y prirent place. Le temps était beau, mais les basses brumes de l'horizon tamisaient les rayons du soleil, dont le disque jaunâtre, à cette époque de l'année, disparaissait déjà pendant quelques heures de la nuit.

Cette partie du littoral, dans l'ouest du cap Bathurst, présentait une surface absolument plane, qui s'élevait à peine de quelques mètres au-dessus du niveau de l'océan Polaire. Or cette disposition du sol attira l'attention du lieutenant Hobson, et voici pourquoi.

Les marées sont assez fortes dans les mers arctiques, ou, du moins, elles passent pour telles. Bien des navigateurs qui les ont observées, Parry, Franklin, les deux Ross, Mac Clure, Mac Clintock, ont vu la mer, à l'époque des syzygies, monter de vingt à vingt-cinq pieds au-dessus du niveau moyen. Si cette observation était juste, — et il n'existait aucune raison de mettre en doute la véracité des observateurs, — le lieutenant Hobson devait forcément se demander comment il se faisait que l'Océan, gonflé sous l'action de la lune, n'envahît pas ce littoral peu élevé au- dessus du niveau de la mer, puisque aucun obstacle, ni dune, ni extumescence quelconque du sol, ne s'opposait à la propagation des eaux; comment il se faisait que ce phénomène des marées n'entraînât pas la submersion complète du territoire jusqu'aux limites les plus reculées de l'horizon, et ne provoquât pas la confusion des eaux du lac et de l'océan Glacial? Or il était évident que cette submersion ne se produisait pas, et ne s'était jamais produite.

Jasper Hobson ne put donc s'empêcher de faire cette remarque, ce qui amena sa compagne à lui répondre que, sans doute, quoi qu'on en eût dit, les marées étaient insensibles dans l'océan Glacial arctique.

«Mais au contraire, madame, répondit Jasper Hobson, tous les rapports des navigateurs s'accordent sur ce point, que le flux et le reflux sont très prononcés dans les mers polaires, et il n'est pas admissible que leur observation soit fausse.

— Alors, monsieur Hobson, reprit Mrs. Paulina Barnett, veuillez m'expliquer pourquoi les flots de l'Océan ne couvrent point ce pays, qui ne s'élève pas à dix pieds au-dessus du niveau de la basse mer?

— Eh, madame! répondit Jasper Hobson, voilà précisément mon embarras, je ne sais comment expliquer ce fait. Depuis un mois que nous sommes sur ce littoral, j'ai constaté et à plusieurs reprises que le niveau de la mer s'élevait d'un pied à peine en temps ordinaire, et j'affirmerais presque que dans quinze jours, au 22 septembre, en plein équinoxe, c'est-à-dire au moment même où le phénomène atteindra son maximum, le déplacement des eaux ne dépassera pas un pied et demi sur les rivages du cap Bathurst. Du reste, nous le verrons bien.

— Mais enfin, l'explication, monsieur Hobson, l'explication de ce fait, car tout s'explique en ce monde?

— Eh bien, madame, répondit le lieutenant, de deux choses l'une: ou les navigateurs ont mal observé, ce que je ne puis admettre quand il s'agit de personnages tels que Franklin, Parry, Ross et autres, — ou bien, les marées sont nulles spécialement sur ce point du littoral américain, et peut-être pour les mêmes raisons qui les rendent insensibles dans certaines mers resserrées, la Méditerranée entre autres, où le rapprochement des continents riverains et l'étroitesse des pertuis ne donnent pas un accès suffisant aux eaux de l'Atlantique.

— Admettons cette dernière hypothèse, monsieur Jasper, répondit Mrs. Paulina Barnett.

— Il le faut bien, répondit le lieutenant en secouant la tête, et pourtant elle ne me satisfait pas, et je sens là quelque singularité naturelle dont je ne puis me rendre compte.»

À neuf heures, les deux traîneaux, après avoir suivi un rivage constamment plat et sablonneux, étaient arrivés à la baie ordinairement fréquentée par les phoques. On laissa les attelages en arrière, afin de ne point effrayer ces animaux, qu'il importait de surprendre sur le rivage.

Combien cette partie du territoire différait de celle qui confinait au cap Bathurst!

Au point où les chasseurs s'étaient arrêtés, le littoral, capricieusement échancré et rongé sur sa lisière, bizarrement convulsionné sur toute son étendue, trahissait de la façon la plus évidente une origine plutonienne, bien distincte, en effet, des formations sédimentaires qui caractérisaient les environs du cap.

Le feu des époques géologiques, et non l'eau, avait évidemment produit ces terrains. La pierre, qui manquait au cap Bathurst, — particularité, pour le dire en passant, non moins inexplicable que l'absence de marées, — reparaissait ici sous forme de blocs erratiques, de roches profondément encastrées dans le sol. De tous côtés, sur un sable noirâtre, au milieu de laves vésiculaires, s'éparpillaient des cailloux appartenant à ces silicates alumineux compris sous le nom collectif de feldspath, et dont la présence démontrait irréfutablement que ce littoral n'était qu'un terrain de cristallisation. À sa surface scintillaient d'innombrables labradorites, galets variés, aux reflets vifs et changeants, bleus, rouges, verts, puis, çà et là, des pierres ponces et des obsidiennes. En arrière s'étageaient de hautes falaises, qui s'élevaient de deux cents pieds au-dessus du niveau de la mer.

Jasper Hobson résolut de gravir ces falaises jusqu'à leur sommet, afin d'examiner toute la partie orientale du pays. Il avait le temps, car l'heure de la chasse aux phoques n'était pas encore venue. On voyait seulement quelques couples de ces amphibies qui prenaient leurs ébats sur le rivage, et il convenait d'attendre qu'ils se fussent réunis en plus grand nombre, afin de les surprendre pendant leur sieste, ou plutôt pendant ce sommeil que le soleil de midi provoque chez les mammifères marins. Le lieutenant Hobson reconnut, d'ailleurs, que ces amphibies n'étaient point des phoques proprement dits, ainsi que ses gens le lui avaient annoncé. Ces mammifères appartenaient bien au groupe des pinnipèdes, mais c'étaient des chevaux marins et des vaches marines, qui forment dans la nomenclature zoologique le genre des morses, et sont reconnaissables à leurs canines supérieures, longues défenses dirigées de haut en bas.

Les chasseurs, tournant alors la petite baie que semblaient affectionner ces animaux, et à laquelle ils donnèrent le nom de Baie des Morses, s'élevèrent sur la falaise du littoral. Petersen, Hope et Kellet demeurèrent sur un petit promontoire, afin de surveiller les amphibies, tandis que Mrs. Paulina Barnett, Jasper Hobson et le sergent gagnaient le sommet de la falaise de manière à dominer de cent cinquante à deux cents pieds le pays environnant. Ils ne devaient point perdre de vue leurs trois compagnons, chargés de les prévenir par un signal dès que la réunion des morses serait suffisamment nombreuse.

En un quart d'heure, le lieutenant, sa compagne et le sergent eurent atteint le plus haut sommet. De ce point ils purent aisément observer tout le territoire qui se développait sous leurs yeux.

À leurs pieds s'étendait la mer immense que fermait au nord l'horizon du ciel. Nulle terre en vue, nulle banquise, nul iceberg. L'Océan était libre de glaces même au-delà des limites du regard, et, probablement, sous ce parallèle, cette portion de la mer Glaciale restait ainsi navigable jusqu'au détroit de Behring. Pendant la saison d'été, les navires de la Compagnie pourraient donc facilement atterrir au cap Bathurst par la voie du nord- ouest.

En se retournant vers l'ouest, Jasper Hobson découvrit une contrée toute nouvelle, et il eut alors l'explication de ces débris volcaniques dont le littoral était véritablement encombré.

À une dizaine de milles s'étageaient des collines ignivomes, à cône tronqué, qu'on ne pouvait apercevoir du cap Bathurst, parce qu'elles étaient cachées par la falaise. Elles se profilaient assez confusément sur le ciel, comme si une main tremblante en eût tracé la ligne terminale. Jasper Hobson, après les avoir observées avec attention, les montra de la main au sergent et à Mrs. Paulina Barnett, puis, sans rien dire, il porta ses regards vers le côté opposé.

Dans l'est, c'était cette longue lisière de rivage, sans une irrégularité, sans un mouvement de terrain, qui se prolongeait jusqu'au cap Bathurst. Des observateurs munis d'une bonne lorgnette auraient pu reconnaître le Fort-Espérance, et même la petite fumée bleuâtre qui, à cette heure, devait s'échapper des fourneaux de Mrs. Joliffe.

En arrière, le territoire offrait deux aspects bien tranchés. Dans l'est et au sud, une vaste plaine confinait au cap sur une étendue de plusieurs centaines de milles carrés. Au contraire, en arrière- plan des falaises, depuis la baie des Morses jusqu'aux montagnes volcaniques, le pays, effroyablement convulsionné, indiquait clairement qu'il devait son origine à un soulèvement éruptif.

Le lieutenant observait ce contraste si marqué entre ces deux parties du territoire. Et, il faut l'avouer, cela lui semblait presque «étrange».

«Pensez-vous, monsieur Hobson, demanda alors le sergent Long, que ces montagnes qui ferment l'horizon à l'ouest soient des volcans?

— Sans aucun doute, sergent, répondit Jasper Hobson. Ce sont elles qui ont lancé jusqu'ici ces pierres ponces, ces obsidiennes, ces innombrables labradorites, et nous n'aurions pas trois milles à faire pour fouler du pied des laves et des cendres.

— Et croyez-vous, mon lieutenant, que ces volcans soient encore en activité? demanda le sergent.

— À cela, je ne puis vous répondre.

— Cependant nous n'apercevons en ce moment aucune fumée à leur sommet.

— Ce n'est pas une raison, sergent Long. Est-ce que vous avez toujours la pipe à la bouche?

— Non, monsieur Hobson.

— Eh bien, Long, c'est exactement la même chose pour les volcans. Ils ne fument pas toujours.

— Je vous comprends, monsieur Hobson, répondit le sergent Long, mais ce que je comprends moins, en vérité, c'est qu'il existe des volcans sur les continents polaires.

— Ils n'y sont pas très nombreux, dit Mrs. Paulina Barnett.

— Non, madame, répondit le lieutenant, mais on en compte, cependant, un certain nombre: à l'île de Jean-Mayen, aux îles Aléoutiennes, dans le Kamtchatka, dans l'Amérique russe, en Islande; puis dans le sud, à la Terre de Feu, sur les contrées australes. Ces volcans ne sont que les cheminées de cette vaste usine centrale où s'élaborent les produits chimiques du globe, et je pense que le Créateur de toutes choses a percé ces cheminées partout où elles étaient nécessaires.

« — Sans doute, monsieur Hobson, répondit le sergent, mais au pôle, sous ces climats glacés!...

— Et qu'importe, sergent, qu'importe que ce soit au pôle ou à l'équateur! Je dirai même plus, les soupiraux doivent être plus nombreux aux environs des pôles qu'en aucun autre point du globe.

— Et pourquoi, monsieur Hobson? demanda le sergent, qui paraissait fort surpris de cette affirmation.

— Parce que si ces soupapes se sont ouvertes sous la pression des gaz intérieurs, c'est précisément aux endroits où la croûte terrestre était moins épaisse. Or, par suite de l'aplatissement de la terre aux pôles, il semble naturel que... — Mais j'aperçois un signal de Kellet, dit le lieutenant, interrompant son argumentation. Voulez-vous nous accompagner, madame?

— Je vous attendrai ici, monsieur Hobson, répondit la voyageuse. Ce massacre de morses n'a vraiment rien qui m'attire!

— C'est entendu, madame, répondit Jasper Hobson, et si vous voulez nous rejoindre dans une heure, nous reprendrons ensemble le chemin du fort.»

Mrs. Paulina Barnett resta donc sur le sommet de la falaise, contemplant le panorama si varié qui se déroulait sous ses yeux.

Un quart d'heure après, Jasper Hobson et le sergent Long arrivaient sur le rivage.

Les morses étaient alors en grand nombre. On pouvait en compter une centaine. Quelques-uns rampaient sur le sable au moyen de leurs pieds courts et palmés. Mais, pour la plupart, groupés par famille, ils dormaient. Un ou deux, des plus grands, mâles longs de trois mètres, à pelage peu fourni, de couleur roussâtre, semblaient veiller comme des sentinelles sur le reste du troupeau.

Les chasseurs durent s'avancer avec une extrême prudence, en profitant de l'abri des rochers et des mouvements de terrain, de manière à cerner quelques groupes de morses et à leur couper la retraite vers la mer. Sur terre, en effet, ces animaux sont lourds, peu mobiles, gauches. Ils ne marchent que par petits sauts, ou en produisant avec leur échine un certain mouvement de reptation. Mais dans l'eau, leur véritable élément, ils redeviennent des poissons agiles, des nageurs redoutables, qui souvent mettent en péril les chaloupes qui les poursuivent.

Cependant les grands mâles se défiaient. Ils sentaient un danger prochain. Leur tête se redressait. Leurs yeux se portaient de tous côtés. Mais, avant qu'ils eussent eu le temps de donner le signal d'alarme, Jasper Hobson et Kellet, s'élançant d'une part, le sergent, Petersen et Hope se précipitant de l'autre, frappèrent cinq morses de leurs balles, puis ils les achevèrent à coups de pique, pendant que le reste du troupeau se précipitait à la mer.

La victoire avait été facile. Les cinq amphibies étaient de grande taille. L'ivoire de leurs défenses, quoique un peu grenu, paraissait être de première qualité; mais, ce que le lieutenant Hobson appréciait davantage, leur corps gros et gras promettait de fournir une huile abondante. On se hâta de les placer sur les traîneaux, et les attelages de chiens en eurent leur charge suffisante.

Il était une heure alors. En ce moment, Mrs. Paulina Barnett rejoignit ses compagnons, et tous reprirent, en côtoyant le littoral, la route du Fort-Espérance.

Il va sans dire que ce retour se fit à pied, puisque les traîneaux étaient à pleine charge. Ce n'était qu'une dizaine de milles à franchir, mais en ligne droite. Or «rien n'est plus long qu'un chemin qui ne fait pas de coudes», dit le proverbe anglais, et ce proverbe a raison.

Aussi, pour tromper les ennuis de la route, les chasseurs causèrent-ils de choses et d'autres. Mrs. Paulina Barnett se mêlait fréquemment à leur conversation, et s'instruisait ainsi en profitant des connaissances spéciales à ces braves gens. Mais, en somme, on n'allait pas vite. C'était un lourd fardeau pour les attelages que ces masses charnues, et les traîneaux glissaient mal. Sur une couche de neige bien durcie, les chiens auraient franchi en moins de deux heures la distance qui séparait la baie des Morses du Fort-Espérance.

Plusieurs fois, le lieutenant Hobson dut faire halte pour donner quelques instants de repos à ses chiens, qui étaient à bout de forces.

Ce qui amena le sergent Long à dire:

«Ces morses, dans notre intérêt, auraient bien dû établir plus près du fort leur campement habituel.

— Ils n'y auraient point trouvé d'emplacement favorable, répondit le lieutenant en secouant la tête.

— Pourquoi donc, monsieur Hobson? demanda Mrs. Paulina Barnett, assez surprise de cette réponse.

— Parce que ces amphibies ne fréquentent que les rivages à pente douce, sur lesquels ils peuvent ramper en sortant de la mer.

— Mais le littoral du cap?...

— Le littoral du cap, répondit Jasper Hobson, est accore comme un mur de courtine. Son rivage ne présente aucune déclivité. Il semble qu'il ait été coupé à pic. C'est encore là, madame, une inexplicable singularité de ce territoire, et quand nos pêcheurs voudront pêcher sur ses bords, leurs lignes ne devront pas avoir moins de trois cents brasses de fond! Pourquoi cette disposition? Je l'ignore, mais je suis porté à croire qu'il y a bien des siècles, une rupture violente, due à quelque action volcanique, aura séparé du littoral une portion du continent, maintenant engloutie dans la mer Glaciale!»

XVI.

Deux coups de feu.

La première moitié du mois de septembre s'était écoulée. Si le Fort-Espérance eût été situé au pôle même, c'est-à-dire vingt degrés plus haut en latitude, le 21 du présent mois, la nuit polaire l'aurait déjà enveloppé de ténèbres. Mais sur ce soixante- dixième parallèle, le soleil allait se traîner circulairement au-dessus de l'horizon pendant plus d'un mois encore. Déjà, pourtant, la température se refroidissait sensiblement. Pendant la nuit, le thermomètre tombait à trente et un degrés Fahrenheit (1° centigr. au-dessous de zéro). De jeunes glaces se formaient çà et là, que les derniers rayons solaires dissolvaient pendant le jour. Quelques bourrasques de neige passaient au milieu des rafales de pluie et du vent. La mauvaise saison était évidemment prochaine.

Mais les habitants de la factorerie pouvaient l'attendre sans crainte. Les approvisionnements actuellement emmagasinés devaient suffire et au-delà. La réserve de venaison sèche s'était accrue. Une vingtaine d'autres morses avaient été tués. Mac Nap avait eu le temps de construire une étable bien close, destinée aux rennes domestiques, et en arrière de la maison, un vaste hangar qui renfermait le combustible. L'hiver, c'est-à-dire la nuit, la neige, la glace, le froid, pouvait venir. On était prêt à le recevoir.

Mais après avoir pourvu aux besoins futurs des habitants du fort, Jasper Hobson songea aux intérêts de la Compagnie. Le moment arrivait où les animaux, revêtant la fourrure hivernale, devenaient une proie précieuse. L'époque était favorable pour les abattre à coups de fusil, en attendant que la terre, uniformément couverte de neige, permît de leur tendre des trappes. Jasper Hobson organisa donc les chasses. Sous cette haute latitude, on ne pouvait compter sur le concours des Indiens, qui sont habituellement les fournisseurs des factoreries, car ces indigènes fréquentent des territoires plus méridionaux. Le lieutenant Hobson, Marbre, Sabine et deux ou trois de leurs compagnons durent donc chasser pour le compte de la Compagnie, et, on le pense, ils ne manquèrent pas de besogne.

Une tribu de castors avait été signalée sur un affluent de la petite rivière, à six milles environ dans le sud du fort. Ce fut là que Jasper Hobson dirigea sa première expédition.

Autrefois le duvet de castor valait jusqu'à quatre cents francs le kilogramme, au temps où la chapellerie l'employait communément; mais, si l'utilisation de ce duvet a diminué, cependant les peaux, sur les marchés de fourrures, conservent encore un prix élevé dans une certaine proportion, parce que cette race de rongeurs, impitoyablement traquée, tend à disparaître.

Les chasseurs se rendirent sur la rivière, à l'endroit indiqué. Là, le lieutenant fit admirer à Mrs. Paulina Barnett les ingénieuses dispositions prises par ces animaux pour aménager convenablement leur cité sous-marine. Il y avait une centaine de castors qui occupaient par couple des terriers creusés dans le voisinage de l'affluent. Mais déjà ils avaient commencé la construction de leur village d'hiver, et ils y travaillaient assidûment.

En travers de ce ruisseau aux eaux rapides et assez profondes pour ne point geler dans leurs couches inférieures, même pendant les hivers les plus rigoureux, les castors avaient construit une digue, un peu arquée en amont; cette digue était un solide assemblage de pieux plantés verticalement, entrelacés de branches flexibles et d'arbres ébranchés, qui s'y appuyaient transversalement; le tout était lié, maçonné, cimenté avec de la terre argileuse, que les pieds du rongeur avaient gâchée d'abord; puis, sa queue aidant, — une queue large et presque ovale, aplatie horizontalement et recouverte de poils écailleux, — cette argile, disposée en pelote, avait uniformément revêtu toute la charpente de la digue.

«Cette digue, madame, dit Jasper Hobson, a eu pour but de donner à la rivière un niveau constant, et elle a permis aux ingénieurs de la tribu d'établir en amont ces cabanes de forme ronde dont vous apercevez le sommet. Ce sont de solides constructions que ces huttes; leurs parois de bois et d'argile mesurent deux pieds d'épaisseur, et elles n'offrent d'accès à l'intérieur que par une étroite porte située sous l'eau, ce qui oblige chaque habitant à plonger, quand il veut sortir de chez lui ou y rentrer, mais ce qui assure, par là même, la sécurité de la famille. Si vous démolissiez une de ces huttes, vous la trouveriez composée de deux étages: un étage inférieur qui sert de magasin et dans lequel sont entassées les provisions d'hiver, telles que branches, écorces, racines, et un étage supérieur, que l'eau n'atteint pas, et dans lequel le propriétaire vit avec sa petite maisonnée.

— Mais je n'aperçois aucun de ces industrieux animaux, dit Mrs. Paulina Barnett. Est-ce que la construction du village serait déjà abandonnée?

— Non, madame, reprit le lieutenant Hobson, mais en ce moment les ouvriers se reposent et dorment, car ces animaux ne travaillent que la nuit, et c'est dans leurs terriers que nous allons les surprendre!»

Et, en effet, la capture de ces rongeurs ne présenta aucune difficulté. Une centaine furent saisis dans l'espace d'une heure, et parmi eux on en comptait quelques-uns d'une grande valeur commerciale, attendu que leur fourrure était absolument noire. Les autres présentaient un pelage soyeux, long, luisant, mais d'une nuance rouge mêlée de marron, et sous ce pelage un duvet fin, serré et gris d'argent. Les chasseurs revinrent au fort très satisfaits du résultat de leur chasse. Les peaux de castor furent emmagasinées et enregistrées sous la dénomination de «parchemins» ou de jeunes castors, suivant leur prix.

Pendant tout le mois de septembre, et jusqu'à la mi-octobre, à peu près, ces expéditions se poursuivirent et produisirent des résultats favorables.

Des blaireaux furent pris, mais en petite quantité; on les recherchait pour leur peau, qui sert à la garniture des colliers de chevaux de trait, et pour leurs poils dont on fait des brosses et des pinceaux. Ces carnivores, — ce ne sont véritablement que de petits ours, — appartenaient à l'espèce des blaireaux-carcajous qui sont particuliers à l'Amérique du Nord.

D'autres échantillons de la tribu des rongeurs, et presque aussi industrieux que le castor, comptèrent pour un très haut chiffre dans les magasins de la factorerie. C'étaient des rats musqués, longs de plus d'un pied, queue déduite, et dont la fourrure est assez estimée. On les prit au terrier, et sans peine, car ils pullulaient avec cette abondance spéciale à leur espèce.

Quelques animaux de la famille des félins, les lynx, exigèrent l'emploi des armes à feu. Ces animaux souples, agiles, à pelage roux clair et tacheté de mouchetures noirâtres, redoutables même aux rennes, ne sont à vrai dire que des loups-cerviers qui se défendent bravement. Mais ni Marbre ni Sabine n'en étaient à leurs premiers lynx, et ils tuèrent une soixantaine de ces animaux.

Quelques wolvérènes, assez beaux de fourrure, furent abattus aussi dans les mêmes conditions.

Les hermines se montrèrent rarement. Ces animaux, qui font partie de la tribu des martres, comme les putois, ne portaient pas leur belle robe d'hiver, qui est entièrement blanche, sauf un point noir au bout de la queue. Leur pelage était encore roux en dessus, et d'un gris jaunâtre en dessous. Jasper Hobson avait donc recommandé à ses compagnons de les épargner momentanément. Il fallait attendre et les laisser «mûrir», pour employer l'expression du chasseur Sabine, c'est-à-dire blanchir sous la froidure de l'hiver. Quant aux putois, dont la chasse est fort désagréable à cause de l'odeur fétide que ces animaux répandent et qui leur a valu le nom qu'ils portent, on en prit un assez grand nombre, soit en les traquant dans les trous d'arbre qui leur servent de terriers, soit en les abattant à coups de fusil, quand ils se glissaient entre les branches.

Les martres proprement dites furent l'objet d'une chasse toute spéciale. On sait combien la peau de ces carnivores est estimée, quoique à un degré inférieur à la zibeline, dont la riche fourrure est noirâtre en hiver; mais cette zibeline ne fréquente que les régions septentrionales de l'Europe et de l'Asie jusqu'au Kamtchatka, et ce sont les Sibériens qui lui font la chasse la plus active. Néanmoins, sur le littoral américain de la mer arctique se rencontraient d'autres martres, dont les peaux ont encore une très grande valeur, telles que le wison et le pékan, autrement dits «martres du Canada».

Ces martres et ces visons, pendant le mois de septembre, ne fournirent à la factorerie qu'un petit nombre de fourrures. Ce sont des animaux très vifs, très agiles, au corps long et souple, qui leur a valu la dénomination de «vermiformes». Et, en effet, ils peuvent s'allonger comme un ver, et conséquemment se faufiler par les plus étroites ouvertures. On comprend donc qu'ils puissent échapper aisément aux poursuites des chasseurs. Aussi, pendant la saison d'hiver, les prend-on plus facilement au moyen de trappes. Marbre et Sabine n'attendaient que le moment favorable de se transformer en trappeurs, et ils comprenaient bien qu'au retour du printemps, ni les wisons ni les martres ne manqueraient dans les magasins de la Compagnie.

Pour achever l'énumération des pelleteries dont le Fort-Espérance s'enrichit pendant ces expéditions, il convient de parler des renards bleus et des renards argentés, qui sont considérés sur les marchés de Russie et d'Angleterre comme les plus précieux des animaux à fourrure.

Au-dessus de tous se place le renard bleu, connu zoologiquement sous le nom «d'isatis». Ce joli animal est noir de museau, cendré ou blond foncé de poil, et nullement bleu, comme on pourrait le croire; son pelage très long, très épais, très moelleux, est admirable et possède toutes les qualités qui constituent la beauté d'une fourrure: douceur, solidité, longueur du poil, épaisseur et couleur. Le renard bleu est incontestablement le roi des animaux à fourrure. Aussi sa peau vaut-elle six fois le prix de toute autre peau, et un manteau appartenant à l'empereur de Russie, fait tout entier avec des peaux du cou de renard bleu, qui sont les plus belles, fut-il estimé, à l'exposition de Londres, en 1851, trois mille quatre cents livres sterling[4].

Quelques-uns de ces renards avaient paru aux environs du cap Bathurst, mais les chasseurs n'avaient pu s'en emparer, car ces carnivores sont rusés, agiles, difficiles à prendre, mais on réussit à tuer une douzaine de renards argentés dont le pelage, d'un noir magnifique, est pointillé de blanc. Quoique la peau de ces derniers ne vaille pas celle des renards bleus, c'est encore une riche dépouille, qui trouve un haut prix sur les marchés de l'Angleterre et de la Russie.

L'un de ces renards argentés était un animal superbe, dont la taille surpassait un peu celle du renard commun. Il avait les oreilles, les épaules, la queue d'un noir de fumée, mais la fine extrémité de son appendice caudal et le haut de ses sourcils étaient blancs.

Les circonstances particulières dans lesquelles ce renard fut tué méritent d'être rapportées avec détail, car elles justifièrent certaines appréhensions du lieutenant Hobson, ainsi que certaines précautions défensives qu'il avait cru devoir prendre.

Le 24 septembre, dans la matinée, deux traîneaux avaient amené Mrs. Paulina Barnett, le lieutenant, le sergent Long, Marbre et Sabine à la baie des Morses. Des traces de renards avaient été reconnues, la veille, par quelques hommes du détachement, au milieu de roches entre lesquelles poussaient de maigres arbrisseaux, et certains indices indiscutables avaient trahi leur passage. Les chasseurs, mis en appétit, s'occupèrent de retrouver une piste qui leur promettait une dépouille de haut prix, et, en effet, les recherches ne furent point vaines. Deux heures après leur arrivée, un assez beau renard argenté gisait sans vie sur le sol.

Deux ou trois autres de ces carnivores furent encore entrevus. Les chasseurs se divisèrent alors. Tandis que Marbre et Sabine se lançaient sur les traces d'un renard, le lieutenant Hobson, Mrs. Paulina Barnett et le sergent Long essayaient de couper la retraite à un autre bel animal qui cherchait à se dissimuler derrière les roches.

Il fallut naturellement ruser avec ce renard, qui, se laissant à peine voir, n'exposait aucune partie de son corps au choc d'une balle.

Pendant une demi-heure, cette poursuite continua sans amener de résultat. Cependant l'animal était cerné sur trois côtés, et la mer lui fermait le quatrième. Il comprit bientôt le désavantage de sa situation, et il résolut d'en sortir par un bond prodigieux, qui ne laissait d'autre chance au chasseur que de le tirer au vol.

Il s'élança donc, franchissant une roche; mais Jasper Hobson le guettait, et au moment où l'animal passait comme une ombre, il le salua d'une balle.

Au même instant, un autre coup de feu éclatait, et le renard, mortellement frappé, tombait à terre.

«Hurrah! hurrah! s'écria Jasper Hobson. Il est à moi!

— Et à moi!» répondit un étranger, qui posa le pied sur le renard à l'instant où le lieutenant y portait la main.

Jasper Hobson, stupéfait, recula. Il avait cru que la seconde balle était partie du fusil du sergent, et il se trouvait en présence d'un chasseur inconnu, dont le fusil fumait encore.

Les deux rivaux se regardèrent. Mrs. Paulina Barnett et son compagnon arrivaient alors et étaient bientôt rejoints par Marbre et Sabine, tandis qu'une douzaine d'hommes, tournant la falaise, s'approchaient de l'étranger, qui s'inclina poliment devant la voyageuse. C'était un homme de haute taille, offrant le type parfait de ces «voyageurs canadiens» dont Jasper Hobson redoutait si particulièrement la concurrence. Ce chasseur portait encore ce costume traditionnel dont le romancier américain Washington Irving a fait exactement la description: couverture disposée en forme de capote, chemise de coton à raies, larges culottes de drap, guêtres de cuir, mocassins de peau de daim, ceinture de laine bigarrée supportant le couteau, le sac à tabac, la pipe et quelques ustensiles de campement, en un mot, un habillement moitié civilisé, moitié sauvage. Quatre de ses compagnons étaient vêtus comme lui, mais moins élégamment. Les huit autres qui lui servaient d'escorte étaient des Indiens Chippeways.

Jasper Hobson ne s'y méprit point. Il avait devant lui un Français, ou tout au moins un descendant des Français du Canada, et peut-être un agent des compagnies américaines chargé de surveiller l'établissement de la nouvelle factorerie.

«Ce renard m'appartient, monsieur, dit le lieutenant Hobson, après quelques moments de silence, pendant lequel son adversaire et lui s'étaient regardés dans le blanc des yeux.

— Il vous appartient si vous l'avez tué, répondit l'inconnu en bon anglais, mais avec un léger accent étranger.

— Vous vous trompez, monsieur, répondit assez vivement Jasper Hobson, cet animal m'appartient, même au cas où votre balle l'aurait tué et non la mienne!»

Un sourire dédaigneux accueillit cette réponse, grosse de toutes les prétentions que la Compagnie s'attribuait sur les territoires de la baie d'Hudson, de l'Atlantique au Pacifique.

«Ainsi, monsieur, reprit l'inconnu, en s'appuyant avec grâce sur son fusil, vous regardez la Compagnie de la baie d'Hudson comme étant maîtresse absolue de tout ce domaine du nord de l'Amérique?

— Sans aucun doute, répondit le lieutenant Hobson, et si vous, monsieur, comme je le suppose, vous appartenez à une association américaine...

— À la Compagnie des pelletiers de Saint-Louis, dit le chasseur en s'inclinant.

— Je crois, continua le lieutenant, que vous seriez fort empêché de montrer l'acte qui lui accorde un privilège sur une partie quelconque de ce territoire.

— Actes! privilèges! fit dédaigneusement le Canadien, ce sont là des mots de la vieille Europe qui résonnent mal en Amérique.

— Aussi n'êtes-vous point en Amérique, mais sur le sol même de l'Angleterre! répondit Jasper Hobson avec fierté.

— Monsieur le lieutenant, répondit le chasseur en s'animant un peu, ce n'est point le moment d'engager une discussion à ce sujet. Nous connaissons quelles sont les prétentions de l'Angleterre en général et de la Compagnie de la baie d'Hudson en particulier au sujet des territoires de chasses; mais je crois que, tôt ou tard, les événements modifieront cet état de choses, et que l'Amérique sera américaine depuis le détroit de Magellan jusqu'au pôle Nord.

— Je ne le crois pas, monsieur, répondit sèchement Jasper Hobson.

— Quoi qu'il en soit, monsieur, reprit le Canadien, je vous proposerai de laisser de côté la question internationale. Quelles que soient les prétentions de la Compagnie, il est bien évident que dans les portions les plus élevées du continent, et principalement sur le littoral, le territoire appartient à qui l'occupe. Vous avez fondé une factorerie au cap Bathurst, eh bien, nous ne chasserons pas sur vos terres, et, de votre côté, vous respecterez les nôtres, quand les pelletiers de Saint-Louis auront créé quelque fort, en un autre point, sur les limites septentrionales de l'Amérique.»

Le front du lieutenant se rida. Jasper Hobson savait bien que, dans un avenir peu éloigné, la Compagnie de la baie d'Hudson rencontrerait de redoutables rivaux jusqu'au littoral, que ses prétentions à posséder tous les territoires du North-Amérique ne seraient pas respectées, et qu'un échange de coups de fusil se ferait entre les concurrents. Mais il comprit aussi, lui, que ce n'était point le moment de discuter une question de privilèges, et il vit sans déplaisir que le chasseur, très poli d'ailleurs, transportait le débat sur un autre terrain.

«Quant à l'affaire qui nous divise, dit le voyageur canadien, elle est de médiocre importance, monsieur, et je pense que nous devons la trancher en chasseurs. Votre fusil et le mien ont un calibre différent, et nos balles seront aisément reconnaissables. Que ce renard appartienne donc à celui de nous deux qui l'aura véritablement tué!»

La proposition était juste. La question de propriété touchant l'animal abattu pouvait être ainsi résolue avec certitude.

Le cadavre du renard fut examiné. Il avait reçu les deux balles des deux chasseurs, l'une au flanc, l'autre au coeur. Cette dernière était la balle du Canadien.

«Cet animal est à vous, monsieur», dit Jasper Hobson, dissimulant mal son dépit de voir cette magnifique dépouille passer à des mains étrangères.

Le voyageur prit le renard, et, au moment où l'on pouvait croire qu'il allait le charger sur son épaule et l'emporter, s'avançant vers Mrs. Paulina Barnett:

«Les dames aiment les belles fourrures, lui dit-il. Peut-être, si elles savaient au prix de quelles fatigues et souvent de quels dangers on les obtient, peut-être en seraient-elles moins friandes. Mais enfin elles les aiment. Permettez-moi donc, madame, de vous offrir celle-ci en souvenir de notre rencontre.»

Mrs. Paulina Barnett hésitait à accepter, mais le chasseur canadien avait offert cette magnifique fourrure avec tant de grâce et de si bon coeur, qu'un refus eût été blessant pour lui.

La voyageuse accepta et remercia l'étranger.

Aussitôt celui-ci s'inclina devant Mrs. Paulina Barnett; puis il salua les Anglais, et, ses compagnons le suivant, il disparut bientôt entre les roches du littoral.

Le lieutenant et les siens reprirent la route du Fort-Espérance. Mais Jasper Hobson s'en alla tout pensif. La situation du nouvel établissement fondé par ses soins était maintenant connue d'une compagnie rivale, et cette rencontre du voyageur canadien lui laissait entrevoir de grosses difficultés pour l'avenir.

XVII.

L'approche de l'hiver.

On était au 21 septembre. Le soleil passait alors dans l'équinoxe d'automne, c'est-à-dire que le jour et la nuit avaient une durée égale pour le monde entier, et qu'à partir de ce moment, les nuits allaient être plus longues que les jours. Ces retours successifs de l'ombre et de la lumière avaient été accueillis avec satisfaction par les habitants du fort. Ils n'en dormaient que mieux pendant les heures sombres. L'oeil, en effet, se délasse et se refait dans les ténèbres, surtout lorsque quelques mois d'un soleil perpétuel l'ont obstinément fatigué.

Pendant l'équinoxe, on sait que les marées sont ordinairement très fortes, car lorsque le soleil et la lune se trouvent en conjonction, leur double influence s'ajoute et accroît ainsi l'intensité du phénomène. C'était donc le cas d'observer avec soin la marée qui allait se produire sur le littoral du cap Bathurst. Jasper Hobson, quelques jours avant, avait établi des points de repère, une sorte de marégraphe, afin d'évaluer exactement le déplacement vertical des eaux entre la basse et la haute mer. Or, cette fois encore, il constata, quoi qu'il en eût, et malgré tout ce qu'avaient pu rapporter les observateurs, que l'influence solaire et lunaire se faisait à peine sentir dans cette portion de la mer Glaciale. La marée y était à peu près nulle, — ce qui contredisait les rapports des navigateurs.

«Il y a là quelque chose qui n'est pas naturel!» se dit le lieutenant.

Et véritablement, il ne savait que penser; mais d'autres soins le réclamèrent, et il ne chercha pas plus longtemps à s'expliquer cette particularité.

Le 29 septembre, l'état de l'atmosphère se modifia sensiblement. Le thermomètre tomba à quarante et un degrés Fahrenheit (5° centigr. au-dessus de zéro). Le ciel était couvert de brumes qui ne tardèrent pas à se résoudre en pluie. La mauvaise saison arrivait.

Mrs. Joliffe, avant que la neige couvrît le sol, s'occupa de ses semailles. On pouvait espérer que les graines vivaces d'oseille et de cochléarias, abritées sous les couches neigeuses, résisteraient à l'âpreté du climat et lèveraient au printemps. Un terrain de plusieurs acres, caché derrière la falaise du cap, avait été préparé d'avance, et il fut ensemencé pendant les derniers jours de septembre.

Jasper Hobson ne voulut pas attendre l'arrivée des grands froids pour faire revêtir à ses compagnons leurs habits d'hiver. Aussi, tous ne tardèrent-ils pas à être convenablement vêtus, portant de la laine sur tout le corps, des capotes de peau de daim, des pantalons de cuir de phoque, des bonnets de fourrure et des bottes imperméables. On peut dire que l'on fit également la toilette des chambres. Les murs de bois furent tapissés de pelleteries, afin d'empêcher, par certains abaissements de la température, les couches de glace de se former à leur surface. Maître Rae établit, vers ce temps-là, les condensateurs destinés à recueillir la vapeur d'eau suspendue dans l'air, et qui durent être vidés deux fois par semaine. Quant au feu du poêle, il fut réglé suivant les variations de la température extérieure, de manière à maintenir le thermomètre des chambres à cinquante degrés Fahrenheit (10° centigr. au-dessus de zéro). D'ailleurs, la maison allait être bientôt recouverte d'une épaisse couche de neige, qui empêcherait toute déperdition de la chaleur interne. Par ces divers moyens, on espérait combattre victorieusement ces deux redoutables ennemis des hiverneurs, le froid et l'humidité.

Le 2 octobre, la colonne thermométrique s'étant encore abaissée, les premières neiges envahirent tout le territoire du cap Bathurst. La brise étant molle, ne forma point un de ces tourbillons si communs dans les régions polaires, auxquels les Anglais ont donné le nom de «drifts». Un vaste tapis blanc, uniformément disposé, confondit bientôt dans une même blancheur le cap, l'enceinte du fort et la longue lisière du littoral. Seules, les eaux du lac et de la mer, qui n'étaient pas encore prises, contrastèrent par leur teinte grisâtre, terne et sale. Cependant, à l'horizon du nord, on apercevait les premiers icebergs qui se profilaient sur le ciel brumeux. Ce n'était pas encore la banquise, mais la nature amassait les matériaux que le froid allait bientôt cimenter pour former cette impénétrable barrière.

D'ailleurs, «la jeune glace» ne tarda pas à solidifier les surfaces liquides de la mer et du lac. Le lagon se prit le premier. De larges taches d'un blanc gris apparurent çà et là, indice d'une gelée prochaine que favorisait le calme de l'atmosphère. Et en effet, le thermomètre s'étant maintenu pendant une nuit à quinze degrés Fahrenheit (9° centigr. au-dessous de zéro), le lac présenta le lendemain une surface unie qui eût satisfait les plus difficiles patineurs de la Serpentine[5]. Puis, à l'horizon, le ciel revêtit une couleur particulière que les baleiniers désignent sous le nom de «blink», qui était produite par la réverbération des champs de glace. La mer gela bientôt sur un espace immense, un vaste icefield se forma peu à peu par l'agrégation des glaçons épars et se souda au littoral. Mais cet icefield océanique, ce n'était plus le miroir uni du lac. L'agitation des flots avait altéré sa pureté. Çà et là ondulaient de longues pièces solidifiées, imparfaitement réunies par leurs bords, quelques-unes de ces glaces flottantes connues sous la dénomination de «drift-ices», et, en maint endroit, des protubérances, des extumescences souvent très accusées, produites par la pression, et que les baleiniers appellent des «hummocks».

En quelques jours, l'aspect du cap Bathurst et de ses environs fut entièrement changé. Mrs. Paulina Barnett, dans un perpétuel ravissement, assistait à ce spectacle nouveau pour elle. De quelles souffrances, de quelles fatigues, son âme de voyageuse n'eût-elle pas payé la contemplation de telles choses! Rien de sublime comme cet envahissement de la saison hivernale, de cette prise de possession des régions hyperboréennes par le froid de l'hiver! Aucun des points de vue, aucun des sites que Mrs. Paulina Barnett avait observés jusqu'alors, n'était reconnaissable. La contrée se métamorphosait. Un pays nouveau naissait, devant ses regards, pays empreint d'une tristesse grandiose. Les détails disparaissaient, et la neige ne laissait plus au paysage que ses grandes lignes, à peine estompées dans les brumes. C'était un décor qui succédait à un autre décor, avec une rapidité féerique. Plus de mer, là où naguère s'étendait le vaste Océan. Plus de sol aux couleurs variées, mais un tapis éblouissant. Plus de forêts d'essences diverses, mais un fouillis de silhouettes grimaçantes, poudrées par les frimas. Plus de soleil radieux, mais un disque pâli, se traînant à travers le brouillard, traçant un arc rétréci pendant quelques heures à peine. Enfin, plus d'horizon de mer, nettement profilé sur le ciel, mais une interminable chaîne d'icebergs, capricieusement ébréchée, formant cette banquise infranchissable que la nature a dressée entre le pôle et ses audacieux chercheurs.

Que de conversations, que d'observations, les changements de cette contrée arctique provoquèrent! Thomas Black fut le seul peut-être qui restât insensible aux sublimes beautés de ce spectacle. Mais que pouvait-on attendre d'un astronome si absorbé, et qui jusqu'ici ne comptait véritablement pas dans le personnel de la petite colonie? Ce savant exclusif ne vivait que dans la contemplation des phénomènes célestes, il ne se promenait que sur les routes azurées du firmament, il ne s'élançait d'une étoile que pour aller à une autre! Et précisément voilà que son ciel se bouchait, que les constellations se dérobaient à sa vue, qu'un voile brumeux, impénétrable, s'étendait entre le zénith et lui. Il était furieux! Mais Jasper Hobson le consola en lui promettant avant peu de belles nuits froides, très propices aux observations astronomiques, des aurores boréales, des halos, des parasélènes et autres phénomènes des contrées polaires, dignes de provoquer son admiration.

Cependant, la température était supportable. Il ne faisait pas de vent, et c'est le vent surtout qui rend les piqûres du froid plus aiguës. On continua donc les chasses pendant quelques jours. De nouvelles fourrures s'entassèrent dans les magasins de la factorerie, de nouvelles provisions alimentaires remplirent ses offices. Les perdrix, les ptarmigans, fuyant vers des régions plus tempérées, passaient en grand nombre, et fournirent une viande fraîche et saine. Les lièvres polaires pullulaient, et déjà ils portaient leur robe hivernale. Une centaine de ces rongeurs, dont la passée se reconnaissait aisément sur la neige, grossirent bientôt les réserves du fort.

Il y eut aussi de grands vols de cygnes-siffleurs, l'une des belles espèces de l'Amérique du Nord. Les chasseurs en tuèrent quelques couples. C'étaient de magnifiques oiseaux, longs de quatre à cinq pieds, blancs de plumage, mais cuivrés à la tête et à la partie supérieure du cou. Ils allaient chercher, sous une zone plus hospitalière, les plantes aquatiques et les insectes nécessaires à leur alimentation, volant avec une rapidité extrême, car l'air et l'eau sont leurs véritables éléments. D'autres cygnes, dits «cygnes-trompettes», dont le cri ressemble à un appel de clairon, furent aperçus aussi, émigrant par troupes nombreuses. Ils étaient blancs comme les siffleurs, ayant à peu près leur taille, mais noirs de pattes et de bec. Ni Marbre, ni Sabine ne furent assez heureux pour abattre quelques-uns de ces trompettes, mais ils les saluèrent d'un «au revoir» très significatif. Ces oiseaux devaient revenir, en effet, avec les premières brises du printemps, et c'est précisément à cette époque qu'ils se font prendre avec le plus de facilité. Leur peau, leur plume, leur duvet les font particulièrement rechercher des chasseurs et des Indiens, et, en de certaines années favorables, c'est par dizaines de mille que les factoreries expédient sur les marchés de l'ancien continent ces cygnes, qui se vendent une demi-guinée la pièce.

Pendant ces excursions, qui ne duraient plus que quelques heures et que le mauvais temps interrompait souvent, des bandes de loups furent fréquemment rencontrées. Il n'était pas nécessaire d'aller loin, car ces animaux, plus audacieux quand la faim les aiguillonne, se rapprochaient déjà de la factorerie. Ils ont le nez très fin, et les émanations de la cuisine les attiraient. Pendant la nuit, on les entendait hurler d'une façon sinistre. Ces carnassiers, peu dangereux individuellement, pouvaient le devenir par leur nombre. Aussi, les chasseurs ne s'aventuraient-ils que bien armés en dehors de l'enceinte du fort.

En outre, les ours se montraient plus agressifs. Pas un jour ne se passait sans que plusieurs de ces animaux fussent signalés. La nuit venue, ils s'avançaient jusqu'au pied même de l'enceinte. Quelques-uns furent blessés à coups de fusil et s'éloignèrent, tachant la neige de leur sang. Mais, à la date du 10 octobre, aucun n'avait encore abandonné sa chaude et précieuse fourrure aux mains des chasseurs. Du reste, Jasper Hobson ne permettait point à ses hommes d'attaquer ces formidables bêtes. Avec elles, il valait mieux rester sur la défensive, et peut-être le moment approchait- il où, poussés par la faim, ces carnivores tenteraient quelque attaque contre le Fort-Espérance. On verrait alors à se défendre et à s'approvisionner tout à la fois.

Pendant quelques jours, le temps demeura sec et froid. La neige présentait une surface dure, très favorable à la marche. Aussi fit-on quelques excursions sur le littoral et au sud du fort. Le lieutenant Hobson désirait savoir si, les agents des pelletiers de Saint-Louis ayant quitté le territoire, on retrouverait aux environs quelques traces de leur passage, mais les recherches furent vaines. Il était supposable que les Américains avaient dû redescendre vers quelque établissement plus méridional, afin d'y passer les mois d'hiver.

Ces quelques beaux jours ne durèrent pas, et, pendant la première semaine de novembre, le vent ayant sauté au sud, bien que la température se fût adoucie, la neige tomba en grande abondance. Elle couvrit bientôt le sol sur une hauteur de plusieurs pieds. Il fallut chaque jour déblayer les abords de la maison, et ménager une allée qui conduisait à la poterne, à l'étable des rennes et au chenil. Les excursions devinrent plus rares, et il fallut employer les raquettes ou chaussures à neige.

En effet, quand la couche neigeuse est durcie par le froid, elle supporte sans céder le poids d'un homme et laisse au pied un appui solide. La marche ordinaire n'est donc pas entravée. Mais quand cette neige est molle, il serait impossible à un marcheur de faire un pas sans y enfoncer jusqu'au genou. C'est dans ces circonstances que les Indiens font usage des raquettes.

Le lieutenant Hobson et ses compagnons étaient habitués à se servir de ces «snow-shoes», et sur la neige friable ils couraient avec la rapidité d'un patineur sur la glace. Mrs. Paulina Barnett s'était déjà accoutumée à ce genre de chaussures, et bientôt elle put rivaliser de vitesse avec ses compagnons. De longues promenades furent faites aussi bien sur le lac glacé que sur le littoral. On put même s'avancer pendant plusieurs milles à la surface solide de l'Océan, car la glace mesurait alors une épaisseur de plusieurs pieds. Mais ce fut une excursion fatigante, car l'icefield était raboteux; partout des glaçons superposés, des hummocks qu'il fallait tourner; plus loin, la chaîne d'icebergs, ou plutôt la banquise présentant un infranchissable obstacle, car sa crête s'élevait à une hauteur de cinq cents pieds. Ces icebergs, pittoresquement entassés, étaient magnifiques. Ici, on eût dit les ruines blanchies d'une ville, avec ses monuments, ses colonnes, ses courtines abattues; là, une contrée volcanique, au sol convulsionné, un entassement de glaçons formant des chaînes de montagnes avec leur ligne de faîte, leurs contreforts, leurs vallées, — toute une Suisse de glace! Quelques oiseaux retardataires, des pétrels, des guillemots, des puffins, animaient encore cette solitude et jetaient des cris perçants. De grands ours blancs apparaissaient entre les hummocks et se confondaient dans leur blancheur éblouissante. En vérité, les impressions, les émotions ne manquèrent pas à la voyageuse! Sa fidèle Madge, qui l'accompagnait, les partageait avec elle! Qu'elles étaient loin, toutes deux, des zones tropicales de l'Inde ou de l'Australie!

Plusieurs excursions furent faites sur cet océan glacé, dont l'épaisse croûte eût supporté sans s'effondrer des parcs d'artillerie ou même des monuments. Mais bientôt ces promenades devinrent si pénibles qu'il fallut absolument les suspendre. En effet, la température s'abaissait sensiblement, et le moindre travail, le moindre effort produisait chez chaque individu un essoufflement qui le paralysait. Les yeux étaient aussi attaqués par l'intense blancheur des neiges, et il était impossible de supporter longtemps cette vive réverbération, qui provoque de nombreux cas de cécité chez les Esquimaux. Enfin, par un singulier phénomène dû à la réfraction des rayons lumineux, les distances, les profondeurs, les épaisseurs n'apparaissaient plus telles qu'elles étaient. C'étaient cinq ou six pieds à franchir entre deux glaçons, quand l'oeil n'en mesurait qu'un ou deux. De là, par suite de cette illusion d'optique, des chutes très nombreuses et douloureuses fort souvent.

Le 14 octobre, le thermomètre accusa trois degrés Fahrenheit au- dessous de zéro (16° centigr. au-dessous de glace), rude température à supporter, d'autant plus que la bise était forte. L'air semblait fait d'aiguilles. Il y avait danger sérieux pour quiconque restait en dehors de la maison, d'être «frost bitten», c'est-à-dire gelé instantanément, s'il ne parvenait à rétablir la circulation du sang, dans la partie attaquée, au moyen de frictions de neige. Plusieurs des hôtes du fort se laissèrent prendre de congélation subite, entre autres Garry, Belcher, Hope; mais, frictionnés à temps, ils échappèrent au danger.

Dans ces conditions, on le comprend, tout travail manuel devint impossible. À cette époque, d'ailleurs, les journées étaient extrêmement courtes. Le soleil ne restait au-dessus de l'horizon que pendant quelques heures. Un long crépuscule lui succédait. Le véritable hivernage, c'est-à-dire la séquestration, allait commencer. Déjà les derniers oiseaux polaires avaient fui le littoral assombri. Il ne restait plus que quelques couples de ces faucons mouchetés, auxquels les Indiens donnent précisément le nom d' «hiverneurs», parce qu'ils s'attardent dans les régions glacées jusqu'au commencement de la nuit polaire, et bientôt ils allaient eux-mêmes disparaître.

Le lieutenant Hobson hâta donc l'achèvement des travaux, c'est-à- dire des trappes et pièges qui devaient être tendus pour l'hiver aux environs du cap Bathurst.

Ces trappes consistaient uniquement en lourds madriers, supportés sur un 4 formé de trois morceaux de bois, disposés dans un équilibre instable, et dont le moindre attouchement provoquait la chute. C'était, sur une grande échelle, la trappe même que les oiseleurs tendent dans les champs. L'extrémité du morceau de bois horizontal était amorcée au moyen de débris de venaison, et tout animal de moyenne taille, renard ou martre, qui y portait la patte, ne pouvait manquer d'être écrasé. Telles sont les trappes que les fameux chasseurs, dont Cooper a si poétiquement raconté la vie aventureuse, tendent pendant l'hiver, et sur un espace qui comprend souvent plusieurs milles. Une trentaine de ces pièges furent établis autour du Fort-Espérance, et ils durent être visités à des intervalles de temps assez rapprochés.

Ce fut le 12 novembre que la petite colonie s'accrut d'un nouveau membre. Mrs. Mac Nap accoucha d'un gros garçon bien constitué, dont le maître charpentier se montra extrêmement fier. Mrs. Paulina Barnett fut marraine du bébé, qu'on nomma Michel- Espérance. La cérémonie du baptême s'accomplit avec une certaine solennité, et ce jour-là fut jour de fête à la factorerie, en l'honneur du petit être qui venait de naître au-delà du soixante- dixième degré de latitude septentrionale.

Quelques jours après, le 20 novembre, le soleil se cachait au- dessous de l'horizon et ne devait plus reparaître avant deux mois. La nuit polaire avait commencé!

XVIII.

La nuit polaire.

Cette longue nuit débuta par une violente tempête. Le froid était peut-être un peu moins vif, mais l'humidité de l'atmosphère fut extrême. Malgré toutes les précautions prises, cette humidité pénétrait dans la maison, et, chaque matin, les condensateurs que l'on vidait renfermaient plusieurs livres de glace.

Au-dehors, les drifts passaient en tourbillonnant comme des trombes. La neige ne tombait plus verticalement, mais presque horizontalement. Jasper Hobson dut interdire d'ouvrir la porte, car il se produisait un tel envahissement, que le couloir eût été comblé en un instant. Les hiverneurs n'étaient plus que des prisonniers.

Les volets des fenêtres avaient été hermétiquement rabattus. Les lampes étaient donc continuellement allumées pendant les heures de cette longue nuit que l'on ne consacrait pas au sommeil.

Mais si l'obscurité régnait au-dehors, le bruit de la tempête avait remplacé le majestueux silence des hautes latitudes. Le vent, qui s'engageait entre la maison et la falaise, n'était plus qu'un long mugissement. L'habitation, qu'il prenait d'écharpe, tremblait sur ses pilotis. Sans la solidité de sa construction, elle n'eût certainement pas résisté. Très heureusement, la neige, en s'amoncelant autour de ses murs, amortissait le coup des rafales. Mac Nap ne craignait que pour les cheminées, dont le tuyau extérieur, en chaux briquetée, pouvait céder à la pression du vent. Elles résistèrent cependant, mais on dut fréquemment en dégager l'orifice, obstrué par la neige.

Au milieu des sifflements de la tourmente, on entendait parfois des fracas extraordinaires, dont Mrs. Paulina Barnett ne pouvait se rendre compte. C'étaient des chutes d'icebergs qui se produisaient au large. Les échos répercutaient ces bruits, semblables à des roulements de tonnerre. Des crépitations incessantes accompagnaient la dislocation de quelques parties de l'icefield, écrasé par ces chutes de montagnes. Il fallait avoir l'âme singulièrement aguerrie aux violences de ces âpres climats pour ne point éprouver une impression sinistre. Le lieutenant Hobson et ses compagnons y étaient faits, Mrs. Paulina Barnett et Magde s'y habituèrent peu à peu. Elles n'étaient point, d'ailleurs, sans avoir éprouvé, pendant leurs voyages, quelque attaque de ces vents terribles qui font jusqu'à quarante lieues à l'heure et déplacent des canons de vingt-quatre. Mais ici, à ce cap Bathurst, le phénomène s'accomplissait avec les circonstances aggravantes de nuit et de neige. Ce vent, s'il ne démolissait pas, il enterrait, il ensevelissait, et il était probable que douze heures après le début de la tempête, la maison, le chenil, le hangar, l'enceinte, auraient disparu sous une égale épaisseur de neige.

Pendant cet emprisonnement, la vie intérieure s'était organisée. Tous ces braves gens s'entendaient parfaitement entre eux, et cette existence commune, dans un si étroit espace, n'entraîna ni gêne ni récrimination. N'étaient-ils pas, d'ailleurs, accoutumés à vivre dans ces conditions, au Fort-Entreprise comme au Fort- Reliance? Mrs. Paulina Barnett ne s'étonna donc pas de les trouver d'aussi facile composition.

Le travail, d'une part, la lecture et les jeux, de l'autre, occupaient tous les instants. Le travail, c'était la confection des vêtements, leur raccommodage, l'entretien des armes, la fabrication des chaussures, la mise à jour du journal quotidien tenu par le lieutenant Hobson, qui notait les moindres événements de l'hivernage, tel que le temps, la température, la direction des vents, l'apparition des météores si fréquents dans les régions polaires, etc.; c'était aussi l'entretien de la maison, le balayage des chambres, la visite journalière des pelleteries emmagasinées, que l'humidité aurait pu altérer; c'était encore la surveillance des feux et du tirage des poêles, et cette chasse incessante faite aux molécules humides qui se glissaient dans les coins. Chacun avait sa part dans ces travaux, suivant les prescriptions d'un règlement affiché dans la grande salle. Sans être occupés outre mesure, les hôtes du fort n'étaient jamais sans rien faire. Pendant ce temps, Thomas Black vissait et dévissait ses instruments, revoyait ses calculs astronomiques; presque toujours enfermé dans sa cabine, il maugréait contre la tempête qui lui défendait toute observation nocturne. Quant aux trois femmes mariées, Mrs. Mac Nap s'occupait de son bébé, qui venait à merveille, tandis que Mrs. Joliffe, aidée de Mrs. Rae et talonnée par le «tatillon» de caporal, présidait aux opérations culinaires.

Les distractions se prenaient en commun, à certaines heures, et le dimanche pendant toute la journée. C'était, avant tout, la lecture. La Bible et quelques livres de voyage composaient uniquement la bibliothèque du fort, mais ce menu suffisait à ces braves gens. Le plus ordinairement, Mrs. Paulina Barnett faisait la lecture, et ses auditeurs éprouvaient véritablement un grand plaisir à l'entendre. Les histoires bibliques comme les récits de voyage prenaient un charme tout particulier, lorsque sa voix pénétrante, convaincue, lisait quelque chapitre des livres saints. Les imaginaires personnages, les héros légendaires s'animaient et vivaient alors d'une vie surprenante. Aussi était-ce un contentement général, lorsque l'aimable femme prenait son livre à l'heure accoutumée. Elle était, d'ailleurs, l'âme de ce petit monde, s'instruisant et instruisant les autres, donnant un avis et demandant un conseil, prête partout et toujours à rendre service. Elle réunissait en elle toutes les grâces d'une femme, toutes ses bontés jointes à l'énergie morale d'un homme: double qualité, double valeur aux yeux de ces rudes soldats qui en raffolaient et eussent donné leur vie pour elle. Il faut dire que Mrs. Paulina Barnett partageait l'existence commune, qu'elle ne se confinait point dans sa cabine, qu'elle travaillait au milieu de ses compagnons d'hivernage, et qu'enfin, par ses interrogations, par ses demandes, elle provoquait chacun à se mêler à la conversation. Rien ne chômait donc au Fort-Espérance, ni les mains, ni les langues. On travaillait, on causait, et, il faut ajouter, on se portait bien. De là une bonne humeur qui entretenait la bonne santé et triomphait des ennuis de cette longue séquestration.

Cependant, la tempête ne diminuait pas. Depuis trois jours, les hiverneurs étaient confinés dans la maison, et le chasse-neige se déchaînait toujours avec la même intensité. Jasper Hobson s'impatientait. Il devenait urgent de renouveler l'atmosphère intérieure, trop chargée d'acide carbonique, et déjà les lampes pâlissaient dans ce milieu malsain. On voulut alors mettre en jeu les pompes à air; mais les tuyaux étaient naturellement engorgés de glace, et elles ne fonctionnèrent pas, n'étant destinées à agir que dans le cas où la maison n'eût pas été ensevelie sous de telles masses de neige. Il fallut donc aviser. Le lieutenant prit conseil du sergent Long, et il fut décidé, le 23 novembre, qu'une des fenêtres percée sur la façade antérieure, à l'extrémité du couloir, serait ouverte, le vent donnant avec moins de violence de ce côté.

Ce ne fut point une petite affaire. Les battants furent facilement rabattus à l'intérieur, mais le volet, pressé par les blocs durcis, résista à tous les efforts. On fut obligé de le démonter de ses gonds. Puis, la couche de neige fut attaquée à coups de pic et de pelle. Elle mesurait au moins dix pieds d'épaisseur. Il fallut donc creuser une sorte de tranchée qui donna bientôt accès à l'air extérieur.

Jasper Hobson, le sergent, quelques soldats, Mrs. Paulina Barnett elle-même s'aventurèrent aussitôt à travers cette tranchée, non sans peine, car le vent s'y engouffrait avec une fougue extraordinaire.

Quel aspect que celui du cap Bathurst et de la plaine environnante! Il était alors midi, et c'est à peine si quelques lueurs crépusculaires nuançaient l'horizon du sud. Le froid n'était pas aussi vif qu'on l'eût pu croire, et le thermomètre n'indiqua que quinze degrés Fahrenheit au-dessous de zéro (9° centigr. au-dessous de glace). Mais le chasse-neige se déchaînait toujours avec une incomparable violence, et le lieutenant, ses compagnons, la voyageuse auraient été immanquablement renversés, si la couche neigeuse, dans laquelle ils étaient entrés jusqu'à mi-corps, ne les eût maintenus contre la poussée du vent. Ils ne pouvaient parler, ils ne pouvaient regarder sous l'averse de flocons qui les aveuglait. En moins d'une demi-heure, ils eussent été enlisés. Tout était blanc autour d'eux, l'enceinte était comblée, le toit de la maison et ses murs se confondaient dans un égal enfouissement, et sans deux tourbillons de fumée bleuâtre qui se tordaient dans l'air, un étranger n'aurait pu soupçonner en cet endroit l'existence d'une maison habitée.

Dans ces conditions, la «promenade» fut très courte. Mais la voyageuse avait jeté un coup d'oeil rapide sur cette scène désolée. Elle avait entrevu cet horizon polaire, battu par les neiges, et la sublime horreur de cette tempête arctique. Elle rentra donc, emportant avec elle un impérissable souvenir.

L'air de la maison avait été renouvelé en quelques instants et les mauvaises vapeurs se dissipèrent sous l'action d'un courant atmosphérique pur et revivifiant. Le lieutenant et ses compagnons se hâtèrent à leur tour d'y chercher un refuge. La fenêtre fut refermée, mais, chaque jour on eut soin d'en déblayer l'ouverture, dans l'intérêt même de la ventilation.

La semaine entière s'écoula ainsi. Très heureusement, les rennes et les chiens avaient une nourriture abondante, et il ne fut pas nécessaire de les visiter. Pendant huit jours, les hiverneurs se virent ainsi séquestrés. C'était long pour des hommes habitués au grand air, des soldats, des chasseurs. Aussi avouera-t-on que peu à peu la lecture y perdit quelque charme, et que le «cribbage»[6] finit par sembler monotone. On se couchait avec l'espoir d'entendre, au réveil, les derniers mugissements de la rafale, mais en vain. La neige s'amoncelait toujours sur les vitres de la fenêtre, le vent tourbillonnait, les icebergs se fracassaient avec un roulement de tonnerre, la fumée se rabattait dans les chambres, provoquant des toux incessantes, et non seulement la tempête ne finissait pas, mais elle ne paraissait pas devoir finir.

Enfin, le 28 novembre, le baromètre anéroïde, placé dans la grande salle, annonça une modification prochaine dans l'état atmosphérique. Il remonta d'une manière sensible. En même temps, le thermomètre, placé extérieurement, tombait presque subitement à moins de quatre degrés au-dessous de zéro (20° centigr. au-dessous de glace). C'étaient là des symptômes auxquels on ne pouvait se tromper. Et, en effet, le 29 novembre, les habitants du Fort- Espérance purent reconnaître au calme du dehors que la tempête avait cessé.

Chacun alors de sortir au plus vite. L'emprisonnement avait assez duré. La porte n'était pas praticable, on dut passer par la fenêtre et la déblayer des derniers amas de neige. Mais, cette fois, il ne s'agissait plus de percer une couche molle. Le froid intense avait solidifié toute la masse, et il fallut l'attaquer à coups de pic.

Ce fut l'ouvrage d'une demi-heure, et bientôt tous les hiverneurs, à l'exception de Mrs. Mac Nap, qui ne se levait pas encore, arpentaient la cour intérieure.

Le froid était extrêmement vif, mais le vent étant entièrement tombé, il fut supportable. Cependant, au sortir d'une chaude demeure, chacun dut prendre quelques précautions pour affronter une différence de température de cinquante quatre degrés environ (30° centigr.).

Il était huit heures du matin. Des constellations d'une admirable pureté resplendissaient depuis le zénith, où brillait la polaire, jusqu'aux dernières limites de l'horizon. L'oeil eût cru les compter par millions, bien que le nombre des étoiles visibles à l'oeil nu ne dépasse pas cinq mille sur toute la sphère céleste. Thomas Black s'échappait en interjections admiratives. Il applaudissait ce firmament tout constellé, que pas une vapeur, pas une brume ne voilait. Jamais plus beau ciel ne s'était offert aux regards d'un astronome!

Pendant que Thomas Black s'extasiait, indifférent aux choses de la terre, ses compagnons se portaient jusqu'à la limite de l'enceinte fortifiée. La couche de neige avait la dureté du roc, mais elle était fort glissante, et il y eut quelques chutes sans conséquences.

Il va sans dire que la cour était entièrement comblée. Le toit seul de la maison excédait la masse blanche qui présentait une horizontalité parfaite, car le vent avait promené son rude niveau à sa surface. De la palissade, il ne restait que le sommet des pieux, et dans cet état, elle n'eut pas arrêté le moins souple des rongeurs! Mais qu'y faire? On en pouvait songer à déblayer dix pieds de neige durcie sur un si large espace. Tout au plus essaierait-on de dégager la partie antérieure de l'enceinte, de manière à former un fossé dont la contrescarpe protégerait encore la palissade. Mais l'hiver ne faisait que commencer, et on devait craindre qu'une nouvelle tempête ne comblât ce fossé en quelques heures.

Pendant que le lieutenant examinait les ouvrages qui ne pouvaient plus défendre la maison principale, tant qu'un rayon de soleil n'aurait pas fondu cette croûte neigeuse, Mrs. Joliffe s'écria:

«Et nos chiens! et nos rennes!»

Et, en effet, il fallait se préoccuper de l'état de ces animaux. La «dog-house» et l'étable, moins élevées que la maison, devaient être entièrement ensevelies, et il était possible que l'air y eût manqué. On se précipita donc, qui vers le chenil, qui vers l'étable des rennes, mais toute crainte fut immédiatement dissipée. La muraille de glace qui reliait l'angle nord de la maison à la falaise avait protégé en partie les deux constructions, autour desquelles la hauteur de la couche de neige ne dépassait pas quatre pieds. Les «jours» ménagés dans les parois n'étaient donc point obstrués. On trouva les animaux en bonne santé, et la porte ayant été ouverte, les chiens s'échappèrent en jetant de longs aboiements de satisfaction.

Cependant, le froid commençait à piquer vivement, et après une promenade d'une heure, chacun songea au poêle bienfaisant qui ronflait dans la grande salle. Il n'y avait rien à faire au-dehors en ce moment. Les trappes, enfouies sous dix pieds de neige, ne pouvaient être visitées. On rentra donc. La fenêtre fut fermée, et chacun prit sa place à table, car l'heure du dîner était arrivée.

On pense bien que, dans la conversation, il fut question de ce froid subit, qui avait si rapidement solidifié l'épaisse couche des neiges. C'était une circonstance regrettable, qui compromettait, jusqu'à un certain point, la sécurité du fort.

«Mais, monsieur Hobson, demanda Mrs. Paulina Barnett, ne pouvons- nous compter sur quelques jours de dégel qui réduiront en eau toute cette glace?

— Non, madame, répondit le lieutenant, un dégel à cette époque de l'année n'est pas probable. Je crois plutôt que l'intensité du froid s'accroîtra encore, et il est fâcheux que nous n'ayons pu enlever cette neige, quand elle était molle.

— Quoi! vous pensez que la température subira un abaissement plus considérable?

— Sans aucun doute, madame. Quatre degrés au-dessous de zéro[7] (20° centigr. au-dessous de glace), qu'est-ce cela pour une latitude aussi élevée?

— Mais que serait-ce donc si nous étions au pôle? demanda Mrs. Paulina Barnett.

— Le pôle, madame, n'est pas, très probablement, le point le plus froid du globe, puisque la plupart des navigateurs s'accordent pour y placer la mer libre. Il semble même que, par suite de certaines dispositions géographiques et hydrographiques, l'endroit où la moyenne de la température est la plus basse est situé sur le quatre-vingt-quinzième méridien et par soixante-dix-huit degrés de latitude, c'est-à-dire sur les côtes de la Géorgie septentrionale. Là, cette moyenne serait seulement de deux degrés au-dessous de zéro (19° centigr. au-dessous de glace) pour l'année entière. Aussi ce point est-il connu sous le nom de «pôle du froid».

— Mais, monsieur Hobson, répondit Mrs. Paulina Barnett, nous sommes à plus de huit degrés en latitude de ce point redoutable.

— Aussi, répondit Jasper Hobson, je compte bien que nous ne serons pas éprouvés au cap Bathurst comme nous le serions dans la Géorgie septentrionale. Mais si je vous parle du pôle du froid, c'est pour vous dire qu'il ne faut point le confondre avec le pôle proprement dit, quand il s'agit de l'abaissement de la température. Remarquons, d'ailleurs, que de grands froids ont été éprouvés sur d'autres points du globe. Seulement, ils ne duraient pas.

— Et en quels points, monsieur Hobson? demanda Mrs. Paulina Barnett. Je vous assure qu'en ce moment cette question du froid m'intéresse particulièrement.

— Autant qu'il m'en souvient, répondit le lieutenant Hobson, les voyageurs arctiques ont constaté qu'à l'île Melville, la température s'était abaissée jusqu'à soixante et un degrés au- dessous de zéro, et jusqu'à soixante-cinq degrés au port Félix.

— Cette île Melville et ce port Félix ne sont-ils pas plus élevés en latitude que le cap Bathurst?

— Sans doute, madame, mais dans une certaine limite, la latitude ne prouve rien. Il suffit du concours de diverses circonstances atmosphériques pour amener des froids considérables. Et si j'ai bonne mémoire, en 1845... Sergent Long, à cette époque, n'étiez- vous pas au Fort-Reliance?

— Oui, mon lieutenant, répondit le sergent Long.

— Eh bien, cette année-là, est-ce qu'en janvier nous n'avons pas constaté un froid extraordinaire?

— En effet, répondit le sergent, et je me rappelle fort bien que le thermomètre marqua soixante-dix degrés au-dessous de zéro (50° 7 centigr. au-dessous de zéro).

— Quoi! s'écria Mrs. Paulina Barnett, soixante-dix degrés, au Fort-Reliance, sur le grand lac de l'Esclave?

— Oui, madame, répondit le lieutenant, et par soixante-cinq degrés de latitude seulement, un parallèle qui n'est que celui de Christiania ou de Saint-Pétersbourg!

— Alors, monsieur Hobson, il faut s'attendre à tout!

— Oui, à tout, en vérité, quand on hiverne dans les contrées arctiques!»

Pendant les journées du 29 et du 30 novembre, l'intensité du froid ne diminua pas, et il fallut chauffer les poêles à grand feu, car l'humidité se fût certainement changée en glace dans tous les coins de la maison. Mais le combustible était abondant et on ne l'épargna pas. La moyenne de cinquante-deux degrés (10° centigr. au-dessus de zéro) fut maintenue au-dedans en dépit des menaces du dehors.

Malgré l'abaissement de la température, Thomas Black, tenté par ce ciel si pur, voulut faire des observations d'étoiles. Il espérait dédoubler quelques-uns de ces astres magnifiques qui rayonnaient au zénith. Mais il dut renoncer à toute observation. Ses instruments lui «brûlaient» les mains. Brûler est le seul mot qui puisse rendre l'impression produite par un corps métallique soumis à un tel froid. Physiquement, d'ailleurs, le phénomène est identique. Que la chaleur soit violemment introduite dans la chair par un corps brûlant, ou qu'elle en soit violemment retirée par un corps glacé, l'impression est la même. Et le digne savant l'éprouva si bien, que la peau de ses doigts resta collée à sa lunette. Aussi suspendit-il ses observations.

Mais le ciel le dédommagea en lui donnant, vers cette époque, le spectacle indescriptible de ses plus beaux météores: un parasélène d'abord, une aurore boréale ensuite.

Le parasélène ou halo-lunaire formait sur le ciel un cercle blanc, bordé d'une teinte rouge pâle autour de la lune. Cet exergue lumineux, dû à la réfraction des rayons lunaires à travers les petits cristaux prismatiques de glace, qui flottaient dans l'atmosphère, présentait un diamètre de quarante-cinq degrés environ. L'astre des nuits brillait du plus vif éclat au centre de cette couronne, semblable à ces bandes laiteuses et diaphanes des arcs-en-ciel lunaires.

Quinze heures après, une magnifique aurore boréale, décrivant un arc de plus de cent degrés géographiques, se déploya au-dessus de l'horizon du nord. Le sommet de l'arc se trouvait placé sensiblement dans le méridien magnétique, et, par une bizarrerie quelquefois observée, le météore était paré de toutes les couleurs du prisme, entre lesquelles le rouge s'accusait plus nettement. En de certains endroits du ciel, les constellations semblaient être noyées dans le sang. De cette agglomération brumeuse disposée à l'horizon et qui formait le noyau du météore, s'irradiaient des effluves ardentes, dont quelques-unes dépassaient le zénith et faisaient pâlir la lumière de la lune submergée dans ces ondes électriques. Ces rayons tremblotaient comme si quelque courant d'air eût agité leurs molécules. Aucune description ne saurait rendre la sublime magnificence de cette «gloire», qui rayonnait dans toute sa splendeur au pôle boréal du monde. Puis, après une demi-heure d'un incomparable éclat, sans qu'il se fût resserré ni concentré, sans un amoindrissement même partiel de sa lumière, le splendide météore s'éteignit soudain, comme si quelque invisible main eût subitement tari les sources électriques qui le vivifiaient.

Il n'était que temps pour Thomas Black. Cinq minutes encore, et l'astronome eût été gelé sur place!

XIX.

Une visite de voisinage.

Le 2 décembre, l'intensité du froid avait diminué. Ces phénomènes de parasélènes étaient un symptôme auquel un météorologiste n'aurait pu se méprendre. Ils constataient la présence d'une certaine quantité de vapeur d'eau dans l'atmosphère, et, en effet, le baromètre baissa légèrement, en même temps que la colonne thermométrique se relevait à quinze degrés au dessus de zéro (- 90 centigr.).

Bien que ce froid eût encore paru rigoureux en toute région de la zone tempérée, des hiverneurs de profession le supportaient aisément. D'ailleurs, l'atmosphère était calme. Le lieutenant Hobson, ayant observé que les couches supérieures de neige glacée s'étaient ramollies, ordonna de déblayer les abords extérieurs de l'enceinte. Mac Nap et ses hommes entreprirent cette besogne avec courage, et en quelques jours elle fut menée à bonne fin. En même temps, on mit à découvert les trappes enfouies, et elles furent tendues de nouveau. De nombreuses empreintes prouvaient que le gibier à fourrure se massait aux environs du cap, et, la terre lui refusant toute nourriture, il devait aisément se laisser prendre à l'amorce des pièges.

D'après les conseils du chasseur Marbre, on construisit aussi un traquenard à rennes, suivant la méthode des Esquimaux. C'était une fosse large en tous sens d'une dizaine de pieds et creuse d'une douzaine. Une planche formant bascule, et pouvant se relever par son propre poids, la recouvrait de manière à la dissimuler entièrement. L'animal, attiré par les herbes et branches déposées à l'extrémité de la planche, était inévitablement précipité dans la fosse, dont il ne pouvait plus sortir. On comprend que, par ce système de bascule, le traquenard se retendait automatiquement, et qu'un renne pris, d'autres pouvaient s'y prendre à leur tour. Marbre n'éprouva d'autre difficulté, en établissant son traquenard, qu'à percer un sol très dur; mais il fut assez surpris — et Jasper Hobson ne le fut pas moins — quand la pioche, après avoir traversé quatre à cinq pieds de terre et de sable, rencontra en dessous une couche de neige, dure comme du roc, et qui paraissait être très épaisse.

«Il faut, dit le lieutenant Hobson, après avoir observé cette disposition géologique, il faut que cette partie du littoral ait été soumise, il y a bien des années, à un froid excessif et pendant un laps de temps très long; puis, les sables, la terre, auront peu à peu recouvert la masse glacée, vraisemblablement étendue sur un lit de granit.

— En effet, mon lieutenant, répondit le chasseur, mais cela ne rendra pas notre traquenard plus mauvais. Au contraire même, les rennes, une fois emprisonnés, trouveront une paroi glissante sur laquelle ils n'auront aucune prise."

Marbre avait raison, et l'événement justifia ses prévisions. Le 5 décembre, Sabine et lui étant allés visiter la fosse, entendirent de sourds grondements qui s'en échappaient. Ils s'arrêtèrent.

«Ce n'est point le bramement du renne, dit Marbre, et je nommerais bien la bête qui s'est fait prendre à notre traquenard!

— Un ours? répondit Sabine.

— Oui, fit Marbre, dont les yeux brillèrent de satisfaction.

— Eh bien, répliqua Sabine, nous ne perdrons pas au change. Le beefsteak d'ours vaut le beefsteak de renne, et on a la fourrure en plus. Allons!»

Les deux chasseurs étaient armés. Ils coulèrent une balle dans leur fusil déjà chargé à plomb, et s'avancèrent vers le traquenard. La bascule s'était remise en place, mais l'amorce avait disparu, ayant été probablement entraînée au fond de la fosse. Marbre et Sabine, arrivés près de l'ouverture, regardèrent jusqu'au fond du trou. Les grognements redoublèrent. C'étaient, en effet, ceux d'un ours. Dans un coin de la fosse était blottie une masse gigantesque, un véritable paquet de fourrure blanche, à peine visible dans l'ombre, au milieu de laquelle brillaient deux yeux étincelants. Les parois de la fosse étaient profondément labourées à coups de griffes, et certainement, si les murs eussent été faits de terre, l'ours aurait pu se frayer un chemin au- dehors. Mais sur cette glace glissante, ses pattes n'avaient pas eu prise, et si sa prison s'était élargie sous ses coups, du moins n'avait-il pu la quitter.

Dans ces conditions, la capture de l'animal n'offrait aucune difficulté. Deux balles, ajustées avec précision vers le fond de la fosse, eurent raison du vigoureux animal, et le plus gros de la besogne fut de l'en tirer. Les deux chasseurs revinrent au Fort- Espérance pour y chercher du renfort. Une dizaine de leurs compagnons, munis de cordes, les suivirent jusqu'au traquenard, et ce ne fut pas sans peine que la bête fut extraite de la fosse. C'était un gigantesque animal, haut de six pieds, pesant au moins six cents livres, et dont la vigueur devait être prodigieuse. Il appartenait au sous-genre des ours blancs par son crâne aplati, son corps allongé, ses ongles courts et peu recourbés, son museau fin et son pelage entièrement blanc. Quant aux parties comestibles de l'individu, elles furent soigneusement rapportées à Mrs. Joliffe, et figurèrent avantageusement comme plat de résistance au dîner du jour.

Dans la semaine qui suivit, les trappes fonctionnèrent assez heureusement. On prit une vingtaine de martres, alors dans toute la beauté de leur vêtement d'hiver, mais seulement deux ou trois renards. Ces sagaces animaux devinaient le piège qui leur était tendu, et le plus souvent, creusant le sol près de la trappe, ils parvenaient à s'emparer de l'appât et à se débarrasser ensuite de la trappe rabattue sur eux. Résultat qui mettait Sabine hors de lui, le chasseur déclarant un tel subterfuge «indigne d'un renard honnête».

Vers le 10 décembre, le vent ayant passé dans le sud-ouest, la neige se reprit à tomber, mais non par flocons épais. C'était une neige fine, en somme peu abondante, mais elle se glaçait aussitôt, car un froid vif se faisait sentir, et comme la brise était forte, on le supportait difficilement. Il fallut donc se caserner de nouveau et reprendre les travaux de l'intérieur. Par précaution, Jasper Hobson distribua à tout son monde des pastilles de chaux et du jus de citron, l'emploi de ces antiscorbutiques étant réclamé par la persistance de ce froid humide. Du reste, aucun symptôme de scorbut ne s'était encore manifesté parmi les habitants du Fort- Espérance. Grâce aux précautions hygiéniques prises, la santé générale n'avait point été altérée.

La nuit polaire était profonde alors. Le solstice d'hiver approchait, époque à laquelle l'astre du jour se trouve à son maximum d'abaissement au-dessous de l'horizon pour l'hémisphère boréal. Au crépuscule de minuit, le bord méridional des longues plaines blanches se teintait à peine de nuances moins sombres. Une réelle impression de tristesse se dégageait de ce territoire polaire, que les ténèbres enveloppaient de toutes parts.

Quelques jours se passèrent dans la maison commune. Jasper Hobson était plus rassuré contre l'attaque des bêtes fauves, depuis que les abords de l'enceinte avaient été déblayés, — fort heureusement, car on entendait de sinistres grognements sur la nature desquels on ne pouvait se méprendre. Quant à la visite de chasseurs indiens ou canadiens, elle n'était pas à craindre à cette époque.

Cependant, un incident se produisit, ce qu'on pourrait appeler un épisode dans ce long hivernage, et qui prouvait que, même au coeur de l'hiver, ces solitudes n'étaient pas entièrement dépeuplées. Des êtres humains parcouraient encore ce littoral, chassant les morses et campant sous la neige. Ils appartenaient à la race «des mangeurs de poissons crus»[8], qui sont répandus sur le continent du North-Amérique, depuis la mer de Baffin jusqu'au détroit de Behring, et dont le lac de l'Esclave semble former la limite méridionale.

Un matin du 14 décembre, ou plutôt à neuf heures avant midi, le sergent Long, revenant d'une excursion sur le littoral, termina son rapport au lieutenant, en disant que si ses yeux ne l'avaient point trompé, une tribu de nomades devait être campée à quatre milles du fort, près d'un petit cap qui se projetait en cet endroit.

«Quels sont ces nomades? demanda Jasper Hobson.

— Ce sont des hommes ou des morses, répondit le sergent Long. Pas de milieu!»

On aurait bien étonné le brave sergent en lui apprenant que certains naturalistes ont précisément admis «ce milieu» que lui, Long, ne reconnaissait pas. Et, en effet, quelques savants ont plus ou moins plaisamment regardé les Esquimaux comme «une espèce intermédiaire entre l'homme et le veau-marin».

Aussitôt le lieutenant Hobson, Mrs. Paulina Barnett, Madge et quelques autres, d'aller constater la présence de ces visiteurs. Bien vêtus, se tenant en garde contre les gelées subites, armés de fusils et de haches, chaussés de bottes fourrées auxquelles la neige glacée prêtait un point d'appui solide, ils sortirent par la poterne et suivirent le littoral, dont les glaçons encombraient la lisière.

La lune, dans son dernier quartier, jetait de vagues lueurs sur l'icefield, à travers les brumes du ciel. Après une marche d'une heure, le lieutenant dut croire que son sergent s'était trompé, ou tout au moins qu'il n'avait vu que des morses, lesquels avaient sans doute regagné leur élément par ces trous qu'ils tiennent constamment praticables au milieu des champs de glace.

Mais le sergent Long, montrant un tourbillon grisâtre qui sortait d'une extumescence conique, élevée à quelques centaines de pas sur l'icefield, se contenta de répondre tranquillement:

«Voilà donc une fumée de morses!»

En ce moment, des êtres vivants sortirent de la hutte, se traînant sur la neige. C'étaient des Esquimaux, mais s'ils étaient hommes ou femmes, c'est ce qu'un indigène seul eût pu dire, tant leur accoutrement permettait de les confondre.

En vérité, et sans approuver en quoi que ce soit l'opinion des naturalistes citée plus haut, on eût dit des phoques, de véritables amphibies, velus, poilus. Ils étaient au nombre de six, quatre grands et deux petits, larges d'épaules pour leur taille médiocre, le nez épaté, les yeux abrités sous d'énormes paupières, la bouche grande, la lèvre épaisse, les cheveux noirs, longs, rudes, la face dépourvue de barbe. Pour vêtements, une tunique ronde en peaux de morse, un capuchon, des bottes, des mitaines de même nature. Ces êtres, à demi sauvages, s'étaient approchés des Européens et les regardaient en silence.

«Personne ne sait l'esquimau?» demanda Jasper Hobson à ses compagnons.

Personne ne connaissait cet idiome; mais aussitôt, une voix se fit entendre, qui souhaitait la bienvenue en anglais:

«Welcome! welcome!»

C'était un Esquimau, ou plutôt, comme on ne tarda pas à l'apprendre, une Esquimaude, qui, s'avançant vers Mrs. Paulina Barnett, lui fit un salut de la main.

La voyageuse, surprise, répondit par quelques mots que l'indigène parut comprendre facilement, et une invitation fut faite à la famille de suivre les Européens jusqu'au fort. Les Esquimaux semblèrent se consulter du regard, puis, après quelques instants d'hésitation, ils accompagnèrent le lieutenant Hobson, marchant en groupe serré.

Arrivée à l'enceinte, la femme indigène, voyant cette maison dont elle ne soupçonnait pas l'existence, s'écria:

«House! house! snow-house?»

Elle demandait si c'était une maison de neige, et pouvait le croire, car l'habitation se perdait alors dans toute cette masse blanche qui couvrait le sol. On lui fit comprendre qu'il s'agissait d'une maison de bois. L'Esquimaude dit alors quelques mots à ses compagnons, qui firent un signe approbatif. Tous passèrent alors par la poterne, et, un instant après, ils étaient introduits dans la salle principale.

Là, leurs capuchons furent retirés, et l'on put reconnaître les sexes. Il y avait deux hommes de quarante à cinquante ans, au teint jaune-rougeâtre, aux dents aiguës, aux pommettes saillantes, ce qui leur donnait une vague ressemblance avec des carnivores; deux femmes encore jeunes, dont les cheveux nattés étaient ornés de dents et de griffes d'ours polaires; enfin, deux enfants de cinq à six ans, pauvres petits êtres à mine éveillée, qui regardaient en ouvrant de grands yeux.

«On doit supposer que des Esquimaux ont toujours faim, dit Jasper Hobson. Je pense donc qu'un morceau de venaison ne déplaira pas à nos hôtes.»

Sur l'ordre du lieutenant Hobson, le caporal Joliffe apporta quelques morceaux de renne, sur lesquels ces pauvres gens se jetèrent avec une sorte d'avidité bestiale. Seule, la jeune Esquimaude qui s'était exprimée en anglais montra une certaine réserve, regardant, sans les quitter des yeux, Mrs. Paulina Barnett et les autres femmes de la factorerie. Puis, apercevant le petit enfant que Mrs. Mac Nap tenait sur ses bras, elle se leva, courut à lui et, lui parlant d'une voix douce, se mit à le caresser le plus gentiment du monde.

Cette jeune indigène semblait être, sinon supérieure, du moins plus civilisée que ses compagnons, et cela parut surtout quand, ayant été prise d'un léger accès de toux, elle mit sa main devant sa bouche, d'après les règles les plus élémentaires de la civilité.

Ce détail n'échappa à personne. Mrs. Paulina Barnett, causant avec l'Esquimaude et employant les mots anglais les plus usités, apprit en quelques phrases que cette jeune indigène avait servi pendant un an chez le gouverneur danois d'Uppernawik, dont la femme était Anglaise. Puis elle avait quitté le

Groënland pour suivre sa famille sur les territoires de chasse. Les deux hommes étaient ses deux frères; l'autre femme, mariée à l'un d'eux et mère des deux enfants, était sa belle-soeur. Ils revenaient tous de l'île Melbourne, située, dans l'est, sur le littoral de l'Amérique anglaise, regagnant à l'ouest la pointe Barrow, l'un des caps de la Géorgie occidentale de l'Amérique russe, où vivait leur tribu, et c'était un sujet d'étonnement pour eux de trouver une factorerie installée au cap Bathurst. Les deux Esquimaux secouèrent même la tête en voyant cet établissement. Désapprouvaient-ils la construction d'un fort sur ce point du littoral? Trouvaient-ils l'endroit mal choisi? Malgré toute sa patience, le lieutenant Hobson ne parvint point à les faire s'expliquer à ce sujet, ou du moins il ne comprit pas leurs réponses.

Quant à la jeune Esquimaude, elle se nommait Kalumah, et elle parut prendre en grande amitié Mrs. Paulina Barnett. Cependant la pauvre créature, toute sociable qu'elle était, ne regrettait point la position qu'elle avait autrefois chez le gouverneur d'Uppernawik, et elle se montrait très attachée à sa famille.

Après s'être restaurés, après avoir partagé une demi-pinte de brandevin dont les petits eurent leur part, les Esquimaux prirent congé de leurs hôtes, mais, avant de partir, la jeune indigène invita la voyageuse à visiter leur hutte de neige. Mrs. Paulina Barnett promit de s'y rendre le lendemain, si le temps le permettait.

Le lendemain, en effet, accompagnée de Madge, du lieutenant Hobson et de quelques soldats armés — non contre ces pauvres gens, mais pour le cas où les ours eussent rôdé sur le littoral —, Mrs. Paulina Barnett se transporta au cap Esquimau, nom qui fut donné à la pointe près de laquelle se dressait le campement indigène.

Kalumah accourut au-devant de son amie de la veille et lui montra la hutte d'un air satisfait. C'était un gros cône de neige, percé d'une étroite ouverture à son sommet qui donnait issue à la fumée d'un foyer intérieur, et dans lequel ces Esquimaux avaient creusé leur demeure passagère. Ces «snow-houses», qu'ils établissent avec une extrême rapidité, se nomment «igloo» dans la langue du pays. Elles sont merveilleusement appropriées au climat, et leurs habitants y supportent, même sans feu et sans trop souffrir, des froids de quarante degrés au-dessous de zéro. Pendant l'été, les Esquimaux campent sous des tentes de peaux de renne et de phoque, qui portent le nom de «tupic».

Pénétrer dans cette hutte n'était point une opération facile. Elle n'avait qu'une entrée au ras du sol, et il fallait se glisser par une sorte de couloir long de trois à quatre pieds, car les parois de neige mesuraient au moins cette épaisseur. Mais une voyageuse de profession, une lauréate de la Société royale, ne pouvait hésiter, et Mrs. Paulina Barnett n'hésita pas. Suivie de Madge, elle s'enfourna bravement dans l'étroit boyau à la suite de la jeune indigène. Quant au lieutenant Hobson et à ses hommes, ils se dispensèrent de cette visite.

Et Mrs. Paulina Barnett comprit bientôt que le plus difficile n'était pas de pénétrer dans cette hutte de neige, mais d'y rester. L'atmosphère, échauffée par un foyer sur lequel brûlaient des os de morses, infectée par l'huile fétide d'une lampe, imprégnée des émanations de vêtements gras et de la chair d'amphibie qui forme la nourriture principale des Esquimaux, cette atmosphère était écoeurante. Madge ne put y tenir et sortit presque aussitôt. Mrs. Paulina Barnett montra un courage surhumain pour ne point chagriner la jeune indigène et prolongea sa visite pendant cinq grandes minutes, — cinq siècles! Les deux enfants et leur mère étaient là. Quant aux deux hommes, la chasse aux morses les avait entraînés à quatre ou cinq milles de leur campement.

Mrs. Paulina Barnett, une fois sortie de la hutte, aspira avec ivresse l'air froid du dehors, qui ramena les couleurs sur sa figure un peu pâlie.

«Eh bien, madame? lui demanda le lieutenant, que dites-vous des maisons esquimaudes?

— L'aération y laisse à désirer!» répondit simplement Mrs. Paulina Barnett.

Pendant huit jours, cette intéressante famille indigène demeura campée en cet endroit. Sur vingt-quatre heures, les deux Esquimaux en passaient douze à la chasse aux morses. Ils allaient, avec une patience que les huttiers pourront seuls comprendre, guetter les amphibies sur le bord de ces trous par lesquels ils venaient respirer à la surface de l'icefield. Le morse apparaissait-il, une corde à noeud coulant lui était jetée autour des pectorales, et, non sans peine, les deux indigènes le hissaient sur-le-champ et le tuaient à coups de hache. Véritablement, c'était plutôt une pêche qu'une chasse. Puis le grand régal consistait à boire le sang chaud des amphibies dont les Esquimaux s'enivrent avec volupté.

Chaque jour, Kalumah, malgré la basse température, se rendait au Fort-Espérance. Elle prenait un extrême plaisir à parcourir les différentes chambres de la maison, regardant coudre, suivant tous les détails des manipulations culinaires de Mrs. Joliffe. Elle demandait le nom anglais de chaque chose et causait pendant des heures entières avec Mrs. Paulina Barnett, si le mot «causer» peut s'employer quand il s'agit d'un échange de mots longtemps cherchés de part et d'autre. Quand la voyageuse faisait la lecture à haute voix, Kalumah l'écoutait avec une extrême attention, bien qu'elle ne la comprît certainement point.

Kalumah chantait aussi, d'une voix assez douce, des chansons d'un rythme singulier, chansons froides, glaciales, mélancoliques et d'une coupe étrange. Mrs. Paulina Barnett eut la patience de traduire une de ces «sagas» groënlandaises, curieux échantillon de la poésie hyperboréenne, auquel un air triste, entrecoupé de pauses, procédant par intervalles bizarres, prêtait une indéfinissable couleur. Voici, d'ailleurs, un spécimen de cette poésie, copié sur l'album même de la voyageuse.

Chanson groënlandaise.

Le ciel est noir,
Et le soleil se traîne
À peine!
De désespoir
Ma pauvre âme incertaine
Est pleine!
La blonde enfant se rit de mes tendres chansons,
Et sur son coeur l'hiver promène ses glaçons!

Ange rêvé,
Ton amour qui fait vivre
M'enivre,
Et j'ai bravé
Pour te voir, pour te suivre
Le givre!
Hélas! sous mes baisers et leur douce chaleur,
Je n'ai pu dissiper les neiges de ton coeur!

Ah! que demain
À ton âme convienne
La mienne,
Et que ma main
Amoureusement tienne
La tienne!
Le soleil brillera là-haut dans notre ciel,
Et de ton coeur l'amour forcera le dégel!

Le 20 décembre, la famille d'Esquimauux vint au Fort-Espérance prendre congé de ses habitants. Kalumah s'était attachée à la voyageuse, qui l'eût volontiers conservée près d'elle; mais la jeune indigène ne voulait pas abandonner les siens. D'ailleurs, elle promit de revenir pendant l'été prochain au Fort-Espérance.

Ses adieux furent touchants. Elle remit à Mrs. Paulina Barnett une petite bague de cuivre, et reçut en échange un collier de jais dont elle se para aussitôt. Jasper Hobson ne laissa point partir ces pauvres gens sans une bonne provision de vivres qui fut chargée sur leur traîneau, et, après quelques paroles de reconnaissance prononcées par Kalumah, l'intéressante famille, se dirigeant vers l'ouest, disparut au milieu des épaisses brumes du littoral.

XX.

Où le mercure gèle.

Le temps sec et le calme de l'atmosphère favorisèrent encore les chasseurs pendant quelques jours. Toutefois, ils ne s'éloignaient pas du fort. L'abondance du gibier leur permettait, d'ailleurs, d'opérer dans un rayon restreint. Le lieutenant Hobson ne pouvait donc que se féliciter d'avoir fondé son établissement sur ce point du continent. Les trappes prirent un grand nombre d'animaux à fourrures de toutes sortes. Sabine et Marbre tuèrent une certaine quantité de lièvres polaires. Une vingtaine de loups affamés furent abattus à coups de fusil. Ces carnassiers se montraient fort agressifs, et, réunis par bandes autour du fort, ils remplissaient l'air de leurs rauques aboiements. Du côté de l'icefield, entre les hummocks, passaient fréquemment de grands ours, dont l'approche était surveillée avec le plus grand soin.

Le 25 décembre, il fallut de nouveau abandonner tout projet d'excursion. Le vent sauta au nord et le froid reprit avec une extrême vivacité. On ne pouvait rester en plein air sans risquer d'être instantanément «frost bitten». Le thermomètre Fahrenheit descendit à dix-huit degrés au-dessous de zéro (28° centigr. au-dessous de glace). La brise sifflait comme une volée de mitraille. Avant de s'emprisonner, Jasper Hobson eut soin de fournir aux animaux une nourriture assez abondante pour les substanter pendant quelques semaines.

Le 25 décembre était ce jour de Noël, cette fête du foyer domestique si chère aux Anglais. Elle fut célébrée avec un zèle tout religieux. Les hiverneurs remercièrent la Providence de les avoir protégés jusqu'alors; puis les travailleurs, ayant chômé pendant ce jour sacré du «Christmas», se retrouvèrent tous réunis devant un splendide festin, dans lequel figurait deux gigantesques puddings.

Le soir, un punch flamba sur la grande table, au milieu des verres. Les lampes furent éteintes, et la salle, illuminée par la flamme livide du brandevin, prit un aspect fantastique. Toutes ces bonnes figures de soldats s'animèrent, à ses reflets tremblotants, d'une animation que l'absorption du brûlant liquide allait encore accroître.

Puis la flamme se modéra, elle s'éparpilla autour du gâteau national en petites langues bleuâtres et s'évanouit.

Phénomène inattendu! Bien que les lampes n'eussent pas encore été rallumées, cependant la salle ne redevint pas obscure. Une vive lumière y pénétrait par sa fenêtre, lumière rougeâtre que l'éclat des lampes avait empêché de voir jusqu'alors.

Tous les convives se levèrent extrêmement surpris et s'interrogèrent du regard.

«Un incendie!» s'écrièrent quelques-uns.

Mais, — à moins que la maison n'eût elle-même brûlé, — aucun incendie ne pouvait éclater dans le voisinage du cap Bathurst!

Le lieutenant se précipita vers la fenêtre, et il reconnut aussitôt la cause de cette réverbération. C'était une éruption volcanique.

En effet, par-delà les falaises de l'ouest, au-delà de la baie des Morses, l'horizon était en feu. On ne pouvait apercevoir le sommet des collines ignivomes, situées à trente milles du cap Bathurst, mais la gerbe de flammes, s'épanouissant à une prodigieuse hauteur, couvrait tout le territoire de ses fauves reflets.

«C'est encore plus beau qu'une aurore boréale!» s'écria Mrs. Paulina Barnett.

Thomas Black protesta contre cette affirmation. Un phénomène terrestre plus beau qu'un météore! Mais au lieu de discuter cette thèse, malgré le froid intense, malgré la bise aiguë, chacun quitta la salle et alla contempler l'admirable spectacle de cette gerbe étincelante qui se développait sur le fond noir du ciel.

Si Jasper Hobson, ses compagnes, ses compagnons n'avaient eu les oreilles et la bouche emmaillotées dans d'épaisses fourrures, ils auraient pu entendre les bruits sourds de l'éruption, qui se propageaient à travers l'atmosphère, ils auraient pu se communiquer les impressions que ce sublime spectacle faisait naître en eux. Mais, ainsi encapuchonnés, il ne leur était permis ni de parler, ni d'entendre. Ils durent se contenter de voir. Mais quelle scène imposante pour leurs yeux! quel souvenir pour leur esprit! Entre l'obscurité profonde du firmament et la blancheur de l'immense tapis de neige, l'épanouissement des flammes volcaniques produisait des effets de lumière qu'aucune plume, qu'aucun pinceau ne saurait rendre! L'intense réverbération s'étendait jusqu'au- delà du zénith, éteignant graduellement toutes les étoiles. Le sol blanc revêtait des teintes d'or. Les hummocks de l'icefield, et, en arrière-plan, les énormes icebergs réfléchissaient les lueurs diverses comme autant de miroirs ardents. Ces faisceaux lumineux venaient se briser ou se réfracter à tous ces angles, et les plans, diversement inclinés, les renvoyaient avec un éclat plus vif et une teinte nouvelle. Choc de rayons véritablement magique! On eût dit l'immense décor de glaces d'une féerie, dressé tout exprès pour cette fête de la lumière!

Mais le froid excessif obligea bientôt les spectateurs à rentrer dans leur chaude habitation, et plus d'un nez faillit payer cher ce plaisir que les yeux venaient de prendre à son détriment par une pareille température!

Pendant les jours qui suivirent, l'intensité du froid redoubla. On put croire que le thermomètre à mercure ne suffirait pas à en marquer les degrés[9], et qu'il faudrait employer un thermomètre à alcool. En effet, dans la nuit du 28 au 29 décembre, la colonne s'abaissa à trente-deux degrés au-dessous de zéro (37° centigr. au-dessous de glace).

Les poêles furent bourrés de combustible, mais la température intérieure ne put être maintenue au-dessus de vingt degrés (7° centigr. au-dessous de zéro). On souffrait du froid jusque dans les chambres, et, sur un rayon de dix pieds autour du poêle, la chaleur s'annihilait complètement. Aussi, la meilleure place appartenait-elle au petit enfant, dont le berceau était bercé par ceux qui s'approchaient tour à tour du foyer. Défense absolue fut faite d'ouvrir porte ou fenêtre, car la vapeur, concentrée dans les salles, se fût immédiatement changée en neige. Déjà dans le couloir la respiration des hommes produisait un phénomène identique. On entendait de toutes parts des détonations sèches, qui surprirent les personnes inaccoutumées aux phénomènes de ces climats. C'étaient les troncs d'arbres, formant les parois de la maison, qui craquaient sous l'action du froid. La provision de liqueurs, brandevin et gin, déposée dans le grenier, dut être descendue dans la salle commune, car tout l'esprit se concentrait au fond des bouteilles sous la forme d'un noyau. La bière, fabriquée avec les bourgeons de sapins, faisait, en gelant, éclater les barils. Tous les corps solides, comme pétrifiés, résistaient à la pénétration de la chaleur. Le bois brûlait difficilement, et Jasper Hobson dut sacrifier une certaine quantité d'huile de morse pour en activer la combustion. Très heureusement, les cheminées tiraient bien et empêchaient toute émanation désagréable à l'intérieur. Mais extérieurement, le Fort- Espérance devait se trahir au loin par l'odeur âcre et fétide de ses fumées et méritait d'être rangé parmi les établissements insalubres.

Un symptôme à remarquer, c'était l'extrême soif dont chacun était dévoré par ce froid intense. Or, pour se rafraîchir, il fallait constamment dégeler les liquides auprès du feu, car, sous la forme de glace, ils eussent été impropres à désaltérer. Un autre symptôme contre lequel le lieutenant Hobson engageait ses compagnons à réagir, c'était une somnolence opiniâtre, que quelques-uns ne parvenaient pas à vaincre. Mrs. Paulina Barnett, toujours vaillante, par ses conseils, sa conversation, son va-et- vient, réagissait à la fois pour son propre compte et encourageait tout son monde. Souvent elle lisait quelque livre de voyage ou chantait quelque vieux refrain d'Angleterre, et tous le répétaient en choeur avec elle. Ces chants réveillaient, bon gré mal gré, les endormis, qui bientôt faisaient chorus à leur tour. Les longues journées s'écoulaient ainsi dans une séquestration complète, et Jasper Hobson, consultant à travers les vitres le thermomètre placé extérieurement, constatait que le froid s'accroissait sans cesse. Le 31 décembre, le mercure était entièrement gelé dans la cuvette de l'instrument. Il y avait donc plus de quarante-quatre au-dessous de glace. (42° centigr. au-dessous de zéro).

Le lendemain, 1er janvier 1860, le lieutenant Jasper Hobson présenta ses compliments de nouvelle année à Mrs. Paulina Barnett, et la félicita du courage et de la bonne humeur avec lesquels elle supportait les misères de l'hivernage. Mêmes compliments à l'adresse de l'astronome, qui, lui, ne voyait qu'une chose dans ce changement du millésime de 1859 pour celui de 1860, c'est qu'il entrait dans l'année de sa fameuse éclipse solaire! Des souhaits furent échangés entre tous les membres de cette petite colonie, si unis entre eux, et dont la santé, grâce au Ciel, continuait d'être excellente. Si quelques symptômes de scorbut s'étaient montrés, ils avaient promptement cédé à l'emploi opportun du lime-juice et des pastilles de chaux.

Mais il ne fallait pas se réjouir trop vite! La mauvaise saison devait durer trois mois encore. Sans doute, le soleil ne tarderait pas à reparaître au-dessus de l'horizon, mais rien ne prouvait que le froid eût atteint son maximum d'intensité, et, généralement, sous toutes les zones boréales, c'est dans le mois de février que s'observent les plus extrêmes abaissements de température. En tout cas, la rigueur de l'atmosphère ne diminua pas pendant les premiers jours de l'année nouvelle, et, le 5 janvier, le thermomètre à alcool, placé à l'extérieur de la fenêtre du couloir, accusa soixante-six degrés au-dessous de zéro (52° centigr. au-dessous de glace). Encore quelques degrés, et les minima de température relevés au Fort-Reliance, en 1835, seraient atteints et peut-être dépassés!

Cette persistance d'un froid aussi violent inquiétait de plus en plus Jasper Hobson. Il craignait que les animaux à fourrures ne fussent obligés de chercher au sud un climat moins rigoureux, ce qui eût contrarié ses projets de chasse au printemps nouveau. En outre, il entendait, à travers les couches souterraines, certains roulements sourds qui se rattachaient évidemment à l'éruption volcanique. L'horizon occidental était toujours embrasé des feux de la terre, et certainement un formidable travail plutonien s'accomplissait dans les entrailles du globe. Ce voisinage d'un volcan en activité ne pouvait-il être dangereux pour la nouvelle factorerie? C'est à quoi songeait le lieutenant Hobson, quand il surprenait quelques-uns de ces grondements intérieurs. Mais ces appréhensions, très vagues d'ailleurs, il les garda pour lui.

Comme on le pense bien, par un tel froid, personne ne songeait à quitter la maison. Les chiens et les rennes étaient abondamment pourvus, et ces animaux, habitués d'ailleurs à de longs jeûnes pendant la saison d'hiver, ne réclamaient point les services de leurs maîtres. Il n'existait donc aucun motif pour s'exposer aux rigueurs de l'atmosphère. C'était assez déjà de subir au-dedans une température que la combustion du bois et de l'huile parvenait à peine à rendre supportable. Malgré toutes les précautions prises, l'humidité se glissait dans les salles inaérées, et déposait sur les poutres de brillantes couches de glace qui s'épaississaient chaque jour. Les condensateurs étaient engorgés, et même l'un d'eux éclata sous la pression de l'eau solidifiée.

Dans ces conditions, le lieutenant Hobson ne songeait point à ménager le combustible. Il le prodiguait même, afin de relever cette température, qui, dès que les feux du poêle et du fourneau baissaient tant soit peu, tombait quelquefois à quinze degrés Fahrenheit (9° centigr.). Aussi des hommes de quart, se relayant d'heure en heure, avaient-ils ordre de surveiller et d'entretenir les feux.

«Le bois nous manquera bientôt, dit un jour le sergent Long au lieutenant.

— Nous manquer! s'écria Jasper Hobson.

— Je veux dire, reprit le sergent, que l'approvisionnement de la maison s'épuise et qu'il faudra, avant peu, nous ravitailler au hangar. Or, je le sais par expérience, s'exposer à l'air avec un froid pareil, c'est risquer sa vie.

— Oui! répondit le lieutenant, c'est une faute que nous avons commise, d'avoir construit un bûcher non contigu à la maison et sans communication directe avec elle. Je m'en aperçois un peu tard. J'aurais dû ne pas oublier que nous allions hiverner au-delà du soixante-dixième parallèle! Mais enfin, ce qui est fait est fait.

— Dites-moi, Long, quelle quantité de bois reste-t-il dans la maison?

— De quoi alimenter le poêle et le fourneau pendant deux ou trois jours au plus, répondit le sergent.

— Espérons que d'ici là, reprit Jasper Hobson, la rigueur de la température aura quelque peu diminué et qu'on pourra sans danger traverser la cour du fort.

— J'en doute, mon lieutenant, répliqua le sergent Long en secouant la tête. L'atmosphère est pure, les étoiles sont brillantes, le vent se maintient au nord, et je ne serais pas étonné que ce froid durât quinze jours encore, jusqu'à la lune nouvelle.

— Eh bien, mon brave Long, reprit le lieutenant Hobson, nous ne nous laisserons certainement pas mourir de froid, et le jour où il faudra s'exposer...

— On s'exposera, mon lieutenant», répondit le sergent Long. Jasper Hobson serra la main du sergent, dont le dévouement lui était bien connu.

On pourrait croire que Jasper Hobson et le sergent Long exagéraient, quand ils regardaient comme pouvant causer la mort la subite impression d'un tel froid sur l'organisme. Mais, habitués aux violences des climats polaires, ils avaient pour eux une longue expérience. Ils avaient vu, dans des circonstances identiques, des hommes robustes tomber évanouis sur la glace, dès qu'ils s'exposaient au-dehors. La respiration leur manquait, et on les relevait asphyxiés. Ces faits, si incroyables qu'ils paraissent, se sont reproduits maintes fois pendant certains hivernages. Lors de leur voyage sur les rives de la baie d'Hudson, en 1746, William Moor et Smith ont cité plusieurs accidents de ce genre, et ils ont perdu quelques-uns de leurs compagnons, foudroyés par le froid. Il est incontestable que c'est s'exposer à une mort subite que d'affronter une température dont la colonne mercurielle ne peut même plus mesurer l'intensité!

Telle était la situation assez inquiétante des habitants du Fort-Espérance, quand un incident vint encore l'aggraver.

XXI.

Les grands ours polaires.

La seule des quatre fenêtres qui permît de voir la cour du fort était celle qui s'ouvrait au fond du couloir d'entrée, dont les volets extérieurs n'avaient pas été rabattus. Mais pour que le regard pût traverser les vitres, alors doublées d'une épaisse couche de glace, il fallait préalablement les laver à l'eau bouillante. Ce travail, d'après les ordres du lieutenant, se faisait plusieurs fois par jour, et, en même temps que les environs du cap Bathurst, on observait soigneusement l'état du ciel et le thermomètre à alcool placé extérieurement.

Or, le 6 janvier, vers onze heures du matin, le soldat Kellett, chargé de l'observation, appela soudain le sergent et lui montra certaines masses qui se mouvaient confusément dans l'ombre.

Le sergent Long, s'étant approché de la fenêtre, dit simplement:

«Ce sont des ours!»

En effet, une demi-douzaine de ces animaux étaient parvenus à franchir l'enceinte palissadée, et, attirés par les émanations de la fumée, ils s'avançaient vers la maison.

Jasper Hobson, dès qu'il fut averti de la présence de ces redoutables carnassiers, donna l'ordre de barricader à l'intérieur la fenêtre du couloir. C'était la seule issue qui fût praticable, et, cette ouverture une fois bouchée, il semblait impossible que les ours parvinssent à pénétrer dans la maison. La fenêtre fut donc close au moyen de fortes barres que le charpentier Mac Nap assujettit solidement, après avoir ménagé, toutefois, une étroite ouverture, qui permettait d'observer au-dehors les manoeuvres de ces incommodes visiteurs.

«Et maintenant, dit le maître charpentier, ces messieurs n'entreront pas sans notre permission. Nous avons donc tout le temps de tenir un conseil de guerre.

— Eh bien, monsieur Hobson, dit Mrs. Paulina Barnett, rien n'aura manqué à notre hivernage! Après le froid, les ours.

— Non pas «après», répondit le lieutenant Hobson, mais, ce qui est plus grave, «pendant» le froid, et un froid qui nous empêche de nous hasarder au-dehors! Je ne sais donc pas comment nous pourrons nous débarrasser de ces malfaisantes bêtes.

— Mais elles perdront patience, je suppose, répondit la voyageuse, et elles s'en iront comme elles sont venues!»

Jasper Hobson secoua la tête, en homme peu convaincu.

«Vous ne connaissez pas ces animaux, madame, répondit-il. Ce rigoureux hiver les a affamés, et ils ne quitteront point la place, à moins qu'on ne les y force!

— Êtes-vous donc inquiet, monsieur Hobson? demanda Mrs. Paulina Barnett.

— Oui et non, répondit le lieutenant. Ces ours, je sais bien qu'ils n'entreront pas dans la maison; mais nous, je ne sais pas comment nous en sortirons, si cela devient nécessaire!»

Cette réponse faite, Jasper Hobson retourna près de la fenêtre. Pendant ce temps, Mrs. Paulina Barnett, Madge et les autres femmes, réunies autour du sergent, écoutaient ce brave soldat, qui traitait cette «question des ours» en homme d'expérience. Maintes fois, le sergent Long avait eu affaire à ces carnassiers, dont la rencontre est fréquente, même sur les territoires du sud, mais c'était dans des conditions où l'on pouvait les attaquer avec succès. Ici, les assiégés étaient bloqués, et le froid les empêchait de tenter aucune sortie.

Pendant toute la journée, on surveilla attentivement les allées et venues des ours. De temps en temps, l'un de ces animaux venait poser sa grosse tête près de la vitre, et on entendait un sourd grognement de colère. Le lieutenant Hobson et le sergent Long tinrent conseil, et ils décidèrent que si les ours n'abandonnaient pas la place, on pratiquerait quelques meurtrières dans les murs de la maison, afin de les chasser à coups de fusil. Mais il fut décidé aussi qu'on attendrait un jour ou deux avant d'employer ce moyen d'attaque, car Jasper Hobson ne se souciait pas d'établir une communication quelconque entre la température extérieure et la température intérieure de la chambre, si basse déjà. L'huile de morse, que l'on introduisait dans les poêles, était solidifiée en glaçons tellement durs, qu'il fallait briser ces glaçons à coups de hache.

La journée s'acheva sans autre incident. Les ours allaient, venaient, faisant le tour de la maison, mais ne tentant aucune attaque directe. Les soldats veillèrent toute la nuit, et, vers quatre heures du matin, on put croire que les assaillants avaient quitté la cour. En tout cas, ils ne se montraient plus.

Mais vers sept heures, Marbre étant monté dans le grenier, afin d'en rapporter quelques provisions, redescendit aussitôt, disant que les ours marchaient sur le toit de la maison.

Jasper Hobson, le sergent, Mac Nap, deux ou trois autres de leurs compagnons saisissant des armes, s'élancèrent sur l'échelle du couloir qui communiquait avec le grenier au moyen d'une trappe. Dans ce grenier, l'intensité du froid était telle, qu'après quelques minutes, le lieutenant Hobson et ses compagnons ne pouvaient même plus tenir à la main le canon de leurs fusils. L'air humide, rejeté par leur respiration, retombait en neige autour d'eux.

Marbre ne s'était point trompé. Les ours occupaient le toit de la maison. On les entendait courir et grogner. Parfois leurs ongles, traversant la couche de glace, s'incrustaient dans les lattes de la toiture, et on pouvait craindre qu'ils fussent assez vigoureux pour les arracher.

Le lieutenant et ses hommes, bientôt gagnés par l'étourdissement que provoquait ce froid insoutenable, redescendirent. Jasper Hobson fit connaître la situation.

«Les ours, dit-il, sont en ce moment sur le toit. C'est une circonstance fâcheuse. Cependant, nous n'avons rien encore à redouter pour nous-mêmes, car ces animaux ne pourront pénétrer dans les chambres. Mais il est à craindre qu'ils ne forcent l'entrée du grenier et ne dévorent les fourrures qui y sont déposées. Or, ces fourrures appartiennent à la Compagnie, et notre devoir est de les conserver intactes. Je vous demande donc, mes amis, de m'aider à les mettre en lieu sûr.»

Aussitôt, tous les compagnons du lieutenant s'échelonnèrent dans la salle, dans la cuisine, dans le couloir, sur l'échelle. Deux ou trois, se relayant — car ils n'auraient pu faire un travail soutenu —, affrontèrent la température du grenier, et, en une heure, les pelleteries étaient emmagasinées dans la grande salle.

Pendant cette opération, les ours continuaient leurs manoeuvres et cherchaient à soulever les chevrons de la toiture. En quelques points, on pouvait voir les lattes fléchir sous leur poids. Maître Mac Nap ne laissait pas d'être inquiet. En construisant ce toit, il n'avait pu prévoir une telle surcharge, et il craignait qu'il ne vînt à céder.

Cette journée se passa, cependant, sans que les assaillants eussent fait irruption dans le grenier. Mais un ennemi non moins redoutable s'introduisait peu à peu dans les chambres! Le feu baissait dans les poêles. La réserve de combustible était presque épuisée. Avant douze heures, le dernier morceau de bois serait dévoré, le poêle éteint.

Ce serait la mort, la mort par le froid, la plus terrible de toutes les morts. Déjà ces pauvres gens, serrés les uns contre les autres, entourant ce poêle qui se refroidissait, sentaient leur propre chaleur les abandonner aussi. Mais ils ne se plaignaient pas. Les femmes elles-mêmes supportaient héroïquement ces tortures. Mrs. Mac Nap pressait convulsivement son petit enfant sur sa poitrine glacée. Quelques-uns des soldats dormaient ou plutôt languissaient dans une sombre torpeur, qui ne pouvait être du sommeil.

À trois heures du matin, Jasper Hobson consulta le thermomètre à mercure suspendu intérieurement au mur de la grande salle, à moins de dix pieds du poêle.

Il marquait quatre degrés Fahrenheit au-dessous de zéro (20° centigr. au-dessous de glace)!

Le lieutenant passa sa main sur son front, il regarda ses compagnons, qui formaient un groupe compact et silencieux, et il demeura pendant quelques instants immobile. La vapeur à demi condensée de sa respiration l'entourait d'un nuage blanchâtre.

En ce moment, une main se posa sur son épaule. Il tressaillit et se retourna. Mrs. Paulina Barnett était devant lui.

«Il faut faire quelque chose, lieutenant Hobson, lui dit l'énergique femme, nous ne pouvons mourir ainsi sans nous défendre!

— Oui, répondit le lieutenant, sentant se réveiller en lui l'énergie morale, il faut faire quelque chose!»

Le lieutenant appela le sergent Long, Mac Nap et Rae le forgeron, c'est-à-dire les hommes les plus courageux de sa troupe. Accompagnés de Mrs. Paulina Barnett, ils se rendirent près de la fenêtre, et là, par la vitre qu'ils lavèrent à l'eau bouillante, ils consultèrent le thermomètre extérieur.

«Soixante-douze degrés! (40° centigr. au-dessous de zéro), s'écria Jasper Hobson. Mes amis, nous n'avons plus que deux partis à prendre: ou risquer notre vie pour renouveler la provision de combustible, ou brûler peu à peu les bancs, les lits, les cloisons, tout ce qui, dans cette maison, peut alimenter nos poêles! Mais c'est un expédient suprême, car le froid peut durer, et rien ne fait présager un changement de temps.

— Risquons-nous!» répondit le sergent Long. Ce fut aussi l'opinion de ses deux camarades. Aucune autre parole ne fut prononcée, et chacun se mit en mesure d'agir.

Voici ce qui fut convenu, et quelles précautions on dut prendre pour sauvegarder, autant que possible, la vie de ceux qui allaient se dévouer au salut commun.

Le hangar, dans lequel le bois était renfermé, s'élevait à cinquante pas environ sur la gauche et en arrière de la maison principale. On décida que l'un des hommes essayerait, en courant, de gagner ce hangar. Il devait emporter une longue corde roulée autour de lui et en traîner une autre, dont l'extrémité resterait entre les mains de ses compagnons. Une fois arrivé dans le hangar, il jetterait sur un des traîneaux remisés en cet endroit une charge de combustible; puis, fixant l'une des cordes à l'avant du traîneau, ce qui permettrait de le haler jusqu'à la maison, attachant l'autre à l'arrière, ce qui permettrait de le ramener au hangar, il établirait ainsi un va-et-vient entre le hangar et la maison, ce qui permettrait de renouveler sans trop de danger la provision de bois. Une secousse, imprimée à l'une ou l'autre corde, indiquerait que le traîneau était, ou chargé dans le hangar, ou déchargé dans la maison.

Ce plan était sagement imaginé, mais deux circonstances pouvaient le faire échouer: d'une part, il était possible que la porte du hangar, obstruée par la glace, fût très difficile à ouvrir; de l'autre, on pouvait craindre que les ours, abandonnant la toiture, ne vinssent s'interposer entre la maison et le magasin. C'étaient deux chances à courir.

Le sergent Long, Mac Nap et Rae offrirent tous les trois de se risquer. Mais le sergent fit observer que ses deux camarades étaient mariés, et il insista pour accomplir personnellement cette tâche. Quant au lieutenant, qui voulait tenter l'aventure:

«Monsieur Jasper, lui dit Mrs. Paulina Barnett, vous êtes notre chef, vous êtes utile à tous, et vous n'avez pas le droit de vous exposer. Laissez faire le sergent Long.»

Jasper Hobson comprit les devoirs que lui imposait sa situation, et, étant appelé à décider entre ses trois compagnons, il se prononça pour le sergent. Mrs. Paulina Barnett serra la main du brave Long.

Les autres habitants du fort, endormis ou assoupis, ignoraient la tentative qui allait être faite.

Deux longues cordes furent préparées. L'une, le sergent l'enroula autour de son corps, par-dessus de chaudes fourrures dont il se revêtit, et dont il avait pour une valeur de plus de mille livres sterling sur le dos. L'autre, il l'attacha à sa ceinture, à laquelle il suspendit un briquet et un revolver chargé. Puis, au moment de partir, il avala un demi-verre de brandevin, — ce qu'il appelait «boire un bon coup de combustible».

Jasper Hobson, Long, Rae et Mac Nap sortirent alors de la salle commune. Ils passèrent dans la cuisine, dont le fourneau venait de s'éteindre, et ils arrivèrent dans le couloir. De là, Rae montant jusqu'à la trappe du grenier, et l'entr'ouvrant, s'assura que les ours occupaient toujours le toit de la maison. C'était donc le moment d'agir.

La première porte du couloir fut ouverte. Jasper Hobson et ses compagnons, malgré leurs épaisses fourrures, se sentirent gelés jusqu'à la moelle des os. La seconde porte, qui donnait directement sur la cour, s'ouvrit alors devant eux.

Ils reculèrent un instant, suffoqués. Instantanément, la vapeur humide, tenue en suspension dans le couloir, se condensa, et une neige fine en couvrit les murs et le plancher.

Le temps, au-dehors, était extraordinairement sec. Les étoiles resplendissaient avec un éclat extraordinaire. Le sergent Long, sans tarder un instant, s'élança au milieu de l'obscurité, entraînant dans sa course l'extrémité de la corde dont ses compagnons conservaient l'autre bout. La porte extérieure fut alors repoussée contre le chambranle, et Jasper Hobson, Mac Nap et Rae rentrèrent dans le couloir, dont ils fermèrent hermétiquement la seconde porte. Puis ils attendirent. Si Long n'était pas revenu après quelques minutes, on devait supposer que son entreprise avait réussi, et qu'installé dans le hangar, il formait le premier train de bois. Mais dix minutes au plus devaient suffire à cette opération, si toutefois la porte du magasin n'avait pas résisté. Pendant ce temps, Rae surveillait le grenier et les ours. Par cette nuit noire, on pouvait espérer que le rapide passage du sergent leur eût échappé.

Dix minutes après le départ du sergent, Jasper Hobson, Mac Nap et Rae rentrèrent dans l'étroit espace compris entre les deux portes du couloir, et là ils attendirent que le signal de haler le traîneau leur fût fait.

Cinq minutes s'écoulèrent. La corde dont ils tenaient le bout ne remua pas. Que l'on juge de leur anxiété! Le sergent était parti depuis un quart d'heure, laps de temps plus que suffisant pour le chargement du traîneau, et aucun avertissement n'était donné.

Jasper Hobson attendit quelques instants encore; puis, raidissant l'extrémité de la corde, il fit signe à ses compagnons de haler avec lui. Si le train de bois n'était pas prêt, le sergent saurait bien arrêter le halage.

La corde fut tirée vigoureusement. Un objet lourd vint en glissant peu à peu sur le sol. En quelques instants, cet objet arriva à la porte extérieure...

C'était le corps du sergent, attaché par la ceinture. L'infortuné Long n'avait pas même pu atteindre le hangar. Il était tombé en route, foudroyé par le froid. Son corps, exposé pendant près de vingt minutes à cette température, ne devait plus être qu'un cadavre.

Mac Nap et Rae, poussant un cri de désespoir, transportèrent le corps dans le couloir; mais, au moment où le lieutenant voulut refermer la porte extérieure, il sentit qu'elle était violemment repoussée. En même temps, un horrible grognement se fit entendre.

«À moi!» s'écria Jasper Hobson.

Mac Nap et Raë allaient se précipiter à son secours. Une autre personne les précéda. Ce fut Mrs. Paulina Barnett, qui vint joindre ses efforts à ceux du lieutenant pour refermer la porte. Mais la monstrueuse bête, s'y appuyant de tout le poids de son corps la repoussait peu à peu et allait forcer l'entrée du couloir...

Mrs. Paulina Barnett, saisissant alors un des pistolets passés à la ceinture de Jasper Hobson, attendit avec sang-froid l'instant où la tête de l'ours s'introduisait entre le chambranle et la porte, et elle le déchargea dans la gueule ouverte de l'animal.

L'ours tomba en arrière, frappé à mort sans doute, et la porte, refermée, put être barricadée solidement.

Aussitôt, le corps du sergent fut apporté dans la grande salle et étendu près du poêle. Mais les derniers charbons s'éteignaient alors! Comment le ranimer, ce malheureux?

Comment rappeler en lui cette vie dont tout symptôme semblait disparu?

«J'irai, moi! j'irai! s'écria le forgeron Rae, j'irai chercher ce bois, ou...

— Oui, Rae! dit une voix près de lui, et nous irons ensemble!». C'était sa courageuse femme qui parlait ainsi.

«Non, mes amis, non! s'écria Jasper Hobson. Vous n'échapperiez ni au froid ni aux ours. Brûlons tout ce qui peut être brûlé ici, et ensuite, que Dieu nous sauve!»

Et alors, tous ces malheureux, à demi gelés, se relevèrent, la hache à la main, comme des fous. Les bancs, les tables, les cloisons, tout fut démoli, brisé, réduit en morceaux, et le poêle de la grande salle, le fourneau de la cuisine ronflèrent bientôt sous une flamme ardente, que quelques gouttes d'huile de morse activaient encore.

La température intérieure remonta d'une douzaine de degrés. Les soins les plus empressés furent prodigués au sergent. On le frotta de brandevin chaud, et peu à peu la circulation du sang se rétablit en lui. Les taches blanchâtres, dont certaines parties de son corps étaient couvertes, commencèrent à disparaître. Mais l'infortuné avait cruellement souffert, et plusieurs heures s'écoulèrent avant qu'il pût articuler une parole. On le coucha dans un lit brûlant, et Mrs. Paulina Barnett et Madge le veillèrent jusqu'au lendemain.

Cependant Jasper Hobson, Mac Nap et Rae cherchaient un moyen de sauver la situation, si effroyablement compromise. Il était évident que, dans deux jours au plus, ce nouveau combustible, emprunté à la maison même, manquerait aussi. Que deviendrait alors tout ce monde, si ce froid extrême persévérait? La lune était nouvelle depuis quarante-huit heures, et sa réapparition n'avait provoqué aucun changement de temps. Le vent du nord couvrait le pays de son souffle glacé. Le baromètre restait au «beau sec», et, de ce sol qui ne formait plus qu'un immense icefield, aucune vapeur ne se dégageait. On pouvait donc craindre que le froid ne fût pas près de cesser! Mais alors, quel parti prendre? Devait-on renouveler la tentative de retourner au bûcher, tentative que l'éveil donné aux ours rendait plus périlleuse encore? Était-il possible de combattre ces animaux en plein air? Non. C'eût été un acte de folie, qui aurait eu pour conséquence la perte de tous.

Toutefois, la température des chambres était redevenue plus supportable. Ce matin-là, Mrs. Joliffe servit un déjeuner composé de viandes chaudes et de thé. Les grogs brûlants ne furent pas épargnés, et le brave sergent Long put en prendre sa part. Ce feu bienfaisant des poêles, qui relevait la température, ranimait en même temps le moral de ces pauvres gens. Ils n'attendaient plus que les ordres de Jasper Hobson pour attaquer les ours. Mais le lieutenant, ne trouvant pas la partie égale, ne voulut pas risquer son monde. La journée semblait donc devoir s'écouler sans incident, quand, vers trois heures après midi, un grand bruit se fit entendre dans les combles de la maison.

«Les voilà!» s'écrièrent deux ou trois soldats, s'armant à la hâte de haches et de pistolets.

Il était évident que les ours, après avoir arraché un des chevrons de la toiture, avaient forcé l'entrée du grenier.

«Que personne ne quitte sa place! dit le lieutenant d'une voix calme. — Rae, la trappe!»

Le forgeron s'élança vers le couloir, gravit l'échelle et assujettit la trappe solidement.

On entendait un bruit épouvantable au-dessus du plafond, qui semblait fléchir sous le poids des ours. C'étaient des grognements, des coups de pattes, des coups de griffes formidables!

Cette invasion changeait-elle la situation? Le mal était-il aggravé ou non? Jasper Hobson et quelques-uns de ses compagnons se consultèrent à ce sujet. La plupart pensaient que leur situation s'était améliorée. Si les ours se trouvaient tous réunis dans ce grenier — ce qui paraissait probable —, peut-être était-il possible de les attaquer dans cet étroit espace, sans avoir à craindre que le froid n'asphyxiât les combattants ou ne leur arrachât les armes de la main. Certes, une attaque corps à corps avec ces carnassiers était extrêmement périlleuse; mais enfin, il n'y avait plus impossibilité physique à la tenter.

Restait donc à décider si l'on irait ou non combattre les assaillants dans le poste qu'ils occupaient, opération difficile et d'autant plus dangereuse, que, par l'étroite trappe, les soldats ne pouvaient pénétrer qu'un à un dans le grenier.

On comprend donc que Jasper Hobson hésitât à commencer l'attaque. Toute réflexion faite, et de l'avis du sergent et autres dont la bravoure était indiscutable, il résolut d'attendre. Peut-être un incident se produirait-il qui accroîtrait les chances? Il était presque impossible que les ours pussent déplacer les poutres du plafond, bien autrement solides que les chevrons de la toiture. Donc, impossibilité pour eux de descendre dans les chambres du rez-de-chaussée.

On attendit. La journée s'acheva. Pendant la nuit, personne ne put dormir, tant ces enragés firent de tapage!

Le lendemain, vers neuf heures, un nouvel incident vint compliquer la situation et obliger le lieutenant Hobson à agir.

On sait que les tuyaux des cheminées du poêle et du fourneau de la cuisine traversaient le grenier dans toute sa hauteur. Ces tuyaux, construits en briques de chaux et imparfaitement cimentés, pouvaient difficilement résister à une pression latérale. Or, il arriva que les ours, soit en s'attaquant directement à cette maçonnerie, soit en s'y appuyant pour profiter de la chaleur des foyers, la démolirent peu à peu. On entendit des morceaux de briques tomber à l'intérieur, et bientôt les poêles et le fourneau ne tirèrent plus.

C'était un irréparable malheur, qui, certainement, eût désespéré des gens moins énergiques. Il se compliqua encore. En effet, en même temps que les feux baissaient, une fumée noire, âcre, nauséabonde, produit de la combustion du bois et de l'huile, se répandit dans toute la maison. Les tuyaux étaient crevés au- dessous du plafond. En quelques minutes, cette fumée fut si épaisse, que la lumière des lampes disparut. Jasper Hobson se trouvait donc dans la nécessité de quitter la maison sous peine d'être asphyxié dans cette atmosphère irrespirable! Et quitter la maison, c'était périr de froid.

Quelques cris de femmes se firent entendre.

«Mes amis, s'écria le lieutenant, en s'emparant d'une hache, aux ours! aux ours!»

C'était le seul parti à prendre! Il fallait exterminer ces redoutables animaux. Tous, sans exception, se précipitèrent vers le couloir; ils s'élancèrent sur l'échelle, Jasper Hobson en tête. La trappe fut soulevée. Des coups de feu éclatèrent au milieu des noirs tourbillons de fumée. Il y eut des cris mêlés à des hurlements, du sang répandu. On se battait au milieu de la plus profonde obscurité...

Mais, en ce moment, quelques grondements terribles se firent entendre. De violentes secousses agitèrent le sol. La maison s'inclina comme si elle eût été arrachée de ses pilotis. Les poutres des murs se disjoignirent, et, par ces ouvertures, Jasper Hobson et ses compagnons stupéfaits purent voir les ours, épouvantés comme eux, s'enfuir en hurlant au milieu des ténèbres!

XXII.

Pendant cinq mois.

Un violent tremblement de terre venait d'ébranler cette portion du continent américain. De telles secousses devaient certainement être fréquentes dans ce sol volcanique! La connexité qui existe entre ce phénomène et les phénomènes éruptifs était une fois de plus démontrée.

Jasper Hobson comprit ce qui s'était passé. Il attendit avec une inquiétude poignante. Une fracture du sol pouvait engloutir ses compagnons et lui. Mais une seule secousse se produisit, qui fut plutôt un contrecoup qu'un coup direct. Elle fit incliner la maison du côté du lac et en disjoignit les parois. Puis, le sol reprit sa stabilité et son immobilité.

Il fallait songer au plus pressé. La maison, quoique déjetée, était encore habitable. On boucha rapidement les ouvertures produites par la disjonction des poutres. Les tuyaux des cheminées furent aussitôt réparés tant bien que mal.

Les blessures que quelques-uns des soldats avaient reçues pendant leur lutte avec les ours étaient heureusement légères et n'exigèrent qu'un simple pansement.

Ces pauvres gens passèrent, dans ces conditions, deux jours pénibles, brûlant le bois des lits, la planche des cloisons. Pendant ce laps de temps, Mac Nap et ses hommes firent intérieurement les réparations les plus urgentes. Les pilotis, solidement encastrés dans le sol, n'avaient point cédé, et l'ensemble tenait bon. Mais il était évident que le tremblement de terre avait provoqué une dénivellation étrange de la surface du littoral, et que des changements s'étaient produits sur cette portion de ce territoire. Jasper Hobson avait hâte de connaître ces résultats, qui, jusqu'à un certain point, pouvaient compromettre la sécurité de la factorerie. Mais l'impitoyable froid défendait à quiconque de se hasarder au-dehors.

Cependant, certains symptômes furent remarqués, qui indiquaient un changement de temps assez prochain. À travers la vitre, on pouvait observer une diminution d'éclat des constellations. Le 11 janvier, le baromètre baissa de quelques lignes. Des vapeurs se formaient dans l'air, et leur condensation devait relever la température.

En effet, le 12 janvier, le vent sauta au sud-ouest, accompagné d'une neige intermittente. Le thermomètre extérieur remonta presque subitement à quinze degrés au-dessus de zéro (9° centigr. au-dessous de glace). Pour ces hiverneurs, si cruellement éprouvés, c'était une température de printemps.

Ce jour-là, à onze heures du matin, tout le monde fut dehors. On eût dit une bande de captifs rendus inopinément à la liberté. Mais défense absolue fut faite de quitter l'enceinte du fort, dans la crainte des mauvaises rencontres.

À cette époque de l'année, le soleil n'avait pas encore reparu, mais il s'approchait assez de l'horizon pour donner un long crépuscule. Les objets se montraient distinctement dans un rayon de deux milles. Le premier regard de Jasper Hobson fut donc pour ce territoire que le tremblement de terre avait sans doute modifié.

En effet, divers changements s'étaient produits. Le promontoire qui terminait le cap Bathurst était en partie découronné, et de larges morceaux de la falaise avaient été précipités du côté du rivage. Il semblait aussi que toute la masse du cap s'était inclinée vers le lac, déplaçant ainsi le plateau sur lequel reposait l'habitation. D'une façon générale, tout le sol s'était abaissé vers l'ouest et relevé vers l'est. Ce dénivellement devait entraîner cette conséquence grave, que les eaux du lac et de la Paulina-river, dès que le dégel les aurait rendues libres, se déplaceraient horizontalement suivant le nouveau plan, et il était probable qu'une portion du territoire de l'ouest serait inondée. Le ruisseau sans doute se creuserait un autre lit, ce qui compromettrait le port naturel formé à son embouchure. Les collines de la rive orientale semblaient s'être considérablement abaissées. Mais quant aux falaises de l'ouest, on ne pouvait en juger, vu leur éloignement. En somme, l'importante modification provoquée par le tremblement de terre consistait en ceci: c'est que, sur un espace de quatre à cinq milles au moins, l'horizontalité du sol était détruite, et que sa pente s'accusait en descendant de l'est à l'ouest.

«Eh bien, monsieur Hobson, dit en riant la voyageuse, vous aviez eu l'amabilité de donner mes noms au port et à la rivière, et voilà qu'il n'y a plus ni Paulina-river, ni port Barnett! Il faut avouer que je n'ai pas de chance.

— En effet, madame, répondit le lieutenant, mais si la rivière est partie, le lac est resté, lui, et, si vous le permettez, nous l'appellerons désormais le lac Barnett. J'aime à croire qu'il vous sera fidèle!»

Mr. et Mrs. Joliffe, aussitôt sortis de la maison, s'étaient rendus, l'un au chenil, l'autre à l'étable des rennes. Les chiens n'avaient point trop souffert de leur longue séquestration, et ils s'élancèrent en gambadant dans la cour intérieure. Un renne était mort depuis peu de jours. Quant aux autres, quoique un peu amaigris, ils semblaient être dans un bon état de conservation.

«Eh bien, madame, dit le lieutenant à Mrs. Paulina Barnett, qui accompagnait Jasper Hobson, nous voilà tirés d'affaire, et mieux que nous ne pouvions l'espérer!

— Je n'ai jamais désespéré, monsieur Hobson, répondit la voyageuse. Des hommes tels que vos compagnons et vous ne se laisseraient pas vaincre par les misères d'un hivernage!

— Madame, depuis que je vis dans les contrées polaires, reprit le lieutenant Hobson, je n'ai jamais éprouvé un pareil froid, et pour tout dire, s'il eût persévéré quelques jours encore, je crois que nous étions véritablement perdus.

— Alors ce tremblement de terre est venu à propos pour chasser ces maudits ours, dit la voyageuse, et peut-être a-t-il contribué à modifier cette excessive température?

— Cela est possible, madame, très possible en vérité, répondit le lieutenant. Tous ces phénomènes naturels se tiennent et s'influencent l'un l'autre. Mais, je vous l'avoue, la composition volcanique de ce sol m'inquiète. Je regrette, pour notre établissement, le voisinage de ce volcan en activité. Si ses laves ne peuvent l'atteindre, il provoque du moins des secousses qui le compromettent! Voyez à quoi ressemble maintenant notre maison!

— Vous la ferez réparer, monsieur Hobson, dès que la belle saison sera venue, répondit Mrs. Paulina Barnett, et vous profiterez de l'expérience pour l'étayer plus solidement.

— Sans doute, madame, mais telle qu'elle est à présent et pendant quelques mois encore, je crains qu'elle ne vous paraisse plus assez confortable!

— À moi, monsieur Hobson, répondit en riant Mrs. Paulina Barnett, à moi, une voyageuse! Je me figurerai que j'habite la cabine d'un bâtiment qui donne la bande, et, du moment que votre maison ne tangue ni ne roule, je n'ai rien à craindre du mal de mer!

— Bien, madame, bien, répondit Jasper Hobson, je n'en suis plus à apprécier votre caractère! Il est connu de tous! Par votre énergie morale, par votre humeur charmante, vous avez contribué à nous soutenir pendant ces dures épreuves, mes compagnons et moi, et je vous en remercie en leur nom et au mien!

— Je vous assure, monsieur Hobson, que vous exagérez...

— Non, non, et ce que je vous dis là, tous sont prêts à vous le redire... Mais permettez-moi de vous faire une question. Vous savez qu'au mois de juin prochain, le capitaine Craventy doit nous expédier un convoi de ravitaillement, qui, à son retour, emportera nos provisions de fourrures au Fort-Reliance. Il est probable que notre ami Thomas Black, après avoir observé son éclipse, retournera en juillet avec ce détachement. Me permettez-vous de vous demander, madame, si votre intention est de l'accompagner?

— Est-ce que vous me renvoyez, monsieur Hobson? demanda en souriant la voyageuse.

— Oh! madame!...

— Eh bien, «mon lieutenant», répondit Mrs. Paulina Barnett en tendant la main à Jasper Hobson, je vous demanderai la permission de passer encore un hiver au Fort-Espérance. L'année prochaine, il est probable que quelque navire de la Compagnie viendra mouiller au cap Bathurst, et j'en profiterai, car je ne serai pas fâchée, après être venue par la voie de terre, de m'en aller par le détroit de Behring.»

Le lieutenant fut enchanté de cette détermination de sa compagne. Il l'avait jugée et appréciée. Une grande sympathie l'unissait à cette vaillante femme, qui le tenait, elle, pour un homme bon et brave. Véritablement, l'un et l'autre n'eussent pas vu venir sans regrets l'heure de la séparation. Qui sait, d'ailleurs, si le Ciel ne leur réservait pas encore de terribles épreuves, pendant lesquelles leur double influence devrait s'unir pour le salut commun?

Le 20 janvier, le soleil reparut pour la première fois et termina la nuit polaire. Il ne demeura que quelques instants au-dessus de l'horizon, et fut salué par les joyeux hurrahs des hiverneurs. À compter de cette date, la durée du jour alla toujours croissant.

Pendant le mois de février et jusqu'au 15 mars, il y eut encore des successions très brusques de beau et de mauvais temps. Les beaux temps furent très froids; les mauvais, très neigeux. Pendant ceux-là, le froid empêchait les chasseurs de sortir, et pendant ceux-ci, c'étaient les tempêtes de neige qui les obligeaient à rester à la maison. Il n'y eut donc que par les temps moyens que certains travaux purent être exécutés au-dehors, mais aucune longue excursion ne fut tentée. D'ailleurs, à quoi bon s'éloigner du fort, puisque les trappes fonctionnaient avec succès. Pendant cette fin d'hiver, des martres, des renards, des hermines, des wolvérènes et autres précieux animaux se firent prendre en grand nombre, et les trappeurs ne chômèrent pas, tout en restant aux environs du cap Bathurst. Une seule excursion, faite en mars à la baie des Morses, fit reconnaître que le tremblement de terre avait beaucoup modifié la forme des falaises qui s'étaient singulièrement abaissées. Au-delà, les montagnes ignivomes, couronnées d'une légère vapeur, semblaient momentanément apaisées.

Vers le 20 mars, les chasseurs signalèrent les premiers cygnes, qui émigraient des territoires méridionaux et s'envolaient vers le nord en poussant d'aigres sifflements. Quelques «bruants de neige» et des «faucons hiverneurs» firent aussi leur apparition. Mais une immense couche blanche couvrait encore le sol, et le soleil ne pouvait fondre la surface solide de la mer et du lac.

La débâcle n'arriva que dans les premiers jours d'avril. La rupture des glaces s'opérait avec un fracas extraordinaire, comparable parfois à des décharges d'artillerie. De brusques changements, se produisirent dans la banquise. Plus d'un iceberg, ruiné par les chocs, rongé à sa base, culbuta avec un bruit terrible par suite du déplacement de son centre de gravité. De là des éboulements qui activaient le bris de l'icefield.

À cette époque, la moyenne de la température était de trente-deux degrés au-dessus de zéro (0° centigr.). Aussi les premières glaces du rivage ne tardèrent pas à se dissoudre, et la banquise, entraînée par les courants polaires, recula peu à peu dans les brumes de l'horizon. Au 15 avril, la mer était libre, et certainement un navire venu de l'océan Pacifique, par le détroit de Behring, après avoir longé la côte américaine, aurait pu atterrir au cap Bathurst.

En même temps que l'océan Arctique, le lac Barnett se délivra de sa cuirasse glacée, à la grande satisfaction des milliers de canards et autres volatiles aquatiques, qui pullulaient sur ses bords. Mais, ainsi que l'avait prévu le lieutenant Hobson, le périmètre du lac avait été modifié par la nouvelle pente du sol. La portion du rivage qui s'étendait devant l'enceinte du fort, et que bornaient à l'est les collines boisées, s'élargit considérablement. Jasper Hobson estima à cent cinquante pas le recul des eaux du lac sur sa rive orientale. À l'opposé, ces eaux durent se déplacer d'autant vers l'ouest, et inonder le pays, si quelque barrière naturelle ne les contenait pas.

En somme, il était fort heureux que la dénivellation du sol se fût faite de l'est à l'ouest, car si elle se fût produite en sens contraire, la factorerie eût été inévitablement submergée.

Quant à la petite rivière, elle se tarit aussitôt que le dégel eut rétabli son courant. On peut dire que ses eaux remontèrent vers leur source, la pente s'étant établie en cet endroit du nord au sud.

«Voilà, dit Jasper Hobson au sergent, une rivière à rayer de la carte des continents polaires! Si nous n'avions eu que ce ruisseau pour nous fournir d'eau potable, nous aurions été fort embarrassés! Très heureusement, il nous reste le lac Barnett, et j'aime à penser que nos buveurs ne l'épuiseront pas.

— En effet, répondit le sergent Long, le lac... Mais ses eaux sont-elles restées douces?»

Jasper Hobson regarda fixement son sergent, et ses sourcils se contractèrent. Cette idée ne lui était pas encore venue, qu'une fracture du sol avait pu établir une communication entre la mer et le lagon! Malheur irréparable, qui eût forcément entraîné la ruine et l'abandon de la nouvelle factorerie.

Le lieutenant et le sergent Long coururent en toute hâte vers le lac!... Les eaux étaient douces!

Dans les premiers jours de mai, le sol, nettoyé de neige en de certains endroits, commença à reverdir sous l'influence des rayons solaires. Quelques mousses, quelques graminées montrèrent timidement leurs petites pointes hors de terre. Les graines d'oseille et de chochléarias semées par Mrs. Joliffe levèrent aussi. La couche de neige les avait protégées contre ce rude hiver. Mais il fallut les défendre du bec des oiseaux et de la dent des rongeurs. Cette importante besogne fut dévolue au digne caporal, qui s'en acquitta avec la conscience et le sérieux d'un mannequin accroché dans un potager!

Les longs jours étaient revenus. Les chasses furent reprises.

Le lieutenant Hobson voulait compléter l'approvisionnement de fourrures dont les agents du Fort-Reliance devaient prendre livraison dans quelques semaines. Marbre, Sabine et autres chasseurs se mirent en campagne. Leurs excursions ne furent ni longues ni fatigantes. Jamais ils ne s'écartèrent de plus de deux milles du cap Bathurst. Jamais ils n'avaient rencontré de territoire aussi giboyeux. Ils en étaient à la fois très surpris et très satisfaits. Les martres, les rennes, les lièvres, les caribous, les renards, les hermines venaient au-devant des coups de fusil.

Une seule observation à faire, au grand regret des hiverneurs qui leur tenaient rancune, c'est qu'on ne voyait plus d'ours, pas même leurs traces. On eût dit qu'en fuyant, les assaillants avaient entraîné tous leurs congénères avec eux. Peut-être ce tremblement de terre avait-il plus particulièrement effrayé ces animaux, dont l'organisation est très fine, et même «très nerveuse», si, toutefois, ce qualificatif peut s'appliquer à un simple quadrupède!

Le mois de mai fut assez pluvieux. La neige et la pluie alternaient. La moyenne de la température ne donna que quarante et un degrés au-dessus de zéro (5° centigr. au-dessus de glace). Les brouillards furent fréquents, et tellement épais parfois, qu'il eût été imprudent de s'écarter du fort. Petersen et Kellet, égarés pendant quarante-huit heures, causèrent les plus vives inquiétudes à leurs compagnons. Une erreur de direction, qu'ils ne pouvaient rectifier, les avait entraînés dans le sud, quand ils se croyaient aux environs de la baie des Morses. Ils ne revinrent donc qu'exténués et à demi morts de faim.

Juin arriva, et avec lui le beau temps et parfois une chaleur véritable. Les hiverneurs avaient quitté leurs vêtements d'hiver. On travaillait activement à réparer la maison, qu'il s'agissait de reprendre en sous-oeuvre. En même temps, Jasper Hobson faisait construire un vaste magasin à l'angle sud de la cour. Le territoire se montrait assez giboyeux pour justifier l'opportunité de cette construction. L'approvisionnement de fourrures était considérable, et il devenait nécessaire d'établir un local spécialement destiné à l'emmagasinage des pelleteries.

Cependant, Jasper Hobson attendait de jour en jour le détachement que devait lui envoyer le capitaine Craventy. Bien des objets manquaient encore à la nouvelle factorerie. Les munitions étaient à renouveler. Si ce détachement avait quitté le Fort-Reliance dès les premiers jours de mai, il devait atteindre vers la mi-juin le cap Bathurst. On se souvient que c'était le point de ralliement convenu entre le capitaine et son lieutenant. Or, comme Jasper Hobson avait précisément établi le nouveau fort au cap même, les agents envoyés à sa rencontre ne pouvaient manquer de l'y trouver.

Donc, à partir du 15 juin, le lieutenant fit surveiller les environs du cap. Le pavillon britannique avait été arboré au sommet de la falaise et devait s'apercevoir de loin. Il était présumable, d'ailleurs, que le convoi de ravitaillement suivrait à peu près l'itinéraire du lieutenant, et longerait le littoral depuis le golfe du Couronnement jusqu'au cap Bathurst. C'était la voie la plus sûre, sinon la plus courte, à une époque de l'année où la mer, libre de glaces, délimitait nettement le rivage et permettait d'en suivre le contour.

Cependant, le mois de juin s'acheva sans que le convoi eût apparu. Jasper Hobson ressentit quelques inquiétudes, surtout quand les brouillards vinrent envelopper de nouveau le territoire. Il craignait pour les agents aventurés sur ce désert, et auxquels ces brumes persistantes pouvaient opposer de sérieux obstacles.

Jasper Hobson s'entretint souvent avec Mrs. Paulina Barnett, le sergent, Mac Nap, Rae, de cet état de choses. L'astronome Thomas Black ne cachait point ses appréhensions, car, l'éclipse une fois observée, il comptait bien s'en retourner avec le détachement. Or, si le détachement ne venait pas, il se voyait réservé à un second hivernage, perspective qui lui souriait peu. Ce brave savant, sa tâche accomplie, ne demandait qu'à s'en aller. Il faisait donc part de ses craintes au lieutenant Hobson, qui ne savait, en vérité, que lui répondre.

Au 4 juillet, rien encore. Quelques hommes, envoyés en reconnaissance à trois milles sur la côte, dans le sud-est, n'avaient découvert aucune trace.

Il fallut admettre alors, ou que les agents du Fort-Reliance n'étaient point partis, ou qu'ils s'étaient égarés en route. Malheureusement, cette dernière hypothèse devenait la plus probable. Jasper Hobson connaissait le capitaine Craventy, et il ne mettait point en doute que le convoi n'eût quitté le Fort-Reliance à l'époque convenue.

On conçoit donc combien ses inquiétudes devinrent vives! La belle saison s'écoulait. Encore deux mois, et l'hiver arctique, c'est-à- dire les âpres brises, les tourbillons de neige, les nuits longues, s'abattrait sur cette portion du continent.

Le lieutenant Hobson n'était point homme à rester dans une telle incertitude! Il fallait prendre un parti, et voici celui auquel il s'arrêta après avoir consulté ses compagnons. Il va sans dire que l'astronome l'appuyait de toutes ses forces.

On était au 5 juillet. Dans quatorze jours — le 18 juillet —, l'éclipse solaire devait se produire. Dès le lendemain, Thomas Black pouvait quitter le Fort-Espérance. Il fut donc décidé que si, d'ici là, les agents attendus n'étaient point arrivés, un convoi, composé de quelques hommes et de quatre ou cinq traîneaux, quitterait la factorerie pour se rendre au lac de l'Esclave. Ce convoi emporterait une partie des fourrures les plus précieuses, et, en six semaines au plus, c'est-à-dire vers la fin du mois d'août, pendant que la saison le permettait encore, il pouvait atteindre le Fort-Reliance.

Ce point décidé, Thomas Black redevint l'homme absorbé qu'il était, n'attendant plus que le moment où la lune, exactement interposée entre l'astre radieux et «lui», éclipserait totalement le disque du soleil!

XXIII.

L'éclipse du 18 juillet 1860.

Cependant les brumes ne se dissipaient pas. Le soleil n'apparaissait qu'à travers un opaque rideau de vapeurs, ce qui ne laissait pas de tourmenter l'astronome au sujet de son éclipse. Souvent même, le brouillard était si intense, que, de la cour du fort, on ne pouvait pas apercevoir le sommet du cap.

Le lieutenant Hobson se sentait de plus en plus inquiet. Il ne doutait pas que le convoi envoyé du Fort-Reliance ne se fût égaré dans ce désert. Et puis, de vagues appréhensions, de tristes pressentiments agitaient son esprit. Cet homme énergique n'envisageait pas l'avenir sans une certaine anxiété. Pourquoi? Il n'aurait pu le dire. Tout, cependant, semblait lui réussir. Malgré les rigueurs de l'hivernage, sa petite colonie jouissait d'une santé excellente. Aucun désaccord n'existait entre ses compagnons, et ces braves gens s'acquittaient de leur tâche avec zèle. Le territoire était giboyeux. La récolte de fourrures avait été belle, et la Compagnie ne pouvait qu'être enchantée des résultats obtenus par son agent. En admettant même que le Fort-Espérance ne fût pas ravitaillé, le pays offrait assez de ressources pour que l'on pût envisager sans trop de crainte la perspective d'un second hivernage. Pourquoi donc la confiance manquait-elle au lieutenant Hobson?

Plus d'une fois, Mrs. Paulina Barnett et lui s'entretinrent à ce sujet. La voyageuse cherchait à le rassurer en faisant valoir les raisons déduites ci-dessus. Ce jour-là, se promenant avec lui sur le rivage, elle plaida avec plus d'insistance la cause du cap Bathurst et de la factorerie, fondée au prix de tant de peines.

«Oui, madame, oui, vous avez raison, répondit Jasper Hobson, mais on ne commande pas à ses pressentiments! Je ne suis pourtant point un visionnaire. Vingt fois, dans ma vie de soldat, je me suis trouvé dans des circonstances critiques, sans m'en être ému un instant. Eh bien, pour la première fois, l'avenir m'inquiète! Si j'avais en face de moi un danger certain, je ne le craindrais pas. Mais un danger vague, indéterminé, que je ne fais que pressentir!...

— Mais quel danger? demanda Mrs. Paulina Barnett, et que redoutez-vous, les hommes, les animaux ou les éléments?

— Les animaux? en aucune façon, répondit le lieutenant. C'est à eux de redouter les chasseurs du cap Bathurst. Les hommes? Non. Ces territoires ne sont guère fréquentés que par les Esquimaux, et les Indiens s'y aventurent rarement...

— Et je vous ferai observer, monsieur Hobson, ajouta Mrs. Paulina Barnett, que ces Canadiens, dont vous pouviez jusqu'à un certain point craindre la visite pendant la belle saison, ne sont même pas venus...

— Et je le regrette, madame!

— Quoi! vous regrettez ces concurrents dont les dispositions envers la Compagnie sont évidemment hostiles?

— Madame, répondit le lieutenant, je les regrette, et je ne les regrette pas!... Cela est assez difficile à expliquer! Remarquez que le convoi du Fort-Reliance devait arriver et qu'il n'est point arrivé. Il en est de même des agents des Pelletiers de Saint-Louis, qui pouvaient venir et qui ne sont point venus. Aucun Esquimau, même, n'a visité cette partie du littoral pendant cet été...

— Et votre conclusion, monsieur Hobson...? demanda Mrs. Paulina Barnett.

— C'est qu'on ne vient peut-être pas au cap Bathurst et au Fort-Espérance «aussi facilement» qu'on le voudrait, madame!»

La voyageuse regarda le lieutenant Hobson, dont le front était évidemment soucieux, et qui, avec un accent singulier, avait souligné le mot «facilement!»

«Lieutenant Hobson, lui dit-elle, puisque vous ne craignez rien, ni de la part des animaux, ni de la part des hommes, je dois croire que ce sont les éléments...

— Madame, répondit Jasper Hobson, je ne sais si j'ai l'esprit frappé, si mes pressentiments m'aveuglent, mais il me semble que ce pays est étrange. Si je l'avais mieux connu, je crois que je ne m'y serais pas fixé. Je vous ai déjà fait observer certaines particularités qui m'ont semblé inexplicables, telles que le manque absolu de pierres sur tout le territoire, et la coupure si nette du littoral! La formation primitive de ce bout de continent ne me parait pas claire! Je sais bien que le voisinage d'un volcan peut produire certains phénomènes... Vous rappelez-vous ce que je vous ai dit au sujet des marées.

— Parfaitement, monsieur Hobson.

— Là où la mer, d'après les observations faites par les explorateurs sur ces parages, devrait monter de quinze ou vingt pieds, elle ne s'élève que d'un pied à peine!

— Sans doute, répondit Mrs. Paulina Barnett, mais vous avez expliqué cet effet par la configuration bizarre des terres, le resserrement des détroits...

— J'ai tenté d'expliquer, et voilà tout! répondit le lieutenant Hobson, mais avant-hier, j'ai observé un phénomène encore plus invraisemblable, phénomène que je ne vous expliquerai pas, et je doute que de plus savants parvinssent à le faire.»

Mrs. Paulina Barnett regarda Jasper Hobson. «Que s'est-il donc passé? lui demanda-t-elle.

— Avant-hier, madame, c'était jour de pleine lune, et la marée, d'après l'annuaire, devait être très forte! Eh bien, la mer ne s'est pas même élevée d'un pied comme autrefois! Elle ne s'est pas élevée «du tout!»

— Vous avez pu vous tromper! fit observer Mrs. Paulina Barnett au lieutenant.

— Je ne me suis pas trompé. J'ai observé moi-même. Avant-hier, 4 juillet, la marée a été nulle, absolument nulle sur le littoral du cap Bathurst!

— Et vous en concluez, monsieur Hobson?... demanda Mrs. Paulina Barnett.

— J'en conclus, madame, répondit le lieutenant, ou que les lois de la nature sont changées, ou... que ce pays est dans une situation particulière... Ou plutôt, je ne conclus pas... je n'explique pas... je ne comprends pas... et... je suis inquiet!»

Mrs. Paulina Barnett ne pressa pas davantage le lieutenant Hobson. Évidemment, cette absence totale de marée était inexplicable, extra-naturelle, comme le serait l'absence du soleil au méridien à l'heure de midi. À moins que le tremblement de terre n'eût tellement modifié la conformation du littoral et des terres arctiques... Mais cette hypothèse ne pouvait satisfaire un sérieux observateur des phénomènes terrestres.

Quant à penser que le lieutenant se fût trompé dans son observation, ce n'était pas admissible, et ce jour-là même — 6 juillet — Mrs. Paulina Barnett et lui constatèrent, au moyen de repères marqués sur le littoral, que la marée, qui, il y a un an, se déplaçait au moins d'un pied en hauteur, était maintenant nulle, tout à fait nulle!

Le secret sur cette observation fut gardé. Le lieutenant Hobson ne voulait pas, et avec raison, jeter une inquiétude quelconque dans l'esprit de ses compagnons. Mais souvent ils pouvaient le voir, seul, silencieux, immobile, au sommet du cap, observer la mer libre alors, qui se développait sous ses regards.

Pendant ce mois de juillet, la chasse des animaux à fourrures dut être suspendue. Les martres, les renards et autres avaient déjà perdu leur poil d'hiver. On se borna donc à la poursuite du gibier comestible, des caribous, des lièvres polaires et autres, qui, par un caprice au moins bizarre — Mrs. Paulina Barnett le remarqua elle-même —, pullulaient littéralement aux environs du cap Bathurst, bien que les coups de fusil eussent dû peu à peu les en éloigner.

Au 15 juillet, la situation n'avait pas changé. Aucune nouvelle du Fort-Reliance. Le convoi attendu ne paraissait pas. Jasper Hobson résolut de mettre son projet à exécution et d'aller au capitaine Craventy, puisque le capitaine ne venait pas à lui.

Naturellement, le chef de ce petit détachement ne pouvait être que le sergent Long. Le sergent aurait désiré ne pas se séparer du lieutenant. Il s'agissait, en effet, d'une absence assez prolongée, car on ne pouvait revenir au Fort-Espérance avant l'été prochain, et le sergent serait forcé de passer la mauvaise saison au Fort-Reliance. C'était donc une absence de huit mois au moins. Mac Nap ou Rae aurait certainement pu remplacer le sergent Long, mais ces deux braves soldats étaient mariés. D'ailleurs, Mac Nap, maître charpentier, et Rae, forgeron, étaient nécessaires à la factorerie, qui ne pouvait se passer de leurs services.

Telles furent les raisons que fit valoir le lieutenant Hobson et auxquelles le sergent se rendit «militairement». Quant aux quatre soldats qui devaient l'accompagner, ce furent Belcher, Pond, Petersen et Kellet, qui se déclarèrent prêts à partir.

Quatre traîneaux et leur attelage de chiens furent disposés pour ce voyage. Ils devaient porter des vivres et des fourrures, que l'on choisit parmi les plus précieuses, renards, hermines, martres, cygnes, lynx, rats musqués, wolvérènes. Quant au départ, il fut fixé au 19 juillet matin, le lendemain même de l'éclipse. Il va sans dire que Thomas Black accompagnerait le sergent Long, et qu'un des traîneaux servirait au transport de ses instruments et de sa personne.

Il faut avouer que ce digne savant fut bien malheureux pendant les jours qui précédèrent le phénomène si impatiemment attendu par lui. Les intermittences du beau temps et du mauvais temps, la fréquence des brumes, l'atmosphère, tantôt chargée de pluie, tantôt humide de brouillards, le vent inconstant, ne se fixant à aucun point de l'horizon, l'inquiétaient à bon droit. Il ne mangeait pas, il ne dormait pas, il ne vivait plus. Si, pendant les quelques minutes que durerait l'éclipse, le ciel était couvert de vapeurs, si l'astre des nuits et l'astre du jour se dérobaient derrière un voile opaque, si lui, Thomas Black, envoyé dans ce but, ne pouvait observer ni la couronne lumineuse, ni les protubérances rougeâtres, quel désappointement! Tant de fatigues inutilement supportées, tant de dangers courus en pure perte!

«Venir si loin pour voir la lune! s'exclamait-il d'un ton piteusement comique, et ne point la voir!»

Non! il ne pouvait se faire à cette idée! Dès que l'obscurité arrivait, le digne savant montait au sommet du cap et il regardait le ciel. Il n'avait même pas la consolation de pouvoir contempler la blonde Phoebé en ce moment! La lune allait être nouvelle dans trois jours; elle accompagnait, par conséquent, le soleil dans sa révolution autour du globe, et disparaissait dans son irradiation!

Thomas Black épanchait souvent ses peines dans le coeur de Mrs. Paulina Barnett. La compatissante femme ne pouvait s'empêcher de le plaindre, et, un jour, elle le rassura de son mieux, lui assurant que le baromètre avait une certaine tendance à remonter, lui répétant que l'on était alors dans la belle saison!

«La belle saison! s'écria Thomas Black, haussant les épaules. Est- ce qu'il y a une belle saison dans un pareil pays!

— Mais enfin, monsieur Black, répondit Mrs. Paulina Barnett, en admettant que, par malchance, cette éclipse vous échappe, il s'en produira d'autres, je suppose! Celle du 18 juillet n'est sans doute pas la dernière du siècle!

— Non, madame, répondit l'astronome, non. Après celle-ci, nous aurons encore cinq éclipses totales de soleil jusqu'en 1900: une première, le 31 décembre 1861, qui sera totale pour l'océan Atlantique, la Méditerranée et le désert de Sahara; une seconde, le 22 décembre 1870, totale pour les Acores, l'Espagne méridionale, l'Algérie, la Sicile et la Turquie; une troisième, le 19 août 1887, totale pour le nord-est de l'Allemagne, la Russie méridionale et l'Asie centrale; une quatrième, le 9 août 1896, visible pour le Groënland, la Laponie et la Sibérie, et enfin, en 1900, le 28 mai, une cinquième qui sera totale pour les États- Unis, l'Espagne, l'Algérie et l'Égypte.

— Eh bien, monsieur Black, reprit Mrs. Paulina Barnett, si vous manquez l'éclipse du 18 juillet 1860, vous vous consolerez avec celle du 31 décembre 1861! Qu'est-ce que dix-sept mois!

— Pour me consoler, madame, répondit gravement l'astronome, ce ne serait pas dix-sept mois, mais vingt-six ans que j'aurais à attendre!

— Et pourquoi?

— C'est que, de toutes ces éclipses, une seule, celle du 9 août 1896, sera totale pour les lieux situés en haute latitude, tels que Laponie, Sibérie ou Groënland!

— Mais quel intérêt avez-vous à faire une observation sous un parallèle aussi élevé? demanda Mrs. Paulina Barnett.

— Quel intérêt, madame! s'écria Thomas Black, mais un intérêt scientifique de la plus haute importance. Rarement les éclipses ont été observées dans les régions rapprochées du pôle, où le soleil, peu élevé au-dessus de l'horizon, présente, en apparence, un disque considérable. Il en est de même pour la lune, qui vient l'occulter, et il est possible que, dans ces conditions, l'étude de la couronne lumineuse et des protubérances puisse être plus complète! Voilà pourquoi, madame, je suis venu opérer au-dessus du soixante-dixième parallèle! Or, ces conditions ne se reproduiront qu'en 1896! M'assurez-vous que je vivrai jusque-là?»

À cette argumentation, il n'y avait rien à répondre. Thomas Black continua donc d'être fort malheureux, car l'inconstance du temps menaçait de lui jouer un mauvais tour.

Le 16 juillet, il fit très beau. Mais le lendemain, par contre, temps couvert, brumes épaisses. C'était à se désespérer. Thomas Black fut réellement malade ce jour-là. L'état fiévreux dans lequel il vivait depuis quelque temps menaçait de dégénérer en maladie véritable. Mrs. Paulina Barnett et Jasper Hobson essayaient vainement de le calmer. Quant au sergent Long et aux autres, ils ne comprenaient point qu'on se rendît si malheureux «par amour de la lune»!

Le lendemain, 18 juillet, c'était enfin le grand jour. L'éclipse totale devait durer, d'après les calculs des éphémérides, quatre minutes trente-sept secondes, c'est-à-dire de onze heures quarante-trois minutes et quinze secondes à onze heures quarante- sept minutes et cinquante-sept secondes du matin.

«Qu'est-ce que je demande? s'écriait lamentablement l'astronome en s'arrachant les cheveux, je demande uniquement qu'un coin du ciel, rien qu'un petit coin, celui dans lequel s'opérera l'occultation, soit pur de tout nuage, et pendant combien de temps? pendant quatre minutes seulement! Et puis après, qu'il neige, qu'il tonne, que les éléments se déchaînent, je m'en moque comme un colimaçon d'un chronomètre!»

Thomas Black avait quelques raisons de désespérer tout à fait. Il semblait probable que l'opération manquerait. Au lever du jour, l'horizon était couvert de brumes. De gros nuages s'élevaient du sud, précisément sur cette partie du ciel où l'éclipse devait se produire. Mais, sans doute, le dieu des astronomes eut pitié du pauvre Black, car, vers huit heures, une brise assez vive s'établit dans le nord et nettoya tout le firmament!

Ah! quel cri de reconnaissance, quelles exclamations de gratitude s'élevèrent de la poitrine du digne savant! Le ciel était pur, le soleil resplendissait, en attendant que la lune, encore perdue dans son irradiation, l'éteignît peu à peu!

Aussitôt les instruments de Thomas Black furent portés et installés au sommet du promontoire. Puis l'astronome les braqua sur l'horizon méridional, et il attendit. Il avait retrouvé toute sa patience accoutumée, tout le sang-froid nécessaire à son observation. Que pouvait-il craindre, maintenant? Rien, si ce n'est que le ciel ne lui tombât sur la tête! À neuf heures, il n'y avait plus un nuage, pas une vapeur, ni à l'horizon, ni au zénith! Jamais observation astronomique ne s'était présentée dans des conditions plus favorables!

Jasper Hobson et tous ses compagnons, Mrs. Paulina Barnett et toutes ses compagnes avaient voulu assister à l'opération. La colonie entière se trouvait réunie sur le cap Bathurst et entourait l'astronome. Le soleil montait peu à peu, en décrivant un arc très allongé au-dessus de l'immense plaine qui s'étendait vers le sud. Personne ne parlait. On attendait avec une sorte d'anxiété solennelle.

Vers neuf heures et demie, l'occultation commença. Le disque de la lune mordit sur le disque du soleil. Mais le premier ne devait couvrir complètement le second qu'entre onze heures quarante-trois minutes quinze secondes et onze heures quarante-sept minutes cinquante-sept secondes. C'était le temps assigné par les éphémérides à l'éclipse totale, et personne n'ignore qu'aucune erreur ne peut entacher ces calculs, établis, vérifiés, contrôlés par les savants de tous les observatoires du monde.

Thomas Black avait apporté dans son bagage d'astronome une certaine quantité de verres noircis; il les distribua à ses compagnons, et chacun put suivre les progrès du phénomène sans se brûler les yeux.

Le disque brun de la lune s'avançait peu à peu. Déjà les objets terrestres prenaient une teinte particulière de jaune orangé. L'atmosphère, au zénith, avait changé de couleur. À dix heures un quart, la moitié du disque solaire était obscurcie. Quelques chiens, errant en liberté, allaient et venaient, montrant une certaine inquiétude et aboyant parfois d'une façon lamentable. Les canards, immobiles sur les bords du lac, jetaient leur cri du soir et cherchaient une place favorable pour dormir. Les mères appelaient leurs petits, qui se réfugiaient sous leurs ailes. Pour tous ces animaux, la nuit allait venir, et c'était l'heure du sommeil.

À onze heures, les deux tiers du soleil étaient couverts. Les objets avaient pris une teinte de rouge vineux. Une demi-obscurité régnait alors, et elle devait être à peu près complète pendant les quatre minutes que durerait l'occultation totale.

Mais déjà quelques planètes, Mercure, Vénus, apparaissaient, ainsi que certaines constellations, la Chèvre, et du Taureau, et d'Orion. Les ténèbres s'accroissaient de minute en minute.

Thomas Black, l'oeil à l'oculaire de sa lunette, immobile, silencieux, suivait les progrès du phénomène. À onze heures quarante-trois, les deux disques devaient être exactement placés l'un devant l'autre.

«Onze heures quarante-trois», dit Jasper Hobson, qui consultait attentivement l'aiguille à secondes de son chronomètre.

Thomas Black, penché sur l'instrument, ne remuait pas. Une demi- minute s'écoula...

Thomas Black se releva, l'oeil démesurément ouvert. Puis il se replaça devant l'oculaire pendant une demi-minute encore, et se relevant une seconde fois:

«Mais elle s'en va! elle s'en va! S'écria-t-il d'une voix étranglée. La lune, la lune fuit! elle disparaît!»

En effet, le disque lunaire glissait sur celui du soleil sans l'avoir masqué tout entier! Les deux tiers seulement de l'orbe solaire avaient été recouverts!

Thomas Black était retombé, stupéfait! Les quatre minutes étaient passées. La lumière se refaisait peu à peu. La couronne lumineuse ne s'était pas produite!

«Mais qu'y a-t-il? demanda Jasper Hobson.

— Il y a! s'écria l'astronome, il y a que l'éclipse n'a pas été complète, qu'elle n'a pas été totale pour cet endroit du globe! Vous m'entendez! pas to-ta-le!!

— Alors, vos éphémérides sont fausses!

— Fausses! allons donc! Dites cela à d'autres, monsieur le lieutenant!

— Mais alors... s'écria Jasper Hobson, dont la physionomie se modifia subitement.

— Alors, répondit Thomas Black, nous ne sommes pas sous le soixante-dixième parallèle!

— Par exemple! s'écria Mrs. Paulina Barnett.

— Nous le saurons bien! dit l'astronome, dont les yeux respiraient à la fois la colère et le désappointement. Dans quelques minutes, le soleil va passer au méridien... Mon sextant, vite! vite!»

Un des soldats courut à la maison et en rapporta l'instrument demandé.

Thomas Black visa l'astre du jour, le laissa passer au méridien, puis abaissant son sextant, et chiffrant rapidement quelques calculs sur son carnet:

«Comment était situé le cap Bathurst, demanda-t-il, quand, il y a un an, à notre arrivée, nous l'avons relevé en latitude?

— Il était par soixante-dix degrés quarante-quatre minutes et trente-sept secondes! répondit le lieutenant Hobson.

— Eh bien, monsieur, il est maintenant par soixante-treize degrés sept minutes et vingt secondes! Vous voyez bien que nous ne sommes pas sous le soixante-dixième parallèle!...

— Ou plutôt que nous n'y sommes plus!» murmura Jasper Hobson. Une révélation soudaine s'était faite dans son esprit! Tous les phénomènes, inexpliqués jusqu'ici, s'expliquaient alors!...

Le territoire du cap Bathurst, depuis l'arrivée du lieutenant Hobson, avait «dérivé» de trois degrés dans le nord!

DEUXIÈME PARTIE

I.

Un fort flottant.

Le Fort-Espérance, fondé par le lieutenant Jasper Hobson sur les limites de la mer polaire, avait dérivé! Le courageux agent de la Compagnie méritait-il un reproche quelconque? Non. Tout autre y eût été trompé comme lui. Aucune prévision humaine ne pouvait le mettre en garde contre une telle éventualité. Il avait cru bâtir sur le roc et n'avait pas même bâti sur le sable! Cette portion de territoire, formant la presqu'île Victoria, que les cartes les plus exactes de l'Amérique anglaise rattachaient au continent américain, s'en était brusquement séparée. Cette presqu'île n'était, par le fait, qu'un immense glaçon d'une superficie de cent cinquante milles carrés, dont les alluvions successives avaient fait en apparence un terrain solide, auquel ne manquaient ni la végétation, ni l'humus. Liée au littoral depuis des milliers de siècles, sans doute le tremblement de terre du 8 janvier avait rompu ses liens, et la presqu'île s'était faite île, mais île errante et vagabonde que, depuis trois mois, les courants entraînaient sur l'océan Arctique!

Oui! ce n'était qu'un glaçon qui emportait ainsi le Fort-Espérance et ses habitants! Jasper Hobson avait immédiatement compris qu'on ne pouvait expliquer autrement ce déplacement de la latitude observée. L'isthme, c'est-à-dire la langue de terre qui réunissait la presqu'île Victoria au continent, s'était évidemment brisé sous l'effort d'une convulsion souterraine, provoquée par l'éruption volcanique, quelques mois auparavant. Tant que dura l'hiver boréal, tant que la mer demeura solidifiée sous le froid intense, cette rupture n'amena aucun changement dans la position géographique de la presqu'île. Mais, la débâcle venue, quand les glaçons se fondirent sous les rayons solaires, lorsque la banquise, repoussée au large, eut reculé derrière les limites de l'horizon, quand la mer fut libre enfin, ce territoire, reposant sur sa base glacée, s'en alla en dérive avec ses bois, ses falaises, son promontoire, son lagon intérieur, son littoral, sous l'influence de quelque courant inconnu. Depuis plusieurs mois, il était ainsi entraîné, sans que les hiverneurs, qui, pendant leurs chasses, ne s'étaient point éloignés du Fort-EspéranceFort- Espérance, eussent pu s'en apercevoir. Aucun point de repère, des brumes épaisses arrêtant le regard à quelques milles, une immobilité apparente du sol, rien ne pouvait indiquer ni au lieutenant Hobson, ni à ses compagnons, que de continentaux ils fussent devenus insulaires. Il était même remarquable que l'orientation de la presqu'île n'eût pas changé, malgré son déplacement, ce qui tenait sans doute à son étendue et à la direction rectiligne du courant qu'elle suivait. En effet, si les points cardinaux se fussent modifiés par rapport au cap Bathurst, si l'île eût tourné sur elle-même, si le soleil et la lune se fussent levés ou couchés sur un horizon nouveau, Jasper Hobson, Thomas Black, Mrs. Paulina Barnett ou tout autre eussent compris ce qui s'était passé. Mais, par une raison quelconque, le déplacement s'était accompli jusqu'alors suivant un des parallèles du globe, et, quoiqu'il fût rapide, on ne le sentait pas.

Jasper Hobson, bien qu'il ne doutât pas du courage, du sang-froid, de l'énergie morale de ses compagnons, ne voulut cependant pas leur faire connaître la vérité. Il serait toujours temps de leur exposer la nouvelle situation qui leur était faite, quand on l'aurait étudiée avec soin. Très heureusement, ces braves gens, soldats ou ouvriers, s'entendaient peu aux observations astronomiques, ni aux questions de longitude ou de latitude, et du changement accompli depuis quelques mois dans les coordonnées de la presqu'île, ils ne pouvaient tirer les conséquences qui préoccupaient si justement Jasper Hobson.

Le lieutenant, résolu à se taire tant qu'il le pourrait et à cacher une situation à laquelle il n'y avait présentement aucun remède, rappela toute son énergie. Par un suprême effort de volonté, qui n'échappa point à Mrs. Paulina Barnett, il redevint maître de lui-même, et il s'employa à consoler de son mieux l'infortuné Thomas Black, qui, lui, se lamentait et s'arrachait les cheveux.

Car l'astronome ne se doutait en aucune façon du phénomène dont il était victime. N'ayant pas, comme le lieutenant, observé les étrangetés de ce territoire, il ne pouvait rien comprendre, rien imaginer en dehors de ce fait si malencontreux, à savoir: que, ce jour-là, à l'heure indiquée, la lune n'avait point occulté entièrement le soleil. Mais que devait-il naturellement penser? Que, à la honte des observatoires, les éphémérides étaient fausses, et que cette éclipse tant désirée, son éclipse à lui, Thomas Black, qu'il était venu chercher si loin et au prix de tant de fatigues, n'avait jamais dû être «totale» pour cette zone du sphéroïde terrestre, comprise sur le soixante-dixième parallèle! Non! jamais il n'eût admis cela! Jamais! Aussi son désappointement était-il grand, et il devait l'être. Mais Thomas Black allait bientôt apprendre la vérité.

Cependant, Jasper Hobson, laissant croire à ses compagnons que l'incident de l'éclipse manquée ne pouvait intéresser que l'astronome et ne les concernait en rien, les avait engagés à reprendre leurs travaux, ce qu'ils allaient faire. Mais, au moment où ils se préparaient à quitter le sommet du cap Bathurst, afin de rentrer dans la factorerie, le caporal Joliffe, s'arrêtant soudain:

«Mon lieutenant, dit-il en s'approchant, la main au bonnet, pourrais-je vous faire une simple question?

— Sans doute, caporal, répondit Jasper Hobson, qui ne savait trop où son subordonné voulait en venir. Voyons, parlez!»

Mais le caporal ne parlait pas. Il hésitait. Sa petite femme le poussa du coude.

«Eh bien, mon lieutenant, reprit le caporal, c'est à propos de ce soixante-dixième degré de latitude. Si j'ai bien compris, nous ne sommes pas où vous croyiez être...»

Le lieutenant fronça le sourcil. «En effet, répondit-il évasivement... nous nous étions trompés dans nos calculs... notre première observation a été fausse. Mais pourquoi... en quoi cela peut-il vous préoccuper?

— C'est à cause de la paie, mon lieutenant, répondit le caporal, qui prit un air très malin. Vous savez bien, la double paie promise par la Compagnie...»

Jasper Hobson respira. En effet, ses hommes, on s'en souvient, avaient droit à une solde plus élevée, s'ils parvenaient à s'établir sur le soixante-dixième parallèle ou au-dessus. Le caporal Joliffe, toujours intéressé, n'avait vu en tout cela qu'une question d'argent, et il pouvait craindre que la prime ne fût point encore acquise.

«Rassurez-vous, caporal, répondit Jasper Hobson en souriant, et rassurez aussi vos braves camarades. Notre erreur, qui est vraiment inexplicable, ne vous portera heureusement aucun préjudice. Nous ne sommes pas au-dessous, mais au-dessus du soixante-dixième parallèle, et, par conséquent, vous serez payés double.

— Merci, mon lieutenant, dit le caporal, dont le visage rayonna, merci. Ce n'est pas que l'on tienne à l'argent, mais c'est ce maudit argent qui vous tient.»

Sur cette réflexion, le caporal Joliffe et ses compagnons se retirèrent sans soupçonner en aucune façon la terrible et étrange modification qui s'était accomplie dans la nature et la situation de ce territoire.

Le sergent Long se disposait aussi à redescendre vers la factorerie, quand Jasper Hobson, l'arrêtant, lui dit:

«Restez, sergent Long.»

Le sous-officier fit demi-tour sur ses talons et attendit que le lieutenant lui adressât la parole.

Les seules personnes qui occupaient alors le sommet du promontoire étaient Mrs. Paulina Barnett, Madge, Thomas Black, le lieutenant et le sergent.

Depuis l'incident de l'éclipse, la voyageuse n'avait pas prononcé une parole. Elle interrogeait du regard Jasper Hobson, qui semblait l'éviter. Le visage de la courageuse femme montrait plus de surprise que d'inquiétude. Avait-elle compris? L'éclaircissement s'était-il brusquement fait à ses yeux comme aux yeux du lieutenant Hobson? Connaissait-elle la situation, et son esprit pratique en avait-il déduit les conséquences? Quoi qu'il en fût, elle se taisait et demeurait appuyée sur Madge, dont le bras entourait sa taille.

Quant à l'astronome, il allait et venait. Il ne pouvait tenir en place. Ses cheveux étaient hérissés. Il gesticulait. Il frappait dans ses mains et les laissait retomber. Des interjections de désespoir s'échappaient de ses lèvres. Il montrait le poing au soleil! Il le regardait en face, au risque de se brûler les yeux!

Enfin, après quelques minutes, son agitation intérieure se calma. Il sentit qu'il pourrait parler, et, les bras croisés, l'oeil enflammé, la face colère, le front menaçant, il vint se planter carrément devant le lieutenant Hobson.

«À nous deux! s'écria-t-il, à nous deux, monsieur l'agent de la Compagnie de la baie d'Hudson!»

Cette appellation, ce ton, cette pose ressemblaient singulièrement à une provocation. Jasper Hobson ne voulut point s'y arrêter, et il se contenta de regarder le pauvre homme, dont il comprenait bien le désappointement immense.

«Monsieur Hobson, dit Thomas Black avec l'accent d'une irritation mal contenue, m'apprendrez-vous ce que cela signifie, s'il vous plaît? Est-ce une mystification provenant de votre fait? Dans ce cas, monsieur, elle frapperait plus haut que moi, entendez-vous, et vous pourriez avoir à vous en repentir!

— Que voulez-vous dire, monsieur Black? demanda tranquillement Jasper Hobson.

— Je veux dire, monsieur, reprit l'astronome, que vous vous étiez engagé à conduire votre détachement sur la limite du soixante- dixième degré de latitude...

— Ou au-delà, répondit Jasper Hobson.

— Au-delà, monsieur, s'écria Thomas Black. Eh! qu'avais-je à faire au-delà? Pour observer cette éclipse totale de soleil, je ne devais pas m'écarter de la ligne d'ombre circulaire que délimitait, en cette partie de l'Amérique anglaise, le soixante- dixième parallèle, et nous voilà à trois degrés au-dessus!

— Eh bien, monsieur Black, répondit Jasper Hobson du ton le plus tranquille, nous nous sommes trompés, voilà tout.

— Voilà tout! s'écria l'astronome, que le calme du lieutenant exaspérait.

— Je vous ferai d'ailleurs observer, reprit Jasper Hobson, que si je me suis trompé, vous avez partagé mon erreur, vous, monsieur Black, car, à notre arrivée au cap Bathurst, c'est ensemble, vous avec vos instruments, moi avec les miens, que nous avons relevé sa situation en latitude. Vous ne pouvez donc me rendre responsable d'une erreur d'observation que vous avez commise pour votre part!»

À cette réponse, Thomas Black fut aplati, et, malgré sa profonde irritation, ne sut que répliquer. Pas d'excuse admissible! S'il y avait eu faute, il était coupable, lui aussi. Et, dans l'Europe savante, à l'observatoire de Greenwich, que penserait-on d'un astronome assez maladroit pour se tromper dans une observation de latitude? Un Thomas Black commettre une erreur de trois degrés en prenant la hauteur du soleil, et en quelles circonstances? Quand la détermination exacte d'un parallèle devait le mettre à même d'observer une éclipse totale, dans des conditions qui ne devaient plus se reproduire avant longtemps! Thomas Black était un savant déshonoré!

«Mais comment, s'écria-t-il en s'arrachant encore une fois les cheveux, comment ai-je pu me tromper ainsi? Mais je ne sais donc plus manier un sextant! Je ne sais donc plus calculer un angle! Je suis donc aveugle! S'il en est ainsi, je n'ai plus qu'à me précipiter du haut de ce promontoire, la tête la première!...

— Monsieur Black, dit alors Jasper Hobson d'une voix grave, ne vous accusez pas, vous n'avez commis aucune erreur d'observation, vous n'avez aucun reproche à vous faire!

— Alors, vous seul...

— Je ne suis pas plus coupable que vous, monsieur Black. Veuillez m'écouter, je vous en prie, vous aussi, madame, ajouta-t-il en se retournant vers Mrs. Paulina Barnett; vous aussi, Madge, vous aussi, sergent Long. Je ne vous demande qu'une chose, le secret le plus absolu sur ce que je vais vous apprendre. Il est inutile d'effrayer, de désespérer peut-être nos compagnons d'hivernage.»

Mrs. Paulina Barnett, sa compagne, le sergent, Thomas Black, s'étaient rapprochés du lieutenant. Ils ne répondirent pas, mais il y eut comme un consentement tacite à garder le secret sur la révélation qui allait leur être faite.

«Mes amis, dit Jasper Hobson, quand, il y a un an, arrivés en ce point de l'Amérique anglaise, nous avons relevé la position du cap Bathurst, ce cap se trouvait situé exactement sur le soixante- dixième parallèle, et si maintenant il se trouve au-delà du soixante-douzième degré de latitude, c'est-à-dire à trois degrés plus au nord, c'est qu'il a dérivé.

— Dérivé! s'écria Thomas Black. À d'autres, monsieur! Depuis quand un cap dérive-t-il?

— Cela est pourtant ainsi, monsieur Black; répondit gravement le lieutenant Hobson. Toute cette presqu'île Victoria n'est plus qu'une île de glace. Le tremblement de terre l'a détachée du littoral américain, et maintenant un des grands courants arctiques l'entraîne!...

— Où? demanda le sergent Long.

— Où il plaira à Dieu!» répondit Jasper Hobson. Les compagnons du lieutenant demeurèrent silencieux. Leurs regards se portèrent involontairement vers le sud, au-delà des vastes plaines, du côté de l'isthme rompu, mais de la place qu'ils occupaient, sauf vers le nord, ils ne pouvaient apercevoir l'horizon de mer qui maintenant les entourait de toutes parts. Si le cap Bathurst eût mesuré quelques centaines de pieds de plus au-dessus du niveau de l'Océan, le périmètre de leur domaine serait nettement apparu à leurs yeux, et ils auraient vu qu'il s'était changé en île.

Une vive émotion leur serra le coeur, à la vue du Fort-Espérance et de ses habitants, entraînés au large de toute terre, et devenus avec lui le jouet des vents et des flots.

«Ainsi, monsieur Hobson, dit alors Mrs. Paulina Barnett, ainsi s'expliquent toutes les singularités inexplicables que vous aviez observées sur ce territoire?

— Oui, madame, répondit le lieutenant, tout s'explique. Cette presqu'île Victoria, île maintenant, que nous croyions, que nous devions croire inébranlablement fixée sur sa base, n'était qu'un vaste glaçon, soudé depuis des siècles au continent américain. Peu à peu, le vent y a jeté la terre, le sable, et semé ces germes qui ont produit les bois et les mousses. Les nuages lui ont versé l'eau douce du lagon et de la petite rivière. La végétation l'a transformée! Mais sous ce lac, sous cette terre, sous ce sable, sous nos pieds enfin, il existe un sol de glace qui flotte sur la mer, en raison de sa légèreté spécifique. Oui! c'est un glaçon qui nous porte et qui nous emporte, et voilà pourquoi, depuis que nous l'habitons, nous n'avons trouvé ni un caillou, ni une pierre à sa surface! Voilà pourquoi ses rivages étaient coupés à pic, pourquoi, lorsque nous avons creusé le piège à rennes, la glace est apparue à dix pieds au-dessous du sol, pourquoi, enfin, la marée était insensible sur ce littoral, puisque le flux et le reflux soulevaient et abaissaient toute la presqu'île avec eux!

— Tout s'explique, en effet, monsieur Hobson, répondit Mrs. Paulina Barnett, et vos pressentiments ne vous ont pas trompé. Je vous demanderai, cependant, à propos de ces marées, pourquoi, nulles maintenant, elles étaient encore légèrement sensibles à notre arrivée au cap Bathurst?

— Précisément, madame, répondit le lieutenant Hobson, parce que, à notre arrivée, la presqu'île tenait encore par son isthme flexible au continent américain. Elle opposait ainsi une certaine résistance au flux, et, sur son littoral du nord, la surface des eaux se déplaçait de deux pieds environ, au lieu des vingt pieds qu'elle aurait dû marquer au-dessus de l'étiage. Aussi, du moment que la rupture a été produite par le tremblement de terre, du moment que la presqu'île, libre tout entière, a pu monter et descendre avec le flot et le jusant, la marée est devenue absolument nulle, et c'est ce que nous avons constaté ensemble, il y a quelques jours, au moment de la nouvelle lune!»

Thomas Black, malgré son désespoir bien naturel, avait écouté avec un extrême intérêt les explications de Jasper Hobson. Les conséquences émises par le lieutenant durent lui paraître absolument justes; mais, furieux qu'un pareil phénomène, si rare, si inattendu, si «absurde», — ainsi disait-il, —se fût précisément produit pour lui faire manquer l'observation de son éclipse, il ne dit pas un mot, et demeura sombre et, pour ainsi dire, tout honteux.

«Pauvre monsieur Black! dit alors Mrs. Paulina Barnett, il faut convenir que jamais astronome, depuis que le monde existe, ne s'est vu exposé à pareille mésaventure!

— En tout cas, madame, répondit Jasper Hobson, il n'y a aucunement de notre faute! On ne pourra rien reprocher, ni à vous, ni à moi. La nature a tout fait, et elle est la seule coupable! Le tremblement de terre a brisé le lien qui rattachait la presqu'île au continent, et nous sommes bien réellement emportés sur une île flottante. Et cela explique encore pourquoi les animaux à fourrures et autres, emprisonnés comme nous sur ce territoire, sont si nombreux aux environs du fort!

— Et pourquoi, dit Madge, nous n'avons pas eu, depuis la belle saison, la visite de ces concurrents dont vous redoutiez la présence, monsieur Hobson!

— Et pourquoi, ajouta le sergent, le détachement envoyé par le capitaine Craventy n'a pu arriver jusqu'au cap Bathurst!

— Et pourquoi, enfin, dit Mrs. Paulina Barnett, en regardant le lieutenant, je dois renoncer à tout espoir, pour cette année du moins, de retourner en Europe!»

La voyageuse avait fait cette dernière réflexion d'un ton qui prouvait qu'elle se résignait à son sort beaucoup plus philosophiquement qu'on ne l'aurait supposé. Elle semblait avoir pris soudain son parti de cette étrange situation, qui lui réservait, sans doute, une série d'observations intéressantes. D'ailleurs, quand elle se fût désespérée, quand tous ses compagnons se seraient plaints, quand ils auraient récriminé, pouvaient-ils empêcher ce qui était? pouvaient-ils enrayer la course de l'île errante? pouvaient-ils, par une manoeuvre quelconque, la rattacher à un continent? Non. Dieu seul disposait de l'avenir du Fort-Espérance. Il fallait donc se soumettre à sa volonté.

II.

Où l'on est.

La situation nouvelle, imprévue, créée aux agents de la Compagnie, voulait être étudiée avec le plus grand soin, et c'est ce que Jasper Hobson avait hâte de faire, la carte sous les yeux. Mais il fallait nécessairement attendre au lendemain, afin de relever la position en longitude de l'île Victoria — c'est le nom qui lui fut conservé —, comme elle venait de l'être en latitude. Pour faire ce calcul, il était nécessaire de prendre deux hauteurs du soleil, avant et après midi, et de mesurer deux angles horaires.

À deux heures du soir, le lieutenant Hobson et Thomas Black relevèrent au sextant l'élévation du soleil au-dessus de l'horizon. Le lendemain, ils comptaient, vers dix heures du matin, recommencer la même opération, afin de déduire des deux hauteurs la longitude du point alors occupé par l'île sur l'Océan polaire.

Mais ils ne redescendirent pas immédiatement au fort, et la conversation continua assez longtemps entre Jasper Hobson, l'astronome, le sergent, Mrs. Paulina Barnett et Madge. Cette dernière ne songeait guère à elle, étant toute résignée aux volontés de la Providence. Quant à sa maîtresse, sa «fille Paulina», elle ne pouvait la regarder sans émotion, songeant aux épreuves et peut-être aux catastrophes que l'avenir lui réservait. Madge était prête à donner sa vie pour Paulina, mais ce sacrifice sauverait-il celle qu'elle aimait plus que tout au monde? En tout cas, elle le savait, Mrs. Paulina Barnett n'était pas femme à se laisser abattre. Cette âme vaillante envisageait déjà l'avenir sans terreur, et, il faut le dire, elle n'aurait encore eu aucune raison de désespérer.

En effet, il n'y avait pas péril imminent pour les habitants du Fort-Espérance, et même tout portait à croire qu'une catastrophe suprême serait conjurée. C'est ce que Jasper Hobson expliqua clairement à ses compagnons.

Deux dangers menaçaient l'île flottante, au large du continent américain, deux seulement:

Ou elle serait entraînée par les courants de la mer libre jusqu'à ces hautes latitudes polaires, d'où l'on ne revient pas.

Ou les courants l'emporteraient au sud, peut-être à travers le détroit de Behring, et jusque dans l'océan Pacifique.

Dans le premier cas, les hiverneurs, pris par les glaces, barrés par l'infranchissable banquise, n'ayant plus aucune communication possible avec leurs semblables, périraient de froid ou de faim dans les solitudes hyperboréennes.

Dans le second cas, l'île Victoria, repoussée par les courants jusque dans les eaux plus chaudes du Pacifique, fondrait peu à peu par sa base et s'abîmerait sous les pieds de ses habitants.

Dans cette double hypothèse, c'était la perte inévitable du lieutenant Jasper Hobson, de tous ses compagnons et de la factorerie élevée au prix de tant de fatigues.

Mais ces deux cas se présenteraient-ils l'un ou l'autre? Non. Ce n'était pas probable.

En effet, la saison d'été était fort avancée. Avant trois mois, la mer serait solidifiée sous les premiers froids du pôle. Le champ de glace s'établirait sur toute la mer, et, au moyen des traîneaux, on pourrait gagner la terre la plus rapprochée, soit l'Amérique russe, si l'île s'était maintenue dans l'est, soit la côte d'Asie, si, au contraire, elle avait été repoussée dans l'ouest.

«Car, ajoutait Jasper Hobson, nous ne sommes aucunement maîtres de notre île flottante. N'ayant point de voile à hisser comme sur un navire, nous ne pouvons lui imprimer une direction. Où elle nous mènera, nous irons.»

L'argumentation du lieutenant Hobson, très claire, très nette, fut admise sans contestation. Il était certain que les grands froids de l'hiver souderaient au vaste icefield l'île Victoria, et il était présumable même qu'elle ne dériverait ni trop au nord ni trop au sud. Or, quelques cents milles à franchir sur les champs de glace n'étaient pas pour embarrasser ces hommes courageux et résolus, habitués aux climats polaires et aux longues excursions des contrées arctiques. Ce serait, il est vrai, abandonner ce Fort-Espérance, objet de tous leurs soins, ce serait perdre le bénéfice de tant de travaux menés à bonne fin, mais qu'y faire? La factorerie, établie sur ce sol mouvant, ne devait plus rendre aucun service à la Compagnie de la baie d'Hudson. D'ailleurs, un jour ou l'autre, tôt ou tard, un effondrement de l'île l'entraînerait au fond de l'Océan. Il fallait donc l'abandonner, dès que les circonstances le permettraient.

La seule chance défavorable — et le lieutenant insista particulièrement sur ce point —, c'était que pendant huit à neuf semaines encore, avant la solidification de la mer Arctique, l'île Victoria fût entraînée trop au nord ou trop au sud. Et l'on voit, en effet, dans les récits des hiverneurs, des exemples de dérives qui se sont accomplies sur un très long espace et sans qu'on ait pu les enrayer.

Tout dépendait donc des courants inconnus qui s'établissaient à l'ouvert du détroit de Behring, et il importait de relever avec soin leur direction sur la carte de l'océan Arctique. Jasper Hobson possédait une de ces cartes, et il pria Mrs. Paulina Barnett, Madge, l'astronome et le sergent de le suivre dans sa chambre; mais avant de quitter le sommet du cap Bathurst, il leur recommanda encore une fois le secret le plus absolu sur la situation actuelle.

«La situation n'est pas désespérée, tant s'en faut, ajouta-t-il, et, par conséquent, je trouve inutile de jeter le trouble dans l'esprit de nos compagnons, qui ne feraient peut-être pas comme nous la part des bonnes et des mauvaises chances.

— Cependant, fit observer Mrs. Paulina Barnett, ne serait-il pas prudent de construire dès maintenant une embarcation assez grande pour nous contenir tous, et qui pût tenir la mer pendant une traversée de quelques centaines de milles?

— Cela sera prudent, en effet, répondit le lieutenant Hobson, et nous le ferons. J'imaginerai quelque prétexte pour commencer ce travail sans retard, et je donnerai des ordres en conséquence au maître charpentier pour qu'il procède à la construction d'une embarcation solide. Mais, pour moi, ce mode de rapatriement ne devra être qu'un pis aller. L'important, c'est d'éviter de se trouver sur l'île au moment de la dislocation des glaces, et nous devrons tout faire pour gagner à pied le continent, dès que l'Océan aura été solidifié par l'hiver.»

C'était, en effet, la meilleure façon de procéder. Il fallait au moins trois mois pour qu'une embarcation de trente à trente-cinq tonneaux fût construite, et, à ce moment, on ne pourrait s'en servir, puisque la mer ne serait plus libre. Mais si alors le lieutenant pouvait rapatrier la petite colonie en la guidant à travers le champ de glace jusqu'au continent, ce serait un heureux dénouement de la situation, car embarquer tout son monde à l'époque de la débâcle serait un expédient fort périlleux. C'était donc avec raison que Jasper Hobson regardait ce bateau projeté comme un pis aller, et son opinion fut partagée de tous.

Le secret fut de nouveau promis au lieutenant Hobson, qui était le meilleur juge de la question; et quelques minutes plus tard, après avoir quitté le cap Bathurst, les deux femmes et les trois hommes s'attablaient dans la grande salle du Fort-Espérance, salle alors inoccupée, car chacun vaquait aux travaux du dehors.

Une excellente carte des courants atmosphériques et océaniques fut apportée par le lieutenant, et l'on procéda à un examen minutieux de cette portion de la mer Glaciale qui s'étend depuis le cap Bathurst jusqu'au détroit de Behring.

Deux courants principaux divisent ces parages dangereux compris entre le Cercle polaire et cette zone peu connue, appelée «passage du nord-ouest», depuis l'audacieuse découverte de Mac Clure, — du moins les observations hydrographiques n'en désignent pas d'autres.

L'un porte le nom de courant du Kamtchatka. Après avoir pris naissance au large de la presqu'île de ce nom, il suit la côte asiatique et traverse le détroit de Behring en touchant le cap Oriental, pointe avancée du pays des Tchouktchis. Sa direction générale du sud au nord s'infléchit brusquement à six cents milles environ au-delà du détroit, et il se développe franchement vers l'est, à peu près suivant le parallèle du passage de Mac Clure, qu'il tend sans doute à rendre praticable pendant les quelques mois de la saison chaude.

L'autre courant, nommé courant de Behring, se dirige en sens contraire. Après avoir prolongé la côte américaine de l'est à l'ouest et à cent milles au plus du littoral, il va, pour ainsi dire, heurter le courant du Kamtchatka, à l'ouvert du détroit, puis, descendant au sud et se rapprochant des rivages de l'Amérique russe, il finit par se briser à travers la mer de Behring sur cette espèce de digue circulaire des îles Aléoutiennes.

Cette carte donnait fort exactement le résumé des observations nautiques les plus récentes. On pouvait donc s'y fier.

Jasper Hobson l'examina attentivement avant de se prononcer. Puis, après avoir passé la main sur son front, comme s'il eût voulu chasser quelque fâcheux pressentiment:

«Il faut espérer, mes amis, dit-il, que la fatalité ne nous entraînera pas jusqu'à ces lointains parages. Notre île errante courrait le risque de n'en plus jamais sortir.

— Et pourquoi, monsieur Hobson? demanda vivement Mrs. Paulina Barnett.

— Pourquoi, madame? répondit le lieutenant. Regardez bien cette portion de l'océan Arctique, et vous allez facilement le comprendre. Deux courants, dangereux pour nous, y coulent en sens inverse. Au point où ils se rencontrent, l'île serait forcément immobilisée, et à une grande distance de toute terre. En ce point précis, elle hivernerait pendant la mauvaise saison, et quand la débâcle des glaces se produirait, ou elle suivrait le courant du Kamtchatka jusqu'au milieu des contrées perdues du nord-ouest, ou elle subirait l'influence du courant de Behring et irait s'abîmer dans les profondeurs du Pacifique.

— Cela n'arrivera pas, monsieur le lieutenant, dit Madge avec l'accent d'une foi sincère, Dieu ne le permettra pas.

— Mais, reprit Mrs. Paulina Barnett, je ne puis imaginer sur quelle partie de la mer polaire nous flottons en ce moment, car je ne vois au large du cap Bathurst que ce dangereux courant du Kamtchatka qui porte directement vers le nord-ouest. N'est-il pas à craindre qu'il ne nous ait saisis dans son cours, et que nous ne fassions route vers les terres de la Géorgie septentrionale?

— Je ne le pense pas, répondit Jasper Hobson, après un moment de réflexion.

— Pourquoi n'en serait-il pas ainsi?

— Parce que ce courant est rapide, madame, et que depuis trois mois, si nous l'avions suivi, nous aurions quelque côte en vue, — ce qui n'est pas.

— Où supposez-vous que nous nous trouvions alors? demanda la voyageuse.

— Mais sans doute, répondit Jasper Hobson, entre ce courant du Kamtchatka et le littoral, probablement dans une sorte de vaste remous qui doit exister sur la côte.

— Cela ne peut être, monsieur Hobson, répondit vivement Mrs. Paulina Barnett.

— Cela ne peut être? répéta le lieutenant. Et pour quelle raison, madame?

— Parce que l'île Victoria, prise dans un remous, et, par conséquent, sans direction fixe, eût certainement obéi à un mouvement de rotation quelconque. Or, puisque son orientation n'a pas changé depuis trois mois, c'est que cela n'est pas.

— Vous avez raison, madame, répondit Jasper Hobson. Vous comprenez parfaitement ces choses et je n'ai rien à répondre à votre observation, — à moins toutefois qu'il n'existe quelque courant inconnu qui ne soit point encore porté sur cette carte. Vraiment, cette incertitude est affreuse. Je voudrais être à demain pour être définitivement fixé sur la situation de l'île.

— Demain arrivera», répondit Madge.

Il n'y avait donc plus qu'à attendre. On se sépara. Chacun reprit ses occupations habituelles. Le sergent Long prévint ses compagnons que le départ pour le Fort-Reliance, fixé au lendemain, n'aurait pas lieu. Il leur donna pour raison que, toute réflexion faite, la saison était trop avancée pour permettre d'atteindre la factorerie avant les grands froids, que l'astronome se décidait à subir un nouvel hivernage, afin de compléter ses observations météorologiques, que le ravitaillement du Fort-Espérance n'était pas indispensable, etc., — toutes choses dont ces braves gens se préoccupaient peu.

Une recommandation spéciale fut faite aux chasseurs par le lieutenant Hobson, la recommandation d'épargner désormais les animaux à fourrures, dont il n'avait que faire, mais de se rabattre sur le gibier comestible, afin de renouveler les réserves de la factorerie. Il leur défendit aussi de s'éloigner du fort de plus de deux milles, ne voulant pas que Marbre, Sabine ou autres chasseurs se trouvassent inopinément en face d'un horizon de mer, là où se développait, il y a quelques mois, l'isthme qui réunissait la presqu'île Victoria au continent américain. Cette disparition de l'étroite langue de terre eût, en effet, dévoilé la situation.

Cette journée parut interminable au lieutenant Hobson. Il retourna plusieurs fois au sommet du cap Bathurst, seul ou accompagné de Mrs. Paulina Barnett. La voyageuse, âme vigoureusement trempée, ne s'effrayait aucunement. L'avenir ne lui paraissait pas redoutable. Elle plaisanta même en disant à Jasper Hobson que cette île errante, qui les portait alors, était peut-être le vrai véhicule pour aller au pôle Nord! Avec un courant favorable, pourquoi n'atteindrait-on pas cet inaccessible point du globe?

Le lieutenant Hobson hochait la tête en écoutant sa compagne développer cette théorie, mais ses yeux ne quittaient point l'horizon et cherchaient si quelque terre, connue ou inconnue, n'apparaîtrait pas au loin. Mais le ciel et l'eau se confondaient inséparablement sur une ligne circulaire dont rien ne troublait la netteté, — ce qui confirmait Jasper Hobson dans cette pensée que l'île Victoria dérivait plutôt vers l'ouest qu'en toute autre direction.

«Monsieur Hobson, lui demanda Mrs. Paulina Barnett, est-ce que vous n'avez pas l'intention de faire le tour de notre île, et cela le plus tôt possible?

— Si vraiment, madame, répondit le lieutenant Hobson. Dès que j'aurai relevé sa situation, je compte en reconnaître la forme et l'étendue. C'est une mesure indispensable pour apprécier dans l'avenir les modifications qui se produiraient. Mais il y a toute apparence qu'elle s'est rompue à l'isthme même, et que, par conséquent, la presqu'île tout entière s'est transformée en île par cette rupture.

— Singulière destinée que la nôtre, monsieur Hobson! reprit Mrs. Paulina Barnett. D'autres reviennent de leurs voyages, après avoir ajouté quelques nouvelles terres au contingent géographique! Nous, au contraire, nous l'aurons amoindri, en rayant de la carte cette prétendue presqu'île Victoria!»

Le lendemain, 18 juillet, à dix heures du matin, par un ciel pur, Jasper Hobson prit une bonne hauteur du soleil. Puis, chiffrant ce résultat et celui de l'observation de la veille, il détermina mathématiquement la longitude du lieu.

Pendant l'opération, l'astronome n'avait pas même paru. Il boudait dans sa chambre, — comme un grand enfant qu'il était, d'ailleurs, en dehors de la vie scientifique.

L'île se trouvait alors par 157°37' de longitude, à l'ouest du méridien de Greenwich.

La latitude obtenue la veille, au midi qui suivit l'éclipse, était, on le sait, de 73°7'20".

Le point fut reporté sur la carte, en présence de Mrs. Paulina Barnett et du sergent Long.

Il y eut là un moment d'extrême anxiété, et voici quel fut le résultat du pointage.

En ce moment, l'île errante se trouvait reportée dans l'ouest, ainsi que l'avait prévu le lieutenant Hobson, mais un courant non marqué sur la carte, un courant inconnu des hydrographes de ces côtes, l'entraînait évidemment vers le détroit de Behring. Tous les dangers pressentis par Jasper Hobson étaient donc à craindre, si, avant l'hiver, l'île Victoria n'était pas ramenée au littoral.

«Mais à quelle distance exacte sommes-nous du continent américain? demanda la voyageuse. Voilà, pour l'instant, quelle est la question intéressante.»

Jasper Hobson prit son compas et mesura avec soin la plus étroite portion de mer, laissée sur la carte entre le littoral et le soixante treizième parallèle.

«Nous sommes actuellement à plus de deux cent cinquante milles de cette extrémité nord de l'Amérique russe, formée par la pointe Barrow, répondit-il.

— Il faudrait savoir alors de combien de milles l'île a dérivé depuis la position occupée autrefois par le cap Bathurst? demanda le sergent Long.

— De sept cents milles au moins, répondit Jasper Hobson, après avoir à nouveau consulté la carte.

— Et à quelle époque, à peu près, peut-on admettre que la dérive ait commencé?

— Sans doute vers la fin d'avril, répondit le lieutenant Hobson. À cette époque, en effet, l'icefield s'est désagrégé, et les glaçons que le soleil ne fondait pas ont été entraînés vers le nord. On peut donc admettre que l'île Victoria, sollicitée par ce courant parallèle au littoral, dérive vers l'ouest depuis trois mois environ, ce qui donnerait une moyenne de neuf à dix milles par jour.

— Mais n'est-ce point une vitesse considérable? demanda Mrs. Paulina Barnett.

— Considérable en effet, répondit Jasper Hobson, et vous jugez jusqu'où nous pouvons être entraînés pendant les deux mois d'été qui laisseront libre encore cette portion de l'océan Arctique!»

Le lieutenant, Mrs. Paulina Barnett et le sergent Long demeurèrent silencieux pendant quelques instants. Leurs yeux ne quittaient pas la carte de ces régions polaires qui se défendent si obstinément contre les investigations de l'homme, et vers lesquelles ils se sentaient irrésistiblement emportés!

«Ainsi, dans cette situation, nous n'avons rien à faire, rien à tenter? demanda la voyageuse.

— Rien, madame, répondit le lieutenant Hobson, rien. Il faut attendre, il faut appeler de tous nos voeux cet hiver arctique, si généralement, si justement redouté des navigateurs, et qui seul peut nous sauver. L'hiver, c'est la glace, madame, et la glace, c'est notre ancre de salut, notre ancre de miséricorde, la seule qui puisse arrêter la marche de l'île errante.»

III.

Le tour de l'île.

À compter de ce jour, il fut décidé que le point serait fait, ainsi que cela se pratique à bord d'un navire, toutes les fois que l'état de l'atmosphère rendrait cette opération possible. Cette île Victoria, n'était-ce pas, désormais, un vaisseau désemparé, errant à l'aventure, sans voiles, sans gouvernail?

Le lendemain, après le relèvement, Jasper Hobson constata que l'île, sans avoir changé sa direction en latitude, s'était encore portée de quelques milles plus à l'ouest. Ordre fut donné au charpentier Mac Nap de procéder à la construction d'une vaste embarcation. Jasper Hobson donna pour prétexte qu'il voulait, l'été prochain, opérer une reconnaissance du littoral jusqu'à l'Amérique russe. Le charpentier, sans en demander davantage, s'occupa donc de choisir ses bois, et il prit pour chantier la grève située au pied du cap Bathurst, de manière à pouvoir lancer facilement son bateau à la mer.

Ce jour-là même, le lieutenant Hobson aurait voulu mettre à exécution ce projet qu'il avait formé de reconnaître ce territoire sur lequel ses compagnons et lui étaient emprisonnés maintenant. Des changements considérables pouvaient se produire dans la configuration de cette île de glace, exposée à l'influence de la température variable des eaux, et il importait d'en déterminer la forme actuelle, sa superficie, et même son épaisseur en de certains endroits. La ligne de rupture, très vraisemblablement l'isthme, devait être examinée avec soin, et, sur cette cassure neuve encore, peut-être distinguerait-on ces couches stratifiées de glace et de terre qui constituaient le sol de l'île.

Mais, ce jour-là, l'atmosphère s'embruma subitement, et une forte bourrasque, accompagnée de brumailles, se déclara dans l'après-dîner. Bientôt le ciel se chargea et la pluie tomba à torrents. Une grosse grêle crépita sur le toit de la maison, et même quelques coups d'un tonnerre éloigné se firent entendre, — phénomène qui a été rarement observé sous des latitudes aussi hautes.

Le lieutenant Hobson dut retarder son voyage, et attendre que le trouble des éléments se fût apaisé. Mais pendant les journées des 20, 21 et 22 juillet, l'état du ciel ne se modifia pas. La tempête fut violente, le ciel se chargea, et les lames battirent le littoral avec un fracas assourdissant. Des avalanches liquides heurtaient le cap Bathurst, et si violemment que l'on pouvait craindre pour sa solidité, désormais fort problématique, puisqu'il ne se composait que d'une agrégation de terre et de sable sans base assurée. Ils étaient à plaindre, les navires exposés en mer à ce terrible coup de vent! Mais l'île errante ne ressentait rien de ces agitations des eaux, et son énorme masse la rendait indifférente aux colères de l'Océan.

Pendant la nuit du 22 au 23 juillet, la tempête s'apaisa subitement. Une forte brise, venant du nord-est, chassa les dernières brumes accumulées sur l'horizon. Le baromètre avait remonté de quelques lignes, et les conditions atmosphériques parurent favorables au lieutenant Hobson pour entreprendre son voyage.

Mrs. Paulina Barnett et le sergent Long devaient l'accompagner dans cette reconnaissance. Il s'agissait d'une absence d'un à deux jours, qui ne pouvait étonner les habitants de la factorerie, et on se munit en conséquence d'une certaine quantité de viande sèche, de biscuit et de quelques flacons de brandevin, qui ne chargerait pas trop le havresac des explorateurs. Les jours étaient très longs alors, et le soleil n'abandonnait l'horizon que pendant quelques heures.

Aucune rencontre d'animal dangereux n'était probablement à craindre. Les ours, guidés par leur instinct, semblaient avoir abandonné l'île Victoria, alors qu'elle était encore presqu'île. Cependant, par précaution, Jasper Hobson, le sergent et Mrs. Paulina Barnett elle-même s'armèrent de fusils. En outre, le lieutenant et le sous-officier portaient la hachette et le couteau à neige, qui n'abandonnent jamais un voyageur des régions polaires.

Pendant l'absence du lieutenant Hobson et du sergent Long, le commandement du fort revenait hiérarchiquement au caporal Joliffe, c'est-à-dire à sa petite femme, et Jasper Hobson savait bien qu'il pouvait se fier à celle-ci. Quant à Thomas Black, on ne pouvait plus compter sur lui, pas même pour se joindre aux explorateurs. Toutefois, l'astronome promit de surveiller avec soin les parages du nord, pendant l'absence du lieutenant, et de noter les changements qui pourraient se produire, soit en mer, soit dans l'orientation de l'île.

Mrs. Paulina Barnett avait bien essayé de raisonner le pauvre savant, mais il ne voulut entendre à rien. Il se considérait, non sans raison, comme un mystifié de la nature, et il ne pardonnerait jamais à la nature une pareille mystification.

Après quelques bonnes poignées de main échangées en guise d'adieu, Mrs. Paulina Barnett et ses deux compagnons quittèrent la maison du fort, franchirent la poterne, et se dirigeant vers l'ouest, ils suivirent la courbe allongée formée par le littoral depuis le cap Bathurst jusqu'au cap Esquimau.

Il était huit heures du matin. Les obliques rayons du soleil animaient la côte, en la piquant de lueurs fauves. Les dernières houles de la mer tombaient peu à peu. Les oiseaux, dispersés par la tempête, ptarmigans, guillemots, puffins, pétrels, étaient revenus par milliers. Des bandes de canards se hâtaient de regagner les bords du lac Barnett, courant sans le savoir au-devant du pot-au-feu de Mrs. Joliffe. Quelques lièvres polaires, des martres, des rats musqués, des hermines, se levaient devant les voyageurs, et s'enfuyaient, mais sans trop de hâte. Les animaux se sentaient évidemment portés à rechercher la société de l'homme, par le pressentiment d'un danger commun.

«Ils savent bien que la mer les entoure, dit Jasper Hobson, et qu'ils ne peuvent plus quitter cette île!

— Ces rongeurs, lièvres ou autres, demanda Mrs. Paulina Barnett, n'ont-ils pas l'habitude, avant l'hiver, d'aller chercher au sud des climats plus doux?

— Oui, madame, répondit Jasper Hobson; mais, cette fois, à moins qu'ils ne puissent s'enfuir à travers les champs de glace, ils devront rester emprisonnés comme nous, et il est à craindre que, pendant l'hiver, la plupart ne meurent de froid ou de faim.

— J'aime à croire, dit le sergent Long, que ces bêtes-là nous rendront le service de nous alimenter, et il est fort heureux pour la colonie qu'elles n'aient point eu l'instinct de s'enfuir avant la rupture de l'isthme.

— Mais les oiseaux nous abandonneront sans doute? demanda Mrs. Paulina Barnett.

— Oui, madame, répondit Jasper Hobson. Tous ces échantillons de l'espèce volatile fuiront avec les premiers froids. Ils peuvent traverser, eux, de larges espaces sans se fatiguer, et, plus heureux que nous, ils sauront bien regagner la terre ferme.

— Eh bien, pourquoi ne nous serviraient-ils pas de messagers? répondit la voyageuse.

— C'est une idée, madame, et une excellente idée, dit le lieutenant Hobson. Rien ne nous empêchera de prendre quelques centaines de ces oiseaux et de leur attacher au cou un papier sur lequel sera mentionné le secret de notre situation. Déjà John Ross, en 1848, essaya, par un moyen analogue, de faire connaître la présence de ses navires, l'*Entreprise* et l'*Investigator*, dans les mers polaires, aux survivants de l'expédition Franklin. Il prit dans des pièges quelques centaines de renards blancs, il leur riva au cou un collier de cuivre sur lequel étaient gravées les mentions nécessaires, puis il les lâcha en toutes directions.

— Peut-être quelques-uns de ces messagers sont-ils tombés entre les mains des naufragés? dit Mrs. Paulina Barnett.

— Peut-être, répondit Jasper Hobson. En tout cas, je me rappelle qu'un de ces renards, vieux déjà, fut pris par le capitaine Hatteras pendant son voyage de découverte, et ce renard portait encore au cou un collier à demi usé et perdu au milieu de sa blanche fourrure. Quant à nous, ce que nous ne pouvons faire avec des quadrupèdes, nous le ferons avec des oiseaux!»

Tout en causant ainsi, en formant des projets pour l'avenir, les deux explorateurs et leur compagne suivaient le littoral de l'île. Ils n'y remarquèrent aucun changement. C'étaient toujours ces mêmes rivages, très accores, recouverts de terre et de sable, mais ces rivages ne présentaient aucune cassure nouvelle qui pût faire supposer que le périmètre de l'île se fût récemment modifié. Toutefois, il était à craindre que l'énorme glaçon, en traversant des courants plus chauds, ne s'usât par sa base et ne diminuât d'épaisseur, hypothèse qui inquiétait très justement Jasper Hobson.

À onze heures du matin, les explorateurs avaient franchi les huit milles qui séparaient le cap Bathurst du cap Esquimau. Ils retrouvèrent sur ce point les traces du campement qu'avait occupé la famille de Kalumah. Des maisons de neige, il ne restait naturellement plus rien; mais les cendres refroidies et les ossements de phoques attestaient encore le passage des Esquimaux.

Mrs. Paulina Barnett, Jasper Hobson et le sergent Long firent halte en cet endroit, leur intention étant de passer les courtes heures de nuit à la baie des Morses, qu'ils comptaient atteindre quelques heures plus tard. Ils déjeunèrent, assis sur une légère extumescence du sol, recouverte d'une herbe maigre et rare. Devant leurs yeux se développait un bel horizon de mer, tracé avec une grande netteté. Ni une voile, ni un iceberg n'animait cet immense désert d'eau.

«Est-ce que vous seriez très surpris, monsieur Hobson, demanda Mrs. Paulina Barnett, si quelque bâtiment se montrait à nos yeux en ce moment?

— Très surpris, non, madame, répondit le lieutenant Hobson, mais je le serais agréablement, je l'avoue. Pendant la belle saison, il n'est pas rare que les baleiniers de Behring s'avancent jusqu'à cette latitude, surtout depuis que l'océan Arctique est devenu le vivier des cachalots et des baleines. Mais nous sommes au 23 juillet, et l'été est déjà bien avancé. Toute la flottille de pêche se trouve, sans doute, en ce moment dans le golfe Kotzebue, à l'entrée du détroit. Les baleiniers défient, et avec raison, des surprises de la mer Arctique. Ils redoutent les glaces et ont souci de ne point se laisser enfermer par elles. Or, précisément, ces icebergs, ces icestreams, cette banquise qu'ils craignent tant, ces glaces enfin, ce sont elles que nous appelons de tous nos voeux!

— Elles viendront, mon lieutenant, répondit le sergent Long, ayons patience, et avant deux mois les lames du large ne battront plus le cap Esquimau.

— Le cap Esquimau! dit en souriant Mrs. Paulina Barnett, mais ce nom, cette dénomination, ainsi que toutes celles que nous avons données aux anses et aux pointes de la presqu'île, sont peut-être un peu bien aventurés! Nous avons déjà perdu le port Barnett, la Paulina-river, qui sait si le cap Esquimau et la baie des Morses ne disparaîtront pas à leur tour?

— Ils disparaîtront aussi, madame, répondit Jasper Hobson, et, après eux, l'île Victoria tout entière, puisque rien ne la rattache plus au continent et qu'elle est fatalement condamnée à périr! Ce résultat est inévitable, et nous nous serons inutilement mis en frais de nomenclature géographique! Mais, en tout cas, nos dénominations n'avaient point encore été adoptées par la Société royale, et l'honorable Roderick Murchison[10] n'aura aucun nom à effacer de ses cartes.

— Si, un seul! dit le sergent.

— Lequel? demanda Jasper Hobson.

— Le cap Bathurst, répondit le sergent.

— En effet, vous avez raison, le cap Bathurst est maintenant à rayer de la cartographie polaire!»

Deux heures de repos avaient suffi aux explorateurs. À une heure après midi, ils se disposèrent à continuer leur voyage.

Au moment de partir, Jasper Hobson, du haut du cap Esquimau, porta un dernier regard sur la mer environnante. Puis, n'ayant rien vu qui pût solliciter son attention, il redescendit et rejoignit Mrs. Paulina Barnett, qui l'attendait près du sergent.

«Madame, lui demanda-t-il, vous n'avez point oublié la famille d'indigènes que nous rencontrâmes ici même, quelque temps avant la fin de l'hiver?

— Non, monsieur Hobson, répondit la voyageuse, et j'ai conservé de cette bonne petite Kalumah un excellent souvenir. Elle a même promis de venir nous revoir au Fort-Espérance, promesse qu'il lui sera maintenant impossible de remplir. Mais à quel propos me faites-vous cette question?

— Parce que je me rappelle un fait, madame, un fait auquel je n'ai pas attaché assez d'importance alors, et qui me revient maintenant à l'esprit.

— Et lequel?

— Vous souvenez-vous de cette sorte d'étonnement inquiet que ces Esquimaux manifestèrent en voyant que nous avions fondé une factorerie au pied du cap Bathurst?

— Parfaitement, monsieur Hobson.

— Vous rappelez-vous aussi que j'ai insisté à cet égard pour comprendre, pour deviner la pensée de ces indigènes, mais que je n'ai pu y parvenir?

— En effet.

— Eh bien, maintenant, dit le lieutenant Hobson, je m'explique leurs hochements de tête. Ces Esquimaux, par tradition, par expérience, enfin par une raison quelconque, connaissaient la nature et l'origine de la presqu'île Victoria. Ils savaient que nous n'avions pas bâti sur un terrain solide. Mais, sans doute, les choses étant ainsi depuis des siècles, ils n'ont pas cru le danger imminent, et c'est pourquoi ils ne se sont pas expliqués d'une façon plus catégorique.

— Cela doit être, monsieur Hobson, répondit Mrs. Paulina Barnett, mais très certainement Kalumah ignorait ce que soupçonnaient ses compagnons, car, si elle l'avait su, la pauvre enfant n'aurait pas hésité à nous l'apprendre.»

Sur ce point, le lieutenant Hobson partagea l'opinion de Mrs. Paulina Barnett.

«Il faut avouer que c'est une bien grande fatalité, dit alors le sergent, que nous soyons venus nous installer sur cette presqu'île, précisément à l'époque où elle allait se détacher du continent pour courir les mers! Car enfin, mon lieutenant, il y avait longtemps, bien longtemps que les choses étaient en cet état! Des siècles peut-être!

— Vous pouvez dire des milliers et des milliers d'années, sergent Long, répondit Jasper Hobson. Songez donc que la terre végétale que nous foulons en ce moment a été apportée par les vents parcelle par parcelle, que ce sable a volé jusqu'ici grain à grain! Pensez au temps qu'il a fallu à ces semences de sapins, de bouleaux, d'arbousiers pour se multiplier, pour devenir des arbrisseaux et des arbres! Peut-être ce glaçon qui nous porte était-il formé et soudé au continent avant même l'apparition de l'homme sur la terre!

— Eh bien, s'écria le sergent Long, il aurait bien dû attendre encore quelques siècles avant de s'en aller à la dérive, ce glaçon capricieux! Cela nous eût épargné bien des inquiétudes et, peut-être, bien des dangers!»

Cette très juste réflexion du sergent Long termina la conversation, et on se remit en route.

Depuis le cap Esquimau jusqu'à la baie des Morses, la côte courait à peu près nord et sud, suivant la projection du cent vingt-septième méridien. En arrière, on apercevait, à une distance de quatre à cinq milles, l'extrémité pointue du lagon, qui réverbérait les rayons du soleil, et un peu au-delà, les dernières rampes boisées dont la verdure encadrait ses eaux. Quelques aigles-siffleurs passaient dans l'air avec de grands battements d'aile. De nombreux animaux à fourrures, des martres, des visons, des hermines, tapis derrière quelques excroissances sablonneuses ou cachés entre les maigres buissons d'arbousier et de saules, regardaient les voyageurs. Ils semblaient comprendre qu'ils n'avaient aucun coup de fusil à redouter. Jasper Hobson entrevit aussi quelques castors, errant à l'aventure et fort désorientés, sans doute, depuis la disparition de la petite rivière. Sans huttes pour s'abriter, sans cours d'eau pour y construire leur village, ils étaient destinés à périr par le froid, dès que les grandes gelées se feraient sentir. Le sergent Long reconnut également une bande de loups qui couraient à travers la plaine.

On pouvait donc croire que tous les animaux de la ménagerie polaire étaient emprisonnés sur l'île flottante, et que les carnassiers, lorsque l'hiver les aurait affamés — puisqu'il leur était interdit d'aller chercher leur nourriture sous un climat plus doux —, deviendraient évidemment redoutables pour les hôtes du Fort-Espérance.

Seuls — et il ne fallait pas s'en plaindre —, les ours blancs semblaient manquer à la faune de l'île. Toutefois, le sergent crut apercevoir confusément, à travers un bouquet de bouleaux, une masse blanche, énorme, qui se mouvait lentement; mais, après un examen plus rigoureux, il fut porté à croire qu'il s'était trompé.

Cette partie du littoral, qui confinait à la baie des Morses, était généralement peu élevée au-dessus du niveau de la mer. Quelques portions même affleuraient la nappe liquide, et les dernières ondulations des lames couraient en écumant à leur surface, comme si elles se fussent développées sur une grève. Il était à craindre qu'en cette partie de l'île, le sol ne se fût abaissé depuis quelque temps seulement, mais les points de contrôle manquaient et ne permettaient pas de reconnaître cette modification et d'en déterminer l'importance. Jasper Hobson regretta de n'avoir pas, avant son départ, établi des repères aux environs du cap Bathurst, qui lui eussent permis de noter les divers abaissements et affaissements du littoral. Il se promit de prendre cette précaution à son retour.

Cette exploration, on le comprend, ne permettait, ni au lieutenant, ni au sergent, ni à la voyageuse, de marcher rapidement. Souvent on s'arrêtait, on examinait le sol, on recherchait si quelque fracture ne menaçait pas de se produire sur le rivage, et parfois les explorateurs durent se porter jusqu'à un demi-mille à l'intérieur de l'île. En de certains points, le sergent prit la précaution de planter des branches de saule ou de bouleau, qui devaient servir de jalons pour l'avenir, surtout en ces portions plus profondément affouillées, et dont la solidité semblait problématique. Il serait, dès lors, aisé de reconnaître les changements qui pourraient se produire.

Cependant on avançait, et, vers trois heures après midi, la baie des Morses ne se trouvait plus qu'à trois milles dans le sud. Jasper Hobson put déjà faire observer à Mrs. Paulina Barnett la modification apportée par la rupture de l'isthme, modification très importante, en effet.

Autrefois, l'horizon, dans le sud-ouest, était barré par une très longue ligne de côtes, légèrement arrondie, formant le littoral de la vaste baie Liverpool. Maintenant, c'était une ligne d'eau qui fermait cet horizon. Le continent avait disparu. L'île Victoria se terminait là par un angle brusque, à l'endroit même où la fracture avait dû se faire. On sentait que, cet angle tourné, l'immense mer apparaîtrait aux regards, baignant la partie méridionale de l'île sur toute cette ligne, solide autrefois, qui s'étendait de la baie des Morses à la baie Washburn.

Mrs. Paulina Barnett ne considéra pas ce nouvel aspect sans une certaine émotion. Elle s'attendait à cela, et pourtant son coeur battit fort. Elle cherchait des yeux ce continent qui manquait à l'horizon, ce continent qui maintenant restait à plus de deux cents milles en arrière, et elle sentit bien qu'elle ne foulait plus du pied la terre américaine. Pour tous ceux qui ont l'âme sensible, il est inutile d'insister sur ce point, et on doit dire que Jasper Hobson et le sergent lui-même partagèrent l'émotion de leur compagne.

Tous pressèrent le pas, afin d'atteindre l'angle brusque qui fermait encore le sud. Le sol remontait un peu sur cette portion de littoral. La couche de terre et de sable était plus épaisse, ce qui s'expliquait par la proximité de cette partie du vrai continent qui autrefois jouxtait l'île et ne faisait qu'un même territoire avec elle. L'épaisseur de la croûte glacée et de la couche de terre à cette jonction, probablement accrue à chaque siècle, démontrait pourquoi l'isthme avait dû résister, tant qu'un phénomène géologique n'en avait pas provoqué la rupture. Le tremblement de terre du 8 janvier n'avait agité que le continent américain, mais la secousse avait suffi à casser la presqu'île, livrée désormais à tous les caprices de l'Océan.

Enfin, à quatre heures, l'angle fut atteint. La baie des Morses, formée par une échancrure de la terre ferme, n'existait plus. Elle était restée attachée au continent.

«Par ma foi, madame, dit gravement le sergent Long à la voyageuse, il est heureux pour vous que nous ne lui ayons pas donné le nom de baie Paulina Barnett!

— En effet, répondit Mrs. Paulina Barnett, et je commence à croire que je suis une triste marraine en nomenclature géographique!»

IV.

Un campement de nuit.

Ainsi, Jasper Hobson ne s'était pas trompé sur la question du point de rupture. C'était l'isthme qui avait cédé aux secousses du tremblement de terre. Aucune trace du continent américain, plus de falaises, plus de volcans dans l'ouest de l'île. La mer partout.

L'angle, formé au sud-ouest de l'île par le détachement du glaçon, dessinait maintenant un cap assez aigu qui, rongé par les eaux plus chaudes, exposé à tous les chocs, ne pouvait évidemment échapper à une destruction prochaine.

Les explorateurs reprirent donc leur marche, en prolongeant la ligne rompue qui, presque droite, courait à peu près ouest et est. La cassure était nette, comme si elle eût été produite par un instrument tranchant. On pouvait, en de certains endroits, observer la disposition du sol. Cette berge, mi-partie glace, mi-partie terre et sable, émergeait d'une dizaine de pieds. Elle était absolument accore, sans talus, et quelques portions, quelques tranches plus fraîches, attestaient des éboulements récents. Le sergent Long signala même deux ou trois petits glaçons détachés de la rive, qui achevaient de se dissoudre au large. On sentait que, dans ses mouvements de ressac, l'eau plus chaude rongeait plus facilement cette lisière nouvelle, que le temps n'avait pas encore revêtu, comme le reste du littoral, d'une sorte de mortier de neige et de sable. Aussi, cet état de choses était-il rien moins que rassurant.

Mrs. Paulina Barnett, le lieutenant Hobson et le sergent Long, avant de prendre du repos, voulurent achever l'examen de cette arête méridionale de l'île. Le soleil, suivant un arc très allongé, ne devait pas se coucher avant onze heures du soir, et par conséquent, le jour ne manquait pas. Le disque brillant se traînait avec lenteur sur l'horizon de l'ouest, et ses obliques rayons projetaient démesurément devant leurs pas les ombres des explorateurs. À de certains instants, la conversation de ceux-ci s'animait, puis, pendant de longs intervalles, ils restaient silencieux, interrogeant la mer, songeant à l'avenir.

L'intention de Jasper Hobson était de camper, pendant la nuit, à la baie Washburn. Rendu à ce point, il aurait fait environ dix-huit milles, c'est-à-dire, si ses hypothèses étaient justes, la moitié de son voyage circulaire. Puis, après quelques heures de repos, quand sa compagne serait remise de ses fatigues, il comptait reprendre, par le rivage occidental, la route du Fort-Espérance.

Aucun incident ne marqua cette exploration du nouveau littoral, compris entre la baie des Morses et la baie Washburn. À sept heures du soir, Jasper Hobson était arrivé au lieu de campement dont il avait fait choix. De ce côté, même modification. De la baie Washburn, il ne restait plus que la courbe allongée, formée par la côte de l'île, et qui, autrefois, la délimitait au nord. Elle s'étendait sans altération jusqu'à ce cap qu'on avait nommé cap Michel, et sur une longueur de sept milles. Cette portion de l'île ne semblait avoir souffert aucunement de la rupture de l'isthme. Les taillis de pins et de bouleaux, qui se massaient un peu en arrière, étaient feuillus et verdoyants à cette époque de l'année. On voyait encore une assez grande quantité d'animaux à fourrures bondir à travers la plaine.

Mrs. Paulina Barnett et ses deux compagnons de route s'arrêtèrent en cet endroit. Si leurs regards étaient bornés au nord, du moins, dans le sud, pouvaient-ils embrasser une moitié de l'horizon. Le soleil traçait un arc tellement ouvert que ses rayons, arrêtés par le relief du sol plus accusé vers l'ouest, n'arrivaient plus jusqu'aux rivages de la baie Washburn. Mais ce n'était pas encore la nuit, pas même le crépuscule, puisque l'astre radieux n'avait pas disparu.

«Mon lieutenant, dit alors le sergent Long du ton le plus sérieux du monde, si, par miracle, une cloche venait à sonner en ce moment, que croyez-vous qu'elle sonnerait?

— L'heure du souper, sergent, répondit Jasper Hobson. Je pense, madame, que vous êtes de mon avis?

— Entièrement, répondit la voyageuse, et puisque nous n'avons qu'à nous asseoir pour être attablés, asseyons-nous. Voici un tapis de mousse — un peu usé, il faut bien le dire —, mais que la Providence semble avoir étendu pour nous.»

Le sac aux provisions fut ouvert. De la viande sèche, un pâté de lièvres, tiré de l'officine de Mrs. Joliffe, quelque peu de biscuit, formèrent le menu du souper.

Ce repas terminé un quart d'heure après, Jasper Hobson retourna vers l'angle sud-est de l'île, pendant que Mrs. Paulina Barnett demeurait assise au pied d'un maigre sapin à demi ébranché, et que le sergent Long préparait le campement pour la nuit.

Le lieutenant Hobson voulait examiner la structure du glaçon qui formait l'île, et reconnaître, s'il était possible, son mode de fondation. Une petite berge, produite par un éboulement, lui permit de descendre jusqu'au niveau de la mer, et, de là, il put observer la muraille accore qui formait le littoral.

En cet endroit, le sol s'élevait de trois pieds à peine au-dessus de l'eau. Il se composait, à sa partie supérieure, d'une assez mince couche de terre et de sable, mélangée d'une poussière de coquillages. Sa partie inférieure consistait en une glace compacte, très dure et comme métallisée, qui supportait ainsi l'humus de l'île.

Cette couche de glace ne dépassait que d'un pied seulement le niveau de la mer. On voyait nettement, sur cette coupure nouvellement faite, les stratifications qui divisaient uniformément l'icefield. Ces nappes horizontales semblaient indiquer que les gelées successives qui les avaient faites s'étaient produites dans des eaux relativement tranquilles.

On sait que la congélation s'opère par la partie supérieure des liquides; puis, si le froid persévère, l'épaisseur de la carapace solide s'accroît en allant de haut en bas. Du moins, il en est ainsi pour les eaux tranquilles. Au contraire, pour les eaux courantes, on a reconnu qu'il se formait des glaces de fond, lesquelles montaient ensuite à la surface.

Mais, pour ce glaçon, base de l'île Victoria, il n'était pas douteux que, sur le rivage du continent américain, il ne se fût constitué en eaux calmes. Sa congélation s'était évidemment faite par sa partie supérieure, et, en bonne logique, on devait nécessairement admettre que le dégel s'opérerait par sa surface inférieure. Le glaçon diminuerait d'épaisseur, quand il serait dissous par des eaux plus chaudes, et alors le niveau général de l'île s'abaisserait d'autant par rapport à la surface de la mer.

C'était là le grand danger.

Jasper Hobson, on vient de le dire, avait observé que la couche solidifiée de l'île, le glaçon proprement dit, ne s'élevait que d'un pied environ au-dessus du niveau de la mer. Or, on sait que tout au plus les quatre cinquièmes d'une glace flottante sont immergés. Un icefield, un iceberg, pour un pied qu'ils ont au-dessus de l'eau, en ont quatre au-dessous. Cependant, il faut dire que, suivant leur mode de formation ou leur origine, la densité, ou, si l'on veut, le poids spécifique des glaces flottantes est variable. Celles qui proviennent de l'eau de mer, poreuses, opaques, teintes de bleu ou de vert, suivant les rayons lumineux qui les traversent, sont plus légères que les glaces formées d'eau douce. Leur surface saillante s'élève donc un peu plus au-dessus du niveau océanique. Or, il était certain que la base de l'île Victoria était un glaçon d'eau de mer. Donc, tout considéré, Jasper Hobson fut amené à conclure, en tenant compte du poids de la couche minérale et végétale qui recouvrait le glaçon, que son épaisseur au-dessous du niveau de la mer devait être de quatre à cinq pieds environ. Quant aux divers reliefs de l'île, aux éminences, aux extumescences du sol, ils n'affectaient évidemment que sa surface terreuse et sableuse, et on devait admettre que, d'une façon générale, l'île errante n'était pas immergée de plus de cinq pieds.

Cette observation rendit Jasper Hobson fort soucieux. Cinq pieds seulement! Mais, sans compter les causes de dissolution auxquelles cet icefield pouvait être soumis, le moindre choc n'amènerait-il pas une rupture à sa surface? Une violente agitation des eaux, provoquée par une tempête, par un coup de vent, ne pouvait-elle entraîner la dislocation du champ de glaces, sa rupture en glaçons et bientôt sa décomposition complète? Ah! l'hiver, le froid, la colonne mercurielle gelée dans sa cuvette de verre, voilà ce que le lieutenant Hobson appelait de tous ses voeux! Seul, le terrible froid des contrées polaires, le froid d'un hiver arctique, pourrait consolider, épaissir la base de l'île, en même temps qu'il établirait une voie de communication entre elle et le continent.

Le lieutenant Hobson revint au lieu de halte. Le sergent Long s'occupait d'organiser la couchée, car il n'avait pas l'intention de passer la nuit à la belle étoile, ce à quoi la voyageuse se fût pourtant résignée. Il fit connaître à Jasper Hobson son intention de creuser dans le sol une maison de glace, assez large pour contenir trois personnes, sorte de «snow-house», qui les préserverait fort bien du froid de la nuit.

«Dans le pays des Esquimaux, dit-il, rien de plus sage que de se conduire en Esquimau.»

Jasper Hobson approuva, mais il recommanda à son sergent de ne pas trop profondément fouiller dans le sol de glace, qui ne devait pas mesurer plus de cinq pieds d'épaisseur.

Le sergent Long se mit à la besogne. Sa hachette et son couteau à neige aidant, il eut bientôt déblayé la terre et creusé une sorte de couloir en pente douce qui aboutissait directement à la carapace glacée. Puis il s'attaqua à cette masse friable, que le sable et la terre recouvraient depuis de longs siècles.

Il ne fallait pas plus d'une heure pour creuser cette retraite souterraine, ou plutôt ce terrier à parois de glace, très propre à conserver la chaleur, et, par conséquent, d'une habitabilité suffisante pour quelques heures de nuit.

Tandis que le sergent Long travaillait comme un termite, le lieutenant Hobson, ayant rejoint sa compagne, lui communiquait le résultat de ses observations sur la constitution physique de l'île Victoria. Il ne lui cacha pas les craintes sérieuses que cet examen laissait dans son esprit. Le peu d'épaisseur du glaçon, suivant lui, devait provoquer avant peu des failles à sa surface, puis des ruptures impossibles à prévoir, et par conséquent impossibles à empêcher. L'île errante pouvait, à chaque instant, ou s'immerger peu à peu par changement de pesanteur spécifique, ou se diviser en îlots plus ou moins nombreux dont la durée serait nécessairement éphémère. Sa conclusion fut, qu'autant que possible, les hôtes du Fort-Espérance ne devaient pas s'éloigner de la factorerie et rester réunis sur le même point afin de partager ensemble les mêmes chances.

Jasper Hobson en était là de sa conversation, quand des cris se firent entendre.

Mrs. Paulina Barnett et lui se levèrent aussitôt. Ils regardèrent autour d'eux, vers le taillis, sur la plaine, en mer.

Personne.

Cependant, les cris redoublaient.

«Le sergent! le sergent!» dit Jasper Hobson.

Et, suivi de Mrs. Paulina Barnett, il se précipita vers le campement.

À peine fut-il arrivé à l'ouverture béante de la maison de neige, qu'il aperçut le sergent Long, cramponné des deux mains à son couteau qu'il avait enfoncé dans la paroi de glace, et appelant, d'ailleurs, d'une voix forte, mais avec le plus grand sang-froid.

On ne voyait plus que la tête et les bras du sergent. Pendant qu'il creusait, le sol glacé avait soudain manqué sous lui, et il avait été plongé dans l'eau jusqu'à la ceinture.

Jasper Hobson se contenta de dire: «Tenez bon!» Et, se couchant sur l'entaille, il arriva au bord du trou.

Puis il tendit la main au sergent qui, sûr de ce point d'appui, parvint à sortir de l'excavation. «Mon Dieu, sergent Long! s'écria Mrs. Paulina Barnett, que vous est-il donc arrivé?

— Il m'est arrivé, madame, répondit Long, en se secouant comme un barbet mouillé, que ce sol de glace a cédé sous moi et que j'ai pris un bain forcé.

— Mais, demanda Jasper Hobson, vous n'avez donc pas tenu compte de ma recommandation de ne pas creuser trop profondément au- dessous de la couche de terre?

— Faites excuse, mon lieutenant. Vous pouvez voir que c'est à peine si j'ai entamé de quinze pouces le sol de glace. Seulement, il faut croire qu'il existait en dessous une boursouflure, qu'il y avait là comme une sorte de caverne. La glace ne reposait pas sur l'eau, et je suis passé comme au travers d'un plafond qui se fend. Si je n'avais pu m'accrocher à mon couteau, je m'en allais tout bêtement sous l'île, et c'eût été fâcheux, n'est-il pas vrai, madame?

— Très fâcheux, brave sergent!» répondit la voyageuse, en tendant la main au digne homme.

L'explication donnée par le sergent Long était exacte. En cet endroit, par une raison quelconque, sans doute par suite d'un emmagasinage d'air, la glace avait formé voûte au-dessus de l'eau, et, par conséquent, sa paroi peu épaisse, amincie encore par le couteau à neige, n'avait pas tardé à se rompre sous le poids du sergent.

Cette disposition qui, sans doute, se reproduisait en mainte partie du champ de glace, n'était point rassurante. Où serait-on jamais certain de poser le pied sur un terrain solide? Le sol ne pouvait-il à chaque pas céder à la pression? Et quand on songeait que sous cette mince couche de terre et de glace se creusaient les gouffres de l'Océan, quel coeur ne se serait pas serré, si énergique qu'il fût!

Cependant le sergent Long, se préoccupant peu du bain qu'il venait de prendre, voulait reprendre en un autre endroit son travail de mineur. Mais, cette fois, Mrs. Paulina Barnett n'y voulut pas consentir. Une nuit à passer en plein air ne l'embarrassait pas. L'abri du taillis voisin lui suffirait aussi bien qu'à ses compagnons, et elle s'opposa absolument à ce que le sergent Long recommençât son opération. Celui-ci dut se résigner et obéir.

Le campement fut donc reporté à une centaine de pieds en arrière du littoral, sur une petite extumescence où poussaient quelques bouquets isolés de pins et de bouleaux, dont l'agglomération ne méritait certainement pas la qualification de taillis. Un feu pétillant de branches mortes fut allumé vers dix heures du soir, au moment où le soleil rasait les bords de cet horizon au-dessous duquel il n'allait disparaître que pendant quelques heures.

Le sergent Long eut là une belle occasion de sécher ses jambes, et il ne la manqua pas. Jasper Hobson et lui causèrent jusqu'au moment où le crépuscule remplaça la lumière du jour. Mrs. Paulina Barnett prenait de temps en temps part à la conversation et cherchait à distraire le lieutenant de ses idées un peu sombres. Cette belle nuit, très étoilée au zénith, comme toutes les nuits polaires, était propice d'ailleurs à un apaisement de l'esprit. Le vent murmurait à travers les sapins. La mer semblait dormir sur le littoral. Une houle très allongée gonflait à peine sa surface et venait expirer sans bruit à la lisière de l'île. Pas un cri d'oiseau dans l'air, pas un vagissement sur la plaine. Quelques crépitements des souches de sapins s'épanouissant en flammes résineuses, puis, à de certains intervalles, le murmure des voix qui s'envolaient dans l'espace, troublaient seuls, en le faisant paraître sublime, ce silence de la nuit.

«Qui pourrait croire, dit Mrs. Paulina Barnett, que nous sommes ainsi emportés à la surface de l'Océan! En vérité, monsieur Hobson, il me faut un certain effort pour me rendre à l'évidence, car cette mer nous paraît absolument immobile, et, cependant, elle nous entraîne avec une irrésistible puissance!

— Oui, madame, répondit Jasper Hobson, et j'avouerai que si le plancher de notre véhicule était solide, si la carène ne devait pas tôt ou tard manquer au bâtiment, si sa coque ne devait pas s'entrouvrir un jour ou l'autre, et enfin si je savais où il me mène, j'aurais quelque plaisir à flotter ainsi sur cet Océan.

— En effet, monsieur Hobson, reprit la voyageuse, est-il un mode de locomotion plus agréable que le nôtre? Nous ne nous sentons pas aller. Notre île a précisément la même vitesse que celle du courant qui l'emporte. N'est-ce pas le même phénomène que celui qui accompagne un ballon dans l'air? Puis, quel charme ce serait de voyager ainsi avec sa maison, son jardin, son parc, son pays lui-même! Une île errante, mais j'entends une véritable île, avec une base solide, insubmersible, ce serait véritablement le plus confortable et le plus merveilleux véhicule que l'on pût imaginer. On a fait des jardins suspendus, dit-on? Pourquoi, un jour, ne ferait-on pas des parcs flottants qui nous transporteraient à tous les points du monde? Leur grandeur les rendrait absolument insensibles à la houle. Ils n'auraient rien à craindre des tempêtes. Peut-être même, par les vents favorables, pourrait-on les diriger avec de grandes voiles tendues à la brise? Et puis, quels miracles de végétation surprendraient les regards des passagers, quand des zones tempérées ils seraient passés sous les zones tropicales! J'imagine même qu'avec d'habiles pilotes, bien instruits des courants, on saurait se maintenir sous des latitudes choisies et jouir à son gré d'un printemps éternel!»

Jasper Hobson ne pouvait que sourire aux rêveries de l'enthousiaste Paulina Barnett. L'audacieuse femme se laissait entraîner avec tant de grâce, elle ressemblait si bien à cette île Victoria qui marchait sans aucunement trahir sa marche! Certes, étant donnée la situation, on pouvait ne pas se plaindre de cette étrange façon de courir les mers, mais à la condition, toutefois, que l'île ne menaçât point à chaque instant de fondre et de s'effondrer dans l'abîme.

La nuit se passa. On dormit quelques heures. Au réveil, on déjeuna, et chacun trouva le déjeuner excellent. Des broussailles bien flambantes ranimèrent les jambes des dormeurs, un peu engourdis par le froid de la nuit.

À six heures du matin, Mrs. Paulina Barnett, Jasper Hobson et le sergent Long se remettaient en route.

La côte, depuis le cap Michel jusqu'à l'ancien port Barnett, se dirigeait presque en droite ligne du sud au nord, sur une longueur de onze milles environ. Elle n'offrait aucune particularité et ne semblait pas avoir souffert depuis la rupture de l'isthme. C'était une lisière généralement basse, peu ondulée. Le sergent Long, sur l'ordre du lieutenant, plaça quelques repères en arrière du littoral, qui permettraient plus tard d'en reconnaître les modifications.

Le lieutenant Hobson désirait, et pour cause, rallier le Fort- Espérance le soir même. De son côté, Mrs. Paulina Barnett avait hâte de revoir ses compagnons, ses amis, et, dans les conditions où ils se trouvaient, il ne fallait pas prolonger l'absence du chef de la factorerie.

On marcha donc vite, en coupant par une ligne oblique, et, à midi, on tournait le petit promontoire qui défendait autrefois le port Barnett contre les vents de l'est.

De ce point au Fort-Espérance il ne fallait plus compter qu'une huitaine de milles. Avant quatre heures du soir, ces huit milles étaient franchis, et le retour des explorateurs était salué par les hurrahs du caporal Joliffe.

V.

Du 25 juillet au 20 août.

Le premier soin de Jasper Hobson, en rentrant au fort, fut d'interroger Thomas Black sur l'état de la petite colonie. Aucun changement n'avait eu lieu depuis vingt-quatre heures. Mais l'île, ainsi que le démontra une observation subséquente, s'était abaissée d'un degré en latitude, c'est-à-dire qu'elle avait dérivé vers le sud, tout en gagnant dans l'ouest. Elle se trouvait alors à la hauteur du cap des Glaces, petite pointe de la Géorgie occidentale, et à deux cents milles de la côte américaine. La vitesse du courant, en ces parages, semblait être un peu moins forte que dans la partie orientale de la mer Arctique, mais l'île se déplaçait toujours, et, au grand ennui de Jasper Hobson, elle gagnait du côté du détroit de Behring. On n'était encore qu'au 24 juillet, et il suffisait d'un courant un peu rapide pour l'entraîner, en moins d'un mois, à travers le détroit et jusque dans les flots échauffés du Pacifique, où elle fondrait «comme un morceau de sucre dans un verre d'eau».

Mrs. Paulina Barnett fit connaître à Madge le résultat de son exploration autour de l'île; elle lui indiqua la disposition des couches stratifiées sur la partie rompue de l'isthme, l'épaisseur de l'icefield évaluée à cinq pieds au-dessous du niveau de la mer, l'incident du sergent Long et son bain involontaire, enfin toutes ces raisons qui pouvaient amener à chaque instant la rupture ou l'affaissement du glaçon.

Cependant, l'idée d'une sécurité complète régnait dans la factorerie. Jamais la pensée ne fût venue à ces braves gens que le Fort-Espérance flottait sur un abîme, et que la vie de ses habitants était à chaque minute en danger. Ils étaient tous bien portants. Le temps était beau, le climat sain et vivifiant. Hommes et femmes rivalisaient de bonne humeur et de belle santé. Le bébé Michel venait à ravir; il commençait à faire de petits pas dans l'enceinte du fort, et le caporal Joliffe, qui en raffolait, voulait déjà lui apprendre le maniement du mousqueton et les premiers principes de l'école du soldat. Ah! si Mrs. Joliffe lui eût donné un pareil fils, quel guerrier il en eût fait! Mais l'intéressante famille Joliffe ne prospérait pas, et le ciel, jusqu'alors du moins, lui refusait une bénédiction qu'elle implorait chaque jour.

Quant aux soldats, ils ne manquaient pas de besogne. Mac Nap, le charpentier, et ses ouvriers, Petersen, Belcher, Garry, Pond, Hope, travaillaient avec ardeur à la construction du bateau, opération longue et difficile, qui devait durer plusieurs mois. Mais, comme cette embarcation ne pourrait être utilisée qu'à l'été prochain, après la débâcle des glaces, on ne négligea pas pour elle les travaux plus spécialement relatifs à la factorerie. Jasper Hobson laissait faire, comme si la durée du fort eût été assurée pour un temps illimité. Il persistait à tenir ses hommes dans l'ignorance de leur situation. Plusieurs fois, cette question assez grave avait été traitée par ce qu'on pourrait appeler «l'état-major» du Fort-Espérance. Mrs. Paulina Barnett et Madge ne partageaient pas absolument les idées du lieutenant à ce sujet. Il leur semblait que leurs compagnons, énergiques et résolus, n'étaient pas gens à désespérer, et qu'en tout cas, le coup serait certainement plus rude, lorsque les dangers de la situation se seraient tellement accrus qu'on ne pourrait plus les leur cacher. Mais, malgré la valeur de cet argument, Jasper Hobson ne se rendit pas, et on doit dire que, sur cette question, il fut soutenu par le sergent Long. Peut-être, après tout, avaient-ils raison tous deux, ayant pour eux l'expérience des choses et des hommes.

Aussi les travaux d'appropriation et de défense du fort furent-ils continués. L'enceinte palissadée, renforcée de nouveaux pieux et surélevée en maint endroit, forma une circonvallation très sérieusement défensive, Maître Mac Nap exécuta même un des projets qui lui tenaient le plus au coeur, et que son chef approuva. Aux angles qui formaient saillant sur le lac, il éleva deux petites poivrières aiguës qui complétaient l'oeuvre, et le caporal Joliffe soupirait après le moment où il irait y relever les sentinelles. Cela donnait à l'ensemble des constructions un aspect militaire qui le réjouissait.

La palissade entièrement achevée, Mac Nap, se rappelant les rigueurs du dernier hiver, construisit un nouveau hangar à bois sur le flanc même de la maison principale, à droite, de telle sorte qu'on pouvait communiquer avec ce hangar bien clos, par une porte intérieure, sans être obligé de s'aventurer au-dehors. De cette façon, le combustible serait toujours sous la main des consommateurs. Sur le flanc gauche, le charpentier bâtit, en retour, une vaste salle destinée au logement des soldats, de façon à débarrasser du lit de camp la salle commune. Cette salle fut uniquement consacrée, désormais, aux repas, aux jeux, au travail. Le nouveau logement, depuis lors, servit exclusivement d'habitation aux trois ménages qui furent établis dans des chambres particulières, et aux autres soldats de la colonie. Un magasin spécial, destiné aux fourrures, fut également élevé en arrière de la maison, près de la poudrière, ce qui laissa libre tout le grenier, dont les chevrons et les fermes furent assujettis au moyen de crampons de fer, de manière à défier toute agression.

Mac Nap avait aussi l'intention de construire une petite chapelle en bois. Cet édifice était compris dans les plans primitifs de Jasper Hobson et devait compléter l'ensemble de la factorerie. Mais son érection fut remise à la prochaine saison d'été.

Avec quel soin, quel zèle, quelle activité le lieutenant Hobson aurait autrefois suivi tous ces détails de son établissement! S'il eût bâti sur un terrain solide, avec quel plaisir il aurait vu ces maisons, ces hangars, ces magasins, s'élever autour de lui! Et ce projet, désormais inutile, qu'il avait formé de couronner le cap Bathurst par un ouvrage qui eût assuré la sécurité du Fort- Espérance! Le Fort-Espérance! Ce nom, maintenant, lui serrait le coeur! Le cap Bathurst avait pour jamais quitté le continent américain, et le Fort-Espérance se fût plus justement appelé le Fort Sans-Espoir!

Ces divers travaux occupèrent la saison tout entière, et les bras ne chômèrent pas. La construction du bateau marchait régulièrement. D'après les plans de Mac Nap, il devait jauger une trentaine de tonneaux, et cette capacité serait suffisante pour qu'il pût, dans la belle saison, transporter une vingtaine de passagers pendant quelques centaines de milles. Le charpentier avait heureusement trouvé quelques bois courbes qui lui avaient permis d'établir les premiers couples de l'embarcation, et bientôt l'étrave et l'étambot, fixés à la quille, se dressèrent sur le chantier disposé au pied du cap Bathurst.

Tandis que les charpentiers maniaient la hache, la scie, l'herminette, les chasseurs faisaient la chasse au gibier domestique, rennes et lièvres polaires, qui abondaient aux environs de la factorerie. Le lieutenant avait, d'ailleurs, enjoint à Sabine et à Marbre de ne point s'éloigner, leur donnant pour raison que tant que l'établissement ne serait pas achevé, il ne voulait pas laisser aux alentours des traces qui pussent attirer quelque parti ennemi. La vérité est que Jasper Hobson ne voulait pas laisser soupçonner les changements survenus à la presqu'île.

Il arriva même un jour que Marbre, ayant demandé si le moment n'était pas venu d'aller à la baie des Morses et de recommencer la chasse aux amphibies, dont la graisse fournissait un excellent combustible, Jasper Hobson répondit vivement:

«Non, c'est inutile, Marbre!»

Le lieutenant Hobson savait bien que la baie des Morses était restée à plus de deux cents milles dans le sud et que les amphibies ne fréquentaient plus les rivages de l'île!

Il ne faudrait pas croire, on le répète, que Jasper Hobson considérât la situation comme désespérée. Loin de là, et plus d'une fois il s'en était franchement expliqué, soit avec Mrs. Paulina Barnett, soit avec le sergent Long. Il affirmait, de la façon la plus catégorique, que l'île résisterait jusqu'au moment où les froids de l'hiver viendraient à la fois épaissir sa couche de glace et l'arrêter dans sa marche.

En effet, après son voyage d'exploration, Jasper Hobson avait exactement relevé le périmètre de son nouveau domaine. L'île mesurait plus de quarante milles de tour[11], ce qui lui attribuait une superficie de cent quarante milles carrés au moins. Pour donner un terme de comparaison, l'île Victoria était un peu plus grande encore que l'île Sainte Hélène. Son périmètre égalait à peu près celui de Paris, à la ligne des fortifications. Au cas même où elle se fût divisée en fragments, les fragments pouvaient encore conserver une grande étendue qui les aurait rendus habitables pendant quelque temps.

À Mrs. Paulina Barnett, qui s'étonnait qu'un champ de glace eût une telle superficie, le lieutenant Hobson répondait par les observations mêmes des navigateurs arctiques. Il n'était pas rare que Parry, Penny, Franklin, dans les traversées des mers polaires, eussent rencontré des icefields, longs de cent milles et larges de cinquante. Le capitaine Kellet abandonna même son navire sur un champ de glace qui ne mesurait pas moins de trois cents milles carrés. Qu'était, en comparaison, l'île Victoria?

Cependant, sa grandeur devait être suffisante pour qu'elle résistât jusqu'aux froids de l'hiver, avant que les courants d'eau plus chaude eussent dissous sa base. Jasper Hobson ne faisait aucun doute à cet égard, et, il faut le dire, il n'était désespéré que de voir tant de peines inutiles, tant d'efforts perdus, tant de plans détruits, et son rêve, si prêt à se réaliser, tout à vau- l'eau. On conçoit qu'il ne pût prendre aucun intérêt aux travaux actuels. Il laissait faire, voilà tout!

Mrs. Paulina Barnett, elle, faisait, suivant l'expression usitée, contre fortune bon coeur. Elle encourageait le travail de ses compagnes et y participait même, comme si l'avenir lui eût appartenu. Ainsi, voyant avec quel intérêt Mrs. Joliffe s'occupait de ses semailles, elle l'aidait journellement par ses conseils. L'oseille et les chochléarias avaient fourni une belle récolte, et cela grâce au caporal, qui, avec le sérieux et la ténacité d'un mannequin, défendait les terrains ensemencés contre des milliers d'oiseaux de toutes sortes.

La domestication des rennes avait parfaitement réussi. Plusieurs femelles avaient mis bas, et le petit Michel fut même en partie nourri avec du lait de renne. Le total du troupeau s'élevait alors à une trentaine de têtes. On menait paître ces animaux sur les parties gazonneuses du cap Bathurst, et on faisait provision de l'herbe courte et sèche, qui tapissait les talus, pour les besoins de l'hiver. Ces rennes, déjà très familiarisés avec les gens du fort, très faciles d'ailleurs à domestiquer, ne s'éloignaient pas de l'enceinte, et quelques-uns avaient été employés au tirage des traîneaux pour le transport du bois.

En outre, un certain nombre de leurs congénères, qui erraient aux alentours de la factorerie, se laissèrent prendre au traquenard creusé à mi-chemin du fort et du port Barnett. On se rappelle que, l'année précédente, ce traquenard avait servi à la capture d'un ours gigantesque. Pendant cette saison, ce furent des rennes qui tombèrent fréquemment dans ce piège. La chair de ceux-ci fut salée, séchée et conservée pour l'alimentation future. On prit au moins une vingtaine de ces ruminants, que l'hiver devait bientôt ramener vers des régions moins élevées en latitude.

Mais, un jour, par suite de la conformation du sol, le traquenard fut mis hors d'usage, et, le 5 août, le chasseur Marbre, revenant de le visiter, aborda Jasper Hobson, en lui disant d'un ton assez singulier:

«Je reviens de faire ma visite quotidienne au traquenard, mon lieutenant.

— Eh bien, Marbre, répondit Jasper Hobson, j'espère que vous aurez été aussi heureux aujourd'hui qu'hier, et qu'un couple de rennes aura donné dans votre piège?

— Non, mon lieutenant... non... répondit Marbre avec un certain embarras.

— Quoi! votre traquenard n'a pas fourni son contingent habituel?

— Non, et si quelque bête était tombée dans notre fosse, elle s'y serait certainement noyée.

— Noyée! s'écria le lieutenant, en regardant le chasseur d'un oeil inquiet.

— Oui, mon lieutenant, répondit Marbre, qui observait attentivement son chef, la fosse est remplie d'eau.

— Bon, répondit Jasper Hobson, du ton d'un homme qui n'attachait aucune importance à ce fait, vous savez que cette fosse était en partie creusée dans la glace. Les parois auront fondu aux rayons du soleil, et alors...

— Je vous demande pardon de vous interrompre, mon lieutenant, répondit Marbre, mais cette eau ne peut aucunement provenir de la fusion de la glace.

— Pourquoi, Marbre?

— Parce que, si la glace l'avait produite, cette eau serait douce, comme vous me l'avez expliqué dans le temps, et qu'au contraire, l'eau qui remplit notre fosse est salée!»

Si maître de lui qu'il fût, Jasper Hobson pâlit légèrement et ne répondit rien.

«D'ailleurs, ajouta le chasseur, j'ai voulu sonder la fosse pour reconnaître la hauteur de l'eau, et, à ma grande surprise, je vous l'avoue, je n'ai point trouvé de fond.

— Eh bien, Marbre, que voulez-vous? répondit vivement Jasper Hobson, il n'y a pas là de quoi s'étonner. Quelque fracture du sol aura établi une communication entre le traquenard et la mer! Cela arrive quelquefois... même dans les terrains les plus solides! Ainsi, ne vous inquiétez pas, mon brave chasseur. Renoncez, pour le moment, à employer le traquenard, et contentez-vous de tendre des trappes aux environs du fort.»

Marbre porta la main à son front, en guise de salut, et, tournant sur ses talons, il quitta le lieutenant, non sans avoir jeté sur son chef un singulier regard.

Jasper Hobson demeura pensif pendant quelques instants. C'était une grave nouvelle que venait de lui apprendre le chasseur Marbre. Il était évident que le fond de la fosse, successivement aminci par les eaux plus chaudes, avait crevé, et que la surface de la mer formait maintenant le fond du traquenard.

Jasper Hobson alla trouver le sergent Long et lui fit connaître cet incident. Tous deux, sans être aperçus de leurs compagnons, se rendirent sur le rivage, au pied du cap Bathurst, à cet endroit du littoral où ils avaient établi des marques et des repères.

Ils les consultèrent. Depuis leur dernière observation, le niveau de l'île flottante s'était abaissé de six pouces!

«Nous nous enfonçons peu à peu! murmura le sergent Long. Le champ de glace s'use par-dessous!

— Oh! l'hiver! l'hiver!» s'écria Jasper Hobson, en frappant du pied ce sol maudit. Mais aucun symptôme n'annonçait encore l'approche de la saison froide. Le thermomètre se maintenait, en moyenne, à cinquante-neuf degrés Fahrenheit (15° centigr. au- dessus de zéro), et pendant les quelques heures que durait la nuit, la colonne mercurielle s'abaissait à peine de trois à quatre degrés.

Les préparatifs du prochain hivernage furent continués avec beaucoup de zèle. On ne manquait de rien, et véritablement, bien que le Fort-Espérance n'eût pas été ravitaillé par le détachement du capitaine Craventy, on pouvait attendre en toute sécurité les longues heures de la nuit arctique. Seules, les munitions durent être ménagées. Quant aux spiritueux, dont on faisait d'ailleurs une consommation peu importante, et au biscuit, qui ne pouvait être remplacé, il en restait encore une réserve assez considérable. Mais la venaison fraîche et la viande conservée se renouvelaient sans cesse, et cette alimentation, abondante et saine, à laquelle se joignaient quelques plantes antiscorbutiques, maintenait en excellente santé tous les membres de la petite colonie.

D'importantes coupes de bois furent faites dans la futaie qui bordait la côte orientale du lac Barnett. Nombre de bouleaux, de pins et de sapins tombèrent sous la hache de Mac Nap, et ce furent les rennes domestiques qui charrièrent tout ce combustible au magasin. Le charpentier n'épargnait pas la petite forêt, tout en aménageant convenablement ses abatis. Il devait penser, d'ailleurs, que le bois ne manquerait pas sur cette île, qu'il regardait encore comme une presqu'île. En effet, toute la portion du territoire avoisinant le cap Michel était riche en essences diverses.

Aussi, maître Mac Nap s'extasiait-il souvent et félicitait-il son lieutenant d'avoir découvert ce territoire béni du ciel, sur lequel le nouvel établissement ne pouvait que prospérer. Du bois, du gibier, des animaux à fourrures qui s'empilaient d'eux-mêmes dans les magasins de la Compagnie! Un lagon pour pêcher, et dont les produits variaient agréablement l'ordinaire! De l'herbe pour les animaux, et «une double paie pour les gens», eût certainement ajouté le caporal Joliffe! N'était-il pas, ce cap Bathurst, un bout de terre privilégiée, dont on ne trouverait pas l'équivalent sur tout le domaine du continent arctique? Ah! certes, le lieutenant Hobson avait eu la main heureuse, et il fallait en remercier la Providence, car ce territoire devait être unique au monde!

Unique au monde! Honnête Mac Nap! Il ne savait pas si bien dire, ni quelles angoisses il éveillait dans le coeur de son lieutenant, quand il parlait ainsi!

On pense bien que, dans la petite colonie, la confection des vêtements d'hiver ne fut pas négligée. Mrs. Paulina Barnett et Madge, Mrs. Raë et Mac Nap, et Mrs. Joliffe, quand ses fourneaux lui laissaient quelque répit, travaillaient assidûment. La voyageuse savait qu'il faudrait avant peu quitter le fort, et, en prévision d'un long trajet sur les glaces, quand, en plein hiver, il s'agirait de regagner le continent américain, elle voulait que chacun fût solidement et chaudement vêtu. Ce serait un terrible froid à affronter pendant la longue nuit polaire, et à braver durant bien des jours, si l'île Victoria ne s'immobilisait qu'à une grande distance du littoral! Pour franchir ainsi des centaines de milles, dans ces conditions, il ne fallait négliger ni le vêtement, ni la chaussure. Aussi, Mrs. Paulina Barnett et Madge donnèrent-elles tous leurs soins aux confections. Comme on le pense bien, les fourrures, qu'il serait vraisemblablement impossible de sauver, furent employées sous toutes les formes. On les ajustait en double, de manière que le vêtement présentât le poil à l'intérieur comme à l'extérieur. Et il était certain que, le moment venu, ces dignes femmes de soldats et les soldats eux- mêmes, aussi bien que leurs officiers, seraient vêtus de pelleteries du plus haut prix, que leur eussent enviées les plus riches ladies ou les plus opulentes princesses russes. Sans doute, Mrs. Raë, Mrs. Mac Nap et Mrs. Joliffe s'étonnèrent un peu de l'emploi qui était fait des richesses de la Compagnie. Mais l'ordre du lieutenant Hobson était formel. D'ailleurs, les martres, les visons, les rats musqués, les castors, les renards même pullulaient sur le territoire, et les fourrures ainsi dépensées seraient remplacées facilement, quand on le voudrait, avec quelques coups de fusil ou de trappe. Au surplus, lorsque Mrs. Mac Nap vit le délicieux vêtement d'hermine que Madge avait confectionné pour son bébé, vraiment elle ne trouva plus la chose extraordinaire!

Ainsi s'écoulèrent les journées jusque dans la moitié du mois d'août. Le temps avait toujours été beau, le ciel quelquefois brumeux, mais le soleil avait vite fait de boire ces brumes.

Chaque jour, le lieutenant Jasper Hobson faisait le point, en ayant soin toutefois de s'éloigner du fort, afin de ne point éveiller les soupçons de ses compagnons par ces observations quotidiennes. Il visitait aussi les diverses parties de l'île, et, fort heureusement, il n'y remarqua aucune modification importante.

Au 16 août, l'île Victoria se trouvait, en longitude, par 167°27', et, en latitude, par 70°49'. Elle s'était donc un peu reportée au sud depuis quelque temps, mais sans, pour cela, s'être rapprochée de la côte, qui, se recourbant, dans cette direction lui restait encore à plus de deux cents milles dans le sud-est.

Quant au chemin parcouru par l'île depuis la rupture de l'isthme ou plutôt depuis la dernière débâcle des glaces, on pouvait l'estimer déjà à onze ou douze cents milles vers l'ouest.

Mais qu'était-ce que ce parcours comparé à l'étendue de la mer immense? N'avait-on pas vu déjà des bâtiments dériver, sous l'action des courants, pendant des milliers de milles, tels que le navire anglais *Resolute*, le brick américain *Advance*, et enfin le *Fox*, qui, sur un espace de plusieurs degrés, furent emportés avec leurs champs de glace, jusqu'au moment où l'hiver les arrêta dans leur marche!

VI.

Dix jours de tempête.

Pendant les quatre jours du 17 au 20 août, le temps fut constamment beau, et la température assez élevée. Les brumes de l'horizon ne se changèrent point en nuages. Il était rare même que l'atmosphère se maintînt dans un tel état de pureté sous une zone si élevée en latitude. On le conçoit, ces conditions climatériques ne pouvaient satisfaire le lieutenant Hobson.

Mais, le 21 août, le baromètre annonça un changement prochain dans l'état atmosphérique. La colonne de mercure baissa subitement de quelques millièmes. Cependant, elle remonta le lendemain, puis redescendit, et ce fut le 23 seulement que son abaissement se fit d'une manière continue.

Le 24 août, en effet, les vapeurs, accumulées peu à peu au lieu de se dissiper, s'élevèrent dans l'atmosphère. Le soleil, au moment de sa culmination, fut entièrement voilé, et le lieutenant Hobson ne put faire son point. Le lendemain, le vent s'établit au nord- ouest, il souffla en grande brise, et, pendant certaines accalmies, la pluie tomba avec abondance. Cependant, la température ne se modifia pas d'une façon très sensible, et le thermomètre se tint à cinquante-quatre degrés Fahrenheit (12° centigr. au-dessus de zéro).

Très heureusement, à cette époque, les travaux projetés étaient exécutés, et Mac Nap venait d'achever la carcasse de l'embarcation, qui était bordée et membrée. On pouvait même, sans inconvénient, suspendre la chasse aux animaux comestibles, les réserves étant suffisantes. D'ailleurs, le temps devint bientôt si mauvais, le vent si violent, la pluie si pénétrante, les brouillards si intenses, que l'on dut renoncer à quitter l'enceinte du fort.

«Que pensez-vous de ce changement de temps, monsieur Hobson? demanda Mrs. Paulina Barnett, dans la matinée du 27 août, en voyant la fureur de la tourmente s'accroître d'heure en heure. Ne peut-il nous être favorable?

— Je ne saurais l'affirmer, madame, répondit le lieutenant Hobson, mais je vous ferai observer que tout vaut mieux pour nous que ce temps magnifique, pendant lequel le soleil échauffe continuellement les eaux de la mer. En outre, je vois que le vent s'est fixé au nord-ouest, et comme il est très violent, notre île, par sa masse même, ne peut échapper à son influence. Je ne serais donc pas étonné qu'elle se rapprochât du continent américain.

— Malheureusement, dit le sergent Long, nous ne pourrons pas relever chaque jour notre situation. Au milieu de cette atmosphère embrumée, il n'y a plus ni soleil, ni lune, ni étoiles! Allez donc prendre hauteur dans ces conditions!

« — Bon, sergent Long, répondit Mrs. Paulina Barnett, si la terre nous apparaît, nous saurons bien la reconnaître, je vous le garantis. Quelle qu'elle soit, d'ailleurs, elle sera bien venue. Remarquez que ce sera nécessairement une portion quelconque de l'Amérique russe et probablement la Géorgie occidentale.

— Cela est présumable, en effet, ajouta Jasper Hobson, car, malheureusement pour nous, il n'y a, dans toute cette portion de la mer Arctique, ni un îlot, ni une île, ni même une roche à laquelle nous puissions nous raccrocher!

— Eh! dit Mrs. Paulina Barnett, pourquoi notre véhicule ne nous transporterait-il pas tout droit à la côte d'Asie? Ne peut-il, sous l'influence des courants, passer à l'ouvert du détroit de Behring et aller se souder au pays des Tchouktchis?

— Non, madame, non, répondit le lieutenant Hobson, notre glaçon rencontrerait bientôt le courant du Kamtchatka et il serait rapidement reporté dans le nord-est, ce qui serait fort regrettable. Non. Il est plus probable que, sous la poussée du vent de nord-ouest, nous nous rapprocherons des rivages de l'Amérique russe!

— Il faudra veiller, monsieur Hobson, dit la voyageuse, et autant que possible reconnaître notre direction.

— Nous veillerons, madame, répondit Jasper Hobson, bien que ces épaisses brumes limitent singulièrement nos regards. Au surplus, si nous sommes jetés à la côte, le choc sera violent et nous le ressentirons nécessairement. Espérons qu'à ce moment l'île ne se brisera pas en morceaux! C'est là un danger! Mais enfin, s'il se produit, nous aviserons. Jusque-là, rien à faire.»

Il va sans dire que cette conversation ne se tenait pas dans la salle commune, où la plupart des soldats et les femmes étaient installés pendant les heures de travail. Mrs. Paulina Barnett causait de ces choses dans sa propre chambre, dont la fenêtre s'ouvrait sur la partie antérieure de l'enceinte. C'est à peine si l'insuffisante lumière du jour pénétrait à travers les opaques vitres. On entendait, au-dehors, la bourrasque passer comme une avalanche. Heureusement, le cap Bathurst défendait la maison contre les rafales du nord-est. Cependant, le sable et la terre, enlevés au sommet du promontoire, tombaient sur la toiture et y crépitaient comme grêle. Mac Nap fut de nouveau fort inquiet pour ses cheminées et principalement pour celle de la cuisine, qui devait fonctionner toujours. Aux mugissements du vent se mêlait le bruit terrible que faisait la mer démontée, en se brisant sur le littoral. La tempête tournait à l'ouragan.

Malgré les violences de la rafale, Jasper Hobson, dans la journée du 28 août, voulut absolument monter au cap Bathurst, afin d'observer, en même temps que l'horizon, l'état de la mer et du ciel. Il s'enveloppa donc de manière à ne donner dans ses vêtements aucune prise à l'air violemment chassé, puis il s'aventura au-dehors.

Le lieutenant Hobson arriva sans grande peine, après avoir traversé la cour intérieure, au pied du cap. Le sable et la terre l'aveuglaient, mais du moins, abrité par l'épaisse falaise, il n'eut pas à lutter directement contre le vent.

Le plus difficile, pour Jasper Hobson, fut alors de s'élever sur les flancs du massif, qui étaient taillés presque à pic de ce côté. Il y parvint, cependant, en s'accrochant aux touffes d'herbes, et il arriva ainsi au sommet du cap. En cet endroit, la force de l'ouragan était telle, qu'il n'aurait pu se tenir ni debout, ni assis. Il dut donc s'étendre sur le ventre, au revers même du talus, et se cramponner aux arbrisseaux, ne laissant ainsi que la partie supérieure de sa tête exposée aux rafales.

Jasper Hobson regarda à travers les embruns qui passaient au-dessus de lui comme des nappes liquides. L'aspect de l'Océan et du ciel était vraiment terrible. Tous deux se confondaient dans les brumailles à un demi-mille du cap. Au-dessus de sa tête, Jasper Hobson voyait des nuages bas et échevelés courir avec une effrayante vitesse, tandis que de longues bandes de vapeurs s'immobilisaient vers le zénith. Par instants, il se faisait un grand calme dans l'air, et l'on n'entendait plus que les bruits déchirants du ressac et le choc des lames courroucées. Puis, la tempête atmosphérique reprenait avec une fureur sans égale, et le lieutenant Hobson sentait le promontoire trembler sur sa base. En de certains moments, la pluie était si violemment injectée, que ses raies, presque horizontales, formaient autant de milliers de jets d'eau que le vent cinglait comme une mitraille.

C'était bien là un ouragan, dont la source était placée dans la plus mauvaise partie du ciel. Ce vent de nord-est pouvait durer longtemps et longtemps bouleverser l'atmosphère. Mais Jasper Hobson ne s'en plaignait pas. Lui qui, en toute autre circonstance, eût déploré les désastreux effets d'une telle tempête, l'applaudissait alors! Si l'île résistait — et on pouvait l'espérer —, elle serait inévitablement rejetée dans le sud-ouest sous la poussée de ce vent supérieur aux courants de la mer, et là, dans le sud-ouest, était le continent, là le salut! Oui, pour lui, pour ses compagnons, pour tous, il fallait que la tempête durât jusqu'au moment où elle les aurait jetés à la côte, quelle qu'elle fût. Ce qui eût été la perte d'un navire était le salut de l'île errante.

Pendant un quart d'heure, Jasper Hobson demeura ainsi courbé sous le fouet de l'ouragan, trempé par les douches d'eau de mer et d'eau de pluie, se cramponnant au sol avec l'énergie d'un homme qui se noie, cherchant à surprendre enfin les chances que pouvait lui donner cette tempête. Puis il redescendit, se laissa glisser sur les flancs du cap, traversa la cour au milieu des tourbillons de sable et rentra dans la maison.

Le premier soin de Jasper Hobson fut d'annoncer à ses compagnons que l'ouragan ne semblait pas avoir encore atteint son maximum d'intensité et qu'on devait s'attendre à ce qu'il se prolongeât pendant plusieurs jours. Mais le lieutenant annonça cela d'un ton singulier, comme s'il eût apporté quelque bonne nouvelle, et les habitants de la factorerie ne purent s'empêcher de le regarder avec un certain sentiment de surprise. Leur chef avait vraiment l'air de faire bon accueil à cette lutte des éléments.

Pendant la journée du 30, Jasper Hobson, bravant encore une fois les rafales, retourna, sinon au sommet du cap Bathurst, du moins à la lisière du littoral. Là, sur ce rivage accore, à la limite des longues lames qui le frappaient de biais, il aperçut quelques longues herbes inconnues à la flore de l'île.

Ces herbes étaient encore fraîches! C'étaient de longs filaments de varechs qui, on n'en pouvait douter, avaient été récemment arrachés au continent américain! Ce continent n'était donc plus éloigné! Le vent de nord-est avait donc repoussé l'île en dehors du courant qui l'emportait jusqu'alors! Ah! Christophe Colomb ne se sentit pas plus de joie au coeur, quand il rencontra ces herbes errantes qui lui annonçaient la proximité de la terre!

Jasper Hobson revint au fort. Il fit part de sa découverte à Mrs. Paulina Barnett et au sergent Long. En ce moment, il eut presque envie de tout avouer à ses compagnons, tant il se croyait assuré de leur salut. Mais un dernier pressentiment le retint. Il se tut.

Cependant, durant ces interminables journées de séquestration, les habitants du fort ne demeuraient point inactifs. Ils occupaient leur temps aux travaux de l'intérieur. Quelquefois aussi, ils pratiquaient des rigoles dans la cour afin de faire écouler les eaux qui s'amassaient entre la maison et les magasins. Mac Nap, un clou d'une main, un marteau de l'autre, avait toujours quelque rajustement à opérer dans un coin quelconque. On travaillait ainsi pendant toute la journée, sans trop se préoccuper des violences de la tempête. Mais, la nuit venue, il semblait que la violence de l'ouragan redoublât. Il était impossible de dormir. Les rafales s'abattaient sur la maison comme autant de coups de massue. Il s'établissait parfois une sorte de remous entre le promontoire et le fort. C'était comme une trombe, une tornade partielle qui enlaçait la maison. Les ais craquaient alors, les poutres menaçaient de se disjoindre, et l'on pouvait craindre que toute la construction ne s'en allât par morceaux. De là, pour le charpentier, des transes continuelles, et pour ses hommes l'obligation de demeurer constamment sur le qui-vive. Quant à Jasper Hobson, ce n'était pas la solidité de la maison qui le préoccupait, mais bien celle de ce sol sur lequel il l'avait bâtie. La tempête devenait décidément si violente, la mer se faisait si monstrueuse, qu'on pouvait justement redouter une dislocation de l'icefield. Il semblait impossible que l'énorme glaçon, diminué sur son épaisseur, rongé à sa base, soumis aux incessantes dénivellations de l'Océan, pût résister longtemps. Sans doute les habitants qu'il portait ne ressentaient pas les agitations de la houle, tant sa masse était considérable, mais il ne les en subissait pas moins. La question se réduisait donc à ceci: l'île durerait-elle jusqu'au moment où elle serait jetée à la côte? Ne se mettrait-elle pas en pièces avant d'avoir heurté la terre ferme?

Quant à avoir résisté jusqu'alors, cela n'était pas douteux. Et c'est ce que Jasper Hobson expliqua catégoriquement à Mrs. Paulina Barnett. En effet, si la dislocation se fût déjà produite, si l'icefield eût été divisé en glaçons plus petits, si l'île se fût rompue en îlots nombreux, les habitants du Fort-Espérance s'en seraient aussitôt aperçus, car celui des morceaux de l'île qui les eût encore portés ne serait pas resté indifférent à l'état de la mer; il aurait subi l'action de la houle; des mouvements de tangage et de roulis l'auraient secoué avec ceux qui flottaient à sa surface, comme des passagers à bord d'un navire battu par la mer. Or, cela n'était pas. Dans ses observations quotidiennes, le lieutenant Hobson n'avait jamais surpris ni un mouvement, ni même un tremblement, un frémissement quelconque de l'île, qui paraissait aussi ferme, aussi immobile que si son isthme l'eût encore rattachée au continent américain.

Mais la rupture qui n'était pas arrivée pouvait évidemment se produire d'un instant à l'autre.

Une extrême préoccupation de Jasper Hobson, c'était de savoir si l'île Victoria, rejetée hors du courant et poussée par le vent du nord-est, s'était rapprochée de la côte, et, en effet, tout espoir était dans cette chance. Mais, on le conçoit, sans soleil, sans lune, sans étoiles, les instruments devenaient inutiles, et la position actuelle de l'île ne pouvait être relevée. Si donc on s'approchait de la terre, on ne le saurait que lorsque la terre serait en vue, et encore le lieutenant Hobson n'en aurait-il connaissance en temps utile — à moins de ressentir un choc — que s'il se transportait sur la portion sud de ce dangereux territoire. En effet, l'orientation de l'île Victoria n'avait pas changé d'une façon appréciable. Le cap Bathurst pointait encore vers le nord, comme au temps où il formait une pointe avancée de la terre américaine. Il était donc évident que l'île, si elle accostait, atterrirait par sa partie méridionale, comprise entre le cap Michel et l'angle qui s'appuyait autrefois à la baie des Morses. En un mot, c'est par l'ancien isthme que la jonction s'opérerait. Il devenait donc essentiel et opportun de reconnaître ce qui se passait de ce côté.

Le lieutenant Hobson résolut donc de se rendre au cap Michel, quelque effroyable que fût la tempête. Mais il résolut aussi d'entreprendre cette reconnaissance en cachant à ses compagnons le véritable motif de son exploration. Seul, le sergent Long devait l'accompagner, pendant que l'ouragan faisait rage.

Ce jour-là, 31 août, vers les quatre heures du soir, afin d'être prêt à toute éventualité, Jasper Hobson fit demander le sergent, qui vint le trouver dans sa chambre.

«Sergent Long, lui dit-il, il est nécessaire que nous soyons fixés sans retard sur la position de l'île Victoria, ou, tout au moins, que nous sachions si ce coup de vent, comme je l'espère, l'a rapprochée du continent américain.

— Cela me paraît nécessaire en effet, répondit le sergent, et le plus tôt sera le mieux.

— De là, reprit Jasper Hobson, obligation pour nous d'aller dans le sud de l'île.

— Je suis prêt, mon lieutenant.

— Je sais, sergent Long, que vous êtes toujours prêt à remplir un devoir. Mais vous n'irez pas seul. Il est bon que nous soyons deux, pour le cas où, quelque terre étant en vue, il serait urgent de prévenir nos compagnons. Et puis il faut que je voie moi- même... Nous irons ensemble.

— Quand vous le voudrez, mon lieutenant, et à l'instant même si vous le jugez convenable.

— Nous partirons ce soir, à neuf heures, lorsque tous nos hommes seront endormis...

— En effet, la plupart voudraient nous accompagner, répondit le sergent Long, et il ne faut pas qu'ils sachent quel motif nous entraîne loin de la factorerie.

— Non, il ne faut pas qu'ils le sachent, répondit Jasper Hobson, et jusqu'au bout, si je le puis, je leur épargnerai les inquiétudes de cette terrible situation.

— Cela est convenu, mon lieutenant.

— Vous aurez un briquet, de l'amadou, afin que nous puissions faire un signal, si cela est nécessaire, dans le cas, par exemple, où une terre se montrerait dans le sud.

— Oui.

— Notre exploration sera rude, sergent.

— Elle sera rude, en effet, mais n'importe. À propos, mon lieutenant, et notre voyageuse?

— Je compte ne pas la prévenir, répondit Jasper Hobson, car elle voudrait nous accompagner.

— Et cela est impossible! dit le sergent. Une femme ne pourrait lutter contre cette rafale! Voyez combien la tempête redouble en ce moment!»

En effet, la maison tremblait alors sous l'ouragan à faire craindre qu'elle ne fût arrachée de ses pilotis. «Non! dit Jasper Hobson, cette vaillante femme ne peut pas, ne doit pas nous accompagner. Mais, toute réflexion faite, mieux vaut la prévenir de notre projet. Il faut qu'elle soit instruite, afin que si quelque malheur nous arrivait en route...

— Oui, mon lieutenant, oui! répondit le sergent Long. Il ne faut rien lui cacher, — et au cas où nous ne reviendrions pas...

— Ainsi, à neuf heures, sergent.

— À neuf heures!»

Le sergent Long, après avoir salué militairement, se retira.

Quelques instants plus tard, Jasper Hobson, s'entretenant avec Mrs. Paulina Barnett, lui faisait connaître son projet d'exploration. Comme il s'y attendait, la courageuse femme insista pour l'accompagner, voulant braver avec lui la fureur de la tempête. Le lieutenant ne chercha point à l'en dissuader en lui parlant des dangers d'une expédition entreprise dans des conditions semblables, mais il se contenta de dire qu'en son absence, la présence de Mrs. Paulina Barnett était indispensable au fort, et qu'il dépendait d'elle, en restant, de lui laisser quelque tranquillité d'esprit. Si un malheur arrivait, il serait au moins assuré que sa vaillante compagne était là pour le remplacer auprès de ses compagnons.

Mrs. Paulina Barnett comprit et n'insista plus. Toutefois, elle supplia Jasper Hobson de ne pas s'aventurer au-delà de toute raison, lui rappelant qu'il était le chef de la factorerie, que sa vie ne lui appartenait pas, qu'elle était nécessaire au salut de tous. Le lieutenant promit d'être aussi prudent que la situation le comportait, mais il fallait que cette observation de la portion méridionale de l'île fût faite sans retard, et il la ferait. Le lendemain, Mrs. Paulina Barnett se bornerait à dire à ses compagnons que le lieutenant et le sergent étaient partis dans l'intention d'opérer une dernière reconnaissance avant l'arrivée de l'hiver.

VII.

Un feu et un cri.

Le lieutenant et le sergent Long passèrent la soirée dans la grande salle du Fort-Espérance jusqu'à l'heure du coucher. Tous étaient rassemblés dans cette salle, à l'exception de l'astronome, qui restait, pour ainsi dire, continuellement et hermétiquement calfeutré dans sa cabine. Les hommes s'occupaient diversement, les uns nettoyant leurs armes, les autres réparant ou affûtant leurs outils. Mrs. Mac Nap, Raë et Joliffe travaillaient à l'aiguille avec la bonne Madge, pendant que Mrs. Paulina Barnett faisait la lecture à haute voix. Cette lecture était fréquemment interrompue, non seulement par le choc de la rafale, qui frappait comme un bélier les murailles de la maison, mais aussi par les cris du bébé. Le caporal Joliffe, chargé de l'amuser, avait fort à faire. Ses genoux, changés en chevaux fougueux, n'y pouvaient suffire et étaient déjà fourbus. Il fallut que le caporal se décidât à déposer son infatigable cavalier sur la grande table, et, là, l'enfant se roula à sa guise jusqu'au moment où le sommeil vint calmer son agitation.

À huit heures, suivant la coutume, la prière fut dite en commun, les lampes furent éteintes, et bientôt chacun eut regagné sa couche habituelle. Dès que tous furent endormis, le lieutenant Hobson et le sergent Long traversèrent sans bruit la grande salle déserte, et gagnèrent le couloir. Là, ils trouvèrent Mrs. Paulina Barnett, qui voulait leur serrer une dernière fois la main.

«À demain, dit-elle au lieutenant.

— À demain, madame, répondit Jasper Hobson... oui... à demain... sans faute...

— Mais si vous tardez?...

— Il faudra nous attendre patiemment, répondit le lieutenant, car après avoir examiné l'horizon du sud par cette nuit noire, au milieu de laquelle un feu pourrait apparaître — dans le cas par exemple où nous nous serions approchés des côtes de la Nouvelle- Géorgie —, j'ai ensuite intérêt à reconnaître notre position pendant le jour. Peut-être cette exploration durera-t-elle vingt- quatre heures. Mais si nous pouvons arriver au cap Michel avant minuit, nous serons de retour au fort demain soir. Ainsi, patientez, madame, et croyez que nous ne nous exposerons pas sans raison.

— Mais, demanda la voyageuse, si vous n'êtes pas revenus demain, après-demain, dans deux jours?...

— C'est que nous ne devrons plus revenir!» répondit simplement Jasper Hobson.

La porte s'ouvrit alors. Mrs. Paulina Barnett la referma sur le lieutenant Hobson et son compagnon. Puis, inquiète, pensive, elle regagna sa chambre, où l'attendait Madge.

Jasper Hobson et le sergent Long traversèrent la cour intérieure, au milieu d'un tourbillon qui faillit les renverser, mais ils se soutinrent l'un l'autre, et, appuyés sur leurs bâtons ferrés, ils franchirent la poterne et s'avancèrent entre les collines et la rive orientale du lagon.

Une vague lueur crépusculaire était répandue sur le territoire. La lune, nouvelle depuis la veille, ne devait pas paraître au-dessus de l'horizon, et laissait à la nuit toute sa sombre horreur, mais l'obscurité n'allait durer que quelques heures au plus. En ce moment même, on y voyait encore suffisamment à se conduire.

Quel vent et quelle pluie! Le lieutenant Hobson et son compagnon étaient chaussés de bottes imperméables et couverts de capotes cirées, bien serrées à la taille, dont le capuchon leur enveloppait entièrement la tête. Ainsi protégés, ils marchèrent rapidement, car le vent, les prenant de dos, les poussa avec une extrême violence, et, par certains redoublements de la rafale, on peut dire qu'ils allaient plus vite qu'ils ne le voulaient. Quant à se parler, ils n'essayèrent même pas, car, assourdis par les fracas de la tempête, époumonés par l'ouragan, ils n'auraient pu s'entendre.

L'intention de Jasper Hobson n'était point de suivre le littoral, dont les irrégularités eussent inutilement allongé sa route, tout en l'exposant aux coups directs de l'ouragan, qu'aucun obstacle, par conséquent, n'arrêtait à la limite de la mer. Il comptait, autant que possible, couper en ligne droite depuis le cap Bathurst jusqu'au cap Michel, et il s'était, dans cette prévision, muni d'une boussole de poche qui lui permettrait de relever sa direction. De cette façon, il n'aurait pas plus de dix à onze milles à franchir pour atteindre son but, et il pensait arriver au terme de son voyage à peu près à l'heure où le crépuscule s'effacerait pour deux heures à peine, et laisserait à la nuit toute son obscurité.

Jasper Hobson et son sergent, courbés sous l'effort du vent, le dos arrondi, la tête dans les épaules, s'arc-boutant sur leurs bâtons, avançaient donc assez rapidement. Tant qu'ils prolongèrent la rive est du lac, ils ne reçurent point la rafale de plein fouet et n'eurent pas trop à souffrir. Les collines et les arbres dont elles étaient couronnées les garantissaient en partie. Le vent sifflait avec une violence sans égale à travers cette ramure, au risque de déraciner ou de briser quelque tronc mal assuré, mais il se «cassait» en passant. La pluie même n'arrivait que divisée en une impalpable poussière. Aussi, pendant l'espace de quatre milles environ, les deux explorateurs furent-ils moins rudement éprouvés qu'ils ne le craignaient.

Arrivés à l'extrémité méridionale de la futaie, là où venait mourir la base des collines, là où le sol plat, sans une intumescence quelconque, sans un rideau d'arbres, était balayé par le vent de la mer, ils s'arrêtèrent un instant. Ils avaient encore six milles à franchir avant d'atteindre le cap Michel.

«Cela va être un peu dur! cria le lieutenant Hobson à l'oreille du sergent Long.

— Oui, répondit le sergent, le vent et la pluie vont nous cingler de concert.

— Je crains même que, de temps en temps, il ne s'y joigne un peu de grêle! ajouta Jasper Hobson.

— Ce sera toujours moins meurtrier que de la mitraille! répliqua philosophiquement le sergent Long. Or, mon lieutenant, ça vous est arrivé, à vous comme à moi, de passer à travers la mitraille. Passons donc, et en avant!

— En avant, mon brave soldat!» Il était dix heures alors. Les dernières lueurs crépusculaires commençaient à s'évanouir; elles s'effaçaient comme si elles eussent été noyées dans la brume ou éteintes par le vent et la pluie. Cependant, une certaine lumière, très diffuse, se sentait encore. Le lieutenant battit le briquet, consulta sa boussole, en promenant un morceau d'amadou à sa surface, puis, hermétiquement serré dans sa capote, son capuchon ne laissant passage qu'à ses rayons visuels, il s'élança, suivi du sergent, sur cet espace, largement découvert, qu'aucun obstacle ne protégeait plus.

Au premier moment, tous deux furent violemment jetés à terre, mais, se relevant aussitôt, se cramponnant l'un à l'autre, et courbés comme de vieux bonshommes, ils prirent un pas accéléré, moitié trot, moitié amble.

Cette tempête était magnifique dans son horreur! De grands lambeaux de brumes tout déloquetés, de véritables haillons tissus d'air et d'eau, balayaient le sol. Le sable et la terre volaient comme une mitraille, et au sel qui s'attachait à leurs lèvres, le lieutenant Hobson et son compagnon reconnurent que l'eau de la mer, distante de deux à trois milles au moins, arrivait jusqu'à eux en nappes pulvérisées.

Pendant de certaines accalmies, bien courtes et rares, ils s'arrêtaient et respiraient. Le lieutenant vérifiait alors la direction du mieux qu'il pouvait en estimant la route parcourue, et ils reprenaient leur route.

Mais la tempête s'accroissait encore avec la nuit. Ces deux éléments, l'air et l'eau, semblaient être absolument confondus. Ils formaient dans les basses régions du ciel une de ces redoutables trombes qui renversent les édifices, déracinent les forêts, et que les bâtiments, pour s'en défendre, attaquent à coups de canon. On eût pu croire, en effet, que l'Océan, arraché de son lit, allait passer tout entier par-dessus l'île errante.

Vraiment, Jasper Hobson se demandait avec raison comment l'icefield, qui la supportait, soumis à un tel cataclysme, pouvait résister, comment il ne s'était pas déjà fracturé en cent endroits sous l'action de la houle! Cette houle devait être formidable, et le lieutenant l'entendait rugir au loin. En ce moment, le sergent Long, qui le précédait de quelques pas, s'arrêta soudain; puis, revenant au lieutenant et lui faisant entendre quelques paroles entrecoupées:

«Pas par là! dit-il.

— Pourquoi?

— La mer!...

— Comment! la mer! Nous ne sommes pourtant pas arrivés au rivage du sud-ouest?

— Voyez, mon lieutenant.»

En effet, une large étendue d'eau apparaissait dans l'ombre, et des lames se brisaient avec violence aux pieds du lieutenant.

Jasper Hobson battit une seconde fois le briquet, et, au moyen d'un nouveau morceau d'amadou allumé, il consulta attentivement l'aiguille de sa boussole.

«Non, dit-il, la mer est plus à gauche. Nous n'avons pas encore passé la grande futaie qui nous sépare du cap Michel.

— Mais alors, c'est...

— C'est une fracture de l'île, répondit Jasper Hobson, qui, ainsi que son compagnon, avait dû se coucher sur le sol pour résister à la bourrasque. Ou bien une énorme portion de l'île, détachée, est partie en dérive, ou ce n'est qu'une simple entaille que nous pourrons tourner. En route.»

Jasper Hobson et le sergent Long se relevèrent et s'enfoncèrent sur leur droite, à l'intérieur de l'île, en suivant la lisière liquide qui écumait à leurs pieds. Ils allèrent ainsi pendant dix minutes environ, craignant, non sans raison, d'être coupés de toute communication avec la partie méridionale de l'île. Puis, le bruit du ressac, qui s'ajoutait aux autres bruits de la tempête, s'arrêta.

«Ce n'est qu'une entaille, dit le lieutenant Hobson à l'oreille du sergent. Tournons!»

Et ils reprirent leur première direction vers le sud. Mais alors ces hommes courageux s'exposaient à un danger terrible, et ils le savaient bien tous deux, sans s'être communiqué leur pensée. En effet, cette partie de l'île Victoria, sur laquelle ils s'aventuraient en ce moment, déjà disloquée sur un long espace, pouvait s'en séparer d'un instant à l'autre. Si l'entaille se creusait plus avant sous la dent du ressac, elle les eût immanquablement entraînés à la dérive! Mais ils n'hésitèrent pas, et ils s'élancèrent dans l'ombre, sans même se demander si le chemin ne leur manquerait pas au retour!

Que de pensées inquiétantes assiégeaient alors le lieutenant Hobson! Pouvait-il espérer désormais que l'île résistât jusqu'à l'hiver? N'était-ce pas là le commencement de l'inévitable rupture? Si le vent ne la jetait pas à la côte, n'était-elle pas condamnée à périr avant peu, à s'effondrer, à se dissoudre? Quelle effroyable perspective, et quelle chance restait-il aux infortunés habitants de cet icefield?

Cependant, battus, brisés par les coups de la rafale, ces deux hommes énergiques, que soutenait le sentiment d'un devoir à accomplir, allaient toujours. Ils arrivèrent ainsi à la lisière de cette vaste futaie, qui confinait au cap Michel. Il s'agissait alors de la traverser, afin d'atteindre au plus tôt le littoral. Jasper Hobson et le sergent Long s'engagèrent donc sous la futaie, au milieu de la plus profonde obscurité, au milieu de ce tonnerre que le vent faisait à travers les sapins et les bouleaux. Tout craquait autour d'eux. Les branches brisées les fouettaient au passage. À chaque instant, ils couraient le risque d'être écrasés par la chute d'un arbre, ou ils se heurtaient à des souches rompues qu'ils ne pouvaient apercevoir dans l'ombre. Mais alors, ils n'allaient plus au hasard, et les mugissements de la mer guidaient leurs pas à travers le taillis. Ils entendaient ces énormes retombées des lames qui déferlaient avec un épouvantable bruit, et même, plus d'une fois, ils sentirent le sol, évidemment aminci, trembler à leur choc. Enfin, se tenant par la main pour ne point s'égarer, se soutenant, se relevant quand l'un d'eux buttait contre quelque obstacle, ils arrivèrent à la lisière opposée de la futaie.

Mais là, un tourbillon les arracha l'un à l'autre. Ils furent violemment séparés, et, chacun de son côté, jetés à terre.

«Sergent! sergent! où êtes-vous? cria Jasper Hobson de toute la force de ses poumons.

— Présent, mon lieutenant!» hurla le sergent Long.

Puis, rampant tous deux sur le sol, ils essayèrent de se rejoindre. Mais il semblait qu'une main puissante les clouât sur place. Enfin, après des efforts inouïs, ils parvinrent à se rapprocher, et, pour prévenir toute séparation ultérieure, ils se lièrent l'un l'autre par la ceinture; puis ils rampèrent sur le sable, de manière à gagner une légère intumescence que dominait un maigre bouquet de sapins. Ils y arrivèrent enfin, et là, un peu abrités, ils creusèrent un trou dans lequel ils se blottirent, exténués, rompus, brisés!

Il était onze heures et demie du soir.

Jasper Hobson et son compagnon demeurèrent ainsi pendant plusieurs minutes sans prononcer une parole. Les yeux à demi clos, ils ne pouvaient plus remuer, et une sorte de torpeur, d'irrésistible somnolence, les envahissait, pendant que la bourrasque secouait au-dessus d'eux les sapins qui craquaient comme les os d'un squelette. Toutefois, ils résistèrent au sommeil, et quelques gorgées de brandevin, puisées à la gourde du sergent, les ranimèrent à propos.

«Pourvu que ces arbres tiennent, dit le lieutenant Hobson.

— Et pourvu que notre trou ne s'en aille pas avec eux! ajouta le sergent en s'arc-boutant dans ce sable mobile.

— Enfin, puisque nous voilà ici, dit Jasper Hobson, à quelques pas seulement du cap Michel, puisque nous sommes venus pour regarder, regardons! Voyez-vous, sergent Long, j'ai comme un pressentiment que nous ne sommes pas loin de la terre ferme, mais enfin ce n'est qu'un pressentiment!»

Dans la position qu'ils occupaient, les regards du lieutenant et de son compagnon auraient embrassé les deux tiers de l'horizon du sud, si cet horizon eût été visible. Mais, en ce moment, l'obscurité était absolue, et, à moins qu'un feu n'apparût, ils se voyaient obligés d'attendre le jour pour avoir connaissance d'une côte, dans le cas où l'ouragan les aurait suffisamment rejetés dans le sud.

Or — le lieutenant l'avait dit à Mrs. Paulina Barnett —, les pêcheries ne sont pas rares sur cette partie de l'Amérique septentrionale qui s'appelle la Nouvelle-Géorgie. Cette côte compte aussi de nombreux établissements, dans lesquels les indigènes recueillent des dents de mammouths, car ces parages recèlent en grand nombre des squelettes de ces grands antédiluviens, réduits à l'état fossile. À quelques degrés plus bas, s'élève New-Arkhangel, centre de l'administration qui s'étend sur tout l'archipel des îles Aléoutiennes, et chef-lieu de l'Amérique russe. Mais les chasseurs fréquentent plus assidûment les rivages de la mer polaire, depuis surtout que la Compagnie de la baie d'Hudson a pris à bail les territoires de chasse que la Russie exploitait autrefois. Jasper Hobson, sans connaître ce pays, connaissait les habitudes des agents qui le visitaient à cette époque de l'année, et il était fondé à croire qu'il y rencontrerait des compatriotes, des collègues même, ou, à leur défaut, quelque parti de ces Indiens nomades qui courent le littoral.

Mais Jasper Hobson avait-il raison d'espérer que l'île Victoria eût été repoussée vers la côte?

«Oui, cent fois oui! répéta-t-il au sergent. Voilà sept jours que ce vent du nord-est souffle en ouragan. Je sais bien que l'île, très plate, lui donne peu de prise, mais, cependant, ses collines, ses futaies, tendues et là comme des voiles, doivent céder quelque peu à l'action du vent. En outre, la mer qui nous porte subit aussi cette influence, et il est bien certain que les grandes lames courent vers la côte. Il me paraît donc impossible que nous ne soyons pas sortis du courant qui nous entraînait dans l'ouest, impossible que nous n'ayons pas été rejetés au sud. Nous n'étions, à notre dernier relèvement, qu'à deux cents milles de la terre, et, depuis sept jours...

— Tous vos raisonnements sont justes, mon lieutenant, répondit le sergent Long. D'ailleurs, si nous avons l'aide du vent, nous avons aussi l'aide de Dieu, qui ne voudra pas que tant d'infortunés périssent, et c'est en lui que je mets tout mon espoir!»

Jasper Hobson et le sergent parlaient ainsi en phrases coupées par les bruits de la tempête. Leurs regards cherchaient à percer cette ombre épaisse, que des lambeaux d'un brouillard échevelés par l'ouragan rendaient encore plus opaque. Mais pas un point lumineux n'étincelait dans cette obscurité.

Vers une heure et demie du matin, l'ouragan éprouva une accalmie de quelques minutes. Seule, la mer, effroyablement démontée, n'avait pu modérer ses mugissements. Les lames déferlaient les unes sur les autres avec une violence extrême.

Tout d'un coup, Jasper Hobson, saisissant le bras de son compagnon, s'écria:

«Sergent, entendez-vous?...

— Quoi?

— Le bruit de la mer.

— Oui, mon lieutenant, répondit le sergent Long, en prêtant plus attentivement l'oreille, et, depuis quelques instants, il me semble que ce fracas des vagues...

— N'est plus le même... n'est-ce pas, sergent... écoutez... écoutez... c'est comme le bruit d'un ressac... on dirait que les lames se brisent sur des roches!...»

Jasper Hobson et le sergent Long écoutèrent avec une extrême attention. Ce n'était évidemment plus ce bruit monotone et sourd des vagues qui s'entrechoquent au large, mais ce roulement retentissant des nappes liquides lancées contre un corps dur et que répercute l'écho des roches. Or, il ne se trouvait pas un seul rocher sur le littoral de l'île, qui n'offrait qu'une lisière peu sonore, faite de terre et de sable.

Jasper Hobson et son compagnon ne s'étaient-ils point trompés? Le sergent essaya de se lever afin de mieux entendre, mais il fut aussitôt renversé par la bourrasque, qui venait de reprendre avec une nouvelle violence. L'accalmie avait cessé, et les sifflements de la rafale éteignaient alors les mugissements de la mer, et avec eux cette sonorité particulière qui avait frappé l'oreille du lieutenant.

Que l'on juge de l'anxiété des deux observateurs. Ils s'étaient blottis de nouveau dans leur trou, se demandant s'il ne leur faudrait pas, par prudence, quitter cet abri, car ils sentaient le sable s'ébouler sous eux et le bouquet de sapins craquer jusque dans ses racines. Mais ils ne cessaient de regarder vers le sud. Toute leur vie se concentrait alors dans leur regard, et leurs yeux fouillaient incessamment cette ombre épaisse, que les premières lueurs de l'aube ne tarderaient pas à dissiper.

Soudain, un peu avant deux heures et demie du matin, le sergent Long s'écria:

«J'ai vu!

— Quoi?

— Un feu!

— Un feu?

— Oui!... là... dans cette direction!»

Et du doigt le sergent indiquait le sud-ouest. S'était-il trompé? Non, car Jasper Hobson, regardant aussi, surprit une lueur indécise dans la direction indiquée. «Oui! s'écria-t-il, oui! sergent! un feu! la terre est là!

— À moins que ce feu ne soit un feu de navire! répondit le sergent Long.

— Un navire à la mer par un pareil temps! s'écria Jasper Hobson, c'est impossible! Non! non! la terre est là, vous dis-je, à quelques milles de nous!

— Eh bien, faisons un signal!

— Oui, sergent, répondons à ce feu du continent par un feu de notre île!»

Ni le lieutenant Hobson ni le sergent n'avaient de torche qu'ils pussent enflammer. Mais au-dessus d'eux se dressaient ces sapins résineux que l'ouragan tordait.

«Votre briquet, sergent», dit Jasper Hobson. Le sergent Long battit son briquet et enflamma l'amadou; puis, rampant sur le sable, il s'éleva jusqu'au pied du bouquet d'arbres. Le lieutenant le rejoignit. Le bois mort ne manquait pas. Ils l'entassèrent à la racine même des pins, ils l'allumèrent, et, le vent aidant, la flamme se communiqua au bouquet tout entier.

«Ah! s'écria Jasper Hobson, puisque nous avons vu, on doit nous voir aussi!»

Les sapins brûlaient avec un éclat livide et projetaient une flamme fuligineuse, comme eût fait une énorme torche. La résine crépitait dans ces vieux troncs, qui furent rapidement consumés. Bientôt les derniers pétillements se firent entendre et tout s'éteignit.

Jasper Hobson et le sergent Long regardaient si quelque nouveau feu répondrait au leur...

Mais rien. Pendant dix minutes environ, ils observèrent, espérant retrouver ce point lumineux qui avait brillé un instant, et ils désespéraient de revoir un signal quelconque, — quand, soudain, un cri se fit entendre, un cri distinct, un appel désespéré qui venait de la mer!

Jasper Hobson et le sergent Long, dans une effroyable anxiété, se laissèrent glisser jusqu'au rivage...

Le cri ne se renouvela plus.

Cependant, depuis quelques minutes, l'aube se faisait peu à peu. Il semblait même que la violence de la tempête diminuât avec la réapparition du soleil. Bientôt la clarté fut assez forte pour permettre au regard de parcourir l'horizon...

Il n'y avait pas une terre en vue, et le ciel et la mer se confondaient toujours sur une même ligne d'horizon!

VIII.

Une excursion de Mrs. Paulina Barnett.

Pendant toute la matinée, Jasper Hobson et le sergent Long errèrent sur cette partie du littoral. Le temps s'était considérablement modifié. La pluie avait presque entièrement cessé, mais le vent, avec une brusquerie extraordinaire, venait de sauter au sud-est, sans que sa violence eût diminué. Circonstance extrêmement fâcheuse. Ce fut un surcroît d'inquiétude pour le lieutenant Hobson, qui dut renoncer, dès lors, à tout espoir d'atteindre la terre ferme.

En effet, ce coup de vent de sud-est ne pouvait plus qu'éloigner l'île errante du continent américain, et la rejeter dans les courants si dangereux qui portaient au nord de l'océan Arctique.

Mais pouvait-on affirmer que l'île se fût jamais rapprochée de la côte pendant cette nuit terrible? N'était-ce qu'un pressentiment du lieutenant Hobson, et qui ne s'était pas réalisé? L'atmosphère était assez nette alors, la portée du regard pouvait s'étendre sur un rayon de plusieurs milles, et, cependant, il n'y avait pas même l'apparence d'une terre. Ne devait-on pas en revenir à l'hypothèse du sergent, et supposer qu'un bâtiment avait passé la nuit en vue de l'île, qu'un feu de bord avait apparu un instant, qu'un cri avait été jeté par quelque marin en détresse? Et ce bâtiment, ne devait-il pas avoir sombré dans la tourmente?

En tout cas, quelle que fût la cause, on ne voyait pas une épave en mer, pas un débris sur le rivage. L'Océan, contrarié maintenant par ce vent de terre, se soulevait en lames énormes auxquelles un navire eût difficilement résisté!

«Eh bien, mon lieutenant, dit le sergent Long, il faut bien en prendre son parti!

— Il le faut, sergent, répondit Jasper Hobson, en passant la main sur son front, il faut rester sur notre île, il faut attendre l'hiver! Lui seul peut nous sauver!»

Il était midi alors. Jasper Hobson, voulant arriver avant le soir au Fort-Espérance, reprit aussitôt le chemin du cap Bathurst. Son compagnon et lui furent encore aidés au retour par le vent qui les prenait encore de dos. Ils étaient très inquiets, et se demandaient, non sans raison, si l'île n'avait pas achevé de se séparer en deux parties pendant cette lutte des éléments. L'entaille observée la veille ne s'était-elle pas prolongée sur toute sa largeur? N'étaient-ils pas maintenant séparés de leurs amis? Tout cela, ils pouvaient le craindre.

Ils arrivèrent bientôt à la futaie, qu'ils avaient traversée la veille. Des arbres, en grand nombre, gisaient sur le sol, les uns brisés par le tronc, les autres déracinés, arrachés de cette terre végétale dont la mince couche ne leur donnait pas un point d'appui suffisant. Les feuilles envolées ne laissaient plus apercevoir que de grimaçantes silhouettes, qui cliquetaient bruyamment au vent du sud-est.

Deux milles après avoir dépassé ce taillis dévasté, le lieutenant Hobson et le sergent Long arrivèrent au bord de l'entaille dont ils n'avaient pu reconnaître les dimensions dans l'obscurité. Ils l'examinèrent avec soin. C'était une fracture large de cinquante pieds environ, coupant le littoral à mi-chemin à peu près du cap Michel et de l'ancien port Barnett, et formant une sorte d'estuaire qui s'étendait à plus d'un mille et demi dans l'intérieur. Qu'une nouvelle tempête provoquât l'agitation de la mer, et l'entaille s'ouvrirait de plus en plus.

Le lieutenant Hobson, s'étant rapproché du littoral, vit, en ce moment, un énorme glaçon qui se détachait de l'île et s'en allait à la dérive.

«Oui! murmura le sergent Long, c'est là le danger!»

Tous deux revinrent alors d'un pas rapide dans l'ouest, afin de tourner l'énorme entaille, et, à partir de ce point, ils se dirigèrent directement vers le Fort-Espérance.

Ils n'observèrent aucun autre changement sur leur route. À quatre heures, ils franchissaient la poterne de l'enceinte et trouvaient tous leurs compagnons vaquant à leurs occupations habituelles.

Jasper Hobson dit à ses hommes qu'il avait voulu une dernière fois, avant l'hiver, chercher quelque trace du convoi promis par la capitaine Craventy, mais que ses recherches avaient été vaines.

«Allons, mon lieutenant, dit Marbre, je crois qu'il faut renoncer définitivement, pour cette année du moins, à voir nos camarades du Fort-Reliance?

— Je le crois aussi, Marbre», répondit simplement Jasper Hobson, et il rentra dans la salle commune.

Mrs. Paulina Barnett et Madge furent mises au courant des deux faits qui avaient marqué l'exploration du lieutenant: l'apparition du feu, l'audition du cri. Jasper Hobson affirma que ni son sergent ni lui n'avaient pu être le jouet d'une illusion. Le feu avait été réellement vu, le cri réellement entendu. Puis, après mûres réflexions, tous furent d'accord sur ce point: qu'un navire en détresse avait passé pendant la nuit en vue de l'île, mais que l'île ne s'était point approchée du continent américain.

Cependant, avec le vent du sud-est, le ciel se nettoyait rapidement et l'atmosphère se dégageait des vapeurs qui l'obscurcissaient. Jasper Hobson put espérer, non sans raison, que le lendemain il serait à même de faire son point.

En effet, la nuit fut plus froide, et une neige fine tomba, qui couvrit tout le territoire de l'île. Le matin, en se levant, Jasper Hobson put saluer ce premier symptôme de l'hiver.

On était au 2 septembre. Le ciel se dégagea peu à peu des vapeurs qui l'embrumaient. Le soleil parut. Le lieutenant l'attendait. À midi, il fit une bonne observation de latitude, et, vers deux heures, un calcul d'angle horaire qui lui donna sa longitude.

Le résultat de ses observations fut:

Latitude: 70°   57';
Longitude: 170° 30'.

Ainsi donc, malgré la violence de l'ouragan, l'île errante s'était à peu près maintenue sur le même parallèle. Seulement, le courant l'avait encore reportée dans l'ouest. En ce moment, elle se trouvait par le travers du détroit de Behring, mais à quatre cents milles, au moins, dans le nord du cap Oriental et du cap du Prince-de-Galles, qui marquent la partie la plus resserrée du détroit.

Cette nouvelle situation était plus grave. L'île se rapprochait chaque jour de ce dangereux courant du Kamtchatka qui, s'il la saisissait dans ses eaux rapides, pouvait l'entraîner loin vers le nord. Évidemment, avant peu, son destin serait décidé: ou elle s'immobiliserait entre les deux courants contraires, en attendant que la mer se solidifiât autour d'elle, ou elle irait se perdre dans les solitudes des régions hyperboréennes!

Jasper Hobson, très péniblement affecté, mais voulant cacher ses inquiétudes, rentra seul dans sa chambre et ne parut plus de la journée. Ses cartes sous les yeux, il employa tout ce qu'il possédait d'invention, d'ingéniosité pratique, à imaginer quelque solution.

La température, pendant cette journée, s'abaissa de quelques degrés encore, et les brumes qui s'étaient levées le soir, au- dessus de l'horizon du sud-est, retombèrent en neige pendant la nuit suivante. Le lendemain, la couche blanche s'étendait sur une hauteur de deux pouces. L'hiver approchait enfin.

Ce jour-là, 3 septembre, Mrs. Paulina Barnett résolut de visiter sur une distance de quelques milles cette portion du littoral qui s'étendait entre le cap Bathurst et le cap Esquimau. Elle voulait reconnaître les changements que la tempête avait pu produire pendant les jours précédents. Très certainement, si elle eût proposé au lieutenant Hobson de l'accompagner dans cette exploration, celui-ci l'eût fait sans hésiter. Mais ne voulant pas l'arracher à ses préoccupations, elle se décida à partir sans lui, en emmenant Madge avec elle. Il n'y avait, d'ailleurs, aucun danger à craindre. Les seuls animaux réellement redoutables, les ours, semblaient avoir tous abandonné l'île à l'époque du tremblement de terre. Deux femmes pouvaient donc, sans imprudence, se hasarder aux environs du cap pour une excursion qui ne devait durer que quelques heures.

Madge accepta sans faire aucune réflexion la proposition de Mrs. Paulina Barnett, et toutes deux, sans avoir prévenu personne, dès huit heures du matin, armées du simple couteau à neige, la gourde et le bissac au côté, elles se dirigèrent vers l'ouest, après avoir descendu les rampes du cap Bathurst.

Déjà le soleil se traînait languissamment au-dessus de l'horizon, car il ne s'élevait dans sa culmination que de quelques degrés à peine. Mais ses obliques rayons étaient clairs, pénétrants, et ils fondaient encore la légère couche de neige en de certains endroits directement exposés à leur action dissolvante.

Des oiseaux nombreux, ptarmigans, guillemots, puffins, des oies sauvages, des canards de toutes espèces, voletaient par bandes et animaient le littoral. L'air était rempli du cri de ces volatiles, qui couraient incessamment du lagon à la mer, suivant que les eaux douces ou les eaux salées les attiraient.

Mrs. Paulina Barnett put observer alors combien les animaux à fourrures, martres, hermines, rats musqués, renards, étaient nombreux aux environs du Fort-Espérance. La factorerie eût pu sans peine remplir ses magasins. Mais à quoi bon, maintenant! Ces animaux inoffensifs, comprenant qu'on ne les chasserait pas, allaient, venaient sans crainte jusqu'au pied même de la palissade et se familiarisaient de plus en plus. Sans doute, leur instinct leur avait appris qu'ils étaient prisonniers dans cette île, prisonniers comme ses habitants, et un sort commun les rapprochait. Mais chose assez singulière et que Mrs. Paulina Barnett avait parfaitement remarquée, c'est que Marbre et Sabine, ces deux enragés chasseurs, obéissaient sans aucune contrainte aux ordres du lieutenant qui leur avait prescrit d'épargner absolument les animaux à fourrures, et ils ne semblaient pas éprouver le moindre désir de saluer d'un coup de fusil ce précieux gibier. Renards et autres n'avaient pas encore, il est vrai, leur robe hivernale, ce qui en diminuait notablement la valeur, mais ce motif ne suffisait pas à expliquer l'extraordinaire indifférence des deux chasseurs à leur endroit.

Cependant, tout en marchant d'un bon pas, Mrs. Paulina Barnett et Madge, causant de leur étrange situation, observaient attentivement la lisière de sable qui formait le rivage. Les dégâts que la mer y avait causés récemment étaient très visibles. Des éboulis nouvellement faits laissaient voir çà et là des cassures neuves, parfaitement reconnaissables. La grève, rongée en certaines places, s'était même abaissée dans une inquiétante proportion, et, maintenant, les longues lames s'étendaient là où le rivage accore leur opposait autrefois une insurmontable barrière. Il était évident que quelques portions de l'île s'étaient enfoncées et ne faisaient plus qu'affleurer le niveau moyen de l'Océan.

«Ma bonne Madge, dit Mrs. Paulina Barnett, en montrant à sa compagne de vastes étendues du sol sur lesquelles les vagues couraient en déferlant, notre situation a empiré pendant cette funeste tempête! Il est certain que le niveau général de l'île s'abaisse peu à peu! Notre salut n'est plus, désormais, qu'une question de temps! L'hiver arrivera-t-il assez vite? Tout est là!

— L'hiver arrivera, ma fille, répondit Madge avec son inébranlable confiance. Voici déjà deux nuits que la neige tombe. Le froid commence à se faire là-haut, dans le ciel, et j'imagine volontiers que c'est Dieu qui nous l'envoie.

— Tu as raison, Madge, reprit la voyageuse, il faut avoir confiance. Nous autres femmes, qui ne cherchons pas la raison physique des choses, nous devons ne pas désespérer là où des hommes instruits désespéreraient peut-être. C'est une grâce d'état. Malheureusement, notre lieutenant ne peut raisonner comme nous. Il sait le pourquoi des faits, il réfléchit, il calcule, il mesure le temps qui nous reste, et je le vois bien près de perdre tout espoir!

— C'est pourtant un homme énergique, un coeur courageux, répondit Madge.

— Oui, ajouta Mrs. Paulina Barnett, et il nous sauvera, si notre salut est encore dans la main de l'homme!»

À neuf heures, Mrs. Paulina Barnett et Madge avaient franchi une distance de quatre milles. Plusieurs fois, il leur fallut abandonner la ligne du rivage et remonter à l'intérieur de l'île, afin de tourner des portions basses du sol déjà envahies par les lames. En de certains endroits, les dernières traces de la mer, étaient portées à une distance d'un demi-mille, et, là, l'épaisseur de l'icefield devait être singulièrement réduite. Il était donc à craindre qu'il ne cédât sur plusieurs points, et que, par suite de cette fracture, il ne formât des anses ou des baies nouvelles sur le littoral.

À mesure qu'elle s'éloignait du Fort-Espérance, Mrs. Paulina Barnett remarqua que le nombre des animaux à fourrures diminuait singulièrement. Ces pauvres bêtes se sentaient évidemment plus rassurées par la présence de l'homme, dont jusqu'ici elles redoutaient l'approche, et elles se massaient plus volontiers aux environs de la factorerie. Quant aux fauves que leur instinct n'avait point entraînés en temps utile hors de cette île dangereuse, ils devaient être rares. Cependant, Mrs. Paulina Barnett et Madge aperçurent quelques loups errant au loin dans la plaine, sauvages carnassiers que le danger commun ne semblait pas avoir encore apprivoisés. Ces loups, d'ailleurs, ne s'approchèrent pas et disparurent bientôt derrière les collines méridionales du lagon.

«Que deviendront, demanda Madge, ces animaux emprisonnés comme nous dans l'île, et que feront-ils, lorsque toute nourriture leur manquera et que l'hiver les aura affamés?

— Affamés! ma bonne Madge, répondit Mrs. Paulina Barnett. Va, crois-moi, nous n'avons rien à craindre d'eux! La nourriture ne leur fera pas défaut, et toutes ces martres, ces hermines, ces lièvres polaires que nous respectons, seront pour eux une proie assurée. Nous n'avons donc point à redouter leurs agressions! Non! Le danger n'est pas là! Il est dans ce sol fragile qui s'effondrera, qui peut s'effondrer à tout instant sous nos pieds. Tiens, Madge, vois comme en cet endroit la mer s'avance à l'intérieur de l'île! Elle couvre déjà toute une partie de cette plaine, que ses eaux, relativement chaudes encore, rongeront à la fois et en dessus et en dessous! Avant peu, si le froid ne l'arrête, cette mer aura rejoint le lagon, et nous perdrons notre lac, après avoir perdu notre port et notre rivière!

— Mais si cela arrivait, dit Madge, ce serait véritablement un irréparable malheur!

— Et pourquoi cela, Madge? demanda Mrs. Paulina Barnett, en regardant sa compagne.

— Mais parce que nous serions absolument privés d'eau douce! répondit Madge.

— Oh! l'eau douce ne nous manquera pas, ma bonne Madge! La pluie, la neige, la glace, les icebergs de l'Océan, le sol même de l'île qui nous emporte, tout cela, c'est de l'eau douce! Non! je te le répète! non! Le danger n'est pas là!»

Vers dix heures, Mrs. Paulina Barnett et Madge se trouvaient à la hauteur du cap Esquimau, mais à deux milles au moins à l'intérieur de l'île, car il avait été impossible de suivre le littoral, profondément rongé par la mer. Les deux femmes, un peu fatiguées d'une promenade allongée par tant de détours, résolurent de se reposer pendant quelques instants avant de reprendre la route du Fort-Espérance. En cet endroit s'élevait un petit taillis de bouleaux et d'arbousiers qui couronnait une colline peu élevée. Un monticule, garni d'une mousse jaunâtre, et que son exposition directe aux rayons du soleil avait dégagé de neige, leur offrait un endroit propice pour une halte.

Mrs. Paulina Barnett et Madge s'assirent l'une à côté de l'autre, au pied d'un bouquet d'arbres, le bissac fut ouvert, et elles partagèrent en soeurs leur frugal repas. Une demi-heure plus tard, Mrs. Paulina Barnett, avant de reprendre vers l'est le chemin de la factorerie, proposa à sa compagne de remonter jusqu'au littoral afin de reconnaître l'état actuel du cap Esquimau. Elle désirait savoir si cette pointe avancée avait résisté ou non aux assauts de la tempête. Madge se déclara prête à accompagner sa fille partout où il lui plairait d'aller, lui rappelant toutefois qu'une distance de huit à neuf milles les séparait alors du cap Bathurst, et qu'il ne fallait pas inquiéter le lieutenant Hobson par une trop longue absence.

Cependant, Mrs. Paulina Barnett, mue par quelque pressentiment sans doute, persista dans son idée, et elle fit bien, comme on le verra par la suite. Ce détour, au surplus, ne devait guère accroître que d'une demi-heure la durée totale de l'exploration.

Mrs. Paulina Barnett et Madge se levèrent donc et se dirigèrent vers le cap Esquimau.

Mais les deux femmes n'avaient pas fait un quart de mille, que la voyageuse, s'arrêtant soudain, montrait à Madge des traces régulières, très nettement imprimées sur la neige. Or, ces empreintes avaient été faites récemment et ne dataient pas de plus de neuf à dix heures, sans quoi la dernière tombée de neige qui s'était opérée dans la nuit les eût évidemment recouvertes.

«Quel est l'animal qui a passé là? demanda Madge.

— Ce n'est point un animal, répondit Mrs. Paulina Barnett en se baissant afin de mieux observer les empreintes. Un animal quelconque, marchant sur ses quatre pattes, laisse des traces différentes de celles-ci. Vois, Madge, ces empreintes sont identiques, et il est aisé de voir qu'elles ont été faites par un pied humain!

— Mais qui pourrait être venu ici? répondit Madge. Pas un soldat, pas une femme n'a quitté le fort, et puisque nous sommes dans une île... Tu dois te tromper, ma fille. Au surplus, suivons ces traces et voyons où elles nous conduiront.»

Mrs. Paulina Barnett et Madge reprirent leur marche, observant attentivement les empreintes. Cinquante pas plus loin, elles s'arrêtèrent encore.

«Tiens... vois, Madge, dit la voyageuse, en retenant sa compagne, et dis si je me suis trompée!»

Auprès des traces de pas et sur un endroit où la neige avait été assez récemment foulée par un corps pesant, on voyait très visiblement l'empreinte d'une main.

«Une main de femme ou d'enfant! s'écria Madge.

— Oui! répondit Mrs. Paulina Barnett, un enfant ou une femme, épuisé, souffrant, à bout de force, est tombé... Puis, ce pauvre être s'est relevé, a repris sa marche... Vois! les traces continuent... plus loin il y a encore eu des chutes!...

— Mais qui? qui? demanda Madge.

— Que sais-je? répondit Mrs. Paulina Barnett. Peut-être quelque infortuné emprisonné comme nous depuis trois ou quatre mois sur cette île? Peut-être aussi quelque naufragé jeté sur le rivage pendant cette tempête... Rappelle-toi ce feu, ce cri, dont nous ont parlé le sergent Long et le lieutenant Hobson!... Viens, viens. Madge, nous avons peut-être quelque malheureux à sauver!...»

Et Mrs. Paulina Barnett, entraînant sa compagne, suivit en courant cette voie douloureuse imprimée sur la neige, et sur laquelle elle trouva bientôt quelques gouttes de sang.

«Quelque malheureux à sauver!» avait dit la compatissante et courageuse femme! Avait-elle donc oublié que sur cette île, à demi rongée par les eaux, destinée à s'abîmer tôt ou tard dans l'Océan, il n'y avait de salut ni pour autrui, ni pour elle?

Les empreintes laissées sur le sol se dirigeaient vers le cap Esquimau. Mrs. Paulina Barnett et Madge les suivaient attentivement mais bientôt les taches de sang se multiplièrent et les traces de pas disparurent. Il n'y avait plus qu'un sentier irrégulier tracé sur la neige. À partir de ce point, le malheureux être n'avait plus eu la force de se porter. Il s'était avancé en rampant, se traînant, se poussant des mains et des jambes. Des morceaux de vêtements déchirés se voyaient çà et là. C'étaient des fragments de peau de phoque et de fourrure.

«Allons! allons!» répétait Paulina Barnett, dont le coeur battait à se rompre.

Madge la suivait. Le cap Esquimau n'était plus qu'à cinq cents pas. On le voyait qui se dessinait un peu au-dessus de la mer sur le fond du ciel. Il était désert.

Évidemment, les traces suivies par les deux femmes se dirigeaient droit sur le cap. Mrs. Paulina Barnett et Madge, toujours courant, les remontèrent jusqu'au bout. Rien encore, rien. Mais ces empreintes, au pied même du cap, à la base du monticule qui le formait, tournaient sur la droite et traçaient un sentier vers la mer.

Mrs. Paulina Barnett s'élança vers la droite, mais au moment où elle débouchait sur le rivage, Madge, qui la suivait et portait un regard inquiet autour d'elle, la retint de la main.

«Arrête! lui dit-elle.

— Non, Madge, non! s'écria Mrs. Paulina Barnett, qu'une sorte d'instinct entraînait malgré elle.

— Arrête, ma fille, et regarde!» répondit Madge, en retenant plus énergiquement sa compagne.

À cinquante pas du cap Esquimau, sur la lisière même du rivage, une masse blanche, énorme, s'agitait en poussant des grognements formidables.

C'était un ours polaire, d'une taille gigantesque. Les deux femmes, immobiles, le considérèrent avec effroi. Le gigantesque animal tournait autour d'une sorte de paquet de fourrure étendu sur la neige; puis il le souleva, il le laissa retomber, il le flaira. On eût pris ce paquet pour le corps inanimé d'un morse.

Mrs. Paulina Barnett et Madge ne savaient que penser, ne savaient si elles devaient marcher en avant, quand, dans un mouvement imprimé à ce corps, une espèce de capuchon se rabattit de sa tête, et de longs cheveux bruns se déroulèrent.

«Une femme! s'écria Mrs. Paulina Barnett, qui voulut s'élancer vers cette infortunée, voulant à tout prix reconnaître si elle était vivante ou morte!

— Arrête! dit encore Madge, en la retenant. Arrête! Il ne lui fera pas de mal!»

L'ours, en effet, regardait attentivement ce corps, se contentant de le retourner, et ne songeant aucunement à le déchirer de ses formidables griffes. Puis il s'en éloignait et s'en rapprochait de nouveau. Il paraissait hésiter sur ce qu'il devait faire. Il n'avait point aperçu les deux femmes qui l'observaient avec une anxiété terrible!

Soudain, un craquement se produisit. Le sol éprouva comme une sorte de tremblement. On eût pu croire que le cap Esquimau s'abîmait tout entier dans la mer.

C'était un énorme morceau de l'île, qui se détachait du rivage, un vaste glaçon dont le centre de gravité s'était déplacé par un changement de pesanteur spécifique, et qui s'en allait à la dérive, entraînant l'ours et le corps de la femme!

Mrs. Paulina Barnett jeta un cri et voulut s'élancer vers ce glaçon, avant qu'il n'eût été entraîné au large.

«Arrête, arrête encore, ma fille!» répéta froidement Madge, qui la serrait d'une main convulsive.

Au bruit produit par la rupture du glaçon, l'ours avait reculé soudain; poussant alors un grognement formidable, il abandonna le corps et se précipita vers le côté du rivage dont il était déjà séparé par une quarantaine de pieds; comme une bête effarée, il fit en courant le tour de l'îlot, laboura le sol de ses griffes, fit voler autour de lui la neige et le sable, et revint près du corps inanimé.

Puis, à l'extrême stupéfaction des deux femmes, l'animal, saisissant ce corps par ses vêtements, le souleva de sa gueule, gagna le bord du glaçon qui faisait face au rivage de l'île, et se précipita à la mer.

En quelques brasses, l'ours, robuste nageur comme le sont tous ses congénères des régions arctiques, eut atteint le rivage de l'île. Un vigoureux effort lui permit de prendre pied sur le sol, et, là, il déposa le corps qu'il avait emporté.

En ce moment, Mrs. Paulina Barnett ne put se contenir, et sans songer au danger de se trouver face à face avec le redoutable carnassier, elle échappa à la main de Madge et s'élança vers le rivage.

L'ours, la voyant, se redressa sur ses pattes de derrière et vint droit à elle. Toutefois, à dix pas, il s'arrêta, il secoua son énorme tête; puis, comme s'il eût perdu sa férocité naturelle sous l'influence de cette terreur qui semblait avoir métamorphosé toute la faune de l'île, il se retourna, poussa un grognement sourd, et s'en alla tranquillement vers l'intérieur, sans même regarder derrière lui.

Mrs. Paulina Barnett avait aussitôt couru vers ce corps étendu sur la neige.

Un cri s'échappa de sa poitrine.

«Madge! Madge!» s'écria-t-elle.

Madge s'approcha et considéra ce corps inanimé.

C'était le corps de la jeune Esquimaude Kalumah!

IX.

Aventures de Kalumah.

Kalumah sur l'île flottante à deux cents milles du continent américain! C'était à peine croyable!

Mais avant tout, l'infortunée respirait-elle encore? Pourrait-on la rappeler à la vie? Mrs. Paulina Barnett avait défait les vêtements de la jeune Esquimaude, dont le corps ne lui parut pas entièrement refroidi. Elle lui écouta le coeur. Le coeur battait faiblement, mais il battait. Le sang perdu par la pauvre fille ne provenait que d'une blessure faite à sa main, mais peu grave. Madge comprima cette blessure avec son mouchoir, et arrêta ainsi l'hémorragie.

En même temps, Mrs. Paulina Barnett, agenouillée près de Kalumah, et l'appuyant sur elle, avait relevé la tête de la jeune indigène, et, à travers ses lèvres desserrées, elle parvint à introduire quelques gouttes de brandevin; puis elle lui baigna le front et les tempes avec un peu d'eau froide.

Quelques minutes s'écoulèrent. Ni Mrs. Paulina Barnett, ni Madge n'osaient prononcer une parole. Elles attendaient toutes deux dans une anxiété extrême, car le peu de vie qui restait à l'Esquimaude pouvait à chaque instant s'évanouir!

Mais un léger soupir s'échappa de la poitrine de Kalumah. Ses mains s'agitèrent faiblement, et avant même que ses yeux se fussent ouverts et qu'elle eût pu reconnaître celle qui lui donnait ses soins, elle murmura ces mots:

«Madame Paulina! Madame Paulina!»

La voyageuse demeura stupéfaite, à entendre son nom ainsi prononcé dans ces circonstances. Kalumah était-elle donc venue volontairement sur l'île errante, et savait-elle qu'elle y rencontrerait l'Européenne dont elle n'avait point oublié les bontés? Mais comment aurait-elle pu le savoir, et comment, à cette distance de toute terre, avait-elle pu atteindre l'île Victoria? Comment enfin aurait-elle deviné que ce glaçon emportait loin du continent Mrs. Paulina Barnett et tous ses compagnons du Fort- Espérance? C'étaient là des choses véritablement inexplicables.

«Elle vit! elle vivra! dit Madge, qui, sous sa main, sentait la chaleur et le mouvement revenir à ce pauvre corps meurtri.

— La malheureuse enfant! murmurait Mrs. Paulina Barnett, le coeur ému, et mon nom, mon nom! au moment de mourir, elle l'avait encore sur ses lèvres!»

Mais alors les yeux de Kalumah s'entr'ouvrirent. Son regard, encore effaré, vague, indécis, apparut entre ses paupières. Soudain, il s'anima, car il s'était reposé sur la voyageuse. Un instant, rien qu'un instant, Kalumah avait vu Mrs. Paulina Barnett, mais cet instant avait suffi. La jeune Indigène avait reconnu «sa bonne dame», dont le nom s'échappa encore une fois de ses lèvres, tandis que sa main, qui s'était peu à peu soulevée, retombait dans la main de Mrs. Paulina Barnett!

Les soins des deux femmes ne tardèrent pas à ranimer entièrement la jeune Esquimaude, dont l'extrême épuisement provenait non seulement de la fatigue, mais aussi de la faim. Ainsi que Mrs. Paulina Barnett l'allait apprendre, Kalumah n'avait rien mangé depuis quarante-huit heures. Quelques morceaux de venaison froide et un peu de brandevin lui rendirent ses forces, et, une heure après, Kalumah se sentait capable de prendre avec ses deux amies le chemin du fort.

Mais, pendant cette heure, assise sur le sable entre Madge et Mrs. Paulina Barnett, Kalumah avait pu leur prodiguer ses remerciements et les témoignages de son affection. Puis elle avait raconté son histoire. Non! la jeune Esquimaude n'avait point oublié les Européens du Fort-Espérance, et l'image de Mrs. Paulina Barnett était toujours restée présente à son souvenir. Non! ce n'était point le hasard, ainsi qu'on va le voir, qui l'avait jetée à demi morte sur le rivage de l'île Victoria!

En peu de mots, voici ce que Kalumah apprit à Mrs. Paulina Barnett.

On se souvient de la promesse qu'avait faite la jeune Esquimaude, à sa première visite, de retourner l'année suivante, pendant la belle saison, vers ses amis du Fort-Espérance. La longue nuit polaire se passa, et, le mois de mai venu, Kalumah se mit en devoir d'accomplir sa promesse. Elle quitta donc les établissements de la Nouvelle-Georgie, dans lesquels elle avait hiverné, et, en compagnie d'un de ses beaux-frères, elle se dirigea vers la presqu'île Victoria.

Six semaines plus tard, vers la mi-juin, elle arrivait sur les territoires de la Nouvelle-Bretagne, qui avoisinaient le cap Bathurst. Elle reconnut parfaitement les montagnes volcaniques dont les hauteurs couvraient la baie Liverpool, et, vingt milles plus loin, elle arriva à cette baie des Morses dans laquelle elle et les siens avaient si souvent fait la chasse aux amphibies.

Mais, au-delà de cette baie, au nord, rien! La côte, par une ligne droite, se rabaissait vers le sud-est. Plus de cap Esquimau, plus de cap Bathurst!

Kalumah comprit ce qui s'était passé! Ou tout ce territoire, devenu depuis l'île Victoria, s'était abîmé dans les flots, ou il s'en allait errant par les mers!

Kalumah pleura en ne retrouvant plus ceux qu'elle venait chercher si loin.

Mais l'Esquimau, son beau-frère, n'avait point paru autrement surpris de cette catastrophe. Une sorte de légende, une tradition répandue parmi les tribus nomades de l'Amérique septentrionale, disait que ce territoire du cap Bathurst s'était rattaché au continent depuis des milliers de siècles, mais qu'il n'en faisait pas partie, et qu'un jour il s'en détacherait par un effort de la nature. De là cette surprise que les Esquimaux avaient manifestée en voyant la factorerie fondée par le lieutenant Hobson au pied même du cap Bathurst. Mais, avec cette déplorable réserve particulière à leur race, peut-être aussi poussés par ce sentiment qu'éprouve tout indigène pour l'étranger qui fait prise de possession en son pays, les Esquimaux ne dirent rien au lieutenant Hobson, dont l'établissement était alors achevé. Kalumah ignorait cette tradition, qui, d'ailleurs, ne reposant sur aucun document sérieux, n'était sans doute qu'une de ces nombreuses légendes de la cosmogonie hyperboréenne, et c'est pourquoi les hôtes du Fort- Espérance ne furent pas prévenus du danger qu'ils couraient à s'établir sur ce territoire.

Et certainement, Jasper Hobson, averti par les Esquimaux et suspectant déjà ce sol, qui présentait des particularités si étranges, aurait cherché plus loin un terrain nouveau — inébranlable, cette fois —, pour y jeter les fondements de sa factorerie.

Lorsque Kalumah eut constaté la disparition de ce territoire du cap Bathurst, elle continua son exploration jusqu'au-delà de la baie Washburn, mais sans rencontrer aucune trace de ceux qu'elle cherchait, et alors, désespérée, elle n'eut plus qu'à revenir dans l'ouest aux pêcheries de l'Amérique russe.

Son beau-frère et elle quittèrent donc la baie des Morses dans les derniers jours du mois de juin. Ils reprirent la route du littoral, et, à la fin de juillet, après cet inutile voyage, ils retrouvaient les établissements de la Nouvelle-Georgie.

Kalumah n'espérait plus jamais revoir ni Mrs. Paulina Barnett, ni ses compagnons du Fort-Espérance. Elle les croyait engloutis dans les abîmes de la mer Arctique.

À ce point de son récit, la jeune Esquimaude tourna ses yeux humides vers Mrs. Paulina Barnett et lui serra plus affectueusement la main. Puis, murmurant une prière, elle remercia Dieu de l'avoir sauvée par la main même de son amie!

Kalumah, revenue à sa demeure, au milieu de sa famille, avait repris son existence accoutumée. Elle travaillait avec les siens à la pêcherie du cap des Glaces, qui est située à peu près sur le soixante-dixième parallèle, à plus de six cents milles du cap Bathurst.

Pendant toute la première partie du mois d'août, aucun incident ne se produisit. Vers la fin du mois se déclara cette violente tempête dont s'inquiéta si vivement Jasper Hobson, et qui, paraît-il, étendit ses ravages sur toute la mer polaire et même jusqu'au-delà du détroit de Behring. Au cap des Glaces, elle fut effroyable aussi et se déchaîna avec la même violence que sur l'île Victoria. À cette époque, l'île errante ne se trouvait pas à plus de deux cents milles de la côte, ainsi que l'avait déterminé par ses relèvements le lieutenant Jasper Hobson.

En écoutant parler Kalumah, Mrs. Paulina Barnett, fort au courant de la situation, on le sait, faisait rapidement dans son esprit des rapprochements qui allaient enfin lui donner la clef de ces singuliers événements et surtout lui expliquer l'arrivée dans l'île de la jeune indigène.

Pendant ces premiers jours de la tempête, les Esquimaux du cap des Glaces furent confinés dans leurs huttes. Ils ne pouvaient sortir et encore moins pêcher. Cependant, dans la nuit du 31 août au 1er septembre, mue par une sorte de pressentiment, Kalumah voulut s'aventurer sur le rivage. Elle alla ainsi, bravant le vent et la pluie qui faisaient rage autour d'elle, observant d'un oeil inquiet la mer irritée qui se levait dans l'ombre comme une chaîne de montagnes.

Soudain, quelque temps après minuit, il lui sembla voir une masse énorme qui dérivait sous la poussée de l'ouragan et parallèlement à la côte. Ses yeux, doués d'une extrême puissance de vision, comme tous ceux de ces indigènes nomades, habitués aux ténèbres des longues nuits de l'hiver arctique, ne pouvaient la tromper. Une chose énorme passait à deux milles du littoral, et cette chose ne pouvait être ni un cétacé, ni un navire, ni même un iceberg à cette époque de l'année.

D'ailleurs, Kalumah ne raisonna même pas. Il se fit dans son esprit comme une révélation. Devant son cerveau surexcité apparut l'image de ses amis. Elle les revit tous, Mrs. Paulina Barnett, Madge, le lieutenant Hobson, le bébé qu'elle avait tant couvert de ses caresses au Fort-Espérance! Oui! c'étaient eux qui passaient, emportés dans la tempête sur ce glaçon flottant!

Kalumah n'eut pas un instant de doute, pas un moment d'hésitation. Elle se dit qu'il fallait apprendre à ces naufragés, qui ne s'en doutaient peut-être pas, que la terre était proche. Elle courut à sa hutte, elle prit une de ces torches faites d'étoupe et de résine dont les Esquimaux se servent pour leurs pêches de nuit, elle l'enflamma et vint l'agiter sur le rivage au sommet du cap des Glaces.

C'était le feu que Jasper Hobson et le sergent Long, blottis alors au cap Michel, avaient aperçu au milieu des sombres brumes, pendant la nuit du 31 août.

Quelle fut la joie, l'émotion de la jeune Esquimaude, quand elle vit un signal répondre au sien, lorsqu'elle aperçut ce bouquet de sapins, enflammé par le lieutenant Hobson, qui jeta ses fauves lueurs jusqu'au littoral américain, dont il ne se savait pas si près!

Mais tout s'éteignit bientôt. L'accalmie dura à peine quelques minutes, et l'effroyable bourrasque, sautant au sud-est, reprit avec une nouvelle violence.

Kalumah comprit que «sa proie» — c'est ainsi qu'elle l'appelait - -, que sa proie allait lui échapper, que l'île n'atterrirait pas! Elle la voyait, cette île, elle la sentait s'éloigner dans la nuit et reprendre le chemin de la haute mer.

Ce fut un moment terrible pour la jeune indigène. Elle se dit qu'il fallait que ses amis fussent, à tout prix, prévenus de leur situation, que, pour eux, il serait peut-être encore temps d'agir, que chaque heure perdue les éloignait de ce continent...

Elle n'hésita pas. Son kayak était là, cette frêle embarcation sur laquelle elle avait plus d'une fois bravé les tempêtes de la mer Arctique. Elle poussa son kayak à la mer, laça autour de sa ceinture la veste de peau de phoque qui s'y rattachait, et, la pagaie à la main, elle s'aventura dans les ténèbres.

À ce moment de son récit, Mrs. Paulina Barnett pressa affectueusement sur son coeur la jeune Kalumah, la courageuse enfant, et Madge pleura en l'écoutant.

Kalumah, lancée sur ces flots irrités, se trouva alors plutôt aidée que contrariée par la saute du vent qui portait au large. Elle se dirigea vers la masse qu'elle apercevait encore confusément dans l'ombre. Les lames couvraient en grand son kayak, mais elles ne pouvaient rien contre l'insubmersible embarcation, qui flottait comme une paille à la crête des lames. Plusieurs fois elle chavira, mais un coup de pagaie la retourna toujours.

Enfin, après une heure d'efforts, Kalumah distingua plus distinctement l'île errante. Elle ne doutait plus d'arriver à son but, car elle en était à moins d'un quart de mille!

C'est alors qu'elle jeta dans la nuit ce cri que Jasper Hobson et le sergent Long entendirent tous deux!

Mais alors, Kalumah se sentit, malgré elle, emportée dans l'ouest par un irrésistible courant, auquel elle offrait plus de prise que l'île Victoria! En vain voulut-elle lutter avec sa pagaie! Sa légère embarcation filait comme une flèche. Elle poussa de nouveaux cris qui ne furent point entendus, car elle était déjà loin, et quand l'aube vint jeter quelque clarté dans l'espace, les terres de la

Nouvelle-Georgie qu'elle avait quittées et celles de l'île errante qu'elle poursuivait, ne formaient plus que deux masses confuses à l'horizon.

Désespéra-t-elle alors, la jeune indigène? Non. Revenir au continent américain était désormais impossible. Elle avait vent debout, un vent terrible, ce même vent qui, repoussant l'île, allait en trente-six heures la reporter de deux cents milles au large, aidé d'ailleurs par le courant du littoral.

Kalumah n'avait qu'une ressource: gagner l'île en se maintenant dans le même courant qu'elle et dans ces mêmes eaux qui l'entraînaient irrésistiblement!

Mais, hélas! les forces trahirent le courage de la pauvre enfant! La faim la tortura bientôt. L'épuisement, la fatigue rendirent sa pagaie inerte entre ses mains.

Pendant plusieurs heures, elle lutta, et il lui sembla qu'elle se rapprochait de l'île, d'où l'on ne pouvait l'apercevoir, car elle n'était qu'un point sur cette immense mer. Elle lutta, même lorsque ses bras rompus, ses mains ensanglantées lui refusèrent tout service! Elle lutta jusqu'au bout et perdit enfin connaissance, tandis que son frêle kayak, abandonné, devenait le jouet du vent et des flots!

Que se passa-t-il alors? Elle ne put le dire, ayant perdu connaissance. Combien de temps erra-t-elle ainsi, à l'aventure, comme une épave? Elle ne le savait, et ne revint au sentiment que lorsque son kayak, brusquement choqué, s'ouvrit sous elle.

Kalumah fut plongée dans l'eau froide dont la fraîcheur la ranima, et quelques instants plus tard, une lame la jetait mourante sur une grève de sable.

Cela s'était fait dans la nuit précédente, à peu près au moment où l'aube apparaissait, c'est-à-dire de deux à trois heures du matin.

Depuis le moment où Kalumah s'était précipitée dans son embarcation jusqu'au moment où cette embarcation fut submergée, il s'était donc écoulé plus de soixante-dix heures!

Cependant, la jeune indigène, sauvée des flots, ne savait sur quelle côte l'ouragan l'avait portée. L'avait-il ramenée au continent? L'avait-il dirigée, au contraire, sur cette île qu'elle poursuivait avec tant d'audace? Elle l'espérait! Oui! elle l'espérait! D'ailleurs, le vent et le courant avaient dû l'entraîner au large et non la repousser à la côte!

Cette pensée la ranima. Elle se releva et, toute brisée, se mit à suivre le rivage.

Sans s'en douter, la jeune indigène avait été providentiellement jetée sur cette portion de l'île Victoria qui formait autrefois l'angle supérieur de la baie des Morses. Mais, dans ces conditions, elle ne pouvait reconnaître ce littoral, corrodé par les eaux, après les changements qui s'y étaient produits depuis la rupture de l'isthme.

Kalumah marcha, puis, n'en pouvant plus, s'arrêta, et reprit avec un nouveau courage. La route s'allongeait devant ses pas. À chaque mille, il lui fallait tourner les parties du rivage déjà envahies par la mer. C'est ainsi que, se traînant, tombant, se relevant, elle arriva non loin du petit taillis qui, le matin même, avait servi de lieu de halte à Mrs. Paulina Barnett et à Madge. On sait que les deux femmes, se dirigeant vers le cap Esquimau, avaient rencontré non loin de ce taillis la trace de ses pas empreints sur la neige. Puis, à quelque distance, la pauvre Kalumah était tombée une dernière fois!

À partir de ce point, épuisée par la fatigue et la faim, elle ne s'avança plus qu'en rampant.

Mais un immense espoir était entré dans le coeur de la jeune indigène. À quelques pas du littoral, elle avait enfin reconnu ce cap Esquimau au pied duquel avaient campé les siens et elle l'année précédente. Elle savait qu'elle n'était plus qu'à huit milles de la factorerie, qu'il ne lui faudrait plus que suivre ce chemin qu'elle avait si souvent parcouru, quand elle allait visiter ses amis du Fort-Espérance.

Oui! cette pensée la soutint. Mais, enfin, arrivée au rivage, n'ayant plus aucune force, elle tomba sur la neige et perdit une dernière fois connaissance. Sans Mrs. Paulina Barnett, elle mourrait là!

«Mais, dit-elle, ma bonne dame, je savais bien que vous viendriez à mon secours et que mon Dieu me sauverait par vos mains!»

On sait le reste! On sait quel providentiel instinct entraîna ce jour même Mrs. Paulina Barnett et Madge à explorer cette partie du littoral, et quel dernier instinct les porta à visiter le cap Esquimau, après leur halte au taillis et avant leur retour à la factorerie. On sait aussi — ce que Mrs. Paulina Barnett apprit à la jeune indigène — comment eut lieu cette rupture du glaçon et ce que fit l'ours en cette circonstance.

Et même, Mrs. Paulina Barnett ajouta en souriant:

«Ce n'est pas moi qui t'ai sauvée, mon enfant, c'est cet honnête animal! Sans lui, tu étais perdue, et si jamais il revient vers nous, on le respectera comme ton sauveur!»

Pendant ce récit, Kalumah, bien restaurée et bien caressée, avait repris ses forces. Mrs. Paulina Barnett lui proposa de retourner au fort immédiatement, afin de ne pas prolonger son absence. La jeune Esquimaude se leva aussitôt, prête à partir.

Mrs. Paulina Barnett avait en effet hâte d'informer Jasper Hobson des incidents de cette matinée, et de lui apprendre ce qui s'était passé pendant la nuit de la tempête, lorsque l'île errante s'était rapprochée du littoral américain.

Mais avant tout, la voyageuse recommanda à Kalumah de garder un secret absolu sur ces événements, aussi bien que sur la situation de l'île. Elle serait censée être venue tout naturellement par le littoral, afin d'accomplir la promesse qu'elle avait faite de visiter ses amis pendant la belle saison. Son arrivée même serait de nature à confirmer les habitants de la factorerie dans la pensée qu'aucun changement ne s'était produit au territoire du cap Bathurst, pour le cas où quelques-uns auraient eu des soupçons à cet égard.

Il était trois heures environ, quand Mrs. Paulina Barnett, la jeune indigène appuyée à son bras, et la fidèle Madge reprirent la route de l'est, et, avant cinq heures du soir, toutes trois arrivaient à la poterne du Fort-Espérance.

X.

Le courant du Kamtchatka.

On peut facilement imaginer l'accueil qui fut fait à la jeune Kalumah par les habitants du fort. Pour eux, c'était comme si le lien rompu avec le reste du monde se renouait. Mrs. Mac Nap, Mrs. Raë et Mrs. Joliffe lui prodiguèrent leurs caresses. Kalumah, ayant tout d'abord aperçu le petit enfant, courut à lui et le couvrit de ses baisers.

La jeune Esquimaude fut vraiment touchée des hospitalières façons de ses amis d'Europe. Ce fut à qui lui ferait fête. On fut enchanté de savoir qu'elle passerait tout l'hiver à la factorerie, car l'année, trop avancée déjà, ne lui permettait pas de retourner aux établissements de la Nouvelle-Georgie.

Mais si les habitants du Fort-Espérance se montrèrent très agréablement surpris par l'arrivée de la jeune indigène, que dut penser Jasper Hobson, quand il vit apparaître Kalumah au bras de Mrs. Paulina Barnett? Il ne put en croire ses yeux. Une pensée subite, qui ne dura que le temps d'un éclair, traversa son esprit, — la pensée que l'île Victoria, sans qu'on s'en fût aperçu, et en dépit des relèvements quotidiens, avait atterri sur un point du continent.

Mrs. Paulina Barnett lut dans les yeux du lieutenant Hobson cette invraisemblable hypothèse, et elle secoua négativement la tête.

Jasper Hobson comprit que la situation n'avait aucunement changé, et il attendit que Mrs. Paulina Barnett lui donnât l'explication de la présence de Kalumah.

Quelques instants plus tard, Jasper Hobson et la voyageuse se promenaient au pied du cap Bathurst, et le lieutenant écoutait avidement le récit des aventures de Kalumah.

Ainsi donc, toutes les suppositions de Jasper Hobson s'étaient réalisées! Pendant la tempête, cet ouragan, qui chassait du nord-est, avait rejeté l'île errante hors du courant! Dans cette horrible nuit du 30 au 31 août, l'icefield s'était rapproché à moins d'un mille du continent américain! Ce n'était point le feu d'un navire, ce n'était point le cri d'un naufragé qui frappèrent à la fois les yeux et les oreilles de Jasper Hobson! La terre était là, tout près, et, si le vent eût soufflé une heure de plus dans cette direction, l'île Victoria eût heurté le littoral de l'Amérique russe!

Et, à ce moment, une saute de vent, fatale, funeste, avait repoussé l'île au large de la côte! L'irrésistible courant l'avait reprise dans ses eaux, et, depuis lors, avec une vitesse excessive que rien ne pouvait enrayer, poussée par ces violentes brises du sud-est, elle avait dérivé jusqu'à ce point dangereux, situé entre deux attractions contraires, qui toutes deux pouvaient amener sa perte et celle des infortunés qu'elle entraînait avec elle!

Pour la centième fois, le lieutenant et Mrs. Paulina Barnett s'entretinrent de ces choses. Puis, Jasper Hobson demanda si des modifications importantes du territoire s'étaient produites entre le cap Bathurst et la baie des Morses.

Mrs. Paulina Barnett répondit qu'en certaines parties le niveau du littoral semblait s'être abaissé et que les lames couraient là où naguère le sol était au-dessus de leur atteinte. Elle raconta aussi l'incident du cap Esquimau, et fit connaître la rupture importante qui s'était produite en cette portion du rivage.

Rien n'était moins rassurant. Il était évident que l'icefield, base de l'île, se dissolvait peu à peu, que les eaux relativement plus chaudes en rongeaient la surface inférieure. Ce qui s'était passé au cap Esquimau pouvait à chaque instant se produire au cap Bathurst. Les maisons de la factorerie pouvaient à chaque heure de la nuit ou du jour s'engouffrer dans un abîme, et le seul remède à cette situation, c'était l'hiver, cet hiver avec toutes ses rigueurs, cet hiver qui tardait tant à venir!

Le lendemain, 4 septembre, une observation faite par le lieutenant Hobson démontra que la position de l'île Victoria ne s'était pas sensiblement modifiée depuis la veille. Elle demeurait immobile entre les deux courants contraires, et, en somme, c'était maintenant la circonstance la plus heureuse qui pût se présenter.

«Que le froid nous saisisse ainsi, que la banquise nous arrête, dit Jasper Hobson, que la mer se solidifie autour de nous, et je regarderai notre salut comme assuré! Nous ne sommes pas à deux cents milles de la côte en ce moment, et, en s'aventurant sur les icefields durcis, il sera possible d'atteindre soit l'Amérique russe, soit les rivages de l'Asie. Mais l'hiver, l'hiver à tout prix et en toute hâte!»

Cependant, et d'après les ordres du lieutenant, les derniers préparatifs de l'hivernage s'achevaient. On s'occupait de pourvoir à la nourriture des animaux domestiques pour tout le temps que durerait la longue nuit polaire. Les chiens étaient en bonne santé et s'engraissaient à ne rien faire, mais on ne pouvait trop en prendre soin, car les pauvres bêtes auraient terriblement à travailler, lorsqu'on abandonnerait le Fort-Espérance pour gagner le continent à travers le champ de glace. Il importait donc de les maintenir dans un parfait état de vigueur. Aussi la viande saignante, et principalement la chair de ces rennes qui se laissaient tuer aux environs de la factorerie, ne leur fut-elle point ménagée.

Quant aux rennes domestiques, ils prospéraient. Leur étable était convenablement installée, et une récolte considérable de mousses avait été emménagée à leur intention dans les magasins du fort. Les femelles fournissaient un lait abondant à Mrs. Joliffe, qui l'employait journellement dans ses préparations culinaires.

Le caporal et sa petite femme avaient aussi refait leurs semailles, qui avaient si bien réussi pendant la saison chaude. Le terrain avait été préparé avant les neiges pour les plants d'oseille, de cochléarias et du thé du Labrador. Ces précieux antiscorbutiques ne devaient pas manquer à la colonie.

Quant au bois, il remplissait les hangars jusqu'au faîtage. L'hiver rude et glacial pouvait maintenant venir et la colonne de mercure geler dans la cuvette du thermomètre, sans qu'on fût réduit, comme à l'époque des derniers grands froids, à brûler le mobilier de la maison. Le charpentier Mac Nap et ses hommes avaient pris leurs mesures en conséquence, et les débris provenant du bateau en construction fournirent même un notable surcroît de combustible.

Vers cette époque, on prit déjà quelques animaux qui avaient revêtu leur fourrure hivernale, des martres, des visons, des renards bleus, des hermines. Marbre et Sabine avaient obtenu du lieutenant l'autorisation d'établir quelques trappes aux abords de l'enceinte. Jasper Hobson n'avait pas cru devoir leur refuser cette permission, dans la crainte d'exciter la défiance de ses hommes, car il n'avait aucun prétexte sérieux à faire valoir pour arrêter l'approvisionnement des pelleteries. Il savait pourtant bien que c'était une besogne inutile, et que cette destruction d'animaux précieux et inoffensifs ne profiterait à personne. Toutefois, la chair de ces rongeurs fut employée à nourrir les chiens et on économisa ainsi une grande quantité de viande de rennes.

Tout se préparait donc pour l'hivernage, comme si le Fort- Espérance eût été établi sur un terrain solide, et les soldats travaillaient avec un zèle qu'ils n'auraient pas eu, s'ils avaient été mis dans le secret de la situation.

Pendant les jours suivants, les observations, faites avec le plus grand soin, n'indiquèrent aucun changement appréciable dans la position de l'île Victoria. Jasper Hobson, la voyant ainsi immobile, se reprenait à espérer. Si les symptômes de l'hiver ne s'étaient encore pas montrés dans la nature inorganique, si la température se maintenait toujours à quarante-neuf degrés Fahrenheit, en moyenne (9° centigr. au-dessus de zéro), on avait signalé quelques cygnes qui, s'enfuyant vers le sud, allaient chercher des climats plus doux. D'autres oiseaux, grands volateurs, que les longues traversées au-dessus des mers n'effrayaient pas, abandonnaient peu à peu les rivages de l'île. Ils savaient bien que le continent américain ou le continent asiatique, avec leur température moins âpre, leurs territoires plus hospitaliers, leurs ressources de toutes sortes, n'étaient pas loin, et que leurs ailes étaient assez puissantes pour les y porter. Plusieurs de ces oiseaux furent pris, et, suivant le conseil de Mrs. Paulina Barnett, le lieutenant leur attacha au cou un billet en toile gommée, sur lequel étaient inscrits la position de l'île errante et les noms de ses habitants. Puis on les laissa prendre leur vol, et ce ne fut pas sans envie qu'on les vit se diriger vers le sud.

Il va sans dire que cette opération se fit en secret et n'eut d'autres témoins que Mrs. Paulina Barnett, Madge, Kalumah, Jasper Hobson et le sergent Long.

Quant aux quadrupèdes emprisonnés dans l'île, ils ne pouvaient plus aller chercher dans les régions méridionales leurs retraites accoutumées de l'hiver. Déjà, à cette époque de l'année, après que les premiers jours de septembre s'étaient écoulés, les rennes, les lièvres polaires, les loups eux-mêmes, auraient dû abandonner les environs du cap Bathurst, et se réfugier du côté du lac du Grand- Ours ou du lac de l'Esclave, bien au-dessous du Cercle polaire. Mais cette fois, la mer leur opposait une infranchissable barrière, et ils devaient attendre qu'elle se fût solidifiée par le froid, afin d'aller retrouver des régions plus habitables. Sans doute, ces animaux, poussés par leur instinct, avaient essayé de reprendre les routes du sud, mais, arrêtés au littoral de l'île, ils étaient, par instinct aussi, revenus aux approches du Fort- Espérance, près de ces hommes, prisonniers comme eux, près de ces chasseurs, leurs plus redoutables ennemis d'autrefois.

Le 5, le 6, le 7, le 8 et le 9 septembre, après observation, on ne constata aucune modification dans la position de l'île Victoria. Ce vaste remous, situé entre les deux courants, dont elle n'avait point abandonné les eaux, la tenait stationnaire. Encore quinze jours, trois semaines au plus de ce *statu quo*, et le lieutenant Hobson pourrait se croire sauvé.

Mais la mauvaise chance ne s'était pas encore lassée, et bien d'autres épreuves surhumaines, on peut le dire, attendaient encore les habitants du Fort- Espérance!

En effet, le 10 septembre, le point constata un déplacement de l'île Victoria. Ce déplacement, peu rapide jusqu'alors, s'opérait dans le sens du nord.

Jasper Hobson fut atterré! L'île était définitivement prise par le courant du Kamtchatka! Elle dérivait du côté de ces parages inconnus où se forment les banquises! Elle s'en allait vers ces solitudes de la mer polaire, interdites aux investigations de l'homme, vers les régions dont on ne revient pas!

Le lieutenant Hobson ne cacha point ce nouveau danger à ceux qui étaient dans le secret de la situation. Mrs. Paulina Barnett, Madge, Kalumah, aussi bien que le sergent Long, reçurent ce nouveau coup avec résignation.

«Peut-être, dit la voyageuse, l'île s'arrêtera-t-elle encore! Peut-être son mouvement sera-t-il lent! Espérons toujours... et attendons! L'hiver n'est pas loin, et, d'ailleurs, nous allons au- devant de lui. En tout cas, que la volonté de Dieu s'accomplisse!

« — Mes amis, demanda le lieutenant Hobson, pensez-vous que je doive prévenir nos compagnons? Vous voyez dans quelle situation nous sommes, et ce qui peut nous arriver! N'est-ce pas assumer une responsabilité trop grande que de leur cacher les périls dont ils sont menacés?

— J'attendrais encore, répondit sans hésiter Mrs. Paulina Barnett. Tant que nous n'avons pas épuisé toutes les chances, il ne faut pas livrer nos compagnons au désespoir.

— C'est aussi mon avis», ajouta simplement le sergent Long.

Jasper Hobson pensait ainsi, et il fut heureux de voir son opinion confirmée dans ce sens.

Le 11 et le 12 septembre, le déplacement vers le nord fut encore plus accusé. L'île Victoria dérivait avec une vitesse de douze à treize milles par jour. C'était donc de douze à treize milles qu'elle s'éloignait de toute terre, en s'élevant dans le nord, c'est-à-dire en suivant la courbure très sensiblement accusée du courant du Kamtchatka sur cette haute latitude. Elle n'allait donc pas tarder à dépasser ce soixante-dixième parallèle qui traversait autrefois la pointe extrême du cap Bathurst, et au-delà duquel aucune terre, continentale ou autre, ne se prolongeait dans cette portion des contrées arctiques.

Jasper Hobson, chaque jour, reportait le point sur sa carte, et il pouvait voir vers quels abîmes infinis courait l'île errante. La seule chance, la moins mauvaise, c'était qu'on allait au-devant de l'hiver, ainsi que l'avait dit Mrs. Paulina Barnett. À dériver ainsi vers le nord, on rencontrerait plus vite, avec le froid, les eaux glacées qui devaient peu à peu accroître et consolider l'icefield. Mais si alors les habitants du Fort-Espérance pouvaient espérer de ne plus s'engloutir en mer, quel chemin interminable, impraticable peut-être, ils auraient à faire pour revenir de ces profondeurs hyperboréennes? Ah! si l'embarcation, tout imparfaite qu'elle était, eût été prête, le lieutenant Hobson n'eût pas hésité à s'y embarquer avec tout le personnel de la colonie; mais, malgré toute la diligence du charpentier, elle n'était point achevée et ne pouvait l'être avant longtemps, car Mac Nap était forcé d'apporter tous ses soins à la construction de ce bateau auquel devait être confiée la vie de vingt personnes, et cela dans des mers très dangereuses.

Au 16 septembre, l'île Victoria se trouvait de soixante-quinze à quatre-vingts milles au nord, depuis le point où elle s'était immobilisée pendant quelques jours entre les deux courants du Kamtchatka et de la mer de Behring. Mais alors des symptômes plus fréquents de l'approche de l'hiver se produisirent. La neige tomba souvent, et parfois en flocons pressés. La colonne mercurielle s'abaissa peu à peu. La moyenne de la température, pendant le jour, était encore de quarante-quatre degrés Fahrenheit (6 à 7° centigr. au-dessus de zéro), mais pendant la nuit elle tombait à trente-deux degrés (zéro du thermomètre centigrade). Le soleil traçait une courbe excessivement allongée au-dessus de l'horizon. À midi, il ne s'élevait plus que de quelques degrés, et il disparaissait déjà pendant onze heures sur vingt-quatre.

Enfin, dans la nuit du 16 au 17 septembre, les premiers indices de glace apparurent sur la mer. C'étaient de petits cristaux isolés, semblables à une sorte de neige, qui faisaient tache à la surface de l'eau limpide. On pouvait remarquer, suivant une observation déjà reproduite par le célèbre navigateur Scoresby, que cette neige avait pour effet immédiat de calmer la houle, ainsi que fait l'huile que les marins «filent» pour apaiser momentanément les agitations de la mer. Ces petits glaçons avaient une tendance à se souder, et ils l'eussent fait certainement en eau calme; mais les ondulations des lames les brisaient et les séparaient dès qu'ils formaient une surface un peu considérable.

Jasper Hobson observa avec une extrême attention la première apparition de ces jeunes glaces. Il savait que vingt-quatre heures suffisaient pour que la croûte glacée, accrue par sa partie inférieure, atteignît une épaisseur de deux à trois pouces, épaisseur qui suffisait déjà à supporter le poids d'un homme. Il comptait donc que l'île Victoria serait avant peu arrêtée dans son mouvement vers le nord.

Mais jusqu'alors, le jour défaisait le travail de la nuit, et si la course de l'île était ralentie pendant les ténèbres par quelques pièces plus résistantes qui lui faisaient obstacle, pendant le jour, ces glaces, fondues ou brisées, n'enrayaient plus sa marche, qu'un courant, remarquablement fort, rendait très rapide.

Aussi le déplacement vers les régions septentrionales s'accroissait-il sans que l'on pût rien faire pour l'arrêter.

Au 21 septembre, au moment de l'équinoxe, le jour fut précisément égal à la nuit, et, à partir de cet instant, les heures de nuit s'accrurent successivement aux dépens des heures du jour. L'hiver arrivait visiblement, mais il n'était ni prompt, ni rigoureux. À cette date, l'île Victoria avait déjà dépassé de près d'un degré le soixante-dixième parallèle, et, pour la première fois, elle éprouva un mouvement de rotation sur elle-même que Jasper Hobson évalua environ à un quart de circonférence.

On conçoit alors quels furent les soucis du lieutenant Hobson. Cette situation, qu'il avait essayé de cacher jusqu'alors, la nature menaçait d'en dévoiler le secret, même aux moins clairvoyants. En effet, par suite de ce mouvement de rotation, les points cardinaux de l'île étaient changés. Le cap Bathurst ne pointait plus vers le nord, mais vers l'est. Le soleil, la lune, les étoiles, ne se levaient plus et ne se couchaient plus sur l'horizon habituel, et il était impossible que des gens observateurs, tels que Mac Nap, Raë, Marbre et d'autres, ne remarquassent pas ce changement qui leur eût tout appris.

Mais, à la grande satisfaction de Jasper Hobson, ces braves soldats ne parurent s'apercevoir de rien. Le déplacement, par rapport aux points cardinaux, n'avait pas été considérable, et l'atmosphère, très souvent embrumée, ne permettait pas de relever exactement le lever et le coucher des astres.

Mais ce mouvement de rotation parut coïncider avec un mouvement de translation plus rapide encore. Depuis ce jour, l'île Victoria dériva avec une vitesse de près d'un mille à l'heure. Elle remontait toujours vers les latitudes élevées, s'éloignant de toute terre. Jasper Hobson ne se laissait pas aller au désespoir, car il n'était pas dans son caractère de désespérer, mais il se sentait perdu, et il demandait l'hiver, c'est-à-dire le froid à tout prix.

Cependant, la température s'abaissa encore. Une neige abondante tomba pendant les journées des 23 et 24 septembre, et, s'ajoutant à la surface des glaçons que le froid cimentait déjà, elle accrut leur épaisseur. L'immense plaine de glace se formait peu à peu. L'île, en marchant, la brisait bien encore, mais sa résistance augmentait d'heure en heure. La mer se prenait tout autour et jusqu'au-delà des limites du regard.

Enfin, l'observation du 27 septembre prouva que l'île Victoria, emprisonnée dans un immense icefield, était immobile depuis la veille! Immobile par 177°22' de longitude et 77°57' de latitude, - - à plus de six cents milles de tout continent!

XI.

Une communication de Jasper Hobson.

Telle était la situation. L'île avait «jeté l'ancre», suivant l'expression du sergent Long, elle s'était arrêtée, elle était stationnaire, comme au temps où l'isthme la rattachait encore au continent américain. Mais six cents milles la séparaient alors des terres habitées, et ces six cents milles, il faudrait les franchir avec les traîneaux, en suivant la surface solidifiée de la mer, au milieu des montagnes de glace que le froid allait accumuler, et cela pendant les plus rudes mois de l'hiver arctique.

C'était une terrible entreprise, et, cependant, il n'y avait pas à hésiter. Cet hiver que le lieutenant Hobson avait appelé de tous ses voeux, il arrivait enfin, il avait enrayé la funeste marche de l'île vers le nord, il allait jeter un pont de six cents milles entre elles et les continents voisins! Il fallait donc profiter de ces nouvelles chances et rapatrier toute cette colonie perdue dans les régions hyperboréennes.

En effet — ainsi que le lieutenant Hobson l'expliqua à ses amis - -, on ne pouvait attendre que le printemps prochain eût amené la débâcle des glaces, c'est-à-dire s'abandonner encore une fois aux caprices des courants de la mer de Behring. Il s'agissait donc uniquement d'attendre que la mer fût suffisamment prise, c'est-à- dire pendant un laps de temps qu'on pouvait évaluer à trois ou quatre semaines. D'ici là, le lieutenant Hobson comptait opérer des reconnaissances fréquentes sur l'icefield qui enserrait l'île, afin de déterminer son état de solidification, les facilités qu'il offrirait au glissage des traîneaux, et la meilleure route qu'il présenterait, soit vers les rivages asiatiques, soit vers le continent américain.

«Il va sans dire, ajouta Jasper Hobson, qui s'entretenait alors de ces choses avec Mrs. Paulina Barnett et le sergent Long, il va sans dire que les terres de la Nouvelle-Georgie, et non les côtes d'Asie, auront toutes nos préférences, et qu'à chances égales, c'est vers l'Amérique russe que nous dirigerons nos pas.

— Kalumah nous sera très utile alors, répondit Mrs. Paulina Barnett, car, en sa qualité d'indigène, elle connaît parfaitement ces territoires de la Nouvelle-Georgie.

— Très utile, en effet, dit le lieutenant Hobson, et son arrivée jusqu'à nous a véritablement été providentielle. Grâce à elle, il nous sera aisé d'atteindre les établissements du Fort-Michel dans le golfe de Norton, soit même, beaucoup plus au sud, la ville de New-Arkhangel, où nous achèverons de passer l'hiver.

— Pauvre Fort-Espérance! dit Mrs. Paulina Barnett. Construit au prix de tant de fatigues, et si heureusement créé par vous, monsieur Jasper! Cela me brisera le coeur de l'abandonner sur cette île, au milieu de ces champs de glace, de le laisser peut- être au-delà de l'infranchissable banquise! Oui! quand nous partirons, mon coeur saignera, en lui donnant le dernier adieu!

— Je n'en souffrirai pas moins que vous, madame, répondit le lieutenant Hobson, et peut-être plus encore! C'était l'oeuvre la plus importante de ma vie! J'avais mis toute mon intelligence, toute mon énergie à établir ce Fort-Espérance, si malheureusement nommé, et je ne me consolerai jamais d'avoir été forcé de l'abandonner! Puis, que dira la Compagnie, qui m'avait confié cette tâche, et dont je ne suis que l'humble agent, après tout!

— Elle dira, monsieur Jasper, s'écria Mrs. Paulina Barnett avec une généreuse animation, elle dira que vous avez fait votre devoir, que vous ne pouvez pas être responsable des caprices de la nature, plus puissante partout et toujours que la main et l'esprit de l'homme! Elle comprendra que vous ne pouviez prévoir ce qui est arrivé, car cela était en dehors des prévisions humaines! Elle saura enfin que, grâce à votre prudence et à votre énergie morale, elle n'aura pas à regretter la perte d'un seul des compagnons qu'elle vous avait confiés.

— Merci, madame, répondit le lieutenant en serrant la main de Mrs. Paulina Barnett, je vous remercie de ces paroles que vous inspire votre coeur, mais je connais un peu les hommes, et, croyez-moi, mieux vaut réussir qu'échouer. Enfin, à la grâce du Ciel!»

Le sergent Long, voulant couper court aux idées tristes de son lieutenant, ramena la conversation sur les circonstances présentes; il parla des préparatifs à commencer pour un prochain départ, et enfin il lui demanda s'il comptait enfin apprendre à ses compagnons la situation réelle de l'île Victoria.

«Attendons encore, répondit Jasper Hobson, nous avons par notre silence épargné jusqu'ici bien des inquiétudes à ces pauvres gens, attendons que le jour de notre départ soit définitivement fixé, et nous leur ferons connaître alors la vérité tout entière!»

Ce point arrêté, les travaux habituels de la factorerie continuèrent pendant les semaines suivantes.

Quelle était, il y a un an, la situation des habitants alors heureux et contents, du Fort-Espérance?

Il y a un an, les premiers symptômes de la saison froide apparaissaient tels qu'ils étaient alors. Les jeunes glaces se formaient peu à peu sur le littoral. Le lagon, dont les eaux étaient plus tranquilles que celles de la mer, se prenaient d'abord. La température se tenait pendant le jour à un ou deux degrés au-dessus de la glace fondante et s'abaissait de trois ou quatre degrés au-dessous pendant la nuit. Jasper Hobson commençait à faire revêtir à ses hommes les habits d'hiver, les fourrures, les vêtements de laine. On installait les condenseurs à l'intérieur de la maison. On nettoyait le réservoir à air et les pompes d'aération. On tendait des trappes autour de l'enceinte palissadée, aux environs du cap Bathurst, et Sabine et Marbre s'applaudissaient de leurs succès de chasseurs. Enfin, on terminait les derniers travaux d'appropriation de la maison principale.

Cette année, ces braves gens procédèrent de la même façon. Bien que, par le fait, le Fort-Espérance fût en latitude environ de deux degrés plus haut qu'au commencement du dernier hiver, cette différence ne devait pas amener une modification sensible dans l'état moyen de la température. En effet, entre le soixante- dixième et le soixante-douzième parallèle, l'écart n'est pas assez considérable pour que la moyenne thermométrique en soit sérieusement influencée. On eût plutôt constaté que le froid était maintenant moins rigoureux qu'il ne l'avait été au commencement du dernier hivernage. Mais très probablement, il semblait plus supportable, parce que les hiverneurs se sentaient déjà faits à ce rude climat.

Il faut remarquer, cependant, que la mauvaise saison ne s'annonça pas avec sa rigueur accoutumée. Le temps était humide, et l'atmosphère se chargeait journellement de vapeurs qui se résolvaient tantôt en pluie, tantôt en neige. Il ne faisait certainement pas assez froid, au gré du lieutenant Hobson.

Quant à la mer, elle se prenait autour de l'île, mais non d'une manière régulière et continue. De larges taches noirâtres, disséminées à la surface du nouvel icefield, indiquaient que les glaçons étaient encore mal cimentés entre eux. On entendait presque incessamment des fracas retentissants, dus à la rupture du banc, qui se composait d'un nombre infini de morceaux insuffisamment soudés, dont la pluie dissolvait les arêtes supérieures. On ne sentait pas cette énorme pression qui se produit d'ordinaire, quand les glaces naissent rapidement sous un froid vif et s'accumulent les unes sur les autres. Les icebergs, les hummocks même, étaient rares, et la banquise ne se levait pas encore à l'horizon.

«Voilà une saison, répétait souvent le sergent Long, qui n'eût point déplu aux chercheurs du passage du nord-ouest ou aux découvreurs du pôle Nord, mais elle est singulièrement défavorable à nos projets et nuisible à notre rapatriement!»

Ce fut ainsi pendant tout le mois d'octobre, et Jasper Hobson constata que la moyenne de la température ne dépassa guère trente- deux degrés Fahrenheit (zéro du thermomètre centigrade). Or, on sait qu'il faut sept à huit degrés au-dessous de glace d'un froid qui persiste pendant plusieurs jours, pour que la mer se solidifie.

D'ailleurs, une circonstance, qui n'échappa pas plus à Mrs. Paulina Barnett qu'au lieutenant Hobson, prouvait bien que l'icefield n'était en aucune façon praticable.

Les animaux emprisonnés dans l'île, animaux à fourrures, rennes, loups, etc., se seraient évidemment enfuis vers de plus basses latitudes, si la fuite eût été possible, c'est-à-dire si la mer solidifiée leur eût offert un passage assuré. Or, ils abondaient toujours autour de la factorerie, et recherchaient de plus en plus le voisinage de l'homme. Les loups eux-mêmes venaient jusqu'à portée de fusil de l'enceinte dévorer les martres ou les lièvres polaires qui formaient leur unique nourriture. Les rennes affamés, n'ayant plus ni mousses ni herbe à brouter, rôdaient, par bande, aux environs du cap Bathurst. Un ours — celui sans doute envers lequel Mrs. Paulina Barnett et Kalumah avaient contracté une dette de reconnaissance — passait fréquemment entre les arbres de la futaie, sur les bords du lagon. Or, si ces divers animaux étaient là, et principalement les ruminants, auxquels il faut une nourriture exclusivement végétale, s'ils étaient encore sur l'île Victoria pendant ce mois d'octobre, c'est qu'ils n'avaient pu, c'est qu'ils ne pouvaient fuir.

On a dit que la moyenne de la température se maintenait au degré de la glace fondante. Or, quand Jasper Hobson consulta son journal, il vit que l'hiver précédent, dans ce même mois d'octobre, le thermomètre marquait déjà vingt degrés Fahrenheit au-dessous de zéro (10° centigr. au-dessous de glace). Quelle différence, et combien la température se distribue capricieusement dans ces régions polaires!

Les hiverneurs ne souffraient donc aucunement du froid, et ils ne furent point obligés de se confiner dans leur maison. Cependant, l'humidité était grande, car des pluies, mêlées de neige, tombaient fréquemment, et le baromètre, par son abaissement, indiquait que l'atmosphère était saturée de vapeurs.

Pendant ce mois d'octobre, Jasper Hobson et le sergent Long entreprirent plusieurs excursions afin de reconnaître l'état de l'icefield au large de l'île. Un jour, ils allèrent au cap Michel, un autre à l'angle de l'ancienne baie des Morses, désireux de savoir si le passage était praticable, soit pour le continent américain, soit pour le continent asiatique, et si le départ pouvait être arrêté.

Or, la surface du champ de glace était couverte de flaques d'eau, et, en de certains endroits, criblée de crevasses qui eussent immanquablement arrêté la marche des traîneaux. Il ne semblait même pas qu'un voyageur pût se hasarder à pied dans ce désert, presque aussi liquide que solide. Ce qui prouvait bien qu'un froid insuffisant et mal réglé, une température intermittente, avaient produit cette solidification incomplète, c'était la multitude de pointes, de cristaux, de prismes, de polyèdres de toutes sortes qui hérissaient la surface de l'icefield, comme une concrétion de stalactites. Il ressemblait plutôt à un glacier qu'à un champ, ce qui eût rendu la marche excessivement pénible, au cas où elle aurait été praticable.

Le lieutenant Hobson et le sergent Long, s'aventurant sur l'icefield, firent ainsi un mille ou deux dans la direction du sud, mais au prix de peines infinies et en y employant un temps considérable. Ils reconnurent donc qu'il fallait encore attendre, et ils revinrent très désappointés au Fort-Espérance.

Les premiers jours de novembre arrivèrent. La température s'abaissa un peu, mais de quelques degrés seulement. Ce n'était pas suffisant. De grands brouillards humides enveloppaient l'île Victoria. Il fallait pendant toute la journée tenir les lampes allumées dans les salles. Or, cette dépense de luminaire aurait dû être précisément très modérée. En effet, la provision d'huile était fort restreinte, car la factorerie n'avait point été ravitaillée par le convoi du capitaine Craventy, et, d'autre part, la chasse aux morses était devenue impossible, puisque ces amphibies ne fréquentaient plus l'île errante. Si donc l'hivernage se prolongeait dans ces conditions, les hiverneurs en seraient bientôt réduits à employer la graisse des animaux, ou même la résine des sapins, afin de se procurer un peu de lumière. Déjà, à cette époque, les jours étaient excessivement courts, et le soleil, qui ne présentait plus au regard qu'un disque pâle, sans chaleur et sans éclat, ne se promenait que pendant quelques heures au-dessus de l'horizon. Oui! c'était bien l'hiver, avec ses brumes, ses pluies, ses neiges, l'hiver, — moins le froid!

Le 11 novembre, ce fut fête au Fort-Espérance, et ce qui le prouva, c'est que Mrs. Joliffe servit quelques «extra» au dîner de midi. En effet, c'était l'anniversaire de la naissance du petit Michel Mac Nap. L'enfant avait juste un an, ce jour là. Il était bien portant et charmant avec ses cheveux blonds bouclés et ses yeux bleus. Il ressemblait à son père, le maître charpentier, ressemblance dont le brave homme se montrait extrêmement fier. On pesa solennellement le bébé au dessert. Il fallait le voir s'agiter dans la balance, et quels petits cris il poussa! Il pesait, ma foi, trente-quatre livres! Quel succès, et quels hurrahs accueillirent ce poids superbe, et quels compliments on adressa à l'excellente Mrs. Mac Nap, comme nourrice et comme mère! On ne sait pas trop pourquoi le caporal Joliffe prit pour lui-même une forte part de ces congratulations! Comme père nourricier, sans doute, ou comme bonne du bébé! Le digne caporal avait tant porté, dorloté, bercé l'enfant, qu'il se croyait pour quelque chose dans sa pesanteur spécifique!

Le lendemain, 12 novembre, le soleil ne parut pas au-dessus de l'horizon. La longue nuit polaire commençait, et commençait neuf jours plus tôt que l'hiver précédent sur le continent américain, ce qui tenait à la différence des latitudes entre ce continent et l'île Victoria.

Cependant, cette disparition du soleil n'amena aucun changement dans l'état de l'atmosphère. La température resta ce qu'elle avait été jusqu'alors, capricieuse, indécise. Le thermomètre baissait un jour, remontait l'autre. La pluie et la neige alternaient. Le vent était mou et ne se fixait à aucun point de l'horizon, passant quelquefois dans la même journée par tous les rhumbs du compas. L'humidité constante de ce climat était à redouter et pouvait déterminer des affections scorbutiques parmi les hiverneurs. Très heureusement, si, par le défaut du ravitaillement convenu, le jus de citron, le «lime-juice» et les pastilles de chaux commençaient à manquer, du moins les récoltes d'oseille et de cochléaria avaient été abondantes, et, suivant les recommandations du lieutenant Hobson, on en faisait un quotidien usage.

Cependant, il fallait tout tenter pour quitter le Fort-Espérance. Dans les conditions où l'on se trouvait, trois mois suffiraient à peine, peut-être, pour atteindre le continent le plus proche. Or, on ne pouvait exposer l'expédition, une fois aventurée sur le champ de glace, à être prise par la débâcle avant d'avoir gagné la terre ferme. Il était donc nécessaire de partir dès la fin de novembre, — si l'on devait partir.

Or, sur la question de départ, il n'y avait pas de doute. Mais si, par un hiver rigoureux, qui aurait bien cimenté toutes les parties de l'icefield, le voyage eût été déjà difficile, avec cette saison indécise, il devenait chose grave.

Le 13 novembre, Jasper Hobson, Mrs. Paulina Barnett et le sergent Long se réunirent pour fixer le jour du départ. L'opinion du sergent était qu'il fallait quitter l'île au plus tôt.

«Car, disait-il, nous devons compter avec tous les retards possibles pendant une traversée de six cents milles. Or, il faut qu'avant le mois de mars, nous ayons mis le pied sur le continent, ou nous risquerons, la débâcle s'opérant, de nous retrouver dans une situation plus mauvaise encore que sur notre île.

— Mais, répondit Mrs. Paulina Barnett, la mer est-elle assez uniformément prise pour nous livrer passage?

— Oui, répliqua le sergent Long, et chaque jour la glace tend à s'épaissir. De plus, le baromètre remonte peu à peu. C'est un indice d'abaissement dans la température. Or, d'ici le moment où nos préparatifs seront achevés — et il faut bien une semaine, je pense, — j'espère que le temps se sera mis décidément au froid.

— N'importe! dit le lieutenant Hobson, l'hiver s'annonce mal, et, véritablement, tout se met contre nous! On a vu quelquefois d'étranges saisons dans ces mers, et des baleiniers ont pu naviguer là où, même pendant l'été, ils n'eussent pas trouvé, en d'autres années, un pouce d'eau sous leur quille. Quoi qu'il en soit, je conviens qu'il n'y a pas un jour à perdre. Je regrette seulement que la température habituelle à ces cimats ne nous soit pas venue en aide.

— Elle viendra, dit Mrs. Paulina Barnett. En tout cas, il faut être prêt à profiter des circonstances. À quelle époque extrême penseriez-vous fixer le départ, monsieur Jasper?

— À la fin de novembre, comme terme le plus reculé, répondit le lieutenant Hobson, mais si, dans huit jours, vers le 20 de ce mois, nos préparatifs étaient achevés et que le passage fût praticable, je regarderais cette circonstance comme très heureuse, et nous partirions.

— Bien, dit le sergent Long. Nous devons donc nous préparer sans perdre un instant.

— Alors, monsieur Jasper, demanda Mrs. Paulina Barnett, vous allez faire connaître à nos compagnons la situation dans laquelle ils se trouvent?

— Oui, madame. Le moment de parler est venu, puisque c'est le moment d'agir.

— Et quand comptez-vous leur apprendre ce qu'ils ignorent?

— À l'instant. — Sergent Long, ajouta Jasper Hobson, en se tournant vers le sous-officier, qui prit aussitôt une attitude militaire, faites rassembler tous vos hommes dans la grande salle pour recevoir une communication.»

Le sergent Long tourna automatiquement sur ses talons et sortit d'un pas méthodique, après avoir porté la main à son chapeau.
Pendant quelques minutes, Mrs. Paulina Barnett et le lieutenant Hobson restèrent seuls, sans prononcer une parole.
Le sergent rentra bientôt, et prévint Jasper Hobson que ses ordres étaient exécutés.
Aussitôt, Jasper Hobson et la voyageuse entrèrent dans la grande salle. Tous les habitants de la factorerie, hommes et femmes, s'y trouvaient rassemblés, vaguement éclairés par la lumière des lampes.
Jasper Hobson s'avança au milieu de ses compagnons, et là, d'un ton grave:
«Mes amis, dit-il, jusqu'ici j'avais cru devoir, pour vous épargner des inquiétudes inutiles, vous cacher la situation dans laquelle se trouve notre établissement du Fort-Espérance... Un tremblement de terre nous a séparés du continent... Ce cap Bathurst a été détaché de la côte américaine... Notre presqu'île n'est plus qu'une île de glace, une île errante...»

En ce moment, Marbre s'avança vers Jasper Hobson, et d'une voix assurée:

«Nous le savions, mon lieutenant!» dit-il.

XII.

Une chance à tenter.

Ils le savaient, ces braves gens! Et pour ne point ajouter aux peines de leur chef, ils avaient feint de ne rien savoir, et ils s'étaient adonnés avec la même ardeur aux travaux de l'hivernage!

Des larmes d'attendrissement vinrent aux yeux de Jasper Hobson. Il ne chercha point à cacher son émotion, il prit la main que lui tendait le chasseur Marbre et la serra sympathiquement.

Oui, ces honnêtes soldats, ils savaient tout, car Marbre avait tout deviné et depuis longtemps! Ce piège à rennes rempli d'eau salée, ce détachement attendu du Fort-Reliance et qui n'avait pas paru, les observations de latitude et de longitude faites chaque jour et qui eussent été inutiles en terre ferme, et les précautions que le lieutenant Hobson prenait pour n'être point vu en faisant son point, ces animaux qui n'avaient pas fui avant l'hiver, enfin le changement d'orientation survenu pendant les derniers jours, dont ils s'étaient très bien aperçus, tous ces indices réunis avaient fait comprendre la situation aux habitants du Fort-Espérance. Seule, l'arrivée de Kalumah leur avait semblé inexplicable, et ils avaient dû supposer — ce qui était vrai, d'ailleurs — que les hasards de la tempête avaient jeté la jeune Esquimaude sur le rivage de l'île.

Marbre, dans l'esprit duquel la révélation de ces choses s'était accomplie tout d'abord, avait fait part de ses idées au charpentier Mac Nap et au forgeron Raë. Tous trois envisagèrent froidement la situation et furent d'accord sur ce point qu'ils devaient prévenir non seulement leurs camarades, mais aussi leurs femmes. Puis tous s'étaient engagés à paraître ne rien savoir vis- à-vis de leur chef et à lui obéir aveuglément comme par le passé.

«Vous êtes de braves gens, mes amis, dit alors Mrs. Paulina Barnett, que cette délicatesse émut profondément, quand le chasseur Marbre eut donné ses explications, vous êtes d'honnêtes et courageux soldats!

— Et notre lieutenant, répondit Mac Nap, peut compter sur nous. Il a fait son devoir, nous ferons le nôtre.

— Oui, mes chers compagnons, dit Jasper Hobson, le ciel ne nous abandonnera pas, et nous l'aiderons à nous sauver!»

Puis Jasper Hobson raconta tout ce qui s'était passé depuis cette époque où le tremblement de terre avait rompu l'isthme et fait une île des territoires continentaux du cap Bathurst. Il dit comment, sur la mer dégagée de glaces, au milieu du printemps, la nouvelle île avait été entraînée par un courant inconnu à plus de deux cents milles de la côte; comment l'ouragan l'avait ramenée en vue de terre, puis éloignée de nouveau dans la nuit du 31 août; comment enfin la courageuse Kalumah avait risqué sa vie pour venir au secours de ses amis d'Europe. Puis il fit connaître les changements survenus à l'île, qui se dissolvait peu à peu dans les eaux plus chaudes, et la crainte qu'on avait éprouvée, soit d'être entraînés jusque dans le Pacifique, soit d'être pris par le courant du Kamtchatka. Enfin, il apprit à ses compagnons que l'île errante s'était définitivement immobilisée à la date du 27 septembre dernier.

Enfin, la carte des mers arctiques ayant été apportée, Jasper Hobson montra la position même que l'île occupait à plus de six cents milles de toute terre.

Il termina en disant que la situation était extrêmement dangereuse, que l'île serait nécessairement broyée, quand s'opérerait la débâcle et qu'avant de recourir à l'embarcation, qui ne pourrait être utilisée que dans le prochain été, il fallait profiter de l'hiver pour rallier le continent américain, en se dirigeant à travers le champ de glace.

«Nous aurons six cents milles à faire, par le froid et dans la nuit. Ce sera dur, mes amis, mais vous comprenez comme moi qu'il n'y a pas à reculer.

— Quand vous donnerez le signal du départ, mon lieutenant, répondit Mac Nap, nous vous suivrons!»

Tout étant ainsi convenu, à dater de ce jour, les préparatifs de la périlleuse expédition furent menés rapidement. Les hommes avaient bravement pris leur parti d'avoir six cents milles à faire dans ces conditions. Le sergent Long dirigeait les travaux, tandis que Jasper Hobson, les deux chasseurs et Mrs. Paulina Barnett allaient fréquemment reconnaître l'état de l'icefield. Kalumah les accompagnait le plus souvent, et ses avis, basés sur l'expérience, pouvaient être fort utiles au lieutenant. Le départ, sauf empêchement, ayant été fixé au 20 novembre, il n'y avait pas un instant à perdre.

Ainsi que l'avait prévu Jasper Hobson, le vent étant remonté, la température s'abaissa un peu, et la colonne de mercure marqua vingt-quatre degrés Fahrenheit (4°, 44 centigr. au-dessous de zéro). La neige remplaçait la pluie des jours précédents et se durcissait sur le sol. Quelques jours de ce froid, et le glissage des traîneaux deviendrait possible. L'entaille, creusée en avant du cap Michel, était en partie comblée par la glace et par la neige, mais il ne fallait pas oublier que ses eaux plus calmes avaient dû se prendre plus vite. Ce qui le prouvait bien, c'est que les eaux de la mer ne présentaient pas un état aussi satisfaisant.

En effet, le vent soufflait presque incessamment et avec une certaine violence. La houle s'opposait à la formation régulière de la glace et la cimentation ne se faisait pas suffisamment. De larges flaques d'eau séparaient les glaçons en maint endroit, et il était impossible de tenter un passage à travers l'icefield.

«Le temps se met décidément au froid, dit un jour Mrs. Paulina Barnett au lieutenant Hobson — c'était le 15 novembre, pendant une reconnaissance qui avait été poussée jusqu'au sud de l'île —; la température s'abaisse d'une manière sensible, et ces espaces liquides ne tarderont pas à se prendre.

— Je le crois comme vous, madame, répondit Jasper Hobson, mais, malheureusement, la manière dont la congélation se fait est peu favorable à nos projets. Les glaçons sont de petite dimension, leurs bords forment autant de bourrelets qui hérissent toute la surface, et sur cet icefield raboteux, nos traîneaux, s'ils peuvent glisser, ne glisseront qu'avec la plus extrême difficulté.

— Mais, reprit la voyageuse, si je ne me trompe, il ne faudrait que quelques jours ou même quelques heures d'une neige épaisse pour niveler toute cette surface!

— Sans doute, madame, répondit le lieutenant, mais si la neige tombe, c'est que la température aura remonté, et si elle remonte, le champ de glace se disloquera encore. C'est là un dilemme dont les deux conséquences sont contre nous!

— Voyons, monsieur Jasper, dit Mrs. Paulina Barnett, il faut avouer que ce serait singulièrement jouer de malheur, si nous subissions, dans l'endroit où nous sommes, en plein Océan polaire, un hiver tempéré au lieu d'un hiver arctique.

— Cela s'est vu, madame, cela s'est vu. Je vous rappellerai, d'ailleurs, combien la saison froide que nous avons passée sur le continent américain a été rude. Or, on l'a souvent observé, il est rare que deux hivers, identiques en rigueur et en durée, succèdent l'un à l'autre, et les baleiniers des mers boréales le savent bien. Certainement, madame, ce serait jouer de malheur. Un hiver froid, quand nous nous serions si bien contentés d'un hiver modéré, et un hiver modéré quand il nous faudrait un hiver froid! Il faut avouer que nous n'avons pas été heureux jusqu'ici! Et quand je songe que c'est une distance de six cents milles qu'il faudra franchir avec des femmes, un enfant!...»

Et Jasper Hobson, étendant la main vers le sud, montrait l'espace infini qui s'étendait devant ses yeux, vaste plaine blanche, capricieusement découpée comme une guipure. Triste aspect que celui de cette mer, imparfaitement solidifiée, dont la surface craquait avec un sinistre bruit! Une lune trouble, à demi noyée dans la brume humide, s'élevant à peine de quelques degrés au-dessus du sombre horizon, jetait une lueur blafarde sur tout cet ensemble. La demi-obscurité, aidée par certains phénomènes de réfraction, doublait la grandeur des objets. Quelques icebergs de médiocre altitude prenaient des dimensions colossales, et affectaient parfois des formes de monstres apocalyptiques. Des oiseaux passaient à grand bruit d'ailes, et le moindre d'entre eux, par suite de cette illusion d'optique, paraissait plus grand qu'un condor ou un gypaète. En de certaines directions, au milieu des montagnes de glace, semblaient s'ouvrir d'immenses tunnels noirs, dans lesquels l'homme le plus audacieux eût hésité à s'engouffrer. Puis des mouvements subits se produisaient, grâce aux culbutes des icebergs, rongés à leur base, qui cherchaient un nouvel équilibre, et d'éclatants fracas retentissaient que répercutait l'écho sonore. La scène changeait ainsi à vue comme le décor d'une féerie! Avec quel sentiment d'effroi devaient considérer ces terribles phénomènes de malheureux hiverneurs qui allaient s'aventurer à travers ce champ de glace!

Malgré son courage, malgré son énergie morale, la voyageuse se sentait pénétrée d'involontaires terreurs. Son âme se glaçait comme son corps. Elle était tentée de fermer ses yeux et ses oreilles pour ne pas voir, pour ne pas entendre. Lorsque la lune venait à se voiler un instant sous une brume plus épaisse, le sinistre aspect de ce paysage polaire s'accentuait encore, et Mrs. Paulina Barnett se figurait alors la caravane d'hommes et de femmes, cheminant à travers ces solitudes, au milieu des bourrasques, des neiges, sous les avalanches, dans la profonde obscurité d'une nuit arctique!

Cependant, Mrs. Paulina Barnett se forçait à regarder. Elle voulait habituer ses yeux à ces aspects, endurcir son âme contre la terreur. Elle regardait donc, et tout d'un coup un cri s'échappa de sa poitrine, sa main serra la main du lieutenant Hobson, et elle lui montra du doigt un objet énorme, aux formes indécises, qui se mouvait dans la pénombre, à cent pas d'eux à peine.

C'était un monstre d'une blancheur éclatante, d'une taille gigantesque, dont la hauteur dépassait cinquante pieds. Il allait lentement sur les glaçons épars, sautant de l'un à l'autre par des bonds formidables, agitant ses pattes démesurées qui eussent pu embrasser dix gros chênes à la fois. Il semblait vouloir chercher, lui aussi, un passage praticable à travers l'icefield et fuir cette île funeste. On voyait les glaçons s'enfoncer sous son poids, et il ne parvenait à reprendre son équilibre qu'après des mouvements désordonnés.

Le monstre s'avança ainsi pendant un quart de mille sur le champ de glace. Puis, sans doute, ne trouvant aucun passage, il revint sur ses pas, se dirigea vers cette partie du littoral que le lieutenant Hobson et Mrs. Paulina Barnett occupaient.

En ce moment, Jasper Hobson saisit le fusil qu'il portait en bandoulière et se tint prêt à tirer.

Mais aussitôt, après avoir couché en joue l'animal, il laissa retomber son arme, et à mi-voix:

«Un ours, madame, dit-il, ce n'est qu'un ours dont les dimensions ont été démesurément grandies par la réfraction!»

C'était un ours polaire, en effet, et Mrs. Paulina Barnett reconnut aussitôt l'illusion d'optique dont elle venait d'être le jouet. Elle respira longuement. Puis une idée lui vint:

«C'est mon ours! s'écria-t-elle, un ours de Terre-Neuve pour le dévouement! Et très probablement le seul qui reste dans l'île! — Mais que fait-il là?

— Il essaie de s'échapper, madame, répondit le lieutenant Hobson, en secouant la tête. Il essaie de fuir cette île maudite! Et il ne le peut pas encore, et il nous montre que le chemin, fermé pour lui, l'est aussi pour nous!»

Jasper Hobson ne se trompait pas. La bête prisonnière avait tenté de quitter l'île pour atteindre quelque point du continent, et, n'ayant pu réussir, elle regagnait le littoral. L'ours, remuant sa tête et grognant sourdement, passa à vingt pas à peine du lieutenant et de sa compagne. Ou il ne les vit pas, ou il dédaigna de les voir, car il continua sa marche d'un pas pesant, se dirigea vers le cap Michel, et disparut bientôt derrière un monticule.

Ce jour-là, le lieutenant Hobson et Mrs. Paulina Barnett revinrent tristement et silencieusement au fort.

Cependant, comme si la traversée des champs de glace eût été praticable, les préparatifs du départ se continuaient activement à la factorerie. Il ne fallait rien négliger pour la sécurité de l'expédition, il fallait tout prévoir, et compter non seulement avec les difficultés et les fatigues, mais aussi avec les caprices de cette nature polaire, qui se défend si énergiquement contre les investigations humaines.

Les attelages de chiens avaient été l'objet de soins particuliers. On les laissa courir aux environs du fort, afin que l'exercice refit leurs forces un peu engourdies par un long repos. En somme, ces animaux se trouvaient tous dans un état satisfaisant et pouvaient, si on ne les surmenait pas, fournir une longue marche.

Les traîneaux furent inspectés avec soin. La surface raboteuse de l'icefield devait nécessairement les exposer à de violents chocs. Aussi durent-ils être renforcés dans leurs parties principales, leur châssis inférieur, leurs semelles recourbées à l'avant, etc. Cet ouvrage revenait de droit au charpentier Mac Nap et à ses hommes, qui rendirent ces véhicules aussi solides que possible.

On construisit en plus deux traîneaux-chariots, de grandes dimensions, destinés, l'un au transport des provisions, l'autre au transport des pelleteries. Ces travaux devaient être traînés par les rennes domestiques, et ils furent parfaitement appropriés à cet usage. Les pelleteries, c'était, on en conviendra, un bagage de luxe dont il n'était peut-être pas prudent de s'embarrasser. Mais Jasper Hobson voulait, autant que possible, sauvegarder les intérêts de la

Compagnie de la baie d'Hudson, bien décidé, d'ailleurs, à abandonner ces fourrures en route, si elles compromettaient ou gênaient la marche de la caravane. On ne risquait rien, d'ailleurs, puisque ces précieuses fourrures, si on les laissait dans les magasins de la factorerie, seraient inévitablement perdues.

Quant aux provisions, c'était autre chose. Les vivres devaient être abondants et facilement transportables. On ne pouvait en aucune façon compter sur les produits de la chasse. Le gibier comestible, dès que le passage serait praticable, prendrait les devants et aurait bientôt rallié les régions du sud. Donc, viandes conservées, corn-beef, pâtés de lièvres, poissons secs, biscuits, dont l'approvisionnement était malheureusement fort réduit, etc., ample réserve d'oseille et de chochléarias, brandevin, esprit-de- vin pour la confection des boissons chaudes, etc., furent déposés dans un chariot spécial. Jasper Hobson aurait bien voulu emporter du combustible, car, pendant six cents milles, il ne trouverait ni un arbre, ni un arbuste, ni une mousse, et on ne pouvait compter ni sur les épaves, ni sur les bois charriés par la mer. Mais une telle surcharge ne pouvait être admise, et il fallut y renoncer. Très heureusement, les vêtements chauds ne devaient pas manquer; ils seraient nombreux, confortables, et, au besoin, on puiserait au chariot des fourrures.

Quant à Thomas Black, qui depuis sa mésaventure s'était absolument retiré du monde, fuyant ses compagnons, se confinant dans sa chambre, ne prenant jamais part aux conseils du lieutenant, du sergent et de la voyageuse, il reparut enfin dès que le jour du départ fut définitivement fixé. Mais alors il s'occupa uniquement du traîneau qui devait transporter sa personne, ses instruments et ses registres. Toujours muet, on ne pouvait lui arracher une parole. Il avait tout oublié, même qu'il fût un savant, et, depuis qu'il avait été déçu dans l'observation de «son» éclipse, depuis que la solution des protubérances lunaires lui avait échappé, il n'avait plus apporté aucune attention à l'examen des phénomènes particuliers aux hautes latitudes, tels qu'aurores boréales, halos, parasélènes, etc.

Enfin, pendant les derniers jours, chacun avait fait une telle diligence et travaillé avec tant de zèle, que, dans la matinée du 18 novembre, on eût été prêt à partir.

Malheureusement, le champ n'était pas encore praticable. Si la température s'était un peu abaissée, le froid n'avait pas été assez vif pour solidifier uniformément la surface de la mer. La neige, très fine d'ailleurs, ne tombait pas d'une manière égale et continue. Jasper Hobson, Marbre et Sabine avaient chaque jour parcouru le littoral de l'île depuis le cap Michel jusqu'à l'angle de l'ancienne baie des Morses. Ils s'étaient même aventurés sur l'icefield dans un rayon d'un mille et demi à peu près, et ils avaient bien été forcés de reconnaître que des crevasses, des entailles, des fissures le fêlaient de toutes parts. Non seulement des traîneaux, mais des piétons eux-mêmes, libres de leurs mouvements, n'auraient pu s'y hasarder. Les fatigues du lieutenant Hobson et de ses deux hommes pendant ces courtes expéditions avaient été extrêmes, et plus d'une fois ils crurent que, sur ce chemin changeant et au milieu des glaçons mobiles encore, ils ne pourraient regagner l'île Victoria.

Il semblait vraiment que la nature s'acharnât contre ces infortunés hiverneurs. Pendant les journées du 18 et du 19 novembre, le thermomètre remonta, tandis que le baromètre baissait de son côté. Cette modification dans l'état atmosphérique devait amener un résultat funeste. En même temps que le froid diminuait, le ciel s'emplissait de vapeurs. Avec trente-quatre degrés Fahrenheit (1°, 11 centigr. au-dessus de zéro), ce fut de la pluie, non de la neige, qui tomba en grande abondance. Ces averses, relativement chaudes, fondaient la couche blanche en maint endroit. On se figure l'effet de ces eaux du ciel sur l'icefield qu'elles achevaient de désagréger. On aurait vraiment pu croire à une débâcle prochaine. Il y avait sur les glaçons des traces de dissolution comme au moment du dégel. Le lieutenant Hobson qui, malgré cet horrible temps, alla tous les jours au sud de l'île, revint, un jour, désespéré.

Le 20, une nouvelle tempête, à peu près semblable par son extrême violence à celle qui avait assailli l'île un mois auparavant, se déchaîna sur ces funestes parages de la mer polaire. Les hiverneurs durent renoncer à mettre le pied au-dehors, et pendant cinq jours, ils furent confinés dans le Fort-Espérance.

XIII.

À travers le champ de glace.

Enfin, le 22 novembre, le temps commença à se remettre un peu. En quelques heures, la tempête s'était subitement calmée. Le vent venait de sauter dans le nord, et le thermomètre baissa de plusieurs degrés. Quelques oiseaux de long vol disparurent. Peut- être pouvait-on enfin espérer que la température allait franchement devenir ce qu'elle devait être, à cette époque de l'année, sous une aussi haute latitude. Les hiverneurs en étaient à regretter vraiment que le froid ne fût pas ce qu'il avait été pendant la dernière saison hivernale, quand la colonne de mercure tomba à soixante-douze degrés Fahrenheit au-dessous de zéro (55° au-dessous de la glace).

Jasper Hobson résolut de ne pas tarder plus longtemps à abandonner l'île Victoria, et, dans la matinée du 22, toute la petite colonie fut prête à quitter le Fort-Espérance et l'île, maintenant confondue avec tout l'icefield, cimentée à lui, et par cela même rattachée par un champ de six cents milles au continent américain.

À onze heures et demie du matin, au milieu d'une atmosphère grisâtre, mais tranquille, qu'une magnifique aurore boréale illuminait de l'horizon au zénith, le lieutenant Hobson donna le signal du départ. Les chiens étaient attelés aux traîneaux. Trois couples de rennes domestiques avaient été attachés aux traîneaux- chariots, et l'on partit silencieusement dans la direction du cap Michel, — point où l'île proprement dite devrait être quittée pour l'icefield.

La caravane suivit d'abord la lisière de la colline boisée, à l'est du lac Barnett; mais au moment d'en dépasser la pointe, chacun se retourna pour apercevoir une dernière fois ce cap Bathurst que l'on abandonnait sans retour. Sous la clarté de l'aurore boréale se dessinaient quelques arêtes engoncées de neige, et deux ou trois lignes blanches qui délimitaient l'enceinte de la factorerie. Un empâtement blanchâtre dominant çà et là l'ensemble, une fumée qui s'échappait encore, dernière haleine d'un feu prêt à s'éteindre pour jamais, tel était le Fort- Espérance, tel était cet établissement qui avait coûté tant de travaux, tant de peines, maintenant inutiles!

«Adieu! adieu, notre pauvre maison polaire!» dit Mrs. Paulina Barnett, en agitant une dernière fois sa main.

Et tous, avec ce suprême souvenir, reprirent tristement et silencieusement la route du retour.

À une heure, le détachement était arrivé au cap Michel, après avoir tourné l'entaille que le froid insuffisant de l'hiver n'avait pu refermer. Jusqu'alors, les difficultés du voyage n'avaient pas été grandes, car le sol de l'île Victoria présentait une surface relativement unie. Mais il en serait tout autrement sur le champ de glace. En effet, l'icefield, soumis à la pression énorme des banquises du nord, s'était sans doute hérissé d'icebergs, d'hummocks, de montagnes glacées, entre lesquelles il faudrait, et au prix des plus grands efforts, des plus extrêmes fatigues, chercher incessamment des passes praticables.

Vers le soir de cette journée, on s'était avancé de quelques milles sur le champ de glace. Il fallut organiser la couchée. À cet effet, on procéda suivant la manière des Esquimaux et des Indiens du nord de l'Amérique, en creusant des «snow-houses» dans les blocs de glace. Les couteaux à neige fonctionnèrent utilement et habilement, et à huit heures, après un souper composé de viandes sèches, tout le personnel de la factorerie s'était glissé dans ces trous, qui sont plus chauds qu'on ne serait tenté de le croire.

Mais avant de s'endormir, Mrs. Paulina Barnett avait demandé au lieutenant s'il pouvait estimer la route parcourue depuis le Fort- Espérance jusqu'à ce campement.

«Je pense que nous n'avons pas fait plus de dix milles, répondit Jasper Hobson.

— Dix sur six cents! répondit la voyageuse! Mais à ce compte, nous mettrons trois mois à franchir la distance qui nous sépare du continent américain!

— Trois mois et peut-être davantage, madame répondit Jasper Hobson, mais nous ne pouvons aller plus vite. Nous ne voyageons plus en ce moment, comme nous le faisions, l'an dernier, sur ces plaines glacées qui séparaient le Fort-Reliance du cap Bathurst, mais bien sur un icefield, déformé, écrasé par la pression, et qui ne peut nous offrir aucune route facile! Je m'attends à rencontrer de grandes difficultés, pendant cette tentative. Puissions-nous les surmonter! En tout cas, l'important n'est pas d'arriver vite, mais d'arriver en bonne santé, et je m'estimerai heureux si pas un de mes compagnons ne manque à l'appel quand nous rentrerons au Fort-Reliance. Fasse le Ciel que, dans trois mois, nous ayons pu atterrir sur un point quelconque de la côte américaine, madame, et nous n'aurons que des actions de grâces à lui rendre!»

La nuit se passa sans accident, mais Jasper Hobson, pendant sa longue insomnie, avait cru surprendre dans ce sol sur lequel il avait organisé son campement quelques frémissements de mauvais augure, qui indiquaient un manque de cohésion dans toutes les parties de l'icefield. Il lui parut évident que l'immense champ de glace n'était pas cimenté dans toutes ses portions, d'où cette conséquence que d'énormes entailles devaient le couper en maint endroit, et c'était là une circonstance extrêmement fâcheuse, puisque cet état de choses rendait incertaine toute communication avec la terre ferme. D'ailleurs, avant son départ, le lieutenant Hobson avait fort bien observé que ni les animaux à fourrures, ni les carnassiers de l'île Victoria n'avaient abandonné les environs de la factorerie, et si ces animaux n'avaient pas été chercher pour l'hiver de moins rudes climats dans les régions méridionales, c'est qu'ils eussent rencontré sur leur route certains obstacles dont leur instinct leur indiquait l'existence. Jasper Hobson, en faisant cette tentative de rapatrier la petite colonie, en se lançant à travers le champ de glace, avait agi sagement. C'était une tentative à essayer, avant la future débâcle, quitte à échouer, quitte à revenir sur ses pas, et, en abandonnant le fort, Jasper Hobson n'avait fait que son devoir.

Le lendemain, 23 novembre, le détachement ne put pas même s'avancer de dix milles dans l'est, car les difficultés de la route devinrent extrêmes. L'icefield était horriblement convulsionné, et l'on pouvait même observer, d'après certaines strates très reconnaissables, que plusieurs bancs de glace s'étaient superposés, poussés sans doute par l'irrésistible banquise dans ce vaste entonnoir de la mer Arctique. De là des collisions de glaçons, des entassements d'icebergs, quelque chose comme une jonchée de montagnes qu'une main impuissante aurait laissé choir sur cet espace, et qui s'y seraient éparpillées en tombant.

Il était évident qu'une caravane, composée de traîneaux et d'attelages, ne pouvait passer par-dessus ces blocs, et non moins évident qu'elle ne pouvait se frayer un chemin à la hache ou au couteau à neige à travers cet encombrement. Quelques-uns de ces icebergs affectaient les formes les plus diverses, et leur entassement figurait celui d'une ville qui se serait écroulée tout entière. Bon nombre mesuraient une altitude de trois ou quatre cents pieds au-dessus du niveau de l'icefield, et à leur sommet s'étageaient d'énormes masses mal équilibrées, qui n'attendaient qu'une secousse, un choc, rien qu'une vibration de l'air pour se précipiter en avalanches.

Aussi, en tournant ces montagnes de glace, fallait-il prendre les plus grandes précautions. Ordre avait été donné, dans ces passes dangereuses, de ne point élever la voix, de ne point exciter les attelages par les claquements du fouet. Ces soins n'étaient point exagérés; la moindre imprudence aurait pu entraîner de graves catastrophes.

Mais, à tourner ces obstacles, à rechercher les passages praticables, on perdait un temps infini, on s'épuisait en fatigues et en efforts, on n'avançait guère dans la direction voulue, on faisait en détours dix milles pour n'en gagner qu'un vers l'est. Toutefois, le sol ferme ne manquait pas encore sous les pieds.

Mais le 24, ce furent d'autres obstacles, que Jasper Hobson dut justement craindre de ne pouvoir surmonter.

En effet, après avoir franchi une première banquise, qui se dressait à une vingtaine de milles de l'île Victoria, le détachement se trouva sur un champ de glace beaucoup moins accidenté, et dont les diverses pièces n'avaient point été soumises à une forte pression. Il était évident que, par suite de la direction des courants, l'effort de la banquise ne se portait pas de ce côté de l'icefield. Mais aussi, Jasper Hobson et ses compagnons ne tardèrent-ils pas à se trouver coupés par de larges et profondes crevasses qui n'étaient pas encore gelées. La température était relativement chaude, et le thermomètre n'indiquait pas en moyenne plus de trente-quatre degrés Fahrenheit (1°, 11 centigr. au-dessus de zéro). Or, l'eau salée, moins facile à la congélation que l'eau douce, ne se solidifie qu'à quelques degrés au-dessous de glace, et conséquemment la mer ne pouvait être prise. Toutes les portions durcies qui formaient la banquise et l'icefield étaient venues de latitudes plus hautes, et, en même temps, elles s'entretenaient par elles-mêmes, et se nourrissaient pour ainsi dire de leur propre froid; mais cet espace méridional de la mer Arctique n'était pas uniformément gelé, et, de plus, il tombait une pluie chaude qui apportait avec elle de nouveaux éléments de dissolution.

Ce jour-là, le détachement fut absolument arrêté devant une crevasse, pleine d'une eau tumultueuse, semée de petites glaces, - - crevasse qui ne mesurait pas plus de cent pieds de largeur, mais dont la longueur devait avoir plusieurs milles.

Pendant deux heures, on longea le bord occidental de cette entaille avec l'espérance d'en atteindre l'extrémité de manière à reprendre la direction vers l'est, mais ce fut en vain: il fallut s'arrêter. On fit donc halte et on organisa le campement.

Jasper Hobson, suivi du sergent Long, se porta en avant pendant un quart de mille, observant l'interminable crevasse, et maudissant la douceur de cet hiver qui lui faisait tant de mal.

«Il faut passer pourtant, dit le sergent Long, car nous ne pouvons demeurer en cet endroit.

— Oui, il faut passer, répondit le lieutenant Hobson, et nous passerons, soit que nous remontions au nord, soit que nous descendions au sud, puisque nous finirons évidemment par tourner cette entaille. Mais après celle-ci, d'autres se présenteront qu'il faudra tourner encore, et ce sera toujours ainsi, pendant des centaines de milles peut-être, tant que durera cette indécise et déplorable température!

— Eh bien, mon lieutenant, c'est ce qu'il faut reconnaître avant de continuer notre voyage, dit le sergent.

— Oui, il le faut, sergent Long, répondit résolument Jasper Hobson, ou nous risquerions, après avoir fait cinq ou six cents milles en détours et en crochets, de n'avoir même pas franchi la moitié de la distance qui nous sépare de la côte américaine. Oui! il faut, avant d'aller plus loin, reconnaître la surface de l'icefield, et c'est ce que je vais faire!»

Puis, sans ajouter une parole, Jasper Hobson se déshabilla, se jeta dans cette eau à demi glacée, et, vigoureux nageur, en quelques brasses il eut atteint l'autre bord de l'entaille, puis il disparut dans l'ombre au milieu des icebergs.

Quelques heures plus tard, Jasper Hobson, épuisé, rentrait au campement, où le sergent l'avait précédé. Il prit le sergent à part et lui fit connaître, ainsi qu'à Mrs. Paulina Barnett, que le champ de glace était impraticable.

«Peut-être, leur dit-il, un homme seul, à pied, sans traîneau, sans bagage, parviendrait-il à passer ainsi, une caravane ne le peut pas! Les crevasses se multiplient dans l'est, et vraiment un bateau nous serait plus utile qu'un traîneau pour rallier le continent américain!

— Eh bien, répondit le sergent Long, si un homme seul peut tenter ce passage, l'un de nous ne doit-il pas essayer de le faire et d'aller chercher des secours?

— J'ai eu la pensée de partir..., répondit Jasper Hobson.

— Vous, monsieur Jasper?

— Vous, mon lieutenant?» Ces deux réponses, faites simultanément à la proposition de Jasper Hobson, prouvèrent combien elle était inattendue et semblait inopportune! Lui, le chef de l'expédition, partir! Abandonner ceux qui lui étaient confiés, bien que ce fût pour affronter les plus grands périls, et dans leur intérêt! Non! ce n'était pas possible. Aussi Jasper Hobson n'insista pas.

«Oui, mes amis, dit-il alors, je vous comprends, je ne vous abandonnerai pas. Mais il est inutile aussi que l'un de vous veuille tenter ce passage! En vérité, il ne réussirait pas, il tomberait en route, il périrait, et plus tard, quand se dissoudrait le champ de glace, son corps n'aurait pas d'autre tombeau que le gouffre qui s'ouvre sous nos pieds! D'ailleurs, que ferait-il en admettant qu'il pût atteindre New-Arkhangel? Comment viendrait-il à notre secours? Fréterait-il un navire pour nous chercher? Soit! Mais ce navire ne pourrait passer qu'après la débâcle des glaces! Or, après la débâcle, qui peut savoir où aura été entraînée l'île Victoria, soit dans la mer polaire, soit dans la mer de Behring!

— Oui! vous avez raison, mon lieutenant, répondit le sergent Long. Restons tous ensemble, et si c'est sur un navire que nous devons nous sauver, eh bien! l'embarcation de Mac Nap est encore là, au cap Bathurst, et, du moins, nous n'aurons pas à l'attendre!»

Mrs. Paulina Barnett avait écouté sans prononcer une parole. Elle comprenait bien, elle aussi, que, puisque l'icefield n'offrait pas de passage praticable, il ne fallait plus compter que sur le bateau du charpentier et attendre courageusement la débâcle.

«Et alors, monsieur Jasper, dit-elle, votre parti?...

— Est de retourner à l'île Victoria.

— Revenons donc, et que le Ciel nous protège!» Tout le personnel de la colonie fut réuni alors, et la proposition de revenir en arrière lui fut faite.

La première impression produite par la communication du lieutenant Hobson fut mauvaise. Ces pauvres gens comptaient tant sur ce rapatriement immédiat à travers l'icefield, que leur désappointement fut presque du désespoir. Mais ils réagirent promptement et se déclarèrent prêts à obéir.

Jasper Hobson leur fit alors connaître les résultats de l'exploration qu'il venait de faire. Il leur apprit que les obstacles s'accumulaient dans l'est, qu'il était matériellement impossible de passer avec tout le matériel de la caravane, matériel absolument indispensable, cependant, à un voyage qui devait durer plusieurs mois.

«En ce moment, ajouta-t-il, nous sommes coupés de toute communication avec la côte américaine, et en continuant à nous avancer dans l'est, au prix de fatigues excessives, nous courons, de plus, le risque de ne pouvoir revenir sur nos pas vers l'île, qui est notre dernier, notre seul refuge. Or, si la débâcle nous trouvait encore sur ce champ de glace, nous serions perdus. Je ne vous ai point dissimulé la vérité, mes amis, mais je ne l'ai point aggravée. Je sais que je parle à des gens énergiques qui savent, eux, que je ne suis point homme à reculer. Je vous répète donc: nous sommes devant l'impossible!»

Ces soldats avaient une confiance absolue dans leur chef. Ils connaissaient son courage, son énergie, et quand il disait qu'on ne pouvait passer, c'est que le passage était réellement impraticable.

Le retour au Fort-Espérance fut donc décidé pour le lendemain. Ce retour se fit dans les plus tristes conditions. Le temps était affreux. De grandes rafales couraient à la surface de l'icefield. La pluie tombait à torrents. Que l'on juge de la difficulté de se diriger au milieu d'une obscurité profonde dans ce labyrinthe d'icebergs!

Le détachement n'employa pas moins de quatre jours et quatre nuits à franchir la distance qui le séparait de l'île. Plusieurs traîneaux et leurs attelages furent engloutis dans les crevasses. Mais le lieutenant Hobson, grâce à sa prudence, à son dévouement, eut le bonheur de ne pas compter une seule victime parmi ses compagnons. Mais que de fatigues, que de dangers, et quel avenir s'offrait à ces infortunés qu'un nouvel hivernage attendait sur l'île errante!

XIV.

Les mois d'hiver.

Le lieutenant Hobson et ses compagnons ne furent de retour au Fort-Espérance que le 28, et non sans d'immenses fatigues! Ils n'avaient plus à compter maintenant que sur l'embarcation, dont on ne pourrait se servir avant six mois, c'est-à-dire quand la mer serait redevenue libre.

L'hivernage commença donc. Les traîneaux furent déchargés, les provisions rentrèrent à l'office; les vêtements, les armes, les ustensiles, les fourrures, dans les magasins. Les chiens réintégrèrent leur «dog-house», et les rennes domestiques, leur étable.

Thomas Black dut s'occuper aussi de son réemménagement, et avec quel désespoir! Le malheureux astronome reporta ses instruments, ses livres, ses cahiers dans sa chambre, et, plus irrité que jamais de «cette fatalité qui s'acharnait contre lui», il resta, comme avant, absolument étranger à tout ce qui se passait dans la factorerie.

Un jour suffit à la réinstallation générale, et alors recommença cette existence des hiverneurs, existence peu accidentée et qui paraîtrait si effroyablement monotone aux habitants des grandes villes. Les travaux d'aiguille, le raccommodage des vêtements, et même l'entretien des fourrures dont une partie du précieux stock, peut-être, pourrait être sauvée, puis, l'observation du temps, la surveillance du champ de glace, enfin la lecture, telles étaient les occupations et les distractions quotidiennes. Mrs. Paulina Barnett présidait à tout, et son influence se faisait sentir en toutes choses. Si, parfois, un léger désaccord survenait entre ces soldats, rendus quelquefois difficiles par les agacements du présent et les inquiétudes de l'avenir, il se dissipait vite aux paroles de Mrs. Paulina Barnett. La voyageuse avait un grand empire sur ce petit monde et ne l'employa jamais qu'au bien commun.

Kalumah s'était de plus en plus attachée à elle. Chacun aimait d'ailleurs la jeune Esquimaude, qui se montrait douce et serviable. Mrs. Paulina Barnett avait entrepris de faire son éducation, et elle y réussissait, car son élève était vraiment intelligente et friande de savoir. Elle la perfectionna dans l'étude de la langue anglaise, et elle lui apprit à lire et à écrire. D'ailleurs, en ces matières, Kalumah trouvait dix maîtres qui se disputaient le plaisir de la former; car, de tous ces soldats, élevés dans les possessions anglaises ou en Angleterre, il n'en était pas un qui ne sût lire, écrire et compter.

La construction du bateau fut activement poussée, et il devait être entièrement bordé et ponté avant la fin du mois. Au milieu de cette obscure atmosphère, Mac Nap et ses hommes travaillaient assidûment à la lueur de résines enflammées, pendant que les autres s'occupaient du gréement dans les magasins de la factorerie. La saison, bien qu'elle fût déjà fort avancée, demeurait toujours indécise. Le froid, quelquefois très vif, ne tenait pas, — ce qu'il fallait évidemment attribuer à la permanence des vents d'ouest.

Tout le mois de décembre s'écoula dans ces conditions: des pluies et des neiges intermittentes, une température qui varia entre vingt-six et trente-quatre degrés Fahrenheit (3°, 33 centigr. au- dessous de zéro et 1°, 11 au-dessus). La dépense du combustible fut modérée, bien qu'il n'y eût aucune raison d'économiser les réserves qui étaient abondantes. Mais malheureusement, il n'en était pas ainsi du luminaire. L'huile menaçait de manquer, et Jasper Hobson dut se résoudre à ne faire allumer la lampe que pendant quelques heures de la journée. On essaya bien d'employer la graisse de renne à l'éclairage de la maison, mais l'odeur de cette matière était insoutenable, et mieux valait encore demeurer dans l'ombre. Les travaux étaient alors suspendus, et les heures, ainsi passées, semblaient bien longues!

Quelques aurores boréales et deux ou trois parasélènes aux époques de la pleine lune apparurent plusieurs fois au-dessus de l'horizon. Thomas Black avait là l'occasion d'observer ces météores avec un soin minutieux, d'obtenir des calculs précis sur leur intensité, leur coloration, leur rapport avec l'état électrique de l'atmosphère, leur influence sur l'aiguille aimantée, etc. Mais l'astronome ne quitta même pas sa chambre! C'était un esprit absolument dévoyé.

Le 30 décembre, à la clarté de la lune, on put voir que, dans tout le nord et l'est de l'île Victoria, une longue ligne circulaire d'icebergs fermait l'horizon. C'était la banquise, dont les masses glacées s'étaient élevées les unes sur les autres. On pouvait estimer que sa hauteur était comprise entre trois cents et quatre cents pieds. Cette énorme barrière cernait déjà l'île sur les deux tiers de sa circonférence environ, et il était à craindre qu'elle ne se prolongeât encore.

Le ciel fut très pur pendant la première semaine de janvier. L'année nouvelle — 1861 — avait débuté par un froid assez vif, et la colonne de mercure s'abaissa jusqu'à huit degrés Fahrenheit (13°, 33 centigr. au-dessous de zéro). C'était la plus basse température de ce singulier hiver, observée jusqu'ici. Abaissement peu considérable, en tout cas, pour une latitude si élevée.

Le lieutenant Hobson crut devoir faire encore une fois, au moyen d'observations stellaires, le relevé de l'île en latitude et en longitude, et il s'assura que l'île n'avait subi aucun déplacement.

Vers ce temps, quelque économie qu'on y eût apportée, l'huile allait manquer tout à fait. Or, le soleil ne devait pas reparaître sous cette latitude avant les premiers jours de février. C'était un laps d'un mois encore, et les hiverneurs étaient menacés de le passer dans l'obscurité la plus complète, quand, grâce à la jeune Esquimaude, l'huile nécessaire à l'alimentation des lampes put être renouvelée.

On était au 3 janvier. Kalumah était allée au pied du cap Bathurst, afin d'observer l'état des glaces. En cet endroit, ainsi que sur toute la partie septentrionale de l'île, l'icefield était plus compacte. Les glaçons dont il se composait, mieux agrégés, ne laissaient point d'intervalles liquides entre eux. La surface du champ, bien qu'extrêmement raboteuse, était partout solide. Ce qui tenait sans doute à ce que l'icefield, poussé au nord par la banquise, avait été fortement pressé entre elle et l'île Victoria.

Toutefois, la jeune Esquimaude, à défaut de crevasses, remarqua plusieurs trous circulaires, nettement découpés dans la glace, dont elle reconnut parfaitement l'usage. C'étaient des trous à phoques, c'est-à-dire que par ces ouvertures, qu'ils empêchaient de se refermer, ces amphibies, emprisonnés sous la croûte solide, venaient respirer à sa surface et chercher sous la neige les mousses du littoral.

Kalumah savait que les ours, pendant l'hiver, accroupis patiemment près de ces trous, guettent le moment où l'amphibie sort de l'eau, qu'ils le saisissent dans leurs pattes, l'étouffent et l'emportent. Elle savait aussi que les Esquimaux, non moins patients que les ours, attendent de même l'apparition de ces animaux, leur lancent un noeud coulant et s'en emparent sans trop de peine.

Or, ce que faisaient les ours et les Esquimaux, d'adroits chasseurs pouvaient bien le faire, et, puisque les trous existaient, c'est que les phoques s'en servaient. Or, ces phoques, c'était l'huile, c'était la lumière qui manquait alors à la factorerie.

Kalumah revint aussitôt au fort. Elle prévint Jasper Hobson. Celui-ci manda les chasseurs Marbre et Sabine. La jeune indigène leur fit connaître le procédé employé par les Esquimaux pour capturer les phoques pendant l'hiver, et elle leur proposa d'en essayer.

Elle n'avait pas achevé de parler que Sabine avait déjà préparé une forte corde munie d'un noeud coulant.

Le lieutenant Hobson, Mrs. Paulina Barnett, les chasseurs, Kalumah, deux ou trois autres soldats, se rendirent au cap Bathurst, et, tandis que les femmes demeuraient sur le rivage, les hommes s'avancèrent en rampant vers les trous désignés. Chacun d'eux était muni d'une corde et se posta près d'un trou différent.

L'attente fut assez longue. Une heure se passa. Rien ne signalait l'approche des amphibies. Mais enfin, l'un des trous — celui qu'observait Marbre —

bouillonna à son orifice. Une tête, armée de longues défenses, apparut. C'était la tête d'un morse. Marbre lança son noeud coulant avec adresse et serra vivement. Ses compagnons accoururent à son aide, et, non sans peine, malgré sa résistance, le gigantesque amphibie fut extrait de l'élément liquide et entraîné sur la glace. Là, quelques coups de hache l'abattirent.

C'était un succès. Les hôtes du Fort-Espérance prirent goût à cette pêche d'un nouveau genre. D'autres morses furent ainsi capturés. Ils fournirent une huile abondante — huile animale, il est vrai, et non végétale —, mais elle suffit à l'entretien des lampes, et la lumière ne fit plus défaut aux travailleurs et aux travailleuses de la salle commune.

Cependant, le froid ne s'accentuait pas. La température demeurait supportable. Si les hiverneurs eussent été sur le solide terrain du continent, ils n'auraient eu qu'à se féliciter de passer l'hiver dans ces conditions. Ils étaient, d'ailleurs, abrités par la haute banquise contre les brises du nord et de l'ouest, et n'en ressentaient pas l'influence. Le mois de janvier s'avançait, et le thermomètre ne marquait encore que quelques degrés au-dessous de glace.

Mais précisément, la douceur de la température avait dû avoir et avait eu pour résultat de ne point solidifier entièrement la mer autour de l'île Victoria. Il était même évident que l'icefield n'était pas pris dans toute son étendue, et que des entailles, plus ou moins importantes, le rendaient impraticable, puisque ni les ruminants, ni les animaux à fourrure n'avaient abandonné l'île. Ces quadrupèdes s'étaient familiarisés, apprivoisés à un point qu'on ne saurait croire, et ils semblaient faire partie de la ménagerie domestique du fort.

Suivant les prescriptions du lieutenant Hobson, on respectait ces animaux, qu'il eût été absolument inutile de tuer. On n'abattait les rennes que pour se procurer de la venaison fraîche et renouveler l'ordinaire. Mais les hermines, les martres, les lynx, les rats musqués, les castors, les renards, qui fréquentaient sans crainte les environs du fort, furent laissés tranquilles. Quelques-uns même pénétraient dans l'enceinte, et on se gardait bien de les en chasser. Les martres et les renards étaient magnifiques avec leur fourrure d'hiver, et quelques-uns valaient un haut prix. Ces rongeurs, grâce à la douceur de la température, trouvaient aisément une nourriture végétale sous la neige molle et peu épaisse, et ils ne vivaient point sur les réserves de la factorerie.

On attendait donc la fin de l'hiver, non sans appréhension, dans une existence extrêmement monotone, que Mrs. Paulina Barnett cherchait à varier par tous les moyens possibles.

Un seul incident marqua assez tristement ce mois de janvier. Le 7, l'enfant du charpentier Mac Nap fut pris d'une fièvre assez forte. Des maux de tête très violents, une soif ardente, des alternatives de frisson et de chaleur, eurent bientôt mis le pauvre petit être en un triste état. Que l'on juge du désespoir de sa mère, de maître Mac Nap, de leurs amis! On ne savait que faire, car on ignorait la nature de la maladie, mais sur le conseil de Madge, qui ne perdit point la tête et qui s'y connaissait un peu, le mal fut combattu par des tisanes rafraîchissantes et des cataplasmes. Kalumah se multipliait, et passait les jours et les nuits près de l'enfant, sans qu'on pût lui faire prendre un instant de repos.

Mais vers le troisième jour, on n'eut plus de doute sur la nature de la maladie. Une éruption caractéristique couvrit le corps du bébé. C'était une scarlatine d'espèce maligne, qui devait nécessairement amener une inflammation interne.

Il est rare que des enfants d'un an soient frappés de ce mal redoutable et avec cette violence, mais enfin cela arrive quelquefois. La pharmacie du fort était malheureusement assez incomplète. Toutefois, Madge, qui avait soigné plusieurs cas de scarlatine, connaissait l'efficacité de la teinture de belladone. Elle en administra chaque jour une ou deux gouttes au petit malade, et l'on prit les plus extrêmes précautions pour qu'il ne subît pas le contact de l'air.

L'enfant avait été transporté dans la chambre qu'occupaient son père et sa mère. Bientôt, l'éruption fut dans toute sa force, et de petits points rouges se manifestèrent sur sa langue, sur ses lèvres, et même sur le globe de l'oeil. Mais deux jours après, les taches de la peau prirent une teinte violette, puis blanche, et elles tombèrent en squames.

C'est alors qu'il fallut redoubler de prudence et combattre l'inflammation interne qui dénotait la malignité de la maladie. Rien ne fut négligé, et l'on peut dire que ce petit être fut admirablement soigné. Ainsi, vers le 20 janvier, douze jours après l'invasion du mal, on put concevoir le légitime espoir de le sauver.

Ce fut une joie dans la factorerie. Ce bébé, c'était l'enfant du fort, l'enfant de troupe, l'enfant du régiment! Il était né sous ce rude climat, au milieu de ces braves gens. Ils l'avaient nommé Michel-Espérance, et ils le regardaient, parmi tant d'épreuves, comme un talisman que le ciel ne voudrait pas leur enlever. Quant à Kalumah, on peut croire qu'elle serait morte de la mort de cet enfant; mais le petit Michel revint peu à peu à la santé, et il sembla qu'il ramenait l'espoir avec lui.

On était arrivé ainsi, au milieu de tant d'inquiétudes, au 23 janvier. La situation de l'île Victoria ne s'était modifiée en aucune façon. L'interminable nuit couvrait encore la mer polaire. Pendant quelques jours, une neige abondante tomba et s'entassa sur le sol de l'île et sur le champ de glace à une hauteur de deux pieds.

Le 27, le fort reçut une visite assez inattendue. Les soldats Belcher et Pen, qui veillaient sur le front de l'enceinte, aperçurent, dans la matinée, un ours gigantesque qui se dirigeait tranquillement du côté du fort. Ils rentrèrent dans la salle commune, et signalèrent à Mrs. Paulina Barnett la présence du redoutable carnassier.

«Ce ne peut être que notre ours!» dit Mrs. Paulina Barnett à Jasper Hobson, et tous les deux, suivis du sergent, de Sabine et de quelques soldats armés de fusil, ils gagnèrent la poterne.

L'ours était à deux cents pas et marchait tranquillement, sans hésitation, comme s'il eût eu un plan bien arrêté.

«Je le reconnais, s'écria Mrs. Paulina Barnett. C'est ton ours, Kalumah, c'est ton sauveur!

— Oh! ne tuez pas mon ours! s'écria la jeune indigène.

— On ne le tuera pas, répondit le lieutenant Hobson. Mes amis, ne lui faites aucun mal, et il est probable qu'il s'en ira comme il est venu.

— Mais s'il veut pénétrer dans l'enceinte... dit le sergent Long, qui croyait peu aux bons sentiments des ours polaires.

— Laissez-le entrer, sergent, répondit Mrs. Paulina Barnett. Cet animal-là a perdu toute férocité. Il est prisonnier comme nous, et, vous le savez, les prisonniers...

— Ne se mangent pas entre eux! dit Jasper Hobson, cela est vrai, madame, à la condition, toutefois, qu'ils soient de la même espèce. Mais enfin, on épargnera celui-ci, à votre recommandation. Nous ne nous défendrons que s'il nous attaque. Cependant, je crois prudent de rentrer dans la maison. Il ne faut pas donner de tentations trop fortes à ce carnassier!»

Le conseil était bon. Chacun rentra. On ferma les portes, mais les contrevents des fenêtres ne furent point rabattus.

On put donc, à travers les vitres, suivre les manoeuvres du visiteur. L'ours, arrivé à la poterne, qui avait été laissée ouverte, repoussa doucement la porte, passa sa tête, examina l'intérieur de la cour, et entra. Arrivé au milieu de l'enceinte, il examina les constructions qui l'entouraient, se dirigea vers l'étable et le chenil, écouta un instant les grognements des chiens qui l'avaient senti, le bramement des rennes qui n'étaient point rassurés, continua son inspection en suivant le périmètre de la palissade, arriva près de la maison principale, et vint enfin appuyer sa grosse tête contre une des fenêtres de la grande salle.

Pour être franc, tout le monde recula, quelques soldats saisirent leurs fusils, et Jasper Hobson commença à craindre d'avoir laissé la plaisanterie aller trop loin.

Mais Kalumah vint placer sa douce figure sur la vitre fragile. L'ours parut la reconnaître — ce fut, du moins, l'avis de l'Esquimaude —, et, satisfait sans doute, après avoir poussé un bon grognement, il se recula, reprit le chemin de la poterne, puis, ainsi que l'avait dit Jasper Hobson, il s'en alla comme il était venu.

Tel fut l'incident dans toute sa simplicité, incident qui ne se renouvela pas, et les choses reprirent leur cours ordinaire.

Cependant, la guérison du petit enfant marchait bien, et, dans les derniers jours du mois, il avait déjà repris ses bonnes joues et son regard éveillé.

Le 3 février, vers midi, une teinte pâle nuança pendant une heure l'horizon du sud. Un disque jaunâtre se montra un instant. C'était l'astre radieux qui reparaissait pour la première fois, après la longue nuit polaire.

XV.

Une dernière exploration.

À dater de cette époque, le soleil s'éleva chaque jour et de plus en plus au-dessus de l'horizon. Mais si la nuit s'interrompait pendant quelques heures, le froid s'accrut, ainsi qu'il arrive fréquemment au mois de février, et le thermomètre marqua un degré Fahrenheit (17° centigr. au-dessous de zéro). C'était la plus basse température qu'il devait indiquer pendant ce singulier hiver.

«À quelle époque se fait la débâcle dans ces mers? demanda un jour la voyageuse à Jasper Hobson.

— Dans les années moyennes, madame, répondit le lieutenant, la rupture des glaces ne s'opère pas avant les premiers jours de mai, mais l'hiver a été si doux que, si de nouveaux froids très intenses ne se produisent pas, la débâcle pourrait bien se faire au commencement d'avril, du moins je le suppose.

— Ainsi, nous aurions encore deux mois à attendre? demanda Mrs. Paulina Barnett.

— Oui, deux mois, madame, répondit Jasper Hobson, car il sera prudent de ne pas hasarder trop prématurément notre embarcation au milieu des glaces, et je pense que toutes les chances de réussite seront pour nous, surtout si nous pouvons attendre le moment où l'île sera engagée dans la partie la plus resserrée du détroit de Behring, qui ne mesure pas plus de cent milles de largeur.

— Que dites-vous là, monsieur Jasper? répondit Mrs. Paulina Barnett, assez surprise de la réponse du lieutenant. Oubliez-vous donc que c'est le courant du Kamtchatka, le courant du nord qui nous a reportés où nous sommes, et qu'à l'époque de la débâcle, il pourrait bien nous reprendre et nous reporter plus loin encore?

— Je ne le pense pas, madame, répondit le lieutenant Hobson, et j'ose même assurer que cela ne sera pas. La débâcle se fait toujours du nord au sud, soit que le courant du Kamtchatka se renverse, soit que les glaces prennent le courant de Behring, soit enfin pour toute autre raison qui m'échappe. Mais, invariablement, les icebergs dérivent vers le Pacifique, et c'est là qu'ils vont se dissoudre dans les eaux plus chaudes. Interrogez Kalumah. Elle connaît ces parages, et elle vous dira, comme moi, que la débâcle des glaces se fait du nord au sud.»

Kalumah, interrogée, confirma les paroles du lieutenant. Il paraissait donc probable que l'île, entraînée dans les premiers jours d'avril, serait charriée au sud comme un immense glaçon, c'est-à-dire dans la partie la plus étroite du détroit de Behring, fréquentée, pendant l'été, par les pêcheurs de New-Arkhangel, les pilotes et les pratiques de la côte. Mais en tenant compte de tous les retards possibles et, par conséquent, du temps que l'île mettrait à redescendre vers le sud, on ne pouvait espérer de prendre pied sur le continent avant le mois de mai. Au surplus, bien que le froid n'eût pas été intense, l'île Victoria s'était certainement consolidée, en ce sens que l'épaisseur de sa base de glace avait dû s'accroître, et l'on devait compter qu'elle résisterait pendant plusieurs mois encore.

Les hiverneurs devaient donc s'armer de patience et attendre, toujours attendre!

La convalescence du petit enfant se faisait bien. Le 20 février, il sortit pour la première fois, après quarante jours de maladie. On entend par là qu'il passa de sa chambre dans la grande salle, où les caresses ne lui furent pas épargnées. Sa mère, qui avait eu l'intention de le sevrer à un an, continua de le nourrir, sur le conseil de Madge, et le lait maternel, mêlé, quelquefois de lait de renne, lui rendit promptement ses forces. Il trouva mille petits jouets que ses amis, les soldats, avaient fabriqués pendant sa maladie, et l'on s'imagine aisément s'il fut le plus heureux bébé du monde.

La dernière semaine du mois de février fut extrêmement pluvieuse et neigeuse. Il ventait un grand vent de nord-ouest. Pendant quelques jours même, la température s'abaissa assez pour que la neige tombât abondamment. Mais la bourrasque n'en fut pas moins violente. Du côté du cap Bathurst et de la banquise, les bruits de la tempête étaient assourdissants. Les icebergs entrechoqués s'écroulaient avec un bruit comparable aux roulements du tonnerre. Il se faisait une pression dans les glaces du nord qui s'accumulaient sur le littoral de l'île. On pouvait craindre que le cap lui-même — qui n'était après tout qu'une sorte d'iceberg, coiffé de terre et de sable —, ne fût jeté à bas. Quelques gros glaçons, malgré leur poids, furent chassés jusqu'au pied même de l'enceinte palissadée. Très heureusement pour la factorerie, le cap tint bon et préserva ses bâtiments d'un écrasement complet.

On comprend bien que la position de l'île Victoria, à l'ouvert d'un détroit resserré, vers lequel s'accumulaient les glaces, était excessivement périlleuse. Elle pouvait être balayée par une sorte d'avalanche horizontale, si l'on peut s'exprimer ainsi, être écrasée par les glaçons poussés du large, avant même de s'abîmer dans les flots. C'était un nouveau danger, ajouté à tant d'autres. Mrs. Paulina Barnett, voyant la force prodigieuse de la poussée du large, et l'irrésistible violence avec laquelle ces blocs s'entassaient, comprit bien quel nouveau péril menacerait l'île à la débâcle prochaine. Elle en parla plusieurs fois au lieutenant Hobson, et celui-ci secoua la tête en homme qui n'a pas de réponse à faire.

La bourrasque tomba complètement vers les premiers jours de mars, et l'on put voir alors combien l'aspect du champ s'était modifié. Il semblait, en effet, que, par une sorte de glissement à la surface de l'icefield, la banquise se fût rapprochée de l'île Victoria. En de certains points, elle n'en était pas distante de plus de deux milles, et se comportait comme les glaciers qui se déplacent, avec cette différence qu'elle marchait, tandis que ceux-ci descendent. Entre la haute barrière et le littoral, le sol, ou plutôt le champ de glace, affreusement convulsionné, hérissé d'hummocks, d'aiguilles rompues, de tronçons renversés, de pyramidions culbutés, houleux comme une mer qui se fût subitement figée au plus fort d'une tempête, n'était plus reconnaissable. On eût dit les ruines d'une ville immense, dont pas un monument ne serait resté debout. Seule, la haute banquise, étrangement profilée, découpant sur le ciel ses cônes, ses ballons, ses crêtes fantaisistes, ses pics aigus, se tenait solidement, et encadrait superbement ce fouillis pittoresque.

À cette date, l'embarcation fut entièrement terminée. Cette chaloupe était de forme un peu grossière, comme on devait s'y attendre, mais elle faisait honneur à Mac Nap, et, avec son avant en forme de galiote, elle devait mieux résister au choc des glaces. On eût dit une de ces barques hollandaises qui s'aventurent dans les mers du Nord. Son gréement, qui était achevé, se composait, comme celui d'un cutter, d'une brigantine et d'un foc, supportés sur un seul mât. Les toiles à tente de la factorerie avaient été utilisées pour la voilure.

Ce bateau pouvait facilement contenir le personnel de l'île Victoria, et il était évident que si, comme on pouvait l'espérer, l'île s'engageait dans le détroit de Behring, il pourrait aisément franchir même la plus grande distance qui pût le séparer alors de la côte américaine. Il n'y avait donc plus qu'à attendre la débâcle des glaces.

Le lieutenant Hobson eut alors l'idée d'entreprendre une assez longue excursion au sud-est, dans le but de reconnaître l'état de l'icefield, d'observer s'il présentait des symptômes de prochaine dissolution, d'examiner la banquise elle-même, de voir enfin si, dans l'état actuel de la mer, tout passage vers le continent américain était encore obstrué. Bien des incidents, bien des hasards pouvaient se produire avant que la rupture des glaces eût rendu la mer libre, et opérer une reconnaissance du champ de glace était un acte de prudence.

L'expédition fut donc résolue, et le départ fixé au 7 mars. La petite troupe se composa du lieutenant Hobson, de la voyageuse, de Kalumah, de Marbre et de Sabine. Il était convenu que, si la route était praticable, on chercherait un passage à travers la banquise, mais qu'en tout cas, Mrs. Paulina Barnett et ses compagnons ne prolongeraient pas leur absence au-delà de quarante-huit heures.

Les vivres furent donc préparés, et le détachement, bien armé, à tout hasard, quitta le Fort-Espérance dans la matinée du 7 mars et se dirigea vers le cap Michel.

Le thermomètre marquait alors trente-deux degrés Fahrenheit (0 centigr.). L'atmosphère était légèrement brumeuse, mais calme. Le soleil décrivait son arc diurne pendant sept ou huit heures déjà au-dessus de l'horizon, et ses rayons obliques projetaient une clarté suffisante sur tout le massif des glaces.

À neuf heures, après une courte halte, le lieutenant Hobson et ses compagnons descendaient le talus du cap Michel et s'avançaient sur le champ dans la direction du sud-est. De ce côté, la banquise ne s'élevait pas à trois milles du cap.

La marche fut assez lente, on le pense bien. À tout moment, il fallait tourner, soit une crevasse profonde, soit un infranchissable hummock. Aucun traîneau n'aurait évidemment pu s'aventurer sur cette route raboteuse. Ce n'était qu'un amoncellement de blocs de toute taille et de toutes formes, dont quelques-uns ne se tenaient que par un miracle d'équilibre. D'autres étaient tombés récemment, ainsi qu'on le voyait à leurs cassures nettes, à leurs angles affilés comme des lames. Mais, au milieu de ces éboulis, pas une trace qui annonçât le passage d'un homme ou d'un animal! Nul être vivant dans ces solitudes, que les oiseaux avaient eux-mêmes abandonnées!

Mrs. Paulina Barnett se demandait, non sans étonnement, comment, si on était parti en décembre, on aurait pu franchir cet icefield bouleversé, mais le lieutenant Hobson lui fit observer qu'à cette époque le champ de glace ne présentait pas cet aspect. L'énorme pression, provoquée par la banquise, ne s'était pas alors produite, et on aurait trouvé un champ relativement uni. Le seul obstacle avait donc été dans le défaut de solidification, et non ailleurs. Le passage était impraticable, il est vrai, par suite des aspérités de l'icefield; mais au commencement de l'hiver, ces aspérités n'existaient pas.

Cependant, on s'approchait de la haute barrière. Presque toujours, Kalumah précédait la petite troupe. La vive et légère indigène, comme un chamois dans les roches alpestres, marchait d'un pied sûr au milieu des glaçons. C'était merveille de la voir courir ainsi, sans une hésitation, sans une erreur, et suivre, d'instinct pour ainsi dire, le meilleur passage dans ce labyrinthe d'icebergs. Elle allait, venait, appelait, et on pouvait la suivre de confiance.

Vers midi, la vaste base de la banquise était atteinte, mais on n'avait pas mis moins de trois heures à faire trois milles.

Quelle imposante masse que cette barrière de glaces, dont certains sommets s'élevaient à plus de quatre cents pieds au-dessus de l'icefield! Les strates qui la formaient se dessinaient nettement. Des teintes diverses, des nuances d'une extrême délicatesse en coloraient les parois glacées. On la voyait par longues places, tantôt irisée, tantôt jaspée, et partout niellée d'arabesques ou piquetée de paillettes lumineuses. Aucune falaise, si étrangement découpée qu'elle eût été, n'aurait pu donner une idée de cette banquise, opaque en un endroit, diaphane en un autre, et sur laquelle la lumière et l'ombre produisaient les jeux les plus étonnants.

Mais il fallait bien se garder de trop approcher ces masses sourcilleuses, dont la solidité était fort problématique. Les déchirements et les fracas étaient fréquents à l'intérieur. Il se faisait là un travail de désagrégation formidable. Les bulles d'air, emprisonnées dans la masse, poussaient à sa destruction, et l'on sentait bien tout ce qu'avait de fragile cet édifice élevé par le froid, qui ne survivrait pas à l'hiver arctique, et qui se résoudrait en eau sous les rayons du soleil. Il y avait là de quoi alimenter de véritables rivières!

Le lieutenant Hobson avait dû prémunir ses compagnons contre le danger des avalanches, qui à chaque instant découronnaient le sommet de la banquise. Aussi la petite troupe n'en longeait-elle la base qu'à une certaine distance. Et on eut raison d'agir prudemment, car, vers deux heures, à l'angle d'une vallée que Mrs. Paulina Barnett et ses compagnons se disposaient à traverser, un bloc énorme, pesant plus de cent tonnes, se détacha du sommet de la barrière de glace et tomba sur l'icefield avec un épouvantable fracas. Le champ creva sous le choc et l'eau fut projetée à une grande hauteur. Fort heureusement, personne ne fut atteint par les fragments du bloc, qui éclata comme une bombe.

Depuis deux heures jusqu'à cinq, on suivit une vallée étroite, sinueuse, qui s'enfonçait dans la banquise. La traversait-elle dans toute sa largeur? C'est ce que l'on ne pouvait savoir. La structure intérieure de la haute barrière put être ainsi examinée. Les blocs qui la composaient étaient rangés avec une plus grande symétrie que sur son revêtement extérieur. En plusieurs endroits apparaissaient des troncs d'arbres, engagés dans la masse, arbres non d'essence polaire, mais d'essence tropicale. Venus évidemment par le courant du Gulf-Stream jusqu'aux régions arctiques, ils avaient été repris par les glaces et retourneraient à l'Océan avec elles. On vit aussi quelques épaves, des restes de carènes et des membrures de bâtiments.

Vers cinq heures, l'obscurité, déjà assez grande, arrêta l'exploration. On avait fait deux milles environ dans la vallée, très encombrée et peu praticable, mais ses sinuosités empêchaient d'évaluer le chemin parcouru en droite ligne.

Jasper Hobson donna alors le signal de halte. En une demi-heure, Marbre et Sabine, armés de couteaux à neige, eurent creusé une grotte dans le massif. La petite troupe s'y blottit, soupa, et, la fatigue aidant, s'endormit presque aussitôt.

Le lendemain, tout le monde était sur pied à huit heures, et Jasper Hobson reprenait le chemin de la vallée pendant un mille encore, afin de reconnaître si elle ne traversait pas la banquise dans toute sa largeur. D'après la situation du soleil, sa direction, après avoir été vers le nord-est, semblait se rabattre vers le sud-est.

À onze heures, le lieutenant Hobson et ses compagnons débouchaient sur le revers opposé de la banquise. Ainsi donc, on n'en pouvait douter, le passage existait.

Toute cette partie orientale de l'icefield présentait le même aspect que sa portion occidentale. Même fouillis de glaces, même hérissement de blocs. Les icebergs et les hummocks s'étendaient à perte de vue, séparés par quelques parties planes, mais étroites, et coupés de nombreuses crevasses dont les bords étaient déjà en décomposition. C'était aussi la même solitude, le même désert, le même abandonnement. Pas un animal, pas un oiseau.

Mrs. Paulina Barnett, montée au sommet d'un hummock, resta pendant une heure à considérer ce paysage polaire, si triste au regard. Elle songeait, malgré elle, à ce départ qui avait été tenté cinq mois auparavant. Elle se représentait tout le personnel de la factorerie, toute cette misérable caravane, perdue dans la nuit, au milieu de ces solitudes glacées, et cherchant, parmi tant d'obstacles et tant de périls, à gagner le continent américain.

Le lieutenant Hobson l'arracha enfin à ses rêveries.

«Madame, lui dit-il, voilà plus de vingt-quatre heures que nous avons quitté le fort. Nous connaissons maintenant quelle est l'épaisseur de la banquise; et puisque nous avons promis de ne pas prolonger notre absence au-delà de quarante-huit heures, je crois qu'il est temps de revenir sur nos pas.»

Mrs. Paulina Barnett se rendit à cette observation. Le but de l'exploration avait été atteint. La banquise n'offrait qu'une épaisseur médiocre, et elle se dissoudrait assez promptement, sans doute, pour livrer immédiatement passage au bateau de Mac Nap, après la débâcle des glaces. Il ne restait donc plus qu'à revenir, car le temps pouvait changer, et des tourbillons de neige eussent rendu peu praticable la vallée transversale.

On déjeuna, et on repartit vers une heure après midi. À cinq heures, on campait comme la veille dans une hutte de glace, la nuit s'y passait sans accident, et le lendemain, 9 mars, le lieutenant Hobson donnait à huit heures du matin le signal du départ.

Le temps était beau. Le soleil qui se levait dominait déjà la banquise et lançait quelques rayons à travers la vallée. Jasper Hobson et ses compagnons lui tournaient le dos, puisqu'ils marchaient vers l'ouest, mais leurs yeux saisissaient l'éclat des rayons réverbérés par les parois de glace, qui s'entrecroisaient devant eux.

Mrs. Paulina Barnett et Kalumah marchaient un peu en arrière, causant, observant, et suivant les étroits passages indiqués par Sabine et Marbre. On espérait bien avoir retraversé la banquise pour midi, et franchi les trois milles qui la séparaient de l'île Victoria avant une ou deux heures. De cette façon, les excursionnistes seraient de retour au fort avec le coucher du soleil. Ce seraient quelques heures de retard, mais dont leurs compagnons n'auraient pas à s'inquiéter sérieusement.

On comptait sans un incident, que certainement aucune perspicacité humaine ne pouvait prévoir.

Il était dix heures environ, quand Marbre et Sabine, qui marchaient à vingt pas en avant, s'arrêtèrent. Ils semblaient discuter. Le lieutenant, Mrs. Paulina Barnett et la jeune indigène les ayant rejoints, virent que Sabine, tenant sa boussole à la main, la montrait à son compagnon, qui la considérait d'un air étonné.

«Voilà une chose bizarre! s'écria-t-il, en s'adressant à Jasper Hobson. Me direz-vous, mon lieutenant, de quel côté est située notre île par rapport à la banquise? Est-ce à l'est ou à l'ouest?

— À l'ouest, répondit Jasper Hobson, assez surpris de cette question, vous le savez bien, Marbre.

— Je le sais bien!... je le sais bien!... répondit Marbre, en hochant la tête. Mais alors, si c'est à l'ouest, nous faisons fausse route et nous nous éloignons de l'île!

— Comment! nous nous en éloignons! dit le lieutenant, très étonné du ton affirmatif du chasseur.

— Sans doute, mon lieutenant, répondit Marbre, consultez la boussole, et que je perde mon nom, si elle n'indique pas que nous marchons vers l'est et non vers l'ouest!

— Ce n'est pas possible! dit la voyageuse.

— Regardez, madame», répondit Sabine. En effet, l'aiguille aimantée marquait le nord dans une direction absolument opposée à celle que l'on supposait. Jasper Hobson réfléchit et ne répondit pas.

«Il faut que nous nous soyons trompés ce matin en quittant notre maison de glace, dit Sabine. Nous aurons pris à gauche au lieu de prendre à droite.

— Non! s'écria Mrs. Paulina Barnett, ce n'est pas possible! Nous ne nous sommes pas trompés!

— Mais... dit Marbre.

— Mais, répondit Mrs. Paulina Barnett, voyez le soleil! Est-ce qu'il ne se lève plus dans l'est, à présent? Or, comme nous lui avons toujours tourné le dos depuis ce matin, et que nous le lui tournons encore, il est manifeste que nous marchons vers l'ouest. Donc, comme l'île est à l'ouest, nous la retrouverons en débouchant de la vallée sur la partie occidentale de la banquise.»

Marbre, stupéfait de cet argument auquel il ne pouvait répondre, se croisa les bras.

«Soit, dit Sabine, mais alors la boussole et le soleil sont en contradiction complète?

— Oui, en ce moment du moins, répondit Jasper Hobson, et cela ne tient uniquement qu'à ceci: c'est que sous les hautes latitudes boréales, et dans les parages qui avoisinent le pôle magnétique, il arrive quelquefois que les boussoles sont affolées, et que leurs aiguilles donnent des indications absolument fausses.

— Bon, dit Marbre, il faut donc poursuivre notre route en continuant de tourner le dos au soleil?

— Sans aucun doute, répondit le lieutenant Hobson. Il me semble qu'entre la boussole et le soleil, il n'y a pas à hésiter. Le soleil ne se dérange pas, lui!»

La marche fut reprise, les marcheurs ayant le soleil derrière eux, et il est certain qu'aux arguments de Jasper Hobson, arguments tirés de la position de l'astre radieux, il n'y avait rien à objecter.

La petite troupe s'avança donc dans la vallée, mais pendant un temps plus long qu'elle ne le supposait. Jasper Hobson comptait avoir traversé la banquise avant midi, et il était plus de deux heures, quand il se trouva enfin au débouché de l'étroit passage.

Ce retard, assez bizarre, n'avait pas laissé de l'inquiéter, mais que l'on juge de sa stupéfaction profonde et de celle de ses compagnons, quand, en prenant pied sur le champ de glace, à la base de la banquise, ils n'aperçurent plus l'île Victoria qu'ils auraient dû avoir en face d'eux!

Non! l'île, fort reconnaissable de ce côté, grâce aux arbres qui couronnaient le cap Michel, n'était plus là! À sa place s'étendait un immense champ de glace, sur lequel les rayons solaires, passant par-dessus la banquise, s'étendaient à perte de vue!

Le lieutenant Hobson, Mrs. Paulina Barnett, Kalumah, les deux chasseurs regardaient et se regardaient.

«L'île devrait être là! s'écria Sabine.

— Et elle n'y est plus! répondit Marbre. Ah ça! mon lieutenant, qu'est-elle devenue?» Mrs. Paulina Barnett, abasourdie, ne savait que répondre. Jasper Hobson ne prononçait pas une parole.

En ce moment, Kalumah s'approcha du lieutenant Hobson, lui toucha le bras et dit:

«Nous nous sommes égarés dans la vallée, nous l'avons remontée au lieu de la descendre, et nous nous retrouvons à l'endroit où nous étions hier, après avoir traversé pour la première fois la banquise. Venez, venez!»

Et machinalement, pour ainsi dire, le lieutenant Hobson, Mrs. Paulina Barnett, Marbre, Sabine, se fiant à l'instinct de la jeune indigène, se laissèrent emmener, et s'engagèrent de nouveau dans l'étroit passage, en revenant sur leurs pas. Et pourtant les apparences étaient contre Kalumah, à consulter la position du soleil!

Mais Kalumah ne s'était pas expliquée, et se contentait de murmurer en marchant:

«Marchons! vite! vite!»

Le lieutenant, la voyageuse et leurs compagnons étaient donc exténués et se traînaient à peine, quand, la nuit venue, après trois heures de route, ils se retrouvèrent de l'autre côté de la banquise. L'obscurité les empêchait de voir si l'île était là, mais ils ne restèrent pas longtemps dans l'incertitude.

En effet, à quelques centaines de pas, sur le champ de glace, des résines embrasées se promenaient en tous sens et des coups de fusil éclataient dans l'air. On appelait.

À cet appel, la petite troupe répondit, et fut bientôt rejointe par le sergent Long, Thomas Black, que l'inquiétude sur le sort de ses amis avait enfin tiré de sa torpeur, et d'autres encore, qui accoururent au-devant d'eux. Et, en vérité, ces pauvres gens avaient été bien inquiets, car ils avaient lieu de supposer — ce qui était vrai d'ailleurs, — que Jasper Hobson et ses compagnons s'étaient égarés en voulant regagner l'île.

Et pourquoi devaient-ils penser ainsi, eux qui étaient restés au Fort-Espérance? Pourquoi devaient-ils croire que le lieutenant et sa petite troupe s'égarerait au retour?

C'est que, depuis vingt-quatre heures, l'immense champ de glace et l'île avec lui s'étaient déplacés, et avaient fait un demi-tour sur eux-mêmes. C'est que, par suite de ce déplacement, ce n'était plus à l'ouest, mais à l'est de la banquise qu'il fallait désormais chercher l'île errante!

XVI.

La débâcle.

Deux heures après, tous étaient rentrés au Fort-Espérance. Et le lendemain, 10 mars, le soleil illumina d'abord cette partie du littoral qui formait autrefois la portion occidentale de l'île. Le cap Bathurst, au lieu de pointer au nord, pointait au sud. La jeune Kalumah, à laquelle ce phénomène était connu, avait eu raison, et si le soleil ne s'était pas trompé, la boussole, du moins, n'avait pas eu tort!

Ainsi donc, l'orientation de l'île Victoria était encore une fois changée et plus complètement. Depuis le moment où elle s'était détachée de la terre américaine, l'île avait fait un demi-tour sur elle-même, et non seulement l'île, mais aussi l'immense icefield qui l'emprisonnait. Ce déplacement sur son centre prouvait que le champ de glace ne se reliait plus au continent, qu'il s'était détaché du littoral, et, conséquemment, que la débâcle ne pouvait tarder à se produire.

«En tout cas, dit le lieutenant Hobson à Mrs. Paulina Barnett, ce changement de front ne peut que nous être favorable. Le cap Bathurst et le Fort-Espérance se sont tournés vers le sud-est, c'est-à-dire vers le point qui se rapproche le plus du continent, et maintenant la banquise, qui n'eût laissé qu'un étroit et difficile passage à notre embarcation, ne s'élève plus entre l'Amérique et nous.

— Ainsi, tout est pour le mieux? demanda Mrs. Paulina Barnett, en souriant.

— Tout est pour le mieux, madame», répondit Jasper Hobson, qui avait justement apprécié les conséquences du changement d'orientation de l'île Victoria.

Du 10 au 21 mars, aucun incident ne se produisit, mais on pouvait déjà pressentir les approches de la saison nouvelle. La température se maintenait entre quarante-trois et cinquante degrés Fahrenheit (6° et 10° centigr. au-dessus de zéro). Sous l'influence du dégel, la rupture des glaces tendait à se faire subitement. De nouvelles crevasses s'ouvraient, et l'eau libre se projetait à la surface du champ. Suivant l'expression pittoresque des baleiniers, ces crevasses étaient autant de blessures par lesquelles l'icefield «saignait». Le fracas des glaçons qui se brisaient était comparable alors à des détonations d'artillerie. Une pluie assez chaude, qui tomba pendant plusieurs jours, ne pouvait manquer d'activer la dissolution de la surface solidifiée de la mer.

Les oiseaux qui avaient abandonné l'île errante au commencement de l'hiver revinrent en grand nombre, ptarmigans, guillemots, puffins, canards, etc. Marbre et Sabine en tuèrent un certain nombre, dont quelques-uns portaient encore au cou le billet que le lieutenant et la voyageuse leur avaient confié quelques mois auparavant. Des bandes de cygnes blancs reparurent aussi et firent retentir les airs du son de leur éclatante trompette. Quant aux quadrupèdes, rongeurs et carnassiers, ils continuaient de fréquenter, suivant leur habitude, les environs de la factorerie, comme de véritables animaux domestiques.

Presque chaque jour, toutes les fois que l'état du ciel le permettait, le lieutenant Hobson prenait hauteur. Quelquefois même, Mrs. Paulina Barnett, devenue fort habile au maniement du sextant, l'aidait ou le remplaçait même dans ses observations. Il était très important, en effet, de constater les moindres changements qui se seraient effectués en latitude ou en longitude dans la position de l'île. La grave question des deux courants était toujours pendante, et de savoir si, après la débâcle, on serait emporté au sud ou au nord, voilà ce qui préoccupait par- dessus tout Jasper Hobson et Mrs. Paulina Barnett.

Il faut dire que cette vaillante femme montrait en tout et toujours une énergie supérieure à son sexe. Ses compagnons la voyaient chaque jour, bravant les fatigues, le mauvais temps, sous la pluie, sous la neige, opérant une reconnaissance de quelque partie de l'île, s'aventurant à travers l'icefield à demi décomposé; puis, à son retour, réglant la vie intérieure de la factorerie, prodiguant ses soins et ses conseils, et toujours activement secondée par sa fidèle Madge.

Mrs. Paulina Barnett avait courageusement envisagé l'avenir, et des craintes qui l'assaillaient parfois, de certains pressentiments que son esprit ne pouvait dissiper, elle ne laissait jamais rien paraître. C'était toujours la femme confiante, encourageante que l'on connaît, et personne n'aurait pu deviner sous son humeur égale les vives préoccupations dont elle ne pouvait être exempte. Jasper Hobson l'admirait profondément.

Il avait aussi une entière confiance en Kalumah, et il s'en rapportait souvent à l'instinct naturel de la jeune Esquimaude, absolument comme un chasseur se fie à l'instinct de son chien. Kalumah, très intelligente, d'ailleurs, était familiarisée avec tous les incidents comme avec tous les phénomènes des régions polaires. À bord d'un baleinier, elle eût certainement remplacé avec avantage «l'icemaster», ce pilote auquel est spécialement confiée la direction du navire au milieu des glaces. Chaque jour, Kalumah allait reconnaître l'état de l'icefield, et rien qu'au bruit des icebergs qui se fracassaient au loin, la jeune indigène devinait les progrès de la décomposition. Jamais, aussi, pied plus sûr que le sien ne s'était aventuré sur les glaçons. D'instinct, elle sentait lorsque la glace, «pourrie par-dessous», n'offrait plus qu'un point d'appui trop fragile, et elle cheminait sans une seule hésitation à travers l'icefield troué de crevasses.

Du 20 au 30 mars, le dégel fit de rapides progrès. Les pluies furent abondantes et activèrent la dissolution des glaces. On pouvait espérer qu'avant peu l'icefield se diviserait, et peut- être quinze jours ne se passeraient-ils pas sans que le lieutenant Hobson, profitant des eaux libres, pût lancer son navire à travers les glaces. Ce n'était point un homme à hésiter, quand il pouvait redouter, d'ailleurs, que l'île fût entraînée au nord, pour peu que le courant du Kamtchatka l'emportât sur le courant de Behring.

«Mais, répétait souvent Kalumah, cela n'est pas à craindre. La débâcle ne remonte pas, elle descend, et le danger est là!» disait-elle, en montrant le sud, où s'étendait l'immense mer du Pacifique.

La jeune Esquimaude était absolument affirmative. Le lieutenant Hobson connaissait son opinion bien arrêtée sur ce point, et il se rassurait, car il ne considérait pas comme un danger que l'île allât se perdre dans les eaux du Pacifique. En effet, auparavant, tout le personnel de la factorerie serait embarqué à bord de la chaloupe, et le trajet serait nécessairement court pour gagner l'un ou l'autre continent, puisque le détroit formait un véritable entonnoir entre le cap Oriental, sur la côte asiatique, et le cap du Prince-de-Galles, sur la côte américaine.

On comprend donc avec quelle attention il fallait surveiller les moindres déplacements de l'île. Le point dut donc être fait toutes les fois que le permit l'état du ciel, et, dès cette époque, le lieutenant Hobson et ses compagnons prirent toutes les précautions en prévision d'un embarquement prochain, et peut-être précipité.

Comme on le pense bien, les travaux spéciaux à l'exploitation de la factorerie, c'est-à-dire les chasses, l'entretien des trappes, furent abandonnés. Les magasins regorgeaient de fourrures, qui seraient perdues pour la plus grande partie. Les chasseurs et les trappeurs chômaient donc. Quant au maître charpentier et à ses hommes, ils avaient achevé l'embarcation, et en attendant le moment de la lancer à l'eau, quand la mer serait libre, ils s'occupèrent de consolider la maison principale du fort, qui, pendant la débâcle, serait peut-être exposée à subir une pression considérable des glaçons du littoral, si le cap Bathurst ne leur opposait pas un obstacle suffisant. De forts étançons furent donc appliqués aux murailles de bois. On disposa à l'intérieur des chambres des étais placés verticalement, qui multiplièrent les points d'appui aux poutres du plafond. La maison, dont les fermes furent renforcées par des jambettes et des arcs-boutants, put dès lors supporter des poids considérables, car il était pour ainsi dire casematé. Ces divers travaux s'achevèrent dans les premiers jours d'avril, et l'on put constater bientôt non seulement leur utilité, mais aussi leur opportunité.

Cependant, les symptômes de la saison nouvelle s'accusaient davantage chaque jour. Ce printemps était singulièrement précoce, car il succédait à un hiver qui avait été si étrangement doux pour des régions polaires. Quelques bourgeons apparaissaient aux arbres. L'écorce des bouleaux, des saules, des arbousiers, se gonflait en maint endroit sous la sève dégelée. Les mousses nuançaient d'un vert pâle les talus exposés directement au soleil, mais elles ne devaient pas fournir une récolte abondante, car les rongeurs, accumulés aux environs du fort et friands de nourriture, leur laissaient à peine le temps de sortir de terre.

Si quelqu'un fut malheureux alors, ce fut sans contredit l'honnête caporal. L'époux de Mrs. Joliffe était, on le sait, préposé à la garde des terrains ensemencés par sa femme. En toute autre circonstance, il n'aurait eu à défendre que du bec de ces pillards ailés, guillemots ou puffins, sa moisson d'oseille et de chochléarias. Un mannequin eût suffi à effrayer ces voraces oiseaux, et à plus forte raison le caporal en personne. Mais, cette fois, aux oiseaux se joignaient tous les rongeurs et ruminants de la faune arctique. L'hiver ne les avait point chassés; l'instinct du danger les retenait aux abords de la factorerie, et rennes, lièvres polaires, rats musqués, musaraignes, martres, etc., bravaient toutes les menaces du caporal. Le pauvre homme n'y pouvait suffire. Quand il défendait un bout de son champ, on dévorait l'autre.

Certes, il eût été plus sage de laisser à ces nombreux ennemis une récolte qu'on ne pourrait pas utiliser, puisque la factorerie devait être abandonnée sous peu. C'était même le conseil que Mrs. Paulina Barnett donnait à l'entêté caporal, quand celui-ci, vingt fois par jour, venait la fatiguer de ses condoléances; mais le caporal Joliffe ne voulait absolument rien entendre.

«Tant de peine perdue! répétait-il. Quitter un tel établissement quand il est en voie de prospérité! Sacrifier ces graines que madame Joliffe et moi, nous avons semées avec tant de sollicitude!... Ah! madame! il me prend quelquefois l'envie de vous laisser partir, vous et tous les autres, et de rester ici avec mon épouse! Je suis sûr que la Compagnie consentirait à nous abandonner cette île en toute propriété...»

À cette réflexion saugrenue, Mrs. Paulina Barnett ne pouvait s'empêcher de rire, et elle renvoyait le caporal à sa petite femme, qui, elle, avait fait depuis longtemps le sacrifice de son oseille, de ses chochléarias et autres antiscorbutiques, désormais sans emploi.

Il convient d'ajouter ici que la santé des hiverneurs, hommes et femmes, était excellente. La maladie, au moins, les avait épargnés. Le bébé lui-même avait parfaitement repris et poussait à merveille sous les premiers rayons de printemps.

Pendant les journées des 2, 3, 4 et 5 avril, le dégel continua franchement. La chaleur était sensible, mais le temps couvert. La pluie tombait fréquemment, et à grosses gouttes. Le vent soufflait du sud-ouest, tout chargé des chaudes molécules du continent. Mais dans cette atmosphère embrumée, il fut impossible de faire une seule observation. Ni soleil, ni lune, ni étoile n'apparurent à travers ce rideau opaque. Circonstance regrettable, puisqu'il était si important d'observer les moindres mouvements de l'île Victoria.

Ce fut dans la nuit du 7 au 8 avril, que la débâcle commença véritablement. Au matin, le lieutenant Hobson, Mrs. Paulina, Kalumah et le sergent Long, s'étant portés sur le sommet du cap Bathurst, constatèrent une certaine modification de la banquise. L'énorme barrière, partagée presque en son milieu, formait alors deux parties distinctes, et il semblait que la portion supérieure cherchait à s'élever vers le nord.

Était-ce donc l'influence du courant kamtchatkal qui se faisait sentir? L'île errante allait-elle prendre la même direction? On comprend combien furent vives les craintes du lieutenant et de ses compagnons. Leur sort pouvait se décider en quelques heures, car si la fatalité les entraînait au nord pendant quelques centaines de milles encore, ils auraient grand-peine à regagner le continent sur une embarcation aussi petite que la leur.

Malheureusement, les hiverneurs n'avaient aucun moyen d'apprécier la valeur et la nature du déplacement qui se produisait. Toutefois, on put constater que l'île ne se mouvait pas encore, — du moins dans le sens de la banquise, puisque le mouvement de celle-ci était sensible. Il paraissait donc probable qu'une portion de l'icefield s'était séparée et remontait au nord, tandis que celle qui enveloppait l'île demeurait encore immobile.

Du reste, ce déplacement de la haute barrière de glace n'avait aucunement modifié les opinions de la jeune Esquimaude. Kalumah soutenait que la débâcle se ferait vers le sud, et que la banquise elle-même ne tarderait pas à ressentir l'influence du courant de Behring. Kalumah, au moyen d'un petit morceau de bois, avait figuré sur le sable la disposition du détroit, afin de se mieux faire comprendre, et, après en avoir tracé la direction, elle montrait que l'île, en le suivant, se rapprocherait de la côte américaine. Aucune objection ne put ébranler son idée à cet égard, et, vraiment, on se sentait presque rassuré en écoutant l'intelligente indigène s'expliquer d'une manière si affirmative.

Cependant, les journées du 8, du 9 et du 10 avril semblèrent donner tort à Kalumah. La portion septentrionale de la banquise s'éloigna de plus en plus vers le nord. La débâcle s'opérait à grand bruit et sur une vaste échelle. La dislocation se manifestait sur tous les points du littoral avec un fracas assourdissant. Il était impossible de s'entendre en plein air. Des détonations retentissaient incessamment, comparables aux décharges continues d'une formidable artillerie. À un demi-mille du rivage, dans tout le secteur dominé par le cap Bathurst, les glaçons commençaient déjà à s'élever les uns sur les autres. La banquise s'était alors cassée en morceaux nombreux, qui faisaient autant de montagnes et dérivaient vers le nord. Du moins, c'était le mouvement apparent de ces icebergs. Le lieutenant Hobson, sans le dire, était de plus en plus inquiet, et les affirmations de Kalumah ne parvenaient pas à le rassurer. Il faisait des objections, auxquelles la jeune Esquimaude résistait opiniâtrement.

Enfin, un jour — dans la matinée du 11 avril —, Jasper Hobson montra à Kalumah les derniers icebergs qui allaient disparaître dans le nord, et il la pressa encore une fois d'arguments que les faits semblaient rendre irréfutables.

«Eh bien, non! non! répondit Kalumah avec une conviction plus enracinée que jamais dans son esprit, non! Ce n'est pas la banquise qui remonte au nord, c'est notre île qui descend au sud!»

Kalumah avait raison peut-être! Jasper Hobson fut extrêmement frappé de sa réponse si affirmative. Il était vraiment possible que le déplacement de la banquise ne fût qu'apparent, et qu'au contraire, l'île Victoria, entraînée par le champ de glace, dérivât vers le détroit. Mais cette dérive, si elle existait, on ne pouvait la constater, on ne pouvait l'estimer, on ne pouvait la relever ni en longitude, ni en latitude.

En effet, le temps non seulement demeurait couvert et impropre aux observations, mais, par malheur, un phénomène, particulier aux régions polaires, le rendit encore plus obscur et restreignit absolument le champ de la vision.

En effet, précisément au moment de cette débâcle, la température s'était abaissée de plusieurs degrés. Un brouillard intense enveloppa bientôt tous ces parages de la mer Arctique, mais ce n'était point un brouillard ordinaire. Le sol se recouvrit, à sa surface, d'une croûte blanche, très distincte de la gelée, — celle-ci n'étant qu'une vapeur aqueuse qui se congèle après sa précipitation. Les particules très déliées qui composaient ce brouillard s'attachaient aux arbres, aux arbustes, aux murailles du fort, à tout ce qui faisait saillie, et y formaient bientôt une couche épaisse, que hérissaient des fibres prismatiques ou pyramidales, dont la pointe se dirigeait du côté du vent.

Jasper Hobson reconnut alors ce météore dont les baleiniers et les hiverneurs ont souvent noté l'apparition, au printemps, dans les régions polaires.

«Ce n'est point un brouillard, dit-il à ses compagnons, c'est un «frost-rime», une fumée-gelée, une vapeur dense, qui se maintient dans un état complet de congélation.»

Mais, brouillard ou fumée-gelée, l'apparition de ce météore n'en était pas moins regrettable, car il occupait une hauteur de cent pieds, au moins, au-dessus du niveau de la mer, et telle était sa complète opacité que, placées à trois pas l'une de l'autre, deux personnes ne pouvaient s'apercevoir.

Le désappointement des hiverneurs fut grand. Il semblait que la nature ne voulût leur épargner aucun ennui. C'était au moment où se produisait la débâcle, au moment où l'île errante allait redevenir libre des liens qui l'enchaînaient depuis tant de mois, au moment enfin où ses mouvements devaient être surveillés avec plus d'attention, que ce brouillard venait empêcher toute observation!

Et ce fut ainsi pendant quatre jours! Le «frost-rime» ne se dissipa que le 15 avril. Pendant la matinée, une violente brise du sud le déchira et l'anéantit.

Le soleil brillait. Le lieutenant Hobson se jeta sur ses instruments. Il prit hauteur, et le résultat de ses calculs pour les coordonnées actuelles de l'île fut celui-ci:

Latitude: 69°57';
Longitude: 179°33'.

Kalumah avait eu raison. L'île Victoria, saisie par le courant de Behring, dérivait vers le sud.

XVII.

L'avalanche.

Les hiverneurs se rapprochaient donc enfin des parages plus fréquentés de la mer de Behring. Ils n'avaient plus à craindre d'être entraînés au nord. Il ne s'agissait plus que de surveiller le déplacement de l'île et d'en estimer la vitesse, qui, en raison des obstacles, devait être fort inégale. C'est à quoi s'occupa très minutieusement Jasper Hobson, qui prit tour à tour des hauteurs de soleil et d'étoiles. Le lendemain même, 16 avril, après observation, il calcula que si la vitesse restait uniforme, l'île Victoria atteindrait vers le commencement de mai le Cercle polaire, dont quatre degrés au plus la séparaient en latitude.

Il était supposable qu'alors l'île, engagée dans la partie resserrée du détroit, demeurerait stationnaire jusqu'au moment où la débâcle lui ferait place. À ce moment, l'embarcation serait mise à flot, et l'on ferait voile vers le continent américain.

On le sait, grâce aux précautions prises, tout était prêt pour un embarquement immédiat.

Les habitants de l'île attendirent donc avec plus de patience et surtout plus de confiance que jamais. Ils sentaient bien, ces pauvres gens tant éprouvés, qu'ils touchaient au dénouement et qu'ils passeraient si près de l'une ou de l'autre côte, que rien ne pourrait les empêcher d'y atterrir en quelques jours.

Cette perspective ranima le coeur et l'esprit des hiverneurs. Ils retrouvèrent cette gaieté naturelle que les dures épreuves avaient chassée depuis longtemps. Les repas redevinrent joyeux, d'autant plus que les provisions ne manquaient pas, et que le programme nouveau n'en prescrivait pas l'économie. Au contraire. Puis, l'influence du printemps se faisait sentir, et chacun aspirait avec une véritable ivresse les brises plus tièdes qu'il apportait.

Pendant les jours suivants, plusieurs excursions furent faites à l'intérieur de l'île et sur le littoral. Ni les animaux à fourrures, ni les ruminants, ni les carnassiers ne pouvaient songer maintenant à l'abandonner, puisque le champ de glace qui l'emprisonnait, détaché de la côte américaine — ce que prouvait son mouvement de dérive —, ne leur eût pas permis de mettre pied sur le continent.

Aucun changement ne s'était produit sur l'île, ni au cap Esquimau, ni au cap Michel, ni sur aucune autre partie du littoral. Rien à l'intérieur, ni dans les bois taillis, ni sur les bords du lagon. La grande entaille, qui s'était creusée pendant la tempête aux environs du cap Michel, s'était entièrement refermée pendant l'hiver, et aucune autre fissure ne se manifestait à la surface du sol.

Pendant ces excursions, on aperçut des bandes de loups qui parcouraient à grand train les diverses portions de l'île. De toute la faune, ces farouches carnassiers étaient les seuls que le sentiment d'un danger commun n'eût pas familiarisés.

On revit plusieurs fois le sauveur de Kalumah. Ce digne ours se promenait mélancoliquement sur les plaines désertes, et s'arrêtait quand les explorateurs venaient à passer. Quelquefois même, il les suivait jusqu'au fort, sachant bien qu'il n'avait rien à craindre de ces braves gens qui ne pouvaient lui en vouloir.

Le 20 avril, le lieutenant Hobson constata que l'île errante n'avait point suspendu son mouvement de dérive vers le sud. Ce qui restait de la banquise, c'est-à-dire les icebergs de sa partie sud, la suivaient dans son déplacement, mais les points de repère manquaient, et on ne pouvait reconnaître ces changements de position que par les observations astronomiques.

Jasper Hobson fit alors faire plusieurs sondages en quelques endroits du sol, notamment au pied du cap Bathurst et sur les rives du lagon. Il voulait connaître quelle était l'épaisseur de la croûte de glace qui supportait la terre végétale. Il fut constaté que cette épaisseur ne s'était pas accrue pendant l'hiver, et que le niveau général de l'île ne semblait point s'être relevé au-dessus de la mer. On en conclut donc qu'on ne saurait trop tôt quitter ce sol fragile, qui se dissoudrait rapidement, dès qu'il serait baigné par les eaux plus chaudes du Pacifique.

Vers cette époque, le 25 avril, l'orientation de l'île fut encore une fois changée. Le mouvement de rotation de tout l'icefield s'accomplit de l'est à l'ouest sur un quart et demi de circonférence. Le cap Bathurst projeta dès lors sa pointe vers le nord-ouest. Les derniers restes de banquise fermèrent alors l'horizon du nord. Il était donc bien prouvé que le champ de glace se mouvait librement dans le détroit et ne confinait encore à aucune terre.

Le moment fatal approchait. Les observations diurnes ou nocturnes donnaient avec précision la situation de l'île et, par conséquent, celle de l'icefield. Au 30 avril, tout l'ensemble dérivait par le travers de la baie Kotzebue, large échancrure triangulaire qui mord profondément la côte américaine. Dans sa partie méridionale s'allongeait le cap du Prince-de-Galles, qui arrêterait peut-être l'île errante, pour peu qu'elle ne tînt pas exactement le milieu de l'étroite passe.

Le temps était assez beau alors, et, fréquemment, la colonne de mercure accusait cinquante degrés Fahrenheit (10° centigr. au-dessus de zéro). Les hiverneurs avaient quitté depuis quelques semaines leurs vêtements d'hiver. Ils étaient toujours prêts à partir. L'astronome Thomas Black avait déjà transporté dans la chaloupe, qui reposait sur le chantier, son bagage de savant, ses instruments, ses livres. Une certaine quantité de provisions était également embarquée, ainsi que quelques-unes des plus précieuses fourrures.

Le 2 mai, d'une observation très minutieuse, il résulta que l'île Victoria avait une tendance à se porter vers l'est, et, conséquemment, à rechercher le continent américain. C'était là une circonstance heureuse, car le courant du Kamtchatka, on le sait, longe le littoral asiatique, et on ne pouvait, par conséquent, plus craindre d'être repris par lui. Les chances se déclaraient donc enfin pour les hiverneurs!

«Je crois que nous avons fatigué le sort contraire, madame, dit alors le sergent Long à Mrs. Paulina Barnett. Nous touchons au terme de nos malheurs, et j'estime que nous n'avons plus rien à redouter.

— En effet, répondit Mrs. Paulina Barnett, je le crois comme vous, sergent Long, et il est sans doute heureux que nous ayons dû renoncer, il y a quelques mois, à ce voyage à travers le champ de glace. La Providence nous protégeait en rendant l'icefield impraticable pour nous».

Mrs. Paulina Barnett avait raison, sans doute, de parler ainsi. En effet, que de dangers, que d'obstacles semés sur cette route pendant l'hiver, que de fatigues au milieu d'une longue nuit arctique, et à cinq cents milles de la côte!

Le 5 mai, Jasper Hobson annonça à ses compagnons que l'île Victoria venait de franchir le Cercle polaire. Elle rentrait enfin dans cette zone du sphéroïde terrestre que le soleil n'abandonne jamais, même pendant sa plus grande déclinaison australe. Il sembla à tous ces braves gens qu'ils revenaient dans le monde habité.

On but quelques bons coups ce jour-là, et on arrosa le Cercle polaire comme on eût fait de l'Équateur, à bord d'un bâtiment coupant la ligne pour la première fois.

Désormais, il n'y avait plus qu'à attendre le moment où les glaces, disloquées et à demi fondues, pourraient livrer passage à l'embarcation qui emporterait toute la colonie avec elle!

Pendant la journée du 7 mai, l'île éprouva encore un changement d'orientation d'un quart de circonférence. Le cap Bathurst pointait maintenant au nord, ayant au-dessus de lui les masses qui étaient restées debout de l'ancienne banquise. Il avait donc à peu près repris l'orientation que lui assignaient les cartes géographiques, à l'époque où il était fixé au continent américain. L'île avait fait un tour complet sur elle-même, et le soleil levant avait successivement salué tous les points de son littoral.

L'observation du 8 mai fit aussi connaître que l'île, immobilisée, tenait à peu près le milieu de la passe, à moins de quarante milles du cap du Prince-de-Galles. Ainsi donc, la terre était là, à une distance relativement courte, et le salut de tous dut paraître assuré.

Le soir, on fit un bon souper dans la grande salle. Des toasts furent portés à Mrs. Paulina Barnett et au lieutenant Hobson.

Cette nuit même, le lieutenant résolut d'aller observer les changements qui avaient pu se produire au sud dans le champ de glace, qui présenterait peut-être quelque ouverture praticable.

Mrs. Paulina Barnett voulait accompagner Jasper Hobson pendant cette exploration, mais celui-ci obtint qu'elle prendrait quelque repos, et il n'emmena avec lui que le sergent Long. Mrs. Paulina Barnett se rendit aux instances du lieutenant, et elle rentra dans la maison principale avec Madge et Kalumah. De leur côté, les soldats et les femmes avaient regagné leurs couchettes accoutumées dans l'annexe qui leur était réservée.

La nuit était belle. En l'absence de la lune, les constellations brillaient d'un éclat magnifique. Une sorte de lumière extrêmement diffuse, réverbérée par l'icefield, éclairait légèrement l'atmosphère et prolongeait la portée du regard. Le lieutenant Hobson et le sergent Long, quittant le fort à neuf heures, se dirigèrent vers la portion du littoral comprise entre le port Barnett et le cap Michel.

Les deux explorateurs suivirent le rivage sur un espace de deux à trois milles. Mais quel aspect présentait toujours le champ de glace! Quel bouleversement! quel chaos! Qu'on se figure une immense concrétion de cristaux capricieux, une mer subitement solidifiée au moment où elle est démontée par l'ouragan. De plus, les glaces ne laissaient encore aucune passe libre entre elles, et une embarcation n'eût pu s'y aventurer.

Jasper Hobson et le sergent Long, causant et observant, demeurèrent sur le littoral jusqu'à minuit. Voyant que toutes choses demeuraient dans l'état, ils résolurent alors de retourner au Fort-Espérance, afin de prendre, eux aussi, quelques heures de repos.

Tous deux avaient fait une centaine de pas et se trouvaient déjà sur l'ancien lit desséché de la Paulina-river, quand un bruit inattendu les arrêta. C'était comme un grondement lointain qui se serait produit dans la partie septentrionale du champ de glace. L'intensité de ce bruit s'accrut rapidement, et même il prit bientôt des proportions formidables. Quelque phénomène puissant s'accomplissait évidemment dans ces parages, et, particularité peu rassurante, le lieutenant Hobson crut sentir le sol de l'île trembler sous ses pieds.

«Ce bruit-là vient du côté de la banquise! dit le sergent Long. Que se passe-t-il?...»

Jasper Hobson ne répondit pas, et, inquiet au plus haut point, il entraîna son compagnon vers le littoral.

«Au fort! Au fort! s'écria le lieutenant Hobson. Peut-être une dislocation des glaces se sera-t-elle produite, et pourrons-nous lancer notre embarcation à la mer!»

Et tous deux coururent à perte d'haleine par le plus court et dans la direction du Fort-Espérance.

Mille pensées assiégeaient leur esprit. Quel nouveau phénomène produisait ce bruit inattendu? Les habitants endormis du fort avaient-ils connaissance de cet incident? Oui, sans doute, car les détonations, dont l'intensité redoublait d'instant en instant, eussent suffi, suivant la vulgaire expression, «à réveiller un mort!»

En vingt minutes, Jasper Hobson et le sergent Long eurent franchi les deux milles qui les séparaient du Fort-Espérance. Mais, avant même d'être arrivés à l'enceinte palissadée, ils avaient aperçu leurs compagnons, hommes, femmes, qui fuyaient en désordre, épouvantés, poussant des cris de désespoir.

Le charpentier Mac Nap vint au lieutenant, tenant son petit enfant dans ses bras.

«Voyez! monsieur Hobson,» dit-il en entraînant le lieutenant vers un monticule qui s'élevait à quelques pas en arrière de l'enceinte.

Jasper Hobson regarda.

Les derniers restes de la banquise, qui, avant son départ, se trouvaient encore à deux milles au large, s'étaient précipités sur le littoral. Le cap Bathurst n'existait plus, et sa masse de terre et de sable, balayée par les icebergs, recouvrait l'enceinte du fort. La maison principale et les bâtiments y attenant au nord avaient disparu sous l'énorme avalanche. Au milieu d'un bruit épouvantable, on voyait des glaçons monter les uns sur les autres et retomber en écrasant tout sur leur passage. C'était comme un assaut de blocs de glace qui marchait sur l'île.

Quant au bateau construit au pied du cap, il était anéanti... La dernière ressource des infortunés hiverneurs avait disparu!

En ce moment même, le bâtiment qu'occupaient naguère les soldats, les femmes, et dont tous avaient pu se tirer à temps, s'effondra sous la chute d'un énorme bloc de glace. Ces malheureux jetèrent au ciel un cri de désespoir.

«Et les autres!... nos compagnes!... s'écria le lieutenant avec l'accent de la plus effroyable épouvante.

— Là!» répondit Mac Nap, en montrant la masse de sable, de terre et de glaçons, sous laquelle avait entièrement disparu la maison principale.

Oui! sous cet entassement était enfouie Mrs. Paulina Barnett, et, avec elle, Madge, Kalumah, Thomas Black, que l'avalanche avait surpris dans leur sommeil!

XVIII.

Tous au travail.

Un cataclysme épouvantable s'était produit. La banquise s'était jetée sur l'île errante! Enfoncée à une grande profondeur au-dessous du niveau de la mer, à une profondeur quintuple de la hauteur dont elle émergeait, elle n'avait pu résister à l'action des courants sous-marins. S'ouvrant un chemin à travers les glaces disjointes, elle s'était précipitée en grand sur l'île Victoria, qui, poussée par ce puissant moteur, dérivait rapidement vers le sud.

Au premier moment, avertis par les bruits de l'avalanche qui écrasait le chenil, l'étable et la maison principale de la factorerie, Mac Nap et ses compagnons avaient pu quitter leur logement menacé. Mais déjà l'oeuvre de destruction s'était accomplie. De ces demeures, il n'y avait plus trace! Et maintenant l'île entraînait ses habitants avec elle vers les abîmes de l'Océan! Mais peut-être, sous les débris de l'avalanche, leur vaillante compagne, Paulina Barnett, Madge, la jeune Esquimaude, l'astronome vivaient-ils encore? Il fallait arriver à eux, ne dût-on plus trouver que leurs cadavres.

Le lieutenant Hobson, d'abord atterré, reprit son sang-froid, et s'écria:

«Aux pioches et aux pics! La maison était solide! Elle a pu résister. À l'ouvrage!»

Les outils et les pics ne manquaient pas. Mais, en ce moment, on ne pouvait s'approcher de l'enceinte. Les glaçons y roulaient du sommet des icebergs découronnés, dont quelques-uns, parmi les restes de cette banquise, s'élevaient encore à deux cents pieds au-dessus de l'île Victoria. Que l'on s'imagine dès lors la puissance d'écrasement de ces masses ébranlées qui semblaient surgir de toute la partie septentrionale de l'horizon. Le littoral, dans cette portion comprise entre l'ancien cap Bathurst et le cap Esquimau, était non seulement dominé, mais envahi par ces montagnes mouvantes. Irrésistiblement poussées, elles s'avançaient déjà d'un quart de mille au-delà du rivage. À chaque instant, un tressaillement du sol et une détonation éclatante annonçaient qu'une de ces masses s'abattait. Conséquence effroyable, on pouvait craindre que l'île ne fût submergée sous un tel poids. Une dénivellation très sensible indiquait que toute cette partie du rivage s'enfonçait peu à peu, et déjà la mer s'avançait en longues nappes jusqu'aux approches du lagon.

La situation des hiverneurs était terrible, et, pendant tout le reste de la nuit, sans rien pouvoir tenter pour sauver leurs compagnons, repoussés de l'enceinte par les avalanches, incapables de lutter contre cet envahissement, incapables de le détourner, ils durent attendre, en proie au plus sombre désespoir.

Le jour parut enfin. Quel aspect offraient ces environs du cap Bathurst! Là où s'étendait le regard, l'horizon était maintenant fermé par la barrière de glace. Mais l'envahissement semblait être arrêté, au moins momentanément. Cependant, çà et là, quelques blocs s'écroulaient encore du sommet des icebergs mal équilibrés. Mais leur masse entière, profondément engagée sous les eaux, par sa base, communiquait maintenant à l'île toute la force de dérive qu'elle puisait dans les profondeurs du courant, et l'île s'en allait au sud, c'est-à-dire à l'abîme, avec une vitesse considérable.

Ceux qu'elle entraînait avec elle ne s'en apercevaient seulement pas. Ils avaient des victimes à sauver, et, parmi elles, cette courageuse et bien-aimée femme, pour laquelle ils auraient donné leur vie. C'était maintenant l'heure d'agir. On pouvait aborder l'enceinte. Il ne fallait pas perdre un instant. Depuis six heures déjà, les malheureux étaient enfouis sous les débris de l'avalanche.

On l'a dit, le cap Bathurst n'existait plus. Repoussé par un énorme iceberg, il s'était renversé en grand sur la factorerie, brisant l'embarcation, couvrant ensuite le chenil et l'étable, qu'il avait écrasés avec les animaux qu'ils renfermaient. Puis, la maison principale avait disparu sous la couche de sable et de terre, que des blocs amassés sur une hauteur de cinquante à soixante pieds accablaient de leur poids. La cour du fort était comblée. De la palissade on ne voyait plus un seul poteau. C'était sous cette masse de glaçons, de terre et de sable, et au prix d'un travail effrayant, qu'il fallait chercher les victimes.

Avant de se remettre à l'oeuvre, le lieutenant Hobson appela le maître charpentier.

«Mac Nap, lui demanda-t-il, pensez-vous que la maison ait pu supporter le poids de l'avalanche?

— Je le crois, mon lieutenant, répondit Mac Nap, et je serais presque tenté de l'affirmer. Nous avions consolidé cette maison, vous le savez. Son toit était casematé, et les poutres placées verticalement entre les planchers et les plafonds ont dû résister. Remarquez aussi que la maison a été d'abord recouverte d'une couche de sable et de terre, qui a pu amortir le choc des blocs précipités du haut de la banquise.

— Dieu vous donne raison, Mac Nap! répondit Jasper Hobson, et qu'il nous épargne une telle douleur!»

Puis il fit venir Mrs. Joliffe.

«Madame, lui demanda-t-il, est-il resté des vivres dans la maison?

— Oui, monsieur Jasper, répondit Mrs. Joliffe, l'office et la cuisine contenaient encore une certaine quantité de conserves.

— Et de l'eau?

— Oui, de l'eau et du brandevin, répondit Mrs. Joliffe.

— Bon, fit le lieutenant Hobson, ils ne périront ni par la faim ni par la soif! Mais l'air ne leur manquera-t-il pas?»

À cette question, le maître charpentier ne put répondre. Si la maison avait résisté, comme il le croyait, le manque d'air était alors le plus grand danger qui menaçât les quatre victimes. Mais enfin, ce danger, on pouvait le conjurer en les délivrant rapidement, ou, tout au moins, en établissant aussi vite que possible une communication entre la maison ensevelie et l'air extérieur.

Tous, hommes et femmes s'étaient mis à la besogne, maniant le pic et la pioche. Tous s'étaient portés sur le massif de sable, de terre et de glaces, au risque de provoquer de nouveaux éboulements. Mac Nap avait pris la direction des travaux, et il les dirigea avec méthode.

Il lui parut convenable d'attaquer la masse par son sommet. De là, on put faire rouler du côté du lagon les blocs entassés. Le pic et les leviers aidant, on eut facilement raison des glaçons de médiocre grosseur, mais les énormes morceaux durent être brisés à coups de pioche. Quelques-uns même, dont la masse était très considérable, furent fondus au moyen d'un feu ardent, alimenté à grand renfort de bois résineux. Tout était employé à la fois pour détruire ou repousser la masse des glaçons dans le plus court laps de temps.

Mais l'entassement était énorme, et, bien que ces courageux travailleurs eussent travaillé sans relâche et qu'ils ne se fussent reposés que pour prendre quelque nourriture, c'est à peine, lorsque le soleil disparut au-dessous de l'horizon, si l'entassement des glaçons semblait avoir diminué. Cependant, il commençait à se niveler à son sommet. On résolut donc de continuer ce travail de nivellement pendant toute la nuit; puis, cela fait, lorsque les éboulements ne seraient plus à craindre, le maître charpentier comptait creuser un puits vertical à travers la masse compacte, ce qui permettrait d'arriver plus directement et plus rapidement au but, et de donner accès à l'air extérieur.

Donc, toute la nuit, le lieutenant Hobson et ses compagnons s'occupèrent de ce déblaiement indispensable. Le feu et le fer ne cessèrent d'attaquer et de réduire cette matière incohérente des glaçons. Les hommes maniaient le pic et la pioche. Les femmes entretenaient les feux. Tous n'avaient qu'une pensée: sauver Mrs. Paulina Barnett, Madge, Kalumah, Thomas Black!

Mais quand le matin reparut, il y avait déjà trente heures que ces infortunés étaient ensevelis, au milieu d'un air nécessairement raréfié sous l'épaisse couche.

Le charpentier, après les travaux accomplis dans la nuit, songea à creuser le puits vertical, qui devait aboutir directement au faîte de la maison. Ce puits, suivant son calcul, ne devait pas mesurer moins de cinquante pieds. Le travail serait facile, sans doute, dans la glace, c'est-à-dire pendant une vingtaine de pieds; mais ensuite les difficultés seraient grandes pour creuser la couche de terre et de sable, nécessairement très friable, et qu'il serait nécessaire d'étayer sur une épaisseur de trente pieds au moins. De longues pièces de bois furent donc préparées à cet effet, et le forage du puits commença. Trois hommes seulement y pouvaient travailler ensemble. Les soldats eurent donc la possibilité de se relayer souvent, et l'on put espérer que le creusement se ferait vite.

Comme il arrive en ces terribles circonstances, ces pauvres gens passaient par toutes les alternatives de l'espoir et du désespoir. Lorsque quelque difficulté les retardait, lorsque quelque éboulement survenait et détruisait une partie du travail accompli, ils sentaient le découragement les prendre, et il fallait que la voix ferme et confiante du maître charpentier les ranimât. Pendant qu'ils creusaient à tour de rôle, les trois femmes, Mrs. Raë, Joliffe et Mac Nap, groupées au pied d'un monticule, attendaient, parlant à peine, priant quelquefois. Elles n'avaient d'autre occupation que de préparer les aliments que leurs compagnons dévoraient aux instants de repos.

Cependant, le puits se forait sans grandes difficultés, mais la glace était extrêmement dure et le forage ne s'accomplissait pas très rapidement. À la fin de cette journée, Mac Nap avait seulement atteint la couche de terre et de sable, et il ne pouvait pas espérer qu'elle fut entièrement percée avant la fin du jour suivant.

La nuit vint. Le creusement ne devait pas être suspendu. Il fut convenu que l'on travaillerait à la lueur des résines. On creusa à la hâte une sorte de maison de glace dans un des hummocks du littoral pour servir d'abri aux femmes et au petit enfant. Le vent avait passé au sud-ouest, et il tombait une pluie assez froide, à laquelle se mêlaient parfois de grandes rafales. Ni le lieutenant Hobson, ni ses compagnons ne songèrent à suspendre leur travail.

En ce moment commencèrent les grandes difficultés. En effet, on ne pouvait forer dans cette matière mouvante. Il devint donc indispensable d'établir une sorte de cuvelage en bois afin de maintenir ces terres meubles à l'intérieur du puits. Puis, avec un seau suspendu à une corde, les hommes, placés à l'orifice du puits, enlevaient les terres dégagées. Dans ces conditions, on le comprend, le travail ne pouvait être rapide. Les éboulements étaient toujours à craindre, et il fallait prendre des précautions minutieuses, pour que les foreurs ne fussent pas enfouis à leur tour.

Le plus souvent, le maître charpentier se tenait lui-même au fond de l'étroit boyau, dirigeant le creusement et sondant fréquemment avec un long pic. Mais il ne sentait aucune résistance qui prouvât qu'il eût atteint le toit de la maison.

D'ailleurs, le matin venu, dix pieds seulement avaient été creusés dans la masse de terre et de sable, et il s'en fallait de vingt pieds encore qu'on fût arrivé à la hauteur que le faîte occupait avant l'avalanche, en admettant qu'il n'eût pas cédé.

Il y avait cinquante-quatre heures que Mrs. Paulina Barnett, les deux femmes et l'astronome étaient ensevelis!

Plusieurs fois, le lieutenant et Mac Nap se demandèrent si les victimes, ne tentaient pas ou n'avaient pas tenté de leur côté d'ouvrir une communication avec l'extérieur. Avec le caractère intrépide, le sang-froid qu'on lui connaissait, il n'était pas douteux que Mrs. Paulina Barnett, si elle avait ses mouvements libres, n'eût essayé de se frayer un passage au-dehors. Quelques outils étaient restés dans la maison, et l'un des hommes du charpentier, Kellet, se rappelait parfaitement avoir laissé sa pioche dans la cuisine. Les prisonniers n'avaient-ils donc point brisé une des portes, et commencé le percement d'une galerie à travers la couche de terre? Mais cette galerie, ils ne pouvaient la mener que dans une direction horizontale, et c'était un travail bien autrement long que le forage du puits entrepris par Mac Nap, car l'amoncellement produit par l'avalanche, qui ne mesurait qu'une soixantaine de pieds en hauteur, couvrait un espace de plus de cinq cents pieds de diamètre. Les prisonniers ignoraient nécessairement cette disposition, et, en admettant qu'ils eussent réussi à creuser leur galerie horizontale, ils n'auraient pu crever la dernière croûte de glace avant huit jours au moins. Et d'ici là, sinon les vivres, l'air, du moins, leur aurait absolument manqué.

Cependant, Jasper Hobson surveillait lui-même toutes les parties du massif, écoutant si quelque bruit ne décèlerait pas un travail souterrain. Mais rien ne se fit entendre.

Les travailleurs avaient repris avec plus d'activité leur rude besogne avec la venue du jour. La terre et le sable remontaient incessamment à l'orifice du puits, qui se creusait régulièrement. Le grossier cuvelage maintenait suffisamment la matière friable. Quelques éboulements se produisirent, cependant, qui furent rapidement contenus, et, pendant cette journée, on n'eut aucun nouveau malheur à déplorer. Le soldat Garry fut seulement blessé à la tête par la chute d'un bloc, mais sa blessure n'était pas grave, et il ne voulut même pas abandonner sa besogne.

À quatre heures, le puits avait atteint une profondeur totale de cinquante pieds, soit vingt pieds creusés dans la glace, et trente pieds dans la terre et le sable.

C'était à cette profondeur que Mac Nap avait compté atteindre le faîte de la maison, si le toit avait tenu solidement contre la pression de l'avalanche.

Il était en ce moment au fond du puits. Que l'on juge de son désappointement, de son désespoir, quand le pic, profondément enfoncé, ne rencontra aucune résistance.

Il resta un instant les bras croisés, regardant Sabine, qui se trouvait avec lui.

«Rien? dit le chasseur.

— Rien, répondit le charpentier. Rien. Continuons. Le toit aura fléchi sans doute, mais il est impossible que le plancher du grenier n'ait pas résisté! Avant dix pieds, nous devons rencontrer ce plancher lui-même... ou bien...»

Mac Nap n'acheva pas sa pensée, et, Sabine l'aidant, il reprit son travail avec l'ardeur d'un désespéré.

À six heures du soir, une nouvelle profondeur de dix à douze pieds avait été atteinte.

Mac Nap sonda de nouveau. Rien encore. Son pic s'enfonçait toujours dans la terre meuble. Le charpentier, abandonnant un instant son outil, se prit la tête à deux mains.

«Les malheureux!» murmura-t-il.

Puis, s'élevant sur les étrésillons qui maintenaient le cuvelage de bois, il remonta jusqu'à l'orifice du puits.

Là, il trouva le lieutenant Hobson et le sergent plus anxieux que jamais, et, les prenant à l'écart, il leur fit connaître l'horrible désappointement qu'il venait d'éprouver.

«Mais alors, demanda Jasper Hobson, alors la maison a été écrasée par l'avalanche, et ces infortunés...

— Non, répondit le maître charpentier d'un ton d'inébranlable conviction. Non! la maison n'a pas été écrasée! Elle a dû résister, renforcée comme elle l'était! Non! elle n'a pas été écrasée! Ce n'est pas possible!

— Mais alors qu'est-il arrivé, Mac Nap? demanda le lieutenant, dont les yeux laissaient échapper deux grosses larmes.

— Ceci, évidemment, répondit le charpentier Mac Nap. La maison a résisté, elle, mais le sol sur lequel elle reposait a fléchi. Elle s'est enfoncée tout d'une pièce! Elle a passé au travers de cette croûte de glace qui forme la base de l'île! Elle n'est pas écrasée, mais engloutie... Et les malheureuses victimes...

— Noyées! s'écria le sergent Long.

— Oui! sergent! noyées avant d'avoir pu faire un mouvement! noyées comme les passagers d'un navire qui sombre!»

Pendant quelques instants, ces trois hommes demeurèrent sans parler. L'hypothèse de Mac Nap devait toucher de bien près à la réalité. Rien de plus logique que de supposer un fléchissement en cet endroit, et sous une telle pression, du banc de glace qui formait la base de l'île. La maison, grâce aux étais verticaux qui soutenaient les poutres du plafond en s'appuyant sur celles du plancher, avait dû crever le sol de glace et s'enfoncer dans l'abîme.

«Eh bien, Mac Nap, dit le lieutenant Hobson, si nous ne pouvons les retrouver vivants...

— Oui, répondit le maître charpentier, il faut au moins les retrouver morts!»

Cela dit, Mac Nap, sans rien faire connaître à ses compagnons de cette terrible hypothèse, reprit au fond du puits son travail interrompu. Le lieutenant Hobson y était descendu avec lui.

Pendant toute la nuit, le forage fut continué, les hommes se relayant d'heure en heure; mais tout ce temps, pendant que deux soldats creusaient la terre et le sable, Mac Nap et Jasper Hobson se tenaient au-dessus d'eux suspendus à un des étrésillons.

À trois heures du matin, le pic de Kellet, en s'arrêtant subitement sur un corps dur, rendit un son sec. Le maître Charpentier le sentit plutôt qu'il ne l'entendit.

«Nous y sommes, s'était écrié le soldat. Sauvés!

— Tais-toi, et continue!» répondit le lieutenant Hobson d'une voix sourde.

Il y avait en ce moment près de soixante-seize heures que l'avalanche s'était abattue sur la maison.

Kellet et son compagnon, le soldat Pond, avaient repris leur travail. La profondeur du puits devait presque avoir atteint le niveau de la mer, et, par conséquent, Mac Nap ne pouvait conserver aucun espoir.

En moins de vingt minutes, le corps dur, heurté par le pic, était à découvert. C'était un des chevrons du toit. Le charpentier, s'élançant au fond du puits, saisit une pioche et fit voler les lattes du faîtage. En quelques instants, une large ouverture fut pratiquée...

À cette ouverture, apparut une figure à peine reconnaissable dans l'ombre.

C'était la figure de Kalumah!

«À nous! À nous!» murmura faiblement la pauvre Esquimaude.

Jasper Hobson se laissa glisser par l'ouverture. Un froid très vif le saisit. L'eau lui montait à la ceinture. Contrairement à ce qu'on croyait, le toit n'avait point été écrasé, mais aussi, comme l'avait supposé Mac Nap, la maison s'était enfoncée à travers le sol, et l'eau était là. Mais cette eau ne remplissait pas le grenier, elle ne s'élevait que d'un pied à peine au-dessus du plancher. Il y avait encore un espoir!...

Le lieutenant, s'avançant dans l'obscurité, rencontra un corps sans mouvement! Il le traîna jusqu'à l'ouverture, à travers laquelle Pond et Kellet le saisirent et l'enlevèrent. C'était Thomas Black.

Un autre corps fut amené, celui de Madge. Des cordes avaient été jetées de l'orifice du puits. Thomas Black et Madge, enlevés par leurs compagnons, reprenaient peu à peu leurs sens à l'air extérieur.

Restait Mrs. Paulina Barnett à sauver. Jasper Hobson, conduit par Kalumah, avait dû gagner l'extrémité du grenier, et, là, il avait enfin trouvé celle qu'il cherchait, sans mouvement, la tête à peine hors de l'eau. La voyageuse était comme morte. Le lieutenant Hobson la prit dans ses bras, il la porta près de l'ouverture, et, peu d'instants après, elle et lui, Kalumah et Mac Nap apparaissaient à l'orifice du puits.

Tous les compagnons de la courageuse femme étaient là, ne prononçant pas une parole, désespérés.

La jeune Esquimaude, si faible elle-même, s'était jetée sur le corps de son amie.

Mrs. Paulina Barnett respirait encore, et son coeur battait. L'air pur, aspiré par ses poumons desséchés, ramena peu à peu la vie en elle. Elle ouvrit enfin les yeux.

Un cri de joie s'échappa de toutes les poitrines, un cri de reconnaissance qui monta vers le ciel, et qui certainement fut entendu là-haut!

En ce moment, le jour se faisait, le soleil débordait de l'horizon et jetait ses premiers rayons dans l'espace.

Mrs. Paulina Barnett, par un suprême effort, se redressa. Du haut de cette montagne, formée par l'avalanche, et qui dominait toute l'île, elle regarda. Puis, avec un étrange accent:

«La mer! la mer!» murmura-t-elle.

Et en effet, sur les deux côtés de l'horizon, à l'est, à l'ouest, la mer, dégagée de glaces, la mer entourait l'île errante!

XIX.

La mer de Behring.

Ainsi, l'île, poussée par la banquise, avait, sous une vitesse excessive, reculé jusque dans les eaux de la mer de Behring, après avoir passé le détroit sans se fixer à ses bords! Elle dérivait, pressée par cette irrésistible barrière qui prenait sa force dans les profondeurs du courant sous-marin! La banquise la repoussait toujours vers ces eaux plus chaudes qui ne pouvaient tarder à se changer en abîme pour elle! Et l'embarcation, écrasée, était hors d'usage!

Lorsque Mrs. Paulina Barnett eut entièrement repris l'usage de ses sens, elle put en quelques mots raconter l'histoire de ces soixante-quatorze heures passées dans les profondeurs de la maison engloutie. Thomas Black, Madge, la jeune Esquimaude avaient été surpris par la brusquerie de l'avalanche. Tous s'étaient précipités à la porte, aux fenêtres. Plus d'issue! la couche de terre ou de sable, qui s'appelait un instant auparavant le cap Bathurst, recouvrait la maison entière. Presque aussitôt, les prisonniers purent entendre le choc des glaçons énormes que la banquise projetait sur la factorerie.

Un quart d'heure ne s'était pas écoulé, et déjà Mrs. Paulina Barnett, son compagnon, ses deux compagnes sentaient la maison, qui résistait à cette épouvantable pression, s'enfoncer dans le sol de l'île. La base de glace s'effondrait! L'eau de la mer apparaissait.

S'emparer de quelques provisions demeurées dans l'office, se réfugier dans le grenier, ce fut l'affaire d'un instant. Cela se fit par un vague instinct de conservation. Et cependant, ces infortunés pouvaient-ils garder une lueur d'espoir? En tout cas, le grenier semblait devoir résister, et il était probable que deux blocs de glace, s'arc-boutant au-dessus du faîte, l'avaient sauvé d'un écrasement immédiat.

Pendant qu'ils étaient emprisonnés dans ce grenier, ils entendaient au-dessus d'eux les énormes débris de l'avalanche qui tombaient sans cesse. Au-dessous, l'eau montait toujours. Écrasés ou noyés!

Mais par un miracle, on peut le dire, le toit de la maison, supporté sur ses solides fermes, résista, et la maison elle-même, après s'être enfoncée à une certaine profondeur, s'arrêta, mais alors l'eau dépassait d'un pied le niveau du grenier.

Mrs. Paulina Barnett, Madge, Kalumah, Thomas Black, avaient dû se réfugier jusque dans l'entrecroisement des fermes. C'est là qu'ils restèrent pendant tant d'heures. La dévouée Kalumah s'était faite la servante de tous, et portait à travers la nappe d'eau la nourriture à l'un et à l'autre. Il n'y avait rien à tenter pour le salut! Le secours ne pouvait venir que du dehors!

Situation épouvantable. La respiration était douloureuse dans cet air comprimé, qui, bientôt désoxygéné et chargé d'acide carbonique, devint à peu près irrespirable... Quelques heures encore d'emprisonnement dans cet étroit espace, et le lieutenant Hobson n'eût plus trouvé que les cadavres des victimes!

En outre, aux tortures physiques s'étaient jointes les tortures morales. Mrs. Paulina Barnett avait à peu près compris ce qui s'était passé. Elle avait deviné que la banquise s'était jetée sur l'île, et aux bouillonnements de l'eau qui grondait sous la maison, elle sentait bien que l'île dérivait irrésistiblement vers le sud. Et voilà pourquoi, dès que ses yeux se rouvrirent, elle regarda autour d'elle, et prononça ces mots, que la destruction de la chaloupe rendait si terribles en cette circonstance:

«La mer! la mer!»

Mais, en ce moment, tous ceux qui l'entouraient ne voulaient voir, ne voulaient comprendre qu'une chose, c'est qu'ils avaient sauvé celle pour laquelle ils eussent donné leur vie, et, avec elle, Madge, Thomas Black, Kalumah. Enfin, et jusqu'alors, malgré tant d'épreuves, tant de dangers, pas un de ceux que le lieutenant Jasper Hobson avait emmenés dans cette désastreuse expédition ne manquait encore à l'appel.

Mais les circonstances allaient devenir plus graves que jamais et hâter sans nul doute la catastrophe finale dont le dénouement ne pouvait être éloigné.

Le premier soin du lieutenant Hobson, pendant cette journée, fut de relever la situation de l'île. Il ne fallait plus songer à la quitter, puisque la chaloupe était détruite, et que la mer, libre enfin, n'offrait pas un point solide autour d'elle. En fait d'icebergs, il ne restait plus que ce reste de banquise, dont le sommet venait d'écraser le cap Bathurst, nais dont la base, profondément immergée poussait l'île vers le sud.

En fouillant les ruines de la maison principale, on avait pu retrouver les instruments et les cartes de l'astronome que Thomas Black avait tout d'abord emportés avec lui, et qui n'avaient point été brisés fort heureusement. Le ciel était couvert de nuages, mais le soleil apparaissait parfois, et le lieutenant Hobson put prendre hauteur en temps utile et avec une approximation suffisante.

De cette observation, il résulta que, ce jour même, 12 mai, à midi, l'île Victoria occupait en longitude 168°12' à l'ouest du méridien de Greenwich, et en latitude 63°27'. Le point, rapporté sur la carte, se trouvait être par le travers du golfe Norton, entre la pointe asiatique de Tchaplin et le cap américain Stephens, mais à plus de cent milles de l'une et de l'autre côte.

«Il faut donc renoncer à atterrir sur le continent? dit alors Mrs. Paulina Barnett.

— Oui, madame, répondit Jasper Hobson, tout espoir est fermé de ce côté. Le courant nous porte au large avec une extrême vitesse, et nous ne pouvons compter que sur la rencontre d'un baleinier qui passerait en vue de l'île.

— Mais, reprit la voyageuse, si nous ne pouvons atterrir au continent, pourquoi le courant ne nous porterait-il pas sur une des îles de la mer de Behring?»

C'était encore là un frêle espoir, et ces désespérés s'y accrochèrent, comme l'homme qui se noie à la planche de salut. Les îles ne manquaient pas à ces parages de la mer de Behring, Saint- Laurent, Saint-Mathieu, Nouniwak, Saint-Paul, Georges, etc. Précisément, l'île errante n'était pas très éloignée de Saint-Laurent, assez vaste terre entourée d'îlots, et, en tout cas, si on la manquait, il était permis d'espérer que ce semis des Aléoutiennes qui ferme la mer de Behring au sud, l'arrêterait dans sa marche.

Oui, sans doute! l'île Saint-Laurent pouvait être un port de salut pour les hiverneurs. S'ils le manquaient, Saint-Mathieu et tout ce groupe d'îlots dont il forme le centre se trouveraient peut-être encore sur leur passage. Mais ces Aléoutiennes, dont plus de huit cents milles les séparaient, il ne fallait pas espérer les atteindre. Avant, bien avant, l'île Victoria, minée, dissoute par les eaux chaudes, fondue par ce soleil qui s'avançait déjà dans le signe des Gémeaux, serait abîmée au fond de la mer!

On devait le supposer. En effet, la distance à laquelle les glaces se rapprochent de l'Équateur est très variable. Elle est plus courte dans l'hémisphère austral que dans l'hémisphère boréal. On les a rencontrées quelquefois par le travers du cap de Bonne- Espérance, soit au trente-sixième parallèle environ, tandis que les icebergs qui descendent la mer Arctique n'ont jamais dépassé le quarantième degré de latitude. Mais la limite de fusion des glaces est évidemment liée à l'état de la température, et elle dépend des conditions climatériques. Par des hivers prolongés, les glaces persistent sous des parallèles relativement bas, et c'est tout le contraire avec des printemps précoces.

Or, précisément, cette précocité de la saison chaude, en cette année 1861, devait promptement amener la dissolution de l'île Victoria. Déjà ces eaux de la mer de Behring étaient vertes et non plus bleues, comme elles le sont aux approches des icebergs, suivant la remarque du navigateur Hudson. On devait donc, à tout moment, redouter une catastrophe, maintenant que la chaloupe n'existait plus.

Jasper Hobson résolut d'y parer en faisant construire un radeau assez vaste pour porter toute la petite colonie, et qui pût naviguer, tant bien que mal, vers le continent. Il fit réunir les bois nécessaires à la construction d'un appareil flottant sur lequel on pourrait tenir la mer sans crainte de sombrer. Après tout, les chances de rencontre étaient possibles à une époque où les baleiniers remontent vers le nord à la poursuite des baleines. Mac Nap eut donc mission d'établir un radeau large et solide, qui surnagerait au moment où l'île Victoria s'engloutirait dans la mer.

Mais auparavant, il était nécessaire de préparer une demeure quelconque qui pût abriter les malheureux habitants de l'île. Le plus simple parut être de déblayer l'ancien logement des soldats, annexe de la maison principale, dont les murs pourraient encore servir. Tous se mirent résolument à l'ouvrage, et en quelques jours on put se garder contre les intempéries d'un climat très capricieux, que les rafales et les pluies attristaient fréquemment.

On pratiqua aussi des fouilles dans la maison principale, et on put extraire des chambres submergées nombre d'objets plus ou moins utiles, des outils, des armes, de la literie, quelques meubles, les pompes d'aération, le réservoir à air, etc.

Dès le lendemain de ce jour, le 13 mai, on avait dû renoncer à l'espoir de dériver sur l'île Saint-Laurent. Le point de relèvement indiqua que l'île Victoria passait fort à l'est de cette île; et, en effet, les courants, ne viennent généralement point butter contre les obstacles naturels; ils les tournent plutôt, et le lieutenant Hobson comprit bien qu'il fallait renoncer à l'espoir d'atterrir de cette façon. Seules, les îles Aléoutiennes, tendues comme un immense filet semi-circulaire sur un espace de plusieurs degrés, auraient pu arrêter l'île, mais, on l'a dit, pouvait-on espérer de les atteindre? L'île était emportée avec une extrême vitesse, sans doute, mais n'était-il pas probable que cette vitesse diminuerait singulièrement, lorsque les icebergs qui la poussaient en avant se détacheraient par une raison quelconque, ou se dissoudraient, eux qu'une couche de terre ne protégeait pas contre l'action des rayons du soleil?

Le lieutenant Hobson, Mrs. Paulina Barnett, le sergent Long et le maître charpentier causèrent souvent de ces choses, et, après mûres réflexions, ils furent de cet avis que l'île ne pourrait, en aucun cas, atteindre le groupe des Aléoutiennes, soit que sa vitesse diminuât, soit qu'elle fût rejetée hors du courant de Behring, soit enfin qu'elle fondît sous la double influence combinée des eaux et du soleil.

Le 14 mai, maître Mac Nap et ses hommes s'étaient mis à l'ouvrage et avaient commencé la construction d'un vaste radeau. Il s'agissait de maintenir cet appareil à un niveau aussi élevé que possible au-dessus des flots, afin de le soustraire au balayage des lames. C'était là un gros ouvrage, mais devant lequel le zèle de ces travailleurs ne recula pas. Le forgeron Raë avait heureusement retrouvé, dans un magasin attenant au logement, une grande quantité de ces chevilles de fer qui avaient été apportées du Fort-Reliance, et elles servirent à fixer fortement entre elles les diverses pièces qui formaient les bâtis du radeau.

Quant à l'emplacement sur lequel il fut construit, il importe de le signaler. Ce fut d'après l'idée du lieutenant que Mac Nap prit les mesures suivantes. Au lieu de disposer les poutres et poutrelles sur le sol, le charpentier les établit immédiatement à la surface du lagon. Les diverses pièces, taraudées et mortaisées sur la rive, étaient ensuite lancées isolément à la surface du petit lac, et là on les ajustait sans peine. Cette manière d'opérer présentait deux avantages: 1° le charpentier pourrait juger immédiatement du point de flottaison et du degré de stabilité qu'il convenait de donner à l'appareil; 2° lorsque l'île Victoria viendrait à se dissoudre, le radeau flotterait déjà et ne serait point soumis aux dénivellements, aux chocs même que le sol disloqué pouvait lui imprimer à terre. Ces deux raisons, très sérieuses, engagèrent donc le maître charpentier à procéder comme il est dit.

Pendant ces travaux, Jasper Hobson, tantôt seul, tantôt accompagné de Mrs. Paulina Barnett, errait sur le littoral. Il observait l'état de la mer et les sinuosités changeantes du rivage que le flot rongeait peu à peu. Son regard parcourait l'horizon absolument désert. Dans le nord, on ne voyait plus aucune montagne de glace se profiler à l'horizon. En vain cherchait-il comme tous les naufragés, ce navire «qui n'apparaît jamais!» La solitude de l'Océan n'était troublée que par le passage de quelques souffleurs, qui fréquentaient les eaux vertes où pullulent ces myriades d'animalcules microscopiques dont ils font leur unique nourriture. Puis c'étaient aussi des bois qui flottaient, des essences diverses arrachées aux pays chauds, et que les grands courants du globe entraînaient jusque dans ces parages.

Un jour, le 16 mai, Mrs. Paulina Barnett et Madge se promenaient ensemble sur cette partie de l'île comprise entre le cap Bathurst et l'ancien port. Il faisait un beau temps. La température était chaude. Depuis bien des jours déjà, il n'existait plus trace de neige à la surface de l'île. Seuls, les glaçons que la banquise y avait entassés dans sa partie septentrionale rappelaient l'aspect polaire de ces climats. Mais ces glaçons se dissolvaient peu à peu, et de nouvelles cascades s'improvisaient chaque jour au sommet et sur les flancs des icebergs. Certainement, avant peu, le soleil aurait fondu ces dernières masses agglomérées par le froid.

C'était un curieux aspect que celui de l'île Victoria! Des yeux moins attristés l'eussent contemplé avec intérêt. Le printemps s'y déclarait avec une force inaccoutumée. Sur ce sol, ramené à des parallèles plus doux, la vie végétale débordait. Les mousses, les petites fleurs, les plantations de Mrs. Joliffe se développaient avec une véritable prodigalité. Toute la puissance végétative de cette terre, soustraite aux âpretés du climat arctique, s'épanchait au-dehors, non seulement par la profusion des plantes qui s'épanouissaient à sa surface, mais aussi par la vivacité de leurs couleurs. Ce n'étaient plus ces nuances pâles et noyées d'eau, mais des tons colorés, dignes du soleil qui les éclairait alors. Les diverses essences, arbousiers ou saules, pins ou bouleaux, se couvraient d'une verdure sombre. Leurs bourgeons éclataient sous la sève échauffée à de certaines heures par une température de soixante-huit degrés Fahrenheit (20° centigr. au- dessus de zéro). La nature arctique se transformait sous un parallèle qui était déjà celui de Christiana ou de Stockholm, en Europe, c'est-à-dire celui des plus verdoyants pays des zones tempérées.

Mais Mrs. Paulina Barnett ne voulait pas voir ces avertissements que lui donnait la nature. Pouvait-elle changer l'état de son domaine éphémère? Pouvait-elle lier cette île errante à l'écorce solide du globe? Non, et le sentiment d'une suprême catastrophe était en elle. Elle en avait l'instinct, comme ces centaines d'animaux qui pullulaient aux abords de la factorerie. Ces renards, ces martres, ces hermines, ces lynx, ces castors, ces rats musqués, ces wisons, ces loups même que le sentiment d'un danger prochain, inévitable, rendaient moins farouches, toutes ces bêtes se rapprochaient de plus en plus de leurs anciens ennemis, les hommes, comme si les hommes eussent pu les sauver! C'était comme une reconnaissance tacite, instinctive, de la supériorité humaine, et précisément dans une circonstance où cette supériorité ne pouvait rien!

Non! Mrs. Paulina Barnett ne voulait pas voir toutes ces choses, et ses regards ne quittaient plus cette impitoyable mer, immense, infinie, sans autre horizon que le ciel qui se confondait avec elle!

«Ma pauvre Madge, dit-elle un jour, c'est moi qui t'ai entraînée à cette catastrophe, toi, qui m'as suivie partout, toi, dont le dévouement et l'amitié méritaient un autre sort! Me pardonnes-tu?

— Il n'y a qu'une chose au monde que je ne t'aurais pas pardonnée, ma fille, répondit Madge. C'eût été une mort que je n'eusse pas partagée avec toi!

— Madge! Madge! s'écria la voyageuse, si ma vie pouvait sauver celle de tous ces infortunés, je la donnerais sans hésiter!

— Ma fille, répondit Madge, tu n'as donc plus d'espoir?

— Non!...» murmura Mrs. Paulina Barnett en se cachant dans les bras de sa compagne.

La femme venait de reparaître un instant dans cette nature virile! Et qui ne comprendrait un moment de défaillance en de telles épreuves!

Mrs. Paulina Barnett sanglotait! Son coeur débordait. Des larmes s'échappaient de ses yeux.

«Madge! Madge! dit la voyageuse en relevant la tête, ne leur dis pas, au moins, que j'ai pleuré!

— Non, répondit Madge. D'ailleurs, ils ne me croiraient pas. C'est un instant de faiblesse! Relève-toi, ma fille, toi, notre âme à tous, ici! Relève-toi et prends courage!

— Mais tu espères donc encore? s'écria Mrs. Paulina Barnett, regardant dans les yeux sa fidèle compagne.

— J'espère toujours!» répondit simplement Madge.

Et cependant, aurait-on pu conserver encore une lueur d'espérance, lorsque, quelques jours après, l'île errante, passant au large du groupe de Saint-Mathieu, n'avait plus une terre où se raccrocher sur toute cette mer de Behring!

XX.

Au large!

L'île Victoria flottait alors dans la partie la plus vaste de la mer de Behring, à six cents milles encore des premières Aléoutiennes et à plus de deux cents milles de la côte la plus rapprochée dans l'est. Son déplacement s'opérait toujours avec une vitesse relativement considérable. Mais, en admettant qu'il ne subît aucune diminution, trois semaines, au moins, lui seraient encore nécessaires pour qu'elle atteignît cette barrière méridionale de la mer de Behring.

Pourrait-elle durer jusque-là, cette île, dont la base s'amincissait chaque jour sous l'action des eaux déjà tièdes, et portées à une température moyenne de cinquante degrés Fahrenheit (10° centigr. au-dessus de zéro)? Son sol ne pouvait-il à chaque instant s'entrouvrir?

Le lieutenant Hobson pressait de tout son pouvoir la construction du radeau, dont le bâtis inférieur flottait déjà sur les eaux du lagon. Mac Nap voulait donner à cet appareil une très grande solidité, afin qu'il pût résister pendant un long temps, s'il le fallait, aux secousses de la mer. En effet, il était à supposer, s'il ne rencontrait pas quelque baleinier dans les parages de Behring, qu'il dériverait jusqu'aux îles Aléoutiennes, et un long espace de mer lui restait à franchir.

Toutefois, l'île Victoria n'avait encore éprouvé aucun changement de quelque importance dans sa configuration générale. Des reconnaissances étaient journellement faites, mais les explorateurs ne s'aventuraient plus qu'avec une extrême circonspection, car, à chaque instant, une fracture du sol, un morcellement de l'île pouvaient les isoler du centre commun. Ceux qui partaient ainsi, on pouvait toujours craindre de ne plus les revoir.

La profonde entaille située aux approches du cap Michel, que les froids de l'hiver avaient refermée, s'était peu à peu rouverte. Elle s'étendait maintenant sur l'espace d'un mille à l'intérieur jusqu'au lit desséché de la petite rivière. On pouvait craindre même qu'elle ne suivît ce lit, qui, déjà creusé, amincissait d'autant la croûte de glace. Dans ce cas, toute cette portion comprise entre le cap Michel et le port Barnett, limitée à l'ouest par le lit de la rivière, aurait disparu, — c'est-à-dire un morceau énorme, d'une superficie de plusieurs milles carrés. Le lieutenant Hobson recommanda donc à ses compagnons de ne point s'y aventurer sans nécessité, car il suffisait d'un fort mouvement de la mer pour détacher cette importante partie du territoire de l'île.

Cependant, on pratiqua des sondages sur plusieurs points, afin de connaître ceux qui présentaient le plus de résistance à la dissolution par suite de leur épaisseur. On reconnut que cette épaisseur était plus considérable précisément aux environs du cap Bathurst, sur l'emplacement de l'ancienne factorerie, non pas l'épaisseur de la couche de terre et de sable — ce qui n'eût point été une garantie —, mais bien l'épaisseur de la croûte de glace. C'était, en somme, une heureuse circonstance. Ces trous de sondage furent tenus libres, et chaque jour on put constater ainsi la diminution que subissait la base de l'île. Cette diminution était lente, mais, chaque jour, elle faisait quelques progrès. On pouvait estimer que l'île ne résisterait pas trois semaines encore, en tenant compte de cette circonstance fâcheuse, qu'elle dérivait vers des eaux de plus en plus échauffées par les rayons solaires.

Pendant cette semaine, du 19 au 25 mai, le temps fut fort mauvais. Une tempête assez violente se déclara. Le ciel s'illumina d'éclairs et les éclats de la foudre retentirent. La mer, soulevée par un grand vent du nord-ouest, se déchaîna en hautes lames qui fatiguèrent extrêmement l'île. Cette houle lui donna même quelques secousses très inquiétantes. Toute la petite colonie demeura sur le qui-vive, prête à s'embarquer sur le radeau, dont la plate-forme était à peu près achevée. On y transporta même une certaine quantité de provisions et d'eau douce, afin de parer à toutes les éventualités.

Pendant cette tempête, la pluie tomba très abondamment, pluie d'orage, dont les tièdes et larges gouttes pénétrèrent profondément le sol et durent attaquer la base de l'île. Ces infiltrations eurent pour effet de dissoudre la glace inférieure en de certains endroits et de produire des affouillements suspects. Sur les pentes de quelques monticules, le sol fut absolument raviné et la croûte blanche mise à nu. On se hâta de combler ces excavations avec de la terre et du sable, afin de soustraire la base à l'action de la température. Sans cette précaution, le sol eût été bientôt troué comme une écumoire.

Cette tempête causa aussi d'irréparables dommages aux collines boisées qui bordaient la lisière occidentale du lagon. Le sable et la terre furent entraînés par ces abondantes pluies, et les arbres, n'étant plus maintenus par le pied, s'abattirent en grand nombre. En une nuit, tout l'aspect de cette portion de l'île comprise entre le lac et l'ancien port Barnett fut changé. C'est à peine s'il resta quelques groupes de bouleaux, quelques bouquets de sapins isolés qui avaient résisté à la tourmente. Dans ces faits, il y avait des symptômes de décomposition qu'on ne pouvait méconnaître, mais contre lesquels l'intelligence humaine était impuissante. Le lieutenant Hobson, Mrs. Paulina Barnett, le sergent, tous voyaient bien que leur île éphémère s'en allait peu à peu, tous le sentaient, — sauf peut-être Thomas Black, sombre, muet, qui semblait ne plus être de ce monde.

Pendant la tempête, le 23 mai, le chasseur Sabine, en quittant son logement, le matin, par une brume assez épaisse, faillit se noyer dans un large trou qui s'était creusé dans la nuit. C'était sur l'emplacement occupé autrefois par la maison principale de la factorerie.

Jusqu'alors, cette maison, ensevelie sous la couche de terre et de sable, et aux trois quarts engloutie, on le sait, paraissait être fixée à la croûte glacée de l'île. Mais, sans doute, les ondulations de la mer, choquant cette large crevasse à sa partie inférieure, l'agrandirent, et la maison, chargée de ce poids énorme des matières qui formaient autrefois le cap Bathurst s'abîma entièrement. Terre et sable se perdirent dans ce trou, au fond duquel se précipitèrent les eaux clapotantes de la mer.

Les compagnons de Sabine, accourus à ses cris, parvinrent à le retirer de cette crevasse, pendant qu'il était encore suspendu à ses parois glissantes, et il en fut quitte pour un bain très inattendu, qui aurait pu très mal finir.

Plus tard on aperçut les poutres et les planches de la maison, qui avaient glissé sous l'île, flottant au large du rivage, comme les épaves d'un navire naufragé. Ce fut le dernier dégât produit par la tempête, dégât qui dans une certaine proportion compromettait encore la solidité de l'île, puisqu'il permettait aux flots de la ronger à l'intérieur. C'était comme une sorte de cancer qui devait la détruire peu à peu.

Pendant la journée du 25 mai, le vent sauta au nord-est. La rafale ne fut plus qu'une forte brise, la pluie cessa, et la mer commença à se calmer. La nuit se passa paisiblement, et au matin, le soleil ayant reparu, Jasper Hobson put obtenir un bon relèvement.

Et, en effet, sa position à midi, ce jour-là, lui fut donnée par la hauteur du soleil:

Latitude: 56°, 13';
Longitude: 170°, 23'.

La vitesse de l'île était donc excessive, puisqu'elle avait dérivé de près de huit cents milles depuis le point qu'elle occupait deux mois auparavant dans le détroit de Behring, au moment de la débâcle.

Cette rapidité de déplacement rendit quelque peu d'espoir à Jasper Hobson.

«Mes amis, dit-il à ses compagnons en leur montrant la carte de la mer de Behring, voyez-vous ces îles Aléoutiennes? Elles ne sont pas à deux cents milles de nous, maintenant! En huit jours, peut- être, nous pourrions les atteindre!

— Huit jours! répondit le sergent Long en secouant la tête. C'est long, huit jours!

— J'ajouterai, dit le lieutenant Hobson, que si notre île eût suivi le cent soixante-huitième méridien, elle aurait déjà gagné le parallèle de ces îles. Mais il est évident qu'elle s'écarte dans le sud-ouest, par une déviation du courant de Behring.»

Cette observation était juste. Le courant tendait à rejeter l'île Victoria fort au large des terres, et peut-être même en dehors des Aléoutiennes, qui ne s'étendent que jusqu'au cent soixante-dixième méridien.

Mrs. Paulina Barnett considérait la carte en silence! Elle regardait ce point, fait au crayon, qui indiquait la position actuelle de l'île. Sur cette carte, établie à une grande échelle, ce point paraissait presque imperceptible, tant la mer de Behring semblait immense. Elle revoyait alors toute sa route retracée depuis le lieu d'hivernage, cette route que la fatalité ou plutôt l'immutable direction des courants avait dessinée à travers tant d'îles, au large de deux continents, sans toucher nulle part, et devant elle s'ouvrait maintenant l'infini de l'océan Pacifique!

Elle songeait ainsi, perdue dans une sombre rêverie, et n'en sortit que pour dire:

«Mais cette île, ne peut-on donc la diriger? Huit jours, huit jours encore de cette vitesse, et nous pourrions peut-être atteindre la dernière des Aléoutiennes!

— Ces huit jours sont dans la main de Dieu! répondit le lieutenant Hobson d'un ton grave. Voudra-t-il nous les donner? Je vous le dis bien sincèrement, madame, le salut ne peut venir que du Ciel.

— Je le pense comme vous, monsieur Jasper, reprit Mrs. Paulina Barnett, mais le Ciel veut que l'on s'aide pour mériter sa protection. Y a-t-il donc quelque chose à faire, à tenter, quelque parti à prendre que j'ignore?»

Jasper Hobson secoua la tête d'un air de doute. Pour lui, il n'y avait plus qu'un moyen de salut, le radeau; mais fallait-il s'y embarquer dès maintenant, y établir une voilure quelconque au moyen de draps et de couvertures, et chercher à gagner la côte la plus prochaine?

Jasper Hobson consulta le sergent, le charpentier Mac Nap, en qui il avait grande confiance, le forgeron Raë, les chasseurs Sabine et Marbre. Tous, après avoir pesé le pour et le contre, furent d'accord sur ce point qu'il ne fallait abandonner l'île que lorsqu'on y serait forcé. En effet, ce ne pouvait être qu'une dernière et suprême ressource, ce radeau, que les lames balayeraient incessamment, qui n'aurait même pas la vitesse imprimée à l'île, que les icebergs poussaient vers le sud. Quant au vent, il soufflait le plus généralement de la partie est, et il tendrait plutôt à rejeter le radeau au large de toute terre.

Il fallait attendre, attendre encore, puisque l'île dérivait rapidement vers les Aléoutiennes. Aux approches de ce groupe, on verrait ce qu'il conviendrait de faire.

C'était, en effet, le parti le plus sage, et certainement, dans huit jours, si sa vitesse ne diminuait pas, ou bien l'île s'arrêterait sur cette frontière méridionale de la mer de Behring, ou, entraînée au sud-ouest sur les eaux du Pacifique, elle serait irrévocablement perdue.

Mais la fatalité qui avait tant accablé ces hiverneurs et depuis si longtemps, allait encore les frapper d'un nouveau coup. Cette vitesse de déplacement sur laquelle ils comptaient devait avant peu leur faire défaut.

En effet, pendant la nuit du 26 au 27 mai, l'île Victoria subit un dernier changement d'orientation, dont les conséquences furent extrêmement graves. Elle fit un demi-tour sur elle-même. Les icebergs, restes de l'énorme banquise qui la bornaient au nord, furent par ce changement reportés au sud.

Au matin, les naufragés, — ne peut-on leur donner ce nom? — virent le soleil se lever du côté du cap Esquimau et non plus sur l'horizon du port Barnett.

Quelles allaient être les conséquences de ce changement d'orientation? Ces montagnes de glace n'allaient-elles pas se séparer de l'île?

Chacun avait le pressentiment d'un nouveau malheur, et chacun comprit ce que voulait dire le soldat Kellet, qui s'écria:

«Avant ce soir, nous aurons perdu notre hélice!»

Kellet voulait dire par là que les icebergs, à présent qu'ils n'étaient plus à l'arrière, mais à l'avant de l'île, ne tarderaient pas à se détacher. C'étaient eux, en effet, qui lui imprimaient cette excessive vitesse, parce que, pour chaque pied dont ils s'élevaient au-dessus du niveau de la mer, ils en avaient six ou sept au-dessous. Plus enfoncés que l'île dans le courant sous-marin, ils étaient, par cela même, plus soumis à leur influence, et il était à craindre que ce courant ne les séparât de l'île, puisqu'aucun ciment ne les liait à elle. Oui, le soldat Kellet avait raison. L'île serait alors comme un bâtiment désemparé de sa mâture, et dont l'hélice aurait été brisée!

À cette parole de Kellet, personne n'avait répondu. Mais un quart d'heure ne s'était pas écoulé, que le bruit d'un craquement se faisait entendre. Le sommet des icebergs s'ébranlait, leur masse se détachait, et tandis que l'île restait en arrière, les icebergs, irrésistiblement entraînés par le courant sous-marin, dérivaient rapidement vers le sud.

XXI.

Où l'île se fait îlot.

Trois heures plus tard, les derniers morceaux de la banquise avaient déjà disparu au-dessous l'horizon. Cette disparition si rapide prouvait que, maintenant, l'île demeurait presque stationnaire. C'est que toute la force du courant résidait dans les couches basses, et non à la surface de la mer.

Du reste, le point fut fait à midi, et donna un relèvement exact. Vingt-quatre heures après, le nouveau point constatait que l'île Victoria ne s'était pas déplacée d'un mille!

Restait donc une chance de salut, une seule: c'est qu'un navire, quelque baleinier, passant en ces parages, recueillît les naufragés, soit qu'ils fussent encore sur l'île, soit que le radeau l'eût remplacée après sa dissolution.

L'île se trouvait alors par 54°33' de latitude et 177°19' de longitude, à plusieurs centaines de milles de la terre la plus rapprochée, c'est-à-dire des Aléoutiennes.

Le lieutenant Hobson, pendant cette journée, rassembla ses compagnons et leur demanda une dernière fois ce qu'il convenait de faire.

Tous furent du même avis: demeurer encore et toujours sur l'île tant qu'elle ne s'effondrerait pas, car sa grandeur la rendait encore insensible à l'état de la mer; puis, quand elle menacerait définitivement de se dissoudre, embarquer toute la petite colonie sur le radeau, et attendre!

Attendre!

Le radeau était alors achevé. Mac Nap y avait construit une vaste cabane, sorte de rouffle, dans lequel tout le personnel du fort pouvait se mettre à l'abri. Un mât avait été préparé, que l'on pourrait dresser en cas de besoin, et les voiles qui devaient servir au bateau étaient prêtes depuis longtemps. L'appareil était solide, et si le vent soufflait du bon côté, si la mer n'était pas trop mauvaise, peut-être cet assemblage de poutres et de planches sauverait-il la colonie tout entière.

«Rien, dit Mrs. Paulina Barnett, rien n'est impossible à celui qui dispose des vents et des flots!»

Jasper Hobson avait fait l'inventaire des vivres. La réserve était peu abondante, car les dégâts produits par l'avalanche l'avaient singulièrement diminuée, mais ruminants et rongeurs ne manquaient pas, et l'île, toute verdoyante de mousses et d'arbustes, les nourrissait sans peine. Il parut nécessaire d'augmenter les provisions de viande conservée, et les chasseurs tuèrent des rennes et des lièvres.

En somme, la santé des colons était bonne. Ils avaient peu souffert de ce dernier hiver, si modéré, et les épreuves morales n'avaient point encore entamé leur vigueur physique. Mais, il faut le dire, ils ne voyaient pas sans une extrême appréhension, sans de sinistres pressentiments, le moment où ils abandonneraient leur île Victoria, ou, pour parler plus exactement, le moment où cette île les abandonnerait eux-mêmes. Ils s'effrayaient à la pensée de flotter à la surface de cette immense mer, sur un plancher de bois qui serait soumis à tous les caprices de la houle. Même par les temps moyens, les lames y embarqueraient et rendraient la situation très pénible. Qu'on le remarque aussi, ces hommes n'étaient point des marins, des habitués de la mer, qui ne craignent pas de se fier à quelques planches, c'étaient des soldats, accoutumés aux solides territoires de la Compagnie. Leur île était fragile, elle ne reposait que sur un mince champ de glace, mais enfin, sur cette glace, il y avait de la terre, et sur cette terre une verdoyante végétation, des arbustes, des arbres; les animaux l'habitaient avec eux; elle était absolument indifférente à la houle, et on pouvait la croire immobile. Oui! ils l'aimaient cette île Victoria, sur laquelle ils vivaient depuis près de deux ans, cette île qu'ils avaient si souvent parcourue en toutes ses parties, qu'ils avaient ensemencée, et qui, en somme, avait résisté jusqu'alors à tant de cataclysmes! Oui! ils ne la quitteraient pas sans regret, et ils ne le feraient qu'au moment où elle leur manquerait sous les pieds.

Ces dispositions, le lieutenant Hobson les connaissait, et il les trouvait bien naturelles. Il savait avec quelle répugnance ses compagnons s'embarqueraient sur le radeau, mais les événements allaient se précipiter, et sur ces eaux chaudes, l'île ne pouvait tarder à se dissoudre. En effet, de graves symptômes apparurent, qu'on ne devait pas négliger.

Voici ce qu'était ce radeau. Carré, il mesurait trente pieds sur chaque face, ce qui lui donnait une superficie de neuf cents pieds carrés. Sa plate-forme s'élevait de deux pieds au-dessus de l'eau, et ses parois le défendaient tout autour contre les petites lames, mais il était bien évident qu'une houle un peu forte passerait par-dessus cette insuffisante barrière. Au milieu du radeau, le maître charpentier avait construit un véritable rouffle, qui pouvait contenir une vingtaine de personnes. Autour étaient établis de grands coffres destinés aux provisions et des pièces à eau, le tout solidement fixé à la plate-forme au moyen de chevilles de fer. Le mât, haut d'une trentaine de pieds, s'appuyait au rouffle et était soutenu par des haubans qui se rattachaient aux quatre angles de l'appareil. Ce mât devait porter une voile carrée, qui ne pouvait évidemment servir que vent arrière. Toute autre allure était nécessairement interdite à cet appareil flottant, auquel une sorte de gouvernail, très insuffisant sans doute, avait été adapté.

Tel était le radeau du maître charpentier, sur lequel devaient se réfugier vingt personnes, sans compter le petit enfant de Mac Nap. Il flottait tranquillement sur les eaux du lagon, retenu au rivage par une forte amarre. Certes, il avait été construit avec plus de soin que n'en peuvent mettre des naufragés surpris en mer par la destruction soudaine de leur navire, il était plus solide et mieux aménagé, mais enfin ce n'était qu'un radeau.

Le 1er juin, un nouvel incident se produisit. Le soldat Hope était allé puiser de l'eau au lagon pour les besoins de la cuisine. Mrs. Joliffe, goûtant cette eau, la trouva salée. Elle rappela Hope, lui disant qu'elle avait demandé de l'eau douce, et non de l'eau de mer.

Hope répondit qu'il avait puisé cette eau au lagon. De là une sorte de discussion, au milieu de laquelle intervint le lieutenant. En entendant les affirmations du soldat Hope, il pâlit, puis il se dirigea rapidement vers le lagon...

Les eaux en étaient absolument salées! Il était évident que le fond du lagon s'était crevé, et que la mer y avait fait irruption.

Ce fait aussitôt connu, une même crainte bouleversa les esprits tout d'abord.

«Plus d'eau douce!» s'écrièrent ces pauvres gens.

Et en effet, après la rivière Paulina, le lac Barnett venait de disparaître à son tour!

Mais le lieutenant Hobson se hâta de rassurer ses compagnons à l'endroit de l'eau potable.

«Nous ne manquons pas de glace, mes amis, dit-il. Ne craignez rien. Il suffira de faire fondre quelques morceaux de notre île, et j'aime à croire que nous ne la boirons pas tout entière», ajouta-t-il en essayant de sourire.

En effet, l'eau salée, qu'elle se vaporise ou qu'elle se solidifie, abandonne complètement le sel qu'elle contient en dissolution. On déterra donc, si on peut employer cette expression, quelques blocs de glace, et on les fit fondre, non seulement pour les besoins journaliers, mais aussi pour remplir les pièces à eau disposées sur le radeau.

Cependant, il ne fallait pas négliger ce nouvel avertissement que la nature venait de donner. L'île se dissolvait évidemment à sa base, et cet envahissement de la mer par le fond du lagon le prouvait surabondamment. Le sol pouvait donc à chaque instant s'effondrer, et Jasper Hobson ne permit plus à ses hommes de s'éloigner, car ils auraient risqués d'être entraînés au large.

Il semblait aussi que les animaux eussent le pressentiment d'un danger très prochain. Ils se massaient autour de l'ancienne factorerie. Depuis la disparition de l'eau douce, on les voyait venir lécher les blocs de glace retirés du sol. Ils semblaient inquiets, quelques-uns paraissaient pris de folie, les loups surtout, qui arrivaient en bandes échevelées, puis disparaissaient en poussant de rauques aboiements. Les animaux à fourrures restaient parqués autour du puits circulaire qui remplaçait la maison engloutie. On en comptait plusieurs centaines de différentes espèces. L'ours rôdait aux environs, aussi inoffensif aux animaux qu'aux hommes. Il était évidemment très inquiet, par instinct, et il eût volontiers demandé protection contre ce danger qu'il pressentait et ne pouvait détourner.

Les oiseaux, très nombreux jusqu'alors, parurent aussi diminuer peu à peu. Pendant ces derniers jours, des bandes considérables de grands volateurs, de ceux auxquels la puissance de leurs ailes permettent de traverser les larges espaces, les cygnes entre autres, émigrèrent vers le sud, là où ils devaient rencontrer les premières terres des Aléoutiennes qui leur offraient un abri sûr. Ce départ fut observé et remarqué par Mrs. Paulina Barnett, et Madge, qui erraient, à ce moment, sur le littoral. Elles en tirèrent un fâcheux pronostic.

«Ces oiseaux trouvent sur l'île une nourriture suffisante, dit Mrs. Paulina Barnett et cependant ils s'en vont! Ce n'est pas sans motif, ma pauvre Madge!

— Oui, répondit Madge, c'est leur intérêt qui les guide. Mais s'ils nous avertissent, nous devons profiter de l'avertissement. Je trouve aussi que les autres animaux paraissent être plus inquiets que de coutume.»

Ce jour-là, Jasper Hobson résolut de faire transporter sur le radeau la plus grande partie des vivres et des effets de campement. Il fut décidé aussi que tout le monde s'y embarquerait.

Mais, précisément, la mer était mauvaise, et sur cette petite Méditerranée, formée maintenant par les eaux mêmes de Behring à l'intérieur du lagon, toutes les agitations de la houle se reproduisaient et même avec une grande intensité. Les lames, enfermées dans cet espace relativement restreint, heurtaient le rivage encore, et s'y brisaient avec fureur. C'était comme une tempête sur ce lac, ou plutôt sur cet abîme profond comme la mer environnante. Le radeau était violemment agité, et de forts paquets d'eau y embarquaient sans cesse. On fut même obligé de suspendre l'embarquement des effets et des vivres.

On comprend bien que, dans cet état de choses, le lieutenant Hobson n'insista pas vis-à-vis de ses compagnons. Autant valait passer encore une nuit sur l'île. Le lendemain, si la mer se calmait, on achèverait l'embarquement.

La proposition ne fut donc point faite aux soldats et aux femmes de quitter leur logement et d'abandonner l'île, car c'était véritablement l'abandonner que se réfugier sur le radeau.

Du reste, la nuit fut meilleure qu'on ne l'aurait espéré. Le vent vint à se calmer. La mer s'apaisa peu à peu. Ce n'était qu'un orage qui avait passé avec cette rapidité spéciale aux météores électriques. À huit heures du soir, la houle était presque entièrement tombée, et les lames ne formaient plus qu'un clapotis peu sensible à l'intérieur du lagon.

Certainement, l'île ne pouvait échapper à un effondrement imminent, mais enfin il valait mieux qu'elle se fondit peu à peu, plutôt que d'être brisée par une tempête, et c'est ce qui pouvait arriver d'un instant à l'autre, quand la mer se soulevait en montagnes autour d'elle.

À l'orage avait succédé une légère brume qui menaçait de s'épaissir dans la nuit. Elle venait du nord, et, par conséquent, suivant la nouvelle orientation, elle couvrait la plus grande partie de l'île.

Avant de se coucher, Jasper Hobson visita les amarres du radeau qui étaient tournées à de forts troncs de bouleaux. Par surcroît de précaution, on leur donna un tour de plus. D'ailleurs, le pis qui pût arriver, c'était que le radeau fût emporté à la dérive sur le lagon, et le lagon n'était pas si grand qu'il risquât de s'y perdre.

XXII.

Les quatre jours qui suivent.

La nuit, c'est à dire une heure à peine de crépuscule et d'aube, fut calme. Le lieutenant Hobson se leva, et, décidé à ordonner l'embarquement de la petite colonie pour le jour même, il se dirigea vers le lagon.

La brume était encore épaisse; mais au-dessus de ce brouillard, on sentait déjà les rayons du soleil. Le ciel avait été nettoyé par l'orage de la veille, et la journée promettait d'être chaude.

Lorsque Jasper Hobson arriva sur les bords du lagon, il ne put en distinguer la surface, qui était encore cachée par de grosses volutes de brumes.

À ce moment, Mrs. Paulina Barnett, Madge et quelques autres venaient le rejoindre sur le rivage.

La brume commençait alors à se lever. Elle reculait vers le fond du lagon et en découvrait peu à peu la surface. Cependant, le radeau n'apparaissait pas encore.

Enfin, un coup de brise enleva tout le brouillard...

Il n'y avait pas de radeau! Il n'y avait plus de lac. C'était l'immense mer qui s'étendait devant les regards!

Le lieutenant Hobson ne put retenir un geste de désespoir, et quand ses compagnons et lui se retournèrent, quand leurs yeux se portèrent à tous les points de l'horizon, un cri leur échappa!... Leur île n'était plus qu'un îlot!

Pendant la nuit, les six septièmes de l'ancien territoire du cap Bathurst — usés, rogés par le flot, — s'étaient abîmés dans la mer, sans bruit, sans convulsion, et le radeau, trouvant une issue, avait dérivé au large. Et ceux qui avaient mis en lui leur dernière chance ne pouvaient même plus l'apercevoir sur cet océan désert!

Les malheureux, suspendus sur un abîme prêt à les engloutir, sans ressources, sans aucun moyen de salut, furent terrassés par le désespoir. De ces soldats, quelques-uns, comme fous, voulurent se précipiter à la mer. Mrs. Paulina Barnett se jeta au-devant d'eux. Ils revinrent. Quelques-uns pleuraient.

On voit maintenant quelle était la situation des naufragés, et s'ils pouvaient conserver quelque espoir! Que l'on juge aussi de la position du lieutenant au milieu de ces infortunés à demi affolés! Vingt et une personnes emportées sur un îlot de glace, qui ne pouvait tarder à s'ouvrir sous leurs pieds! Avec cette vaste portion de l'île maintenant engloutie, avaient disparu les collines boisées. Donc, plus un arbre. En fait de bois, il ne restait plus que les quelques planches du logement, absolument insuffisantes pour la construction d'un nouveau radeau, qui pût suffire au transport de la colonie. La vie des naufragés était donc strictement limitée à la durée de l'îlot, c'est-à-dire à quelques jours au plus, car on était au mois de juin, et la température moyenne dépassait soixante-huit degrés Fahrenheit (20° centigr. au-dessus de zéro).

Pendant cette journée, le lieutenant Hobson crut devoir encore faire une reconnaissance de l'îlot. Peut-être conviendrait-il de se réfugier sur un autre point, auquel son épaisseur assurerait une durée plus longue? Mrs. Paulina Barnett et Madge l'accompagnèrent dans cette excursion.

«Espères-tu toujours? demanda Mrs. Paulina Barnett à sa fidèle compagne.

— Toujours!» répondit Madge. Mrs. Paulina Barnett ne répondit pas. Jasper Hobson et elle marchaient d'un pas rapide, en suivant le littoral. Toute la côte avait été respectée depuis le cap Bathurst jusqu'au cap Esquimau, c'est-à-dire sur une longueur de huit milles. C'était au cap Esquimau que la fracture s'était opérée, suivant une ligne courbe qui rejoignait la pointe extrême du lagon, dirigée vers l'intérieur de l'île. De cette pointe, le nouveau littoral se composait du rivage même du lagon, que baignaient maintenant les eaux de la mer. Vers la partie supérieure du lagon, une autre cassure se prolongeait jusqu'au littoral compris entre le cap Bathurst et l'ancien port Barnett. L'îlot représentait donc une bande oblongue, d'une largeur moyenne d'un mille seulement.

Des cent quarante milles carrés qui formaient autrefois la superficie totale de l'île, il n'en restait pas vingt!

Le lieutenant Hobson observa avec une extrême attention la nouvelle conformation de l'îlot et reconnut que sa portion la plus épaisse était encore l'emplacement de l'ancienne factorerie. Il lui parut donc convenable de ne point abandonner le campement actuel, et c'était aussi celui que les animaux, par instinct, avaient conservé.

Toutefois, on remarqua qu'une notable quantité de ces ruminants et de ces rongeurs, ainsi que le plus grand nombre des chiens qui erraient à l'aventure, avaient disparu avec la plus grande partie de l'île. Mais il en restait encore un certain nombre, principalement des rongeurs. L'ours, affolé, errait sur l'îlot et en faisait incessamment le tour, comme un fauve enfermé dans une cage.

Vers cinq heures du soir, le lieutenant Hobson et ses deux compagnes étaient rentrés au logement. Là, hommes et femmes, tous se trouvèrent réunis, silencieux, ne voulant plus rien voir, ne voulant plus rien entendre. Mrs. Joliffe s'occupait de préparer quelque nourriture. Le chasseur Sabine, moins accablé que ses compagnons, allait et venait, cherchant à obtenir un peu de venaison fraîche. Quant à l'astronome, il s'était assis à l'écart et jetait sur la mer un regard vague et presque indifférent! Il semblait que rien ne pût l'étonner!

Jasper Hobson apprit à ses compagnons les résultats de son excursion. Il leur dit que le campement actuel offrait une sécurité plus grande que tout autre point du littoral, et il recommanda même de ne plus s'en éloigner, car des traces d'une prochaine rupture se manifestaient déjà, à mi-chemin du campement et du cap Esquimau. Il était donc probable que la superficie de l'îlot ne tarderait pas à être considérablement réduite. Et, rien, rien à faire!

La journée fut réellement chaude. Les glaçons, déterrés pour fournir l'eau potable, se dissolvaient sans qu'il fût nécessaire d'employer le feu. Sur les parties accores du rivage, la croûte glacée s'en allait en minces filets qui tombaient à la mer. Il était visible que, d'une manière générale, le niveau moyen de l'îlot s'était abaissé. Les eaux tièdes rongeaient incessamment sa base.

On ne dormit guère au campement pendant la nuit suivante. Qui aurait pu trouver quelque sommeil en songeant qu'à tout instant l'abîme pouvait s'ouvrir, qui, si ce n'est ce petit enfant qui souriait à sa mère, et que sa mère ne voulait plus abandonner un instant?

Le lendemain, 4 juin, le soleil reparut au-dessus de l'horizon dans un ciel sans nuages. Aucun changement ne s'était produit pendant la nuit. La conformation de l'îlot n'avait point été altérée.

Ce jour-là, un renard bleu, effaré, se réfugia dans le logement et n'en voulut plus sortir. On peut dire que les martres, les hermines, les lièvres polaires, les rats musqués, les castors fourmillaient sur l'emplacement de l'ancienne factorerie. C'était comme un troupeau d'animaux domestiques. Les bandes de loups manquaient seules à la faune polaire. Ces carnassiers, dispersés sur la partie opposée de l'île au moment de la rupture, avaient été évidemment engloutis avec elle. Comme par un pressentiment, l'ours ne s'éloignait plus du cap Bathurst, et les animaux à fourrures, trop inquiets, ne semblaient même pas s'apercevoir de sa présence. Les naufragés eux-mêmes, familiarisés avec le gigantesque animal, le laissaient aller et venir, sans s'en préoccuper. Le danger commun, pressenti de tous, avait mis au même niveau les instincts et les intelligences.

Quelques moments avant midi, les naufragés éprouvèrent une émotion bien vive, qui ne devait aboutir qu'à une déception.

Le chasseur Sabine, monté sur le point culminant de l'îlot, et qui observait la mer depuis quelques instants, fit entendre ces cris:

«Un navire! un navire!»

Tous, comme s'ils eussent été galvanisés, se précipitèrent vers le chasseur. Le lieutenant Hobson l'interrogeait du regard.

Sabine montra dans l'est une sorte de vapeur blanche qui pointait à l'horizon. Chacun regarda sans oser prononcer une parole, et chacun vit ce navire dont la silhouette s'accentuait de plus en plus.

C'était bien un bâtiment, un baleinier sans doute. On ne pouvait s'y tromper, et, au bout d'une heure, sa carène était visible.

Malheureusement, ce navire apparaissait dans l'est, c'est-à-dire à l'opposé du point où le radeau entraîné avait dû se diriger. Ce baleinier, le hasard seul l'envoyait dans ces parages, et, puisqu'il n'avait point communiqué avec le radeau, on ne pouvait admettre qu'il fût à la recherche des naufragés, ni qu'il soupçonnât leur présence.

Maintenant, ce navire apercevrait-il l'îlot, peu élevé au-dessus de la surface de la mer? Sa direction l'en rapprocherait-il? Distinguerait-il les signaux qui lui seraient faits? En plein jour, et par ce beau soleil, c'était peu probable. La nuit, en brûlant les quelques planches du logement, on aurait pu entretenir un feu visible à une grande distance. Mais le navire n'aurait-il pas disparu avant l'arrivée de la nuit, qui ne devait durer qu'une heure à peine? En tout cas, des signaux furent faits, des coups de feu furent tirés.

Cependant, ce navire s'approchait! On reconnaissait en ce bâtiment un long trois-mâts, évidemment un baleinier de New-Arkhangel, qui, après avoir doublé la presqu'île d'Alaska, se dirigeait vers le détroit de Behring. Il était au vent de l'îlot, et, tribord amure, sous ses basses voiles, ses huniers et ses perroquets, il s'élevait vers le nord. Un marin eût reconnu à son orientation que ce navire ne laissait pas porter sur l'îlot. Mais peut-être l'apercevrait-il?

«S'il l'aperçoit, murmura le lieutenant Hobson à l'oreille du sergent Long, s'il l'aperçoit, il s'enfuira au contraire!»

Jasper Hobson avait raison de parler ainsi. Les navires ne redoutent rien tant, dans ces parages, que l'approche des icebergs et des îles de glace! Ce sont des écueils errants contre lesquels ils craignent de se briser, surtout pendant la nuit. Aussi se hâtent-ils de changer leur direction, dès qu'ils les aperçoivent. Ce navire n'agirait-il pas ainsi, dès qu'il aurait connaissance de l'îlot? C'était probable.

Par quelles alternatives d'espoir et de désespoir les naufragés passèrent, cela ne saurait se peindre. Jusqu'à deux heures du soir, ils purent croire que la Providence prenait enfin pitié d'eux, que le secours leur arrivait, que le salut était là! Le navire s'était toujours approché par une ligne oblique. Il n'était pas à six milles de l'îlot. On multiplia les signaux, on tira des coups de fusil, on produisit même une grosse fumée en brûlant quelques planches du logement...

Ce fut en vain. Ou le bâtiment ne vit rien, ou il se hâta de fuir l'îlot dès qu'il l'aperçut.

À deux heures et demie, il lofait légèrement et s'éloignait dans le nord-est.

Une heure après, il n'apparaissait plus que comme une vapeur blanche, et bientôt il avait entièrement disparu.

Un des soldats, Kellet, poussa alors des rires extravagants. Puis il se roula sur le sol. On dut croire qu'il devenait fou.

Mrs. Paulina Barnett avait regardé Madge, bien en face, comme pour lui demander si elle espérait encore!

Madge avait détourné la tête!...

Le soir de ce jour néfaste, un craquement se fit entendre. C'était toute la plus grande partie de l'îlot qui se détachait et s'abîmait dans la mer. Des cris terribles d'animaux éclatèrent dans l'ombre. L'îlot était réduit à cette pointe qui s'étendait depuis l'emplacement de la maison engloutie jusqu'au cap Bathurst!

Ce n'était plus qu'un glaçon!

XXIII.

Sur un glaçon.

Un glaçon! Un glaçon irrégulier, en forme de triangle, mesurant cent pieds à sa base, cent cinquante pieds à peine sur son plus grand côté! Et sur ce glaçon, vingt et un êtres humains, une centaine d'animaux à fourrures, quelques chiens, un ours gigantesque, en ce moment accroupi à la pointe extrême!

Oui! tous les malheureux naufragés étaient là! L'abîme n'en avait pas encore pris un seul. La rupture s'était opérée au moment où ils étaient réunis dans le logement. Le sort les avait encore sauvés, voulant sans doute qu'ils périssent tous ensemble!

Mais quelle situation! On ne parlait pas. On ne bougeait pas. Peut-être le moindre mouvement, la plus légère secousse eût-elle suffi à rompre la base de glace!

Aux quelques morceaux de viande sèche que distribua Mrs. Joliffe, personne ne put ou ne voulut toucher. À quoi bon?

La plupart de ces infortunés passèrent la nuit en plein air. Ils aimaient mieux cela: être engloutis librement, et non dans une étroite cabane de planches!

Le lendemain, 5 juin, un brillant soleil se leva sur ce groupe de désespérés. Ils se parlaient à peine. Ils cherchaient à se fuir. Quelques-uns regardaient d'un oeil troublé l'horizon circulaire, dont ce misérable glaçon formait le centre.

La mer était absolument déserte. Pas une voile, pas même une île de glace, ni un îlot. Ce glaçon, sans doute, était le dernier qui flottât sur la mer de Behring!

La température s'élevait sans cesse. Le vent ne soufflait plus. Un calme terrible régnait dans l'atmosphère. De longues ondulations soulevaient doucement ce dernier morceau de terre et de glace qui restait de l'île Victoria. Il montait et descendait sans se déplacer, comme une épave, et ce n'était plus qu'une épave, en effet!

Mais une épave, un reste de carcasse, le tronçon d'un mât, une hune brisée, quelques planches, cela résiste, cela surnage, cela ne peut fondre! Tandis qu'un glaçon, de l'eau solidifiée, qu'un rayon de soleil va dissoudre!...

Ce glaçon — et cela explique qu'il eût résisté jusqu'alors — formait la portion la plus épaisse de l'ancienne île. Une calotte de terre et de verdure le recouvrait, et il était supposable que sa croûte glacée mesurait une épaisseur assez grande. Les longs froids de la mer polaire avaient dû le «nourrir en glace», quand, autrefois, et pendant des périodes séculaires, ce cap Bathurst faisait la pointe la plus avancée du continent américain.

En ce moment, ce glaçon s'élevait encore en moyenne de cinq à six pieds au-dessus du niveau de la mer. On pouvait donc admettre que sa base avait une épaisseur à peu près égale. Si donc, sur ces eaux tranquilles, il ne courait pas le risque de se briser, du moins devait-il peu à peu se réduire en eau. On le voyait bien à ses bords qui s'usaient rapidement sous la langue des longues lames, et, presque incessamment, quelque morceau de terre, avec sa verdoyante végétation, s'écroulait dans les flots.

Un écroulement de cette nature eut lieu ce jour même, vers une heure du soir, dans la partie du sol occupée par le logement, qui se trouvait tout à fait sur la lisière du glaçon. Le logement était heureusement vide, mais on ne put sauver que quelques-unes des planches qui le formaient et deux ou trois poutrelles de toiture. La plupart des ustensiles et les instruments d'astronomie furent perdus! Toute la petite colonie dut se réfugier alors sur la partie la plus élevée du sol, ou rien ne la défendait des intempéries de l'air.

Là se trouvaient encore quelques outils, les pompes, et le réservoir à air que Jasper Hobson utilisa en y recueillant quelques gallons d'une pluie qui tomba en abondance. Il ne fallait plus, en effet, emprunter au sol déjà si réduit la glace qui fournissait jusqu'alors l'eau potable. Il n'était pas une parcelle de ce glaçon qui ne fût à ménager.

Vers quatre heures, le soldat Kellet, celui-là même qui avait donné déjà quelques signes de folie, vint trouver Mrs. Paulina Barnett et lui dit d'un ton calme:

«Madame, je vais me noyer.

— Kellet! s'écria la voyageuse.

— Je vous dis que je vais me noyer, reprit le soldat. J'ai bien réfléchi. Il n'y a pas moyen de s'en tirer. J'aime mieux en finir volontairement.

— Kellet, répondit Mrs. Paulina Barnett, en prenant la main du soldat, dont le regard était étrangement clair, Kellet, vous ne ferez pas cela!

— Si, madame, et comme vous avez toujours été bonne pour nous autres, je n'ai pas voulu mourir sans vous dire adieu. Adieu, madame!»

Et Kellet se dirigea vers la mer. Mrs. Paulina Barnett, épouvantée, s'attacha à lui. Jasper Hobson et le sergent accoururent à ses cris. Ils se joignirent à elle pour détourner Kellet d'accomplir son dessein. Mais le malheureux, pris par cette idée fixe, se contentait de secouer négativement la tête.

Pouvait-on faire entendre raison à cet esprit égaré? Non. Et cependant l'exemple de ce fou se jetant à la mer aurait pu être contagieux! Qui sait si quelques-uns des compagnons de Kellet, démoralisés au dernier degré, ne l'auraient pas suivi dans le suicide? Il fallait à tout prix arrêter ce malheureux prêt à se tuer.

«Kellet, dit alors Mrs. Paulina Barnett, en lui parlant doucement, souriant presque, vous avez de la bonne et franche amitié pour moi?

— Oui, madame, répondit Kellet avec calme.

— Eh bien, Kellet, si vous le voulez, nous mourrons ensemble... mais pas aujourd'hui.

— Madame!...

— Non, mon brave Kellet, je ne suis pas prête..., demain seulement... demain, voulez-vous?...»

Le soldat regarda plus fixement que jamais la courageuse femme. Il sembla hésiter un instant, jeta un regard d'envie féroce sur cette mer étincelante, puis, passant sa main sur ses yeux:

«Demain!» dit-il. Et ce seul mot prononcé, il alla d'un pas tranquille reprendre sa place parmi ses compagnons.

«Pauvre malheureux! murmura Mrs. Paulina Barnett, je lui ai demandé d'attendre à demain, et d'ici là, qui sait si nous ne serons pas tous engloutis!...»

Cependant, Jasper Hoson, qui ne voulait pas désespérer, se demandait s'il n'y aurait pas un moyen quelconque d'arrêter la dissolution de l'îlot, si on ne pouvait parvenir à le conserver jusqu'au moment où il serait en vue d'une terre quelconque!

Mrs. Paulina Barnett et Madge ne se quittaient plus d'un seul instant. Kalumah était couchée comme un chien auprès de sa maîtresse et cherchait à la réchauffer. Mrs. Mac Nap, enveloppée de quelques pelleteries, restes de la riche moisson du Fort- Espérance, s'était assoupie, son petit enfant sur son sein. Les autres naufragés, étendus çà et là, ne bougeaient pas plus que s'ils n'eussent été que des cadavres abandonnés sur une épave. Nul bruit ne troublait ce repos terrible. Seulement, on entendait la lame qui rongeait peu à peu le glaçon, et de petits éboulements se faisaient, dont le bruit sec marquait sa dégradation.

Parfois, le sergent Long se levait. Il regardait autour de lui, il parcourait la mer du regard; puis, un instant après, il reprenait sa position horizontale. À l'extrémité du glaçon, l'ours formait comme une grosse boule de neige blanche qui ne remuait pas.

Il y eut une heure d'obsurité. Aucun incident ne modifia la situation! Les basses brumes du matin se nuancèrent, vers l'orient, de teintes un peu fauves. Quelques nuages se fondirent au zénith, et bientôt les rayons du soleil glissèrent à la surface des eaux.

Le premier soin du lieutenant fut d'explorer le glaçon du regard. Son périmètre s'était encore réduit, mais, circonstance plus grave, sa hauteur moyenne au-dessus du niveau de la mer avait sensiblement diminué. Les ondulations de la mer, si faibles qu'elles fussent, suffisaient à le couvrir en partie. Seul le sommet du monticule échappait à leur atteinte.

Le sergent Long avait, de son côté, observé les changements qui s'étaient produits. Les progrès de la dissolution étaient si évidents qu'il ne lui restait plus aucun espoir.

Mrs. Paulina Barnett alla trouver le lieutenant Hobson.

«Ce sera pour aujourd'hui? lui demanda-t-elle.

— Oui, madame, répondit le lieutenant, et vous tiendrez la promesse que vous avez faite à Kellet!

— Monsieur Jasper, dit gravement la voyageuse, avons-nous fait tout ce que nous devions faire?

— Oui, madame.

— Eh bien, que la volonté de Dieu s'accomplisse!»

Cependant, pendant cette journée, une dernière tentative désespérée devait être faite. Une brise assez forte s'était levée et venait du large, c'est-à-dire qu'elle portait vers le sud-est, précisément dans cette direction où se trouvaient les terres les plus rapprochées des Aléoutiennes. À quelle distance? on ne pouvait le dire, depuis que, faute d'instruments, la situation du glaçon n'avait pu être relevée. Mais il ne devait pas avoir dérivé considérablement, à moins que quelque courant ne l'eût saisi, car il n'offrait aucune prise au vent.

Toutefois, il y avait là un doute. Si, par impossible, ce glaçon eût été plus près de terre que les naufragés ne le supposaient! Si un courant dont on ne pouvait constater la direction l'avait rapproché de ces Aléoutiennes tant désirées! Le vent portait alors vers ces îles, et il pouvait rapidement déplacer le glaçon, si on lui donnait prise. Le glaçon n'eût-il plus que quelques heures à flotter, en quelques heures la terre pouvait apparaître peut-être, ou sinon elle, du moins un de ces navires de cabotage ou de pêche qui ne s'élèvent jamais au large.

Une idée, d'abord confuse dans l'esprit du lieutenant Hobson, prit bientôt une étrange fixité. Pourquoi n'établirait-on pas une voile sur ce glaçon comme sur un radeau ordinaire? Cela était possible, en effet.

Jasper Hobson communiqua son idée au charpentier.

«Vous avez raison, répondit Mac Nap. Toutes voiles dehors.»

Ce projet, quelque peu de chances qu'il eût de réussir, ranima ces infortunés. Pouvait-il en être autrement? Ne devaient-ils pas se raccrocher à tout ce qui ressemblait à un espoir?

Tous se mirent à l'oeuvre, même Kellet, qui n'avait pas encore rappelé à Mrs. Paulina Barnett sa promesse.

Une poutrelle, formant autrefois le faîte du logement des soldats, fut dressée et fortement enfoncée dans la terre et le sable dont se composait le monticule. Des cordes, disposées comme des haubans et un étai, l'assujettirent solidement. Une vergue, faite d'une forte perche, reçut en guise de voile les draps et couvertures qui garnissaient les dernières couchettes, et fut hissée au haut du mât. La voile, ou plutôt cet assemblage de toiles, convenablement orientée, se gonfla sous une brise maniable, et au sillon qu'il laissait derrière lui, il fut bientôt évident que le glaçon se déplaçait plus rapidement dans la direction du sud-est.

C'était un succès. Une sorte de revivification se fit dans ces esprits abattus. Ce n'était plus l'immobilité, c'était la marche, et ils s'enivraient de cette vitesse, si médiocre qu'elle fût. Le charpentier était particulièrement satisfait de ce résultat. Tous, d'ailleurs, comme autant de vigies, fouillaient l'horizon du regard, et si on leur eût dit que la terre ne devait pas apparaître à leurs yeux, ils n'auraient pas voulu le croire!

Il devait en être ainsi cependant.

Pendant trois heures, le glaçon marcha sur les eaux assez calmes de la mer. Il ne résistait point au vent ni à la houle, au contraire, et les lames le portaient, loin de lui faire obstacle. Mais l'horizon se traçait toujours circulairement, sans qu'aucun point en altérât la netteté. Ces infortunés espéraient toujours.

Vers trois heures après midi, le lieutenant Hobson prit le sergent Long à part et lui dit:

«Nous marchons, mais c'est aux dépens de la solidité et de la dureé de notre îlot.

— Que voulez-vous dire, mon lieutenant?

— Je veux dire que le glaçon s'use rapidement au frottement des eaux accru par sa vitesse, il s'éraille, il se casse, et, depuis que nous avons mis à la voile, il a diminué d'un tiers.

— Vous êtes certain...

— Absolument certain, Long. Le glaçon s'allonge, il s'efflanque. Voyez, la mer n'est plus à dix pieds du monticule.»

Le lieutenant Hobson disait vrai, et avec ce glaçon, rapidement entraîné, il ne pouvait en être autrement.

«Sergent, demanda alors Jasper Hobson, êtes-vous d'avis de suspendre notre marche?

— Je pense, répondit le sergent Long, après un instant de réflexion, je pense que nous devons consulter nos compagnons. Maintenant, la responsabilité de nos décisions doit appartenir à tous.»

Le lieutenant fit un signe affirmatif. Tous deux reprirent leur place sur le monticule, et Jasper Hobson fit connaître la situation.

«Cette vitesse, dit-il, use rapidement le glaçon qui nous porte. Elle hâtera peut-être de quelques heures l'inévitable catastrophe. Décidez, mes amis. Voulez-vous continuer de marcher en avant?

— En avant!»

Ce fut le mot prononcé d'une commune voix par tous ces infortunés.

La navigation continua donc, et cette résolution des naufragés devait avoir d'incalculables conséquences. À six heures du soir, Madge se leva et, montrant un point dans le sud-est:

«Terre!» dit-elle.

Tous se levèrent, électrisés. Une terre, en effet, se levait dans le sud-est, à douze milles du glaçon.

«De la toile! de la toile!» s'écria le lieutenant Hobson.

On le comprit. La surface de voilure fut accrue. On installa sur les haubans des sortes de bonnettes au moyen de vêtements, de fourrures, de tout ce qui pouvait donner prise au vent.

La vitesse fut accrue, d'autant plus que la brise fraîchissait. Mais le glaçon fondait de toutes parts. On le sentait tressaillir. Il pouvait s'ouvrir à chaque instant.

On n'y voulait pas songer. L'espoir entraînait. Le salut était là- bas, sur ce continent. On l'appelait, on lui faisait des signaux! C'était un délire!

À sept heures et demie, le glaçon s'était sensiblement rapproché de la côte. Mais il fondait à vue d'oeil, il s'enfonçait aussi, l'eau l'ameurait, les lames le balayaient et emportaient peu à peu les animaux affolés de terreur. À chaque instant, on devait craindre que le glaçon ne s'abîmât sous les flots. Il fallut l'alléger comme un navire qui coule. Puis on étendit avec soin le peu de terre et de sable qui restait sur la surface glacée, vers ses bords surtout, de manière à les préserver de l'action directe des rayons solaires! On y plaça aussi des fourrures, qui, de leur nature, conduisent mal la chaleur. Enfin, ces hommes énergiques employèrent tous les moyens imaginables pour retarder la catastrophe suprême. Mais tout cela était insuffisant. Des craquements couraient à l'intérieur du glaçon, et des fentes se dessinaient à sa surface. Quelques-uns pagayaient avec des planches. Mais déjà l'eau se faisait jour à travers, et la côte était encore à quatre milles au vent!

«Allons! un signal, mes amis, s'écria le lieutenant Hobson, soutenu par une énergie héroïque. Peut-être nous verra-t-on!»

De tout ce qui restait d'objets combustibles, deux ou trois planches, une poutrelle, on fit un bûcher et on y mit le feu. Une grande flamme monta au dessus de la fragile épave!

Mais le glaçon fondait de plus en plus, et, en même temps, il s'enfonçait. Bientôt, il n'y eut plus que le monticule de terre qui émergeât! Là, tous s'étaient réfugiés, en proie aux angoisses de l'épouvante, et, avec eux, ceux des animaux, en bien petit nombre, que la mer n'avait pas encore dévorés! L'ours poussait des rugissements formidables.

L'eau montait toujours. Rien ne prouvait que les naufragés eussent été aperçus. Certainement, un quart d'heure ne se passerait pas avant qu'ils fussent engloutis...

N'y avait-il donc pas un moyen de prolonger la durée de ce glaçon? Trois heures seulement, trois heures encore, et on atteindrait peut-être cette terre qui n'était pas à trois milles sous le vent! Mais que faire? que faire?

«Ah! s'écria Jasper Hobson, un moyen, un seul pour empêcher ce glaçon de se dissoudre. Je donnerais ma vie pour le trouver! Oui! ma vie!»

En ce moment, quelqu'un dit d'une voix brève:

«Il y en a un!»

C'était Thomas Black qui parlait! C'était l'astronome qui, depuis si longtemps, n'avait plus ouvert la bouche, pour ainsi dire, et qui ne semblait plus compter comme un vivant parmi tous ces êtres voués à la mort! Et la première parole qu'il prononçait, c'était pour dire: «Oui, il y a un moyen d'empêcher ce glaçon de se dissoudre! Il y a encore un moyen de nous sauver!»

Jasper Hobson s'était précipité vers Thomas Black. Ses compagnons et lui interrogeaient l'astronome du regard. Ils croyaient avoir mal entendu.

«Et ce moyen? demanda le lieutenant Hobson.

— Aux pompes!» répondit seulement Thomas Black.

Thomas Black était-il fou? Prenait-il le glaçon pour un navire qui sombre avec dix pieds d'eau dans sa cale?

Cependant, il y avait bien là, en effet, les pompes d'aération et aussi le réservoir à air qui servait alors de charnier pour l'eau potable! Mais en quoi ces pompes pouvaient-elles être utiles? Comment serviraient-elles à durcir les arêtes de ce glaçon qui fondait de toutes parts?

«Il est fou! dit le sergent Long.

— Aux pompes! répéta l'astronome. Remplissez d'air le réservoir!

— Faisons ce qu'il dit!» s'écria Mrs. Paulina Barnett.

Les pompes furent emmanchées au réservoir, dont le couvercle fut rapidement fermé et boulonné. Les pompes fonctionnèrent aussitôt, et l'air fut emmagasiné dans le réservoir sous une pression de plusieurs atmosphères. Puis, Thomas Black prenant un des tuyaux de cuir soudés au réservoir, et qui, une fois le robinet ouvert, pouvait donner passage à l'air comprimé, il le promena sur les bords du glaçon, partout où la chaleur le dissolvait.

Quel effet se produisit, à l'étonnement de tous! Partout où cet air était projeté par la main de l'astronome, le dégel s'arrêtait, les fentes se raccordaient, la congélation se refaisait!

«Hurrah! hurrah!» s'écrièrent tous ces infortunés.

C'était un travail fatigant que la manoeuvre des pompes, mais les bras ne manquaient pas! On se relayait. Les arêtes du glaçon se revivifiaient comme si elles étaient soumises à un froid excessif.

«Vous nous sauvez, monsieur Black! dit Jasper Hobson.

— Mais rien de plus naturel!» répondit simplement l'astronome.

Rien n'était plus naturel, en effet, et voici l'effet physique qui se produisait en ce moment.

La recongélation du glaçon se refaisait pour deux motifs: d'abordparce que sous la pression de l'air, l'eau, en se volatilisant à la surface du glaçon, produisait un froid rigoureux; et ensuite parce que cet air comprimé empruntait, pour se détendre, sa chaleur à la surface dégelée. Partout où une fracture se produisait, le froid, provoqué par la détente de l'air, en cimentait les bords, et, grâce à ce moyen suprême, le glaçon reprenait peu à peu sa solidité première.

Et ce fut ainsi pendant plusieurs heures. Les naufragés, remplis d'un immense espoir, travaillaient avec une ardeur que rien n'eût arrêtée!

On approchait de terre.

Quand on ne fut plus qu'à un quart de mille de la côte, l'ours se jeta à la nage, et il atteignit bientôt le rivage et disparut.

Quelques instants après, le glaçon s'échouait sur une grève. Les quelques animaux qui l'occupaient encore prenaient la fuite. Puis les naufragés débarquaient, tombaient à genoux et remerciaient le Ciel de leur miraculeuse délivrance.

XXIV.

Conclusion.

C'était à l'extrémité de la mer de Behring, sur la dernière des Aléoutiennes, l'île Blejinic, que tout le personnel du Fort- Espérance avait pris terre, après avoir franchi plus de dix-huit cents milles depuis la débâcle des glaces! Des pêcheurs aléoutiens, accourus à leur secours, les accueillirent hospitalièrement. Bientôt même, le lieutenant Hobson et les siens furent mis en relation avec les agents anglais du continent, qui appartenaient à la Compagnie de la baie d'Hudson.

Il est inutile de faire ressortir, après ce récit détaillé, le courage de tous ces braves gens, bien dignes de leur chef, et l'énergie qu'ils avaient montrée pendant cette longue série d'épreuves. Le coeur ne leur avait pas manqué, ni à ces hommes ni à ces femmes, auxquels la vaillante Paulina Barnett avait toujours donné l'exemple de l'énergie dans la détresse, et de la résignation aux volontés du Ciel. Tous avaient lutté jusqu'au bout et n'avaient pas permis au désespoir de les abattre, même quand ils virent ce continent, sur lequel ils avaient fondé le Fort- Espérance, se changer en île errante, cette île en îlot, cet îlot en glaçon, non pas même enfin, quand ce glaçon se fondit sous la double action des eaux chaudes et des rayons solaires! Si la tentative de la Compagnie était à reprendre, si le nouveau fort avait péri, nul ne pouvait le reprocher à Jasper Hobson ni à ses compagnons, qui avaient été soumis à des éventualités en dehors des prévisions humaines. En tout cas, des dix-neuf personnes confiées au lieutenant, pas une ne manquait au retour, et même la petite colonie s'était accrue de deux nouveaux membres, la jeune Esquimaude Kalumah et l'enfant du charpentier Mac Nap, le filleul de Mrs. Paulina Barnett.

Six jours après le sauvetage, les naufragés arrivaient à New-Arkhangel, la capitale de l'Amérique russe.

Là, tous ces amis, qui avaient été si étroitement attachés les uns aux autres par le danger commun, allaient se séparer pour jamais, peut-être! Jasper Hobson et les siens devaient regagner le Fort- Reliance à travers les territoires de la Compagnie, tandis que Mrs. Paulina Barnett, Kalumah qui ne voulait plus se séparer d'elle, Madge et Thomas Black comptaient retourner en Europe par San Francisco et les États-Unis. Mais avant de se séparer, le lieutenant Hobson, devant tous ses compagnons réunis, d'une voix émue, parla en ces termes à la voyageuse:

«Madame, soyez bénie pour tout le bien que vous avez fait parmi nous! Vous avez été notre foi, notre consolation, l'âme de notre petit monde! Je vous en remercie au nom de tous!»

Trois hurrahs éclatèrent en l'honneur de Mrs. Paulina Barnett. Puis chacun des soldats voulut serrer la main de la vaillante voyageuse. Chacune des femmes l'embrassa avec effusion.

Quant au lieutenant Hobson, qui avait conçu pour Mrs. Paulina Barnett une affection si sincère, ce fut le coeur bien gros qu'il lui donna la dernière poignée de main.

«Est-ce qu'il est possible que nous ne nous revoyions pas un jour? dit-il.

— Non, Jasper Hobson, répondit la voyageuse, non, ce n'est pas possible! Et si vous ne venez pas en Europe, c'est moi qui reviendrai vous retrouver ici... ici ou dans la nouvelle factorerie que vous fonderez un jour...»

En ce moment, Thomas Black, qui, depuis qu'il venait de reprendre pied sur la terre ferme, avait retrouvé la parole, s'avança:

«Oui, nous nous reverrons... dans vingt-six ans! dit-il de l'air le plus convaincu du monde. Mes amis, j'ai manqué l'éclipse de 1860, mais je ne manquerai pas celle qui se reproduira dans les mêmes conditions et aux mêmes lieux, en 1886. Donc dans vingt-six ans, à vous chère madame, et à vous, mon brave lieutenant, je donne de nouveau rendez-vous aux limites de la mer polaire.»

FIN

Milton Keynes UK
Ingram Content Group UK Ltd.
UKHW050839261023
431376UK00010B/373

9 791041 971855